«Die Geschichten sind so dicht, dass man noch bei zehn Grad plus den Schnee fallen spürt.»
(WAZ)

Annamari Arrakoski, geboren 1969 in Finnland, studierte in Deutschland Literatur und lebt heute mit Mann und kleiner Tochter wieder in Helsinki. Sie ist eine der wichtigsten Verlegerinnen ihres Landes.

Annamari Arrakoski (Hg.)

Das große Buch der skandinavischen Weihnachtsgeschichten

Deutsch von Coletta Bürling, Wolfgang Butt,
Susanne Dahmann, Hiltrud Hildur Gudmundsdóttir,
Gabriele Haefs und Angela Plöger

Rowohlt Taschenbuch Verlag

3. Auflage November 2006

Veröffentlicht im Rowohlt Taschenbuch Verlag,
Reinbek bei Hamburg, November 2006
Copyright © 2006 by Rowohlt Verlag GmbH,
Reinbek bei Hamburg
Weihnachtsgeschichten aus Skandinavien
Copyright © 2002 by Rowohlt Verlag GmbH,
Reinbek bei Hamburg
Die spannendsten Weihnachtsgeschichten aus Skandinavien
Copyright © 2004 by Rowohlt Verlag GmbH,
Reinbek bei Hamburg
Umschlaggestaltung any.way, Wiebke Jakobs
(Foto: Per Andre Hoffmann/LOOK)
Satz Fairfield LH PostScript bei
Pinkuin Satz und Datentechnik, Berlin
Druck und Bindung Clausen & Bosse, Leck
Printed in Germany
ISBN 13: 978 3 499 24460 5
ISBN 10: 3 499 24460 8

★ ★ ★

Weihnachtsgeschichten aus Skandinavien

★ ★ ★

Inhalt

Unni Lindell Der Wettlauf
Aus dem Norwegischen von
Gabriele Haefs

Sie stellte ihren kleinen VW auf dem beleuchteten Parkplatz ab. Andere Wagen waren dort nicht zu sehen.

Beim Aussteigen stieß sie mit dem Kopf an. Ach, verflixt! Sie war einfach zu groß für so eine kleine Büchse von Auto. Für eine Frau war sie groß geraten. Groß und gut aussehend, würden manche vielleicht sagen.

Feminin auf eine maskuline Weise. Starkes Gesicht mit klaren, regelmäßigen Zügen.

Sie nahm die Skier vom Dachgestell und schnallte sie an. Der Abend war kalt und sternenklar. Die Lichtloipe war in weißes, eiskaltes Licht gebadet. Ein perfekter Abend. Es war fünf Tage vor Weihnachten. Der feine Schnee, der am Vortag gefallen war, ließ die Loipe trotz der Kälte weich wirken.

Die ersten Hügel waren die schlimmsten. Ihre Muskeln saßen noch steif und kalt in Oberschenkeln und Wangen. Sie spannte ihren langen Körper an und brachte die ersten Hänge in gleichmäßigem, wenn auch nicht allzu hohem Tempo hinter sich.

Die Stille war das Beste von allem. Kein Laut zu hören. Es gab nur Kälte, Dunkelheit und die beleuchteten Spuren. Sie war fast immer allein hier. Das lag natürlich daran, dass sie erst so spät abends loslief. Jetzt war es fünf vor halb elf.

Das Rauschen der Skier über die kalte Schneefläche wurde zu einem einsamen Rhythmus, der im Takt mit ihrem Herzen schlug.

Sie entspannte sich.

Wenn sie und Tormod im Winter am Mittelmeer Urlaub gemacht hatten, hatten ihr vor allem diese Touren gefehlt. Sie waren zwar immer nur zwei oder drei Wochen verreist gewesen, aber dennoch … In der Wärme und unter den anderen Touristen war der ansonsten so langweilige Tormod auf unverhohlen alberne Weise aufgeblüht. Der Alkohol war nur so geflossen, und Tormod hatte lautstarke und nichts sagende Gespräche mit Deutschen und Schweden geführt, während sie daneben saß und an ihrem Glas nippte.

Im Hotelzimmer hatte sie sich dann ihren «ehelichen Pflichten» nicht entziehen können, und allein das war schon ein Albtraum gewesen.

Ab und zu hatte sie ihn dermaßen verabscheut, dass sie sich vor ihren eigenen Gefühlen gefürchtet hatte. Er hatte nicht verstehen können, dass sie lieber zu Hause sein wollte, in Schnee und Kälte. Er hatte nicht begriffen, dass sie «dort unten» nicht eine Sekunde vor ihm Ruhe hatte. Zu Hause schliefen sie doch immerhin in getrennten Zimmern.

Auf einem Hügelkamm hielt sie inne und stützte sich auf ihre Skistöcke. Die Loipe führte jetzt ein ganzes Stück weit geradeaus, um dann nach links abzubiegen und abwärts zu gehen. Sie kannte die Loipe in- und auswendig und hätte sie mit verbundenen Augen laufen können. Ab und zu begegneten ihr hier andere Skiläufer, aber das passierte doch eher früher am Abend. Auch heute hatte einige Stunden zuvor sicher reger Betrieb geherrscht, vor allem Männer in Trainingsjacken, die den Namen eines Skiclubs auf dem Rücken trugen. Jetzt saßen sie bestimmt zu Hause vor dem Fernseher, frisch geduscht und mit gutem Gewissen.

Es tat gut, die Wärme im Körper zu spüren, trotz der kalten Luft. Mechanisch, wie ein programmierter Roboter, glitt sie vorwärts.

★

In der letzten Zeit war sie ein wenig nervös gewesen. Das war sicherlich kein Wunder, sie war ja erst seit einigen Monaten Witwe. Sie merkte es vor allem im Büro. Dort konnte sie ihren eigenen Gedanken folgen und dann entsetzt hochfahren, wenn jemand an die Tür klopfte oder das Telefon klingelte.

Ihre Freundinnen verstanden nicht, dass sie hier allein durch die Dunkelheit zu laufen wagte, aber ihr wäre nie die Idee gekommen, dass das gefährlich sein könnte. Sie war gern allein unterwegs.

Angst war ein Begriff, der ihr eigentlich unbekannt war, obwohl sie zugeben musste, dass sie ab und zu ein Gefühl wahrnahm, das damit Ähnlichkeit haben mochte, jetzt, wo sie allein war.

Sie legte eine kurze Atempause ein. Die Stille war zwar nicht gerade bedrückend, aber doch aufdringlich. Ihr Herz hämmerte in lauten rhythmischen Schlägen, die ihre Ohren rauschen ließen.

Die Schläge wurden nach und nach leiser, das Rauschen dagegen änderte sich nicht. Es hörte sich an wie harte Skierflächen auf kaltem Schnee. Aber sie stand doch still!

Ihre Kopfhaut fror, obwohl sie sich die Skimütze tief über die Ohren gezogen hatte. Sie lief weiter und kam rasch voran.

Als sie den Kopf in den Nacken warf, fingen ihre Augen das Himmelsgewölbe ein. Es war weit und dunkel.

Ihre Skier knirschten auf dem Schnee und trommelten in ihren Gedanken eine Melodie, die sie eigentlich gar nicht hören wollte. Ich habe keine Angst, ich habe keine Angst, sang in ihr eine Stimme. Sie musste lachen. So dumm hatte sie sich früher nie angestellt! Aber im Büro war in letzter Zeit so viel zu tun gewesen. Sie hatte einige Abende Überstunden gemacht und auch Arbeit mit nach Hause genommen. Sie schlief nachts nicht mehr gut. Sie war ganz einfach überarbeitet.

Ich habe keine Angst, ich habe keine Angst. Vielleicht sollte sie doch eine Pause einlegen und sich noch einmal ein wenig ausruhen. Nein, im Grunde war sie nicht so müde.

Die Loipe führte jetzt ein Stück geradeaus, bis zu der sanften Böschung, die bei den hohen Tannen begann. Sie hatte einen Kloß im Hals und versuchte vergeblich, ihn hinunterzuschlucken. Der Speichel war in ihrem Mund vertrocknet. Sie versuchte, an etwas anderes zu denken als an Finsternis und Einsamkeit im tiefen Wald. Tormods Gesicht nahm deutliche Formen an. Seine Augen, dumm, aber zugleich vorwurfsvoll und hart.

Sie waren so verschieden gewesen. Sie verstand nicht, warum sie ihn geheiratet hatte. Er war sechzehn Jahre älter als sie, und schon damals hatte er wie ein «alter Mann» gewirkt. Sie wusste nicht, ob er jemals jung gewesen war.

Die Reihenhauswohnung, die eine Viertelstunde Fahrzeit von der Lichtloipe entfernt lag, war in gewisser Hinsicht während der letzten Jahre für sie beide zu klein gewesen. «Wir sprechen nicht mehr miteinander», hatte er gesagt. «Aber wir sind doch verheiratet. Tagsüber arbeiten wir beide, und abends läufst du Ski. Nicht einmal das Schlafzimmer teilen wir noch.»

Vielleicht war Tormods Geist hinter ihr her, um sich zu rächen. Herrgott, jetzt musste sie sich aber zusammenreißen. Hinter ihr war doch wohl niemand her! Oder vielleicht doch?

Plötzlich wusste sie eins ganz klar: Sie hatte Angst um ihr Leben, nicht nur vor ihren Gedanken und Phantasien. Das Geräusch hinter ihr sprach für sich. Sie hatte sich nicht umgeschaut, doch instinktiv wusste sie es genau: Jemand kam hinter ihr her!

Sie spürte die Gefahr in ihrem warmen Körper wie eine Kältewelle. Das Blut brauste durch ihre Handgelenke. Ihr Herz tat weh.

Natürlich konnte es sich auch um einen harmlosen Skiläufer handeln, der sie bald überholen und dann zwischen den Bäumen verschwinden würde.

Aber so war es nicht! Das spürte sie im ganzen Leib.

Sie blieb stehen. Eine Sekunde, zwei Sekunden. Das Herz zitterte in ihrer Brust. Sie riss den Kopf herum, und ihre Augen fingen für einen Moment den Mann ein, der hinter ihr herkam. Ein wehes Schluchzen steckte ihr im Hals, hart und schmerzhaft. Herrgott.

Im selben Moment hörte sie das Lachen. Er lachte ein gieriges, schallendes Lachen, das durch die Kälte rollte. Außer ihnen war so spät niemand mehr unterwegs. Sie triefte vor Schweiß, ihre Beine waren steif, und sie zitterte. Die Skier jagten wie Pfeile dahin.

Er lief schnell und holte immer mehr auf. Das hier war gefährlich. Lebensgefährlich. Sie keuchte seltsame Geräusche aus sich heraus und lief um ihr Leben.

Es ging so entsetzlich schnell. Das Licht erlosch. Die Loipe war stockdunkel. Der Wald war schwarz.

Ihre Augen waren noch vom Licht erfüllt, und deshalb konnte sie nichts sehen. Ihm ging es ebenso. Sie hörte ein leises Fluchen.

Sie kannte die Loipe auswendig, jede Kurve und jeden Hang. Bei ihm war das vielleicht anders. Sie weinte jetzt laut und wusste plötzlich, wie ein gejagtes Tier empfinden musste. Sie war die Beute, und das spürte jede einzelne Zelle in ihrem Körper. Zugleich hatte sie aber noch etwas anderes registriert. Der «Jäger» war ein wenig zurückgefallen. Hinter der nächsten Kurve lag ein steiler Hang, und danach bog die Loipe scharf nach links ab. Unten am Hang wäre sie fast gestürzt. Offenbar lag etwas im Weg, vielleicht eine Apfelsinenschale oder ein Schokoladenpapier. Ihr Körper war zusammengezuckt wie nach einem Stoß, aber sie hatte im letzten Moment das Gleichgewicht bewahren können.

Er stürzte. Einige Meter hinter sich hörte sie den schweren Fall.

★

Die Furcht steckte ihr noch immer im Leib, aber jetzt hatte auch etwas anderes sie gepackt: eine Art Ekstase, wie bei einem Soldaten, der weiter über das Schlachtfeld läuft, während seine Kameraden um ihn herum zu Boden sinken. Ihre Haut prickelte. Sie war die Maus, die mit der Katze spielte. Sie fror. Sie zitterte. Er war wieder auf die Beine gekommen. Die Jagd ging weiter. Sie hatte kein Gefühl für die Zeit. Wie lange waren sie schon unterwegs? Eine halbe Stunde, zwanzig Minuten? Vermutlich eher fünf.

Die Loipe führte jetzt über eine weite Lichtung. Der weiße Schnee erleichterte hier das Sehen. Die Beine zogen die Skier mit sich. Sie konnte seinen Atem hören. Wie weit er hinter ihr lag, wusste sie nicht. Zwei Meter, vielleicht nur einen. Ihr kam für einen Moment der Gedanke aufzugeben. Anzuhalten. Sich in den Schnee fallen und alles darauf ankommen zu lassen. Sie war so müde. Fast alle Kräfte waren verbraucht. Wie lange sollte das noch weitergehen? Was könnte sie retten?

Doch der bloße Gedanke daran, dass sie auch aufgeben könnte, brachte sie dazu, ihrem Körper das Unmögliche abzuverlangen. Die neue Kraft jagte sie weiter. Sie konnte jetzt nicht sterben, wollte nicht! Tormod war tot. Sie lebte, und damit wollte sie auch weitermachen.

Der Boden war flach, und sie sah vor sich die Loipe wie einen dunklen Strich. Ein Stück weiter vorn führte eine schmale Brücke über den Fluss, auf dem anderen Ufer war es dann nur noch ein kurzes Stück bis zur Wendestelle, danach ging es denselben Weg zurück.

Und dann? Wenn sie es überhaupt noch so weit schaffte?

Es gab eine Möglichkeit … aber konnte das glücken? Ihr Kopf war ein einziges Wirrwarr aus Gedanken, Spannung und

Berechnung. Wenn ... die Loipenspuren waren hier ziemlich tief, deshalb folgten die Skier ihnen automatisch, wie ein Zug, der über Schienen rollt.

Sie war total erschöpft. Hatte keine Kräfte mehr. Fast keine.

Die Übelkeit jagte ihr ruckhaft durch den Leib. Ihre Lippen waren vom gefrorenen Speichel geschwollen. Die Haare hingen in langen Strähnen unter der Mütze. Der Blutgeschmack klebte wie ein bitterer Klumpen aus Furcht unter ihrer Zunge.

Die Welt um sie herum war ganz still. Die Erde drehte sich nicht mehr.

Ihr Herz war das einzige Geräusch, das sie wahrnehmen konnte.

Jetzt hatte er sie wieder eingeholt! Sie spürte seine Skier dicht an ihren. Das brachte sie aus dem Gleichgewicht, beinahe wäre sie gestürzt. Auch er keuchte, aber er hatte noch Kräfte. Er war ein Mann!

Einer letzten Geste gleich riss sie die Skier aus der Loipe, nur zehn Meter von der kleinen Brücke entfernt. Ihre Skier jagten durch den Neuschnee und zogen Spuren. Sie hatte ihn überrascht. Doch schon eine Sekunde darauf war er wieder hinter ihr. Würde sie es schaffen? Noch ein paar Meter. Noch drei! Zwei, einer!

Sie flog wie eine Elfe über den Fluss. Die dünne, vom Neuschnee bedeckte Eisschicht konnte ihren Körper für eine Sekunde tragen, und danach stand sie schon auf der anderen Seite. Die Eisschollen verschwanden im Brausen des Flusses. Und das tat auch er. Er rief etwas und mühte sich im kalten Wasser mit Skiern und Stöcken ab. Die Strömung trug ihn davon. Sein Kopf schwamm auf dem Wasser wie ein kleines Boot und tauchte einige Male unter und wieder auf.

Dann war er verschwunden.

Er war verschwunden! Und sie stand da mit glühenden Wangen und lauschte auf das Rauschen des Flusses. Ihre Haare saßen voller Eiszapfen, und die Tränen strömten nur so. Sie hatte es geschafft. Sie hatte es geschafft.

★

Die Stille im Wald war überwältigend. Und dann war das Licht wieder da. Wie Gold tropfte es auf sie herab. Langsam kehrte sie ins Leben zurück. Ihr Herz zitterte nicht mehr so, doch eine große Müdigkeit überkam sie, und sie konnte sich fast nicht bewegen.

Langsam machte sie sich auf den Rückweg. Zuerst ging sie einige Meter am Flussufer aufwärts, bis sie die Brücke erreichte, die mit zur Loipe gehörte. Der Rückweg war lang. Sehr lang. Sie arbeitete sich sehr langsam, aber auch sehr sicher zurück. Nach einer Weile fühlte sie sich in dem tiefen Wald unwohl und steigerte ihr Tempo ein wenig. Endlich sah sie unter sich den Parkplatz, und bei der letzten Abfahrt hatte sie ihren Körper wieder vollständig unter Kontrolle.

Dort stand jetzt noch ein weiterer Wagen, ein silbergrauer BMW. Mortens Auto. Sie hatte gewusst, dass er an diesem Abend kommen würde. Das hatten sie tagsüber während der Arbeit verabredet. Um halb elf auf dem Parkplatz. Aber sie hatte nicht auf ihn gewartet. Ganz bewusst. Sie hatte einen kleinen Vorsprung gebraucht. Aber Herrgott, es war wirklich nur um Haaresbreite gut gegangen. Zwischendurch hatte sie schon befürchtet, ihr schöner Plan könne fehlschlagen. Sie hatte doch nicht ahnen können, dass er so gut in Form war.

Morten wusste, dass sie Tormod getötet hatte. Auf einer Betriebsfeier hatte sie zu viel getrunken und sich ihm in einem schwachen Moment anvertraut. Sie hatte geglaubt, sie könne sich auf ihn verlassen. Sie hätte es besser wissen müssen. Er war doch ein Mann. Seither hatte er sie ausgenutzt, sie erniedrigt. Gedroht, sie zu verraten, wenn sie ihm nicht zu

Willen war. Zweimal war sie in seiner Wohnung gewesen. Aber jetzt war Schluss damit! Sie ließ ihren VW an. Es schneite wieder. Leichte weiße Flocken, die die Sicht behinderten. Sie hörte den Motor, schaltete in den Rückwärtsgang und trat aufs Gaspedal. Der Wagen bewegte sich nicht, er stand einfach im Leerlauf da, während der Schnee leise auf die Windschutzscheibe rieselte.

Iselin C. Hermann
Ein Weihnachtsmärchen
Aus dem Dänischen von
Gabriele Haefs

Komm, setz dich zu mir hier in die Ecke. Komm, setz dich und komm erst einmal zur Ruhe. Schwuppdiwupp, was du jetzt noch nicht geschafft hast, kannst du auch erst einmal ruhen lassen. Ich glaube, eine Tasse Tee wird dir gut tun, und deshalb sitzen wir noch eine Weile hier im Dunkeln, ehe das Fest losgeht. Diese Stunde ist die beste des ganzen Weihnachtsfestes; so geruhsam und traulich, und mit einem schwelenden Unterton von gespannter Erwartung. Hör gut zu! Du hörst die Ungeduld der Kinder, sie sind gespannt wie ein Flitzebogen. Kannst du nicht auch das Echo deiner eigenen Spannung hören, von damals, als du ein Kind warst? Da warst du sicher, dass der Heilige Abend niemals kommen würde.

Die Zeiger der Standuhr waren am Zifferblatt angenagelt, die Welt drehte sich nicht mehr, die Zeit hatte einen Herzschlag erlitten. Aber nicht alles Leben hatte aufgehört, du hattest schließlich Schmetterlinge im Bauch. Und das ist der Ton, den du jetzt hörst. In der Mitte des Lebens kam mir die Kindheit weit fort und unwiderruflich vor. Aber, weißt du, mit dem Alter kehrt sie zurück und steht uns immer klarer vor Augen, während sich das Leben unserer reifen Jahre mehr und mehr im Nebel verliert. Warum hatten wir es eigentlich so eilig? Ich weiß es nicht mehr genau, aber an das Gefühl, die ganze Zeit etwas vergessen zu haben, etwas, das wir aus dem Augenwinkel heraus ahnten, daran kann ich mich erinnern.

Doch vergiss dieses Gefühl jetzt, Liebes, und hör dir mein Weihnachtsmärchen an.

In jedem Jahr kamen wir von weit her. Zuerst mit dem Zug aus der Stadt, dann das letzte Stück mit dem Pferdeschlitten. Laurids holte uns am Bahnhof ab und schlug sich immer wieder die Arme um den Leib, um nicht zu sehr zu frieren. Stets hatten wir weiße Weihnachten. Zwei Pferde – Lotte Munterklang und Rabe – waren nötig, um uns zu ziehen. Aber wir waren ja auch viele; der Schlitten war voll und musste einige Male hin- und herfahren. Onkel und Tanten, Cousinen und Vettern, die unverheiratete Lateinlehrerin «Ergo sum» und Patenonkel Knud, der nie eine Frau angesehen hatte. Das weiß man, ehe man es begreift. Man kann es riechen. Und warum wären sie am Heiligen Abend auch hergekommen, wenn sie ein eigenes Heim gehabt hätten?

Auf der Fahrt durch die Allee musste man sagen: «Aber was ist das denn für ein Hof?» Das musste man sagen, das gehörte sich so. Und da lag er dann, der Hof, und hinter allen Fenstern brannten Lichter, oben wie unten, vom Keller bis zur Mansarde. Großvater empfing uns in der Diele, mit seiner breiten Brust und dem Atem, der ihm wie eine Fahne aus dem Mund flatterte, so kalt war es nämlich. Großvater, der uns auf die Schultern klopfte, wie seinen Pferden. Patenonkel Knud und Großvater reichten einander die Hand und wünschten sich ein «fröhliches Fest». Kutscherpelze und Geschenke und «die Kinder dürfen den Weihnachtsbaum nicht sehen». Auch das gehörte dazu, und es musste oft gesagt werden. «Die Kinder dürfen den Weihnachtsbaum nicht sehen», wie ein Schlüssel, mit dem eine Feder bis zum Zerreißpunkt gespannt wurde. Wir wussten aus dem vergangenen Jahr und aus dem davor, dass der Weihnachtsbaum bis an die Decke reichte. «Aber in diesem Jahr ist er höher denn je, Kinder.» Das glaubten wir, und dann blieben die Uhrzeiger stehen. Man konnte nichts dagegen tun. Und es war unbegreiflich, dass die Erwachsenen einfach dastehen und heißen Punsch trinken und reden und offenbar vergessen konnten, dass doch der Heilige Abend war. Dann aber klatschte Großmutter endlich in die Hände, und es war serviert. Und wie lang der Tisch war! So viele Gedecke, mehr als meine Glückszahl beträgt. Wir brachten nicht einen Bissen hinunter, wir Kinder, obwohl wir den süßen Reisbrei so gern aßen. Und obwohl es als Mandelgeschenk ein Marzipanschwein gab. Zwei Heilige Abende hintereinander fand Patenonkel Knud die Mandel. Langsam und sorgfältig zerkaute er sie dann. Verschwunden war der Beweis, wir hätten weinen mögen, und niemand bekam das Mandelgeschenk! Das hätte doch nicht immer wieder passieren dürfen!

★

In dem Sommer, in dem ich acht wurde, starb er dann. Nicht weil ihm die Mandel im Hals stecken geblieben wäre, die hatte er schließlich überaus sorgfältig zerkaut. Er legte sich einfach hin und starb, wie es hieß. Ich besuchte zum ersten Mal eine Beerdigung. Das Grab war tief und mit Tannenzweigen ausgelegt. Von unten stieg Weihnachtsduft auf und brachte den Juli in Unordnung. Ich wurde acht und vergaß alles über Patenonkel Knud. Die Blätter wurden gelb, sie wurden braun, und dann fielen sie vom Baum. In diesem Winter war so harter Frost, dass jeder Baum und jeder Zweig aussahen wie in Kristall gegossen. Sie klirrten. Laurids holte uns am Bahnhof ab, und als wir durch das Wäldchen fuhren, ragten die Bäume in ihrem Heiligenschein aus Eis schwarz vor uns auf. Onkel und Tanten und «was ist das denn für ein Hof?», beleuchtet vom Keller bis zur Mansarde, und «die Kinder dürfen den Weihnachtsbaum nicht sehen». Endlich saßen wir am Tisch, und Onkel Østen brachte seine Nummer mit der Zunge in der Wange schon beim ersten Löffel, um uns weiszumachen, er habe die Mandel erwischt. Ich konnte keinen Bissen hinunterbringen, denn er war doch tot, unser Patenonkel Knud. Was also hatte er hinter Großmutter zu suchen? In seinem schwarzen Anzug, noch strahlender als in meiner Erinnerung – wie in Kristall gegossen.

Niemand schien ihn zu bemerken. Aber so war es immer gewesen, abgesehen von den Malen, wo er die Mandel gegessen hatte. Ich wollte ihn nicht daran erinnern, dass er tot war! Wenn es ihm hier bei uns doch gefiel! Wir tanzten um den Weihnachtsbaum, und er saß wie immer in dem schwarzen Sessel. Das war seltsam. Weil niemand etwas sagte und ich außer ihm keine Toten kannte, stellte ich mir vor, dass der Tod am Heiligen Abend nicht galt, so wie gewisse Gesetze auf den Färöern und in Grönland keine Geltung haben. Die Kerzen brannten herunter, die Pralinenschüsseln waren leer, und eine fade Enttäuschung kroch an der Wandtäfelung entlang. Die Enttäuschung darüber, dass der Heilige Abend schon wieder fast vorbei war. Die Standuhr schlug. Beim ersten Schlag zupfte Knud an seinen Bügelfalten, beim zweiten richtete er sich auf, langsam stützte er sich auf die Rücklehne, schaute sich das Weihnachtschaos an, putzte sich die Nase, und beim zwölften Schlag hatte er das Zimmer verlassen. Plötzlich ging mir auf, dass er kein Geschenk bekommen hatte. «Großmutter, bekommt Patenonkel Knud nicht immer Tabak für seine Pfeife?», fragte ich leise. «Aber Herzchen, er ist doch tot.» Großmutter streichelte mir die Haare, und ich erwachte am helllichten ersten Weihnachtstag im gelben Gästezimmer.

Zwei Jahre später bekam Knud Gesellschaft von »Ergo sum». Auch sie saß mit zu Tisch, ein wenig zurückgezogen, in der zweiten Reihe. «Ergo sum» in ihrem Flaschengrünen, in durchsichtiges Licht getaucht. Im Laufe der Zeit wurden die Zwischenräume zwischen den Gedecken größer und größer. Immer mehr saßen in der zweiten Reihe. Wir sagten nun selbst, die Kinder dürften den Weihnachtsbaum nicht sehen, und tranken Weihnachtspunsch. Jetzt schoben wir das Weihnachtsessen hinaus, und Großvater war lebenssatt. Er starb, als die ersten Schneeglöckchen aus dem Schnee hervorlugten.

★

Nun konnte Großmutter den großen Hof nicht vom Keller bis zur Mansarde allein bewohnen. Darüber waren sich alle einig. Nur ich fand, dass sie dort bleiben sollte. Sie sollte in meiner Kindheit wohnen bleiben. Ich kannte jeden Winkel, kannte das Geräusch der Küchentür – dieses Geräusch ohne Namen, in dem tausend Tage wohnten. Und alle Heiligen Abende. Aber das war ja unlogisch, sie brauchte etwas Kleineres. Ja, und verstehst du, die Gemeinde möchte den Hof kaufen, das kommt doch wie gerufen. Die schmale zweispurige Straße ist schon längst zu klein. Ja, sie wollen eine Straße quer über das Grundstück legen, um nicht zu sagen, mitten durch das Wohnhaus. Für Großmutter spielte das keine Rolle. «Wenn ich einen Ort verlassen habe, dann für immer. Und weißt du was, mein Kind, ich habe es doch hier drinnen.» Sie klopfte sich auf die Brust und sah stolz aus.

Die Blätter wurden gelb, und das Dach wurde heruntergenommen. Die Blätter wurden rot, und die Abrissbirne tat ihre Pflicht. Der erste Schnee fiel dort, wo die Diele gewesen war. Auch ich hatte den Hof nicht mehr besucht, seit der letzte Möbelwagen durch die Allee gefahren war und Großmutter den Schlüssel umgedreht hatte. Obwohl es jetzt, so gesehen, nichts mehr zum Einschließen gab.

Du meine Güte, das ist alles so lange her. Die Straße wurde gebaut und später verbreitert. Inzwischen ist sie angeblich vierspurig. Gerade und übersichtlich. Aber am Heiligen Abend – ja, gerade um die Zeit, wo die Spannung der Kinder schwelt und surrt, da müssen sich einzelne Vorüberfahrende die Augen reiben. Was ist das denn bloß? Es hängt wie ein

Dunst über der Fahrbahn, und darin scheint ein Haus zu schweben. Manche würden sagen, ein mundgeblasenes Haus aus Glas, vom Keller bis zur Mansarde. Und im Esszimmer an dem langen Tisch sitzen strahlende Weihnachtsgäste. Ein Stück vom Tisch entfernt, wie in der zweiten Reihe und in einer ganz anderen Zeit. Der Autofahrer reibt sich die Augen: «Was ist das denn für ein Hof?» Aber was rede ich denn hier! Gib mir deine Hand, du. Und dann gehen wir zu den anderen hinüber. Und denk dran: Die Kinder dürfen den Weihnachtsbaum nicht sehen.

Ich wünsche ein richtig schönes Fest!

★★★

Aino Trosell Gebet für eine Tote
Aus dem Schwedischen von
Gabriele Haefs

Ich machte mir Sorgen um meine Tochter, große Sorgen. Das Sprichwort «große Kinder, große Sorgen» traf wirklich zu, das Mädel war jetzt dreiundzwanzig, aber ich wurde doch von einer brennenden Angst um ihr Wohlergehen verfolgt. Das hatte teilweise mit der Entfernung zu tun, sie war nämlich nach Skellefteå gezogen, wozu immer das gut sein sollte. Obwohl ich ja genau wusste, wozu das gut sein sollte. Für die Liebe nämlich, die verflixte Liebe, schon wieder die Liebe. Die Liebe musste in Skellefteå wohnen, da der Geliebte dorther stammte. Woher mein geliebtes, einziges Kind stammte, schien dagegen keine weitere Rolle zu spielen.

Es gibt Familien, deren Mitglieder in unterschiedlichen Erdteilen leben müssen, das war also nicht das Problem, nicht die räumliche Entfernung. Das Problem war, wie es ihr ging, wie ich fürchtete, dass es ihr ging, es waren die immer kürzeren Telefongespräche und die rätselhafte Aura, mit der mein angehender Schwiegersohn sich umgab, die mich vor Unruhe geradezu krank werden ließen. Ich musste meine Tochter mit eigenen Augen sehen, musste mich davon überzeugen, dass sie wirklich keine blauen Flecken oder Wunden hatte und dass ihr Blick so klar war wie eh und je. Ich befürchtete das Schlimmste. Ich fürchtete, dass er sie misshandelte. Ihre Persönlichkeit hatte sich verändert, das war unverkennbar. Warum wollte sie nicht mit mir sprechen? Warum gab sie sich alle Mühe, unsere Telefonate kurz zu halten? Und was sollten die zunehmend vagen Andeutungen über körperliche Leiden? Hatte sie kein Vertrauen zu mir? Oder hatte ich Recht mit meiner Vermutung, dass sie nicht zugeben mochte, wie schlimm die Lage war? Sie hatte auch nicht gerade gejubelt, als ich einen Besuch vorgeschlagen hatte. Das ist zu weit, Mama, sagte sie nur, du willst doch an einem normalen Wochenende keine so lange Reise unternehmen, und wir sehen uns ja zu Weihnachten. Aber ich hatte durchaus nicht vor zu warten. Ich wollte am Wochenende vor Weihnachten hinfahren, am dritten Advent, einfach so. Damit rechnet er nämlich nicht, dachte ich wütend, ich werde ihn überraschen. Diesen Mistkerl!

Es war schon Abend geworden, als ich im alten Bahnhof von Krylbo eintraf. Zu Hause lag tiefer Schnee, hier war der Bahnsteig nur von einer puderzuckerdünnen Neuschneeschicht bedeckt. Ich wusste, dass ich drei Stunden auf den Nordpfeil würde warten müssen, doch ich wollte die Zeit im Bahnhofsrestaurant verbringen, ich hatte ausnahmsweise einmal keinen Proviant mitgenommen und deshalb ziemlichen Hunger.

Aber daraus wurde nichts. Das schöne alte Bahnhofsgebäude besaß einen beheizten, aber verlassenen Wartesaal. Das war alles. Es gab nicht einmal Menschen, außer mir war niemand hier ausgestiegen. Nach einer Weile sah ich einen Mann mit seinem Hund vorübergehen. Ich lief hinaus. Er konnte mir sagen, dass das nächste Restaurant in Avesta lag, sechs Kilometer weiter, das Bahnhofsrestaurant von Krylbo war schon vor über zwanzig Jahren geschlossen worden. War ich wirklich so lange nicht mehr hier gewesen? Ja, offenbar.

Ich konnte es mir nicht leisten, mit dem Taxi sechs Kilometer hin- und sechs Kilometer zurückzufahren. Ich ließ mich auf eine der Holzbänke des Wartesaals sinken und dachte, die Zeit werde schon vergehen. Eine große Uhr an der Wand ließ jede Minute ein einsames Seufzen hören, ansonsten war alles still.

Nach einer halben Stunde kam ein Mann in einem dunklen Mantel herein. Ich begrüßte ihn, alles andere wäre albern gewesen, es gab hier doch nur uns zwei. Aber der Mann war nicht in geselliger Stimmung. Er setzte sich hinter mich, sodass ich ihn nicht sehen konnte. Am Ende drehte ich mich mit demonstrativer Neugier um. Er zuckte zusammen und versteckte eilig etwas unter seinem Mantel. Wollen Sie auch mit dem Nordpfeil weiterfahren, fragte ich laut. Er murmelte eine Antwort. Verzeihung?, fragte ich. Ich habe ‹Halt die Fresse› gesagt, teilte er überaus hörbar mit.

Das tat ich denn auch. Die Fresse halten. Außerdem hämmerte mein Herz wie besessen. Ich wagte nicht, mich zu bewegen, vielleicht hätte ihn ja auch eine bloße Bewegung meinerseits noch mehr gereizt. Er konnte mich nicht ausstehen, das war klar. Aber warum nicht? War er geisteskrank? Ein Psychopath? Meine Gedanken wirbelten durcheinander. Er und ich saßen ganz allein in einem einsamen Wartesaal, und der nächste Zug ging erst in zwei Stunden. Hinter mir hörte ich, wie er sich bewegte, ich wagte jedoch nicht, mich noch einmal umzudrehen. Vielleicht machte er sich an einer Waffe zu schaffen? Vielleicht zielte er jetzt gerade auf mich? Ich wäre eine leichte Beute, egal was sein krankes Motiv auch sein mochte, ich war keine Gladiatorin und würde mich nicht verteidigen können.

Plötzlich wurde die Tür geöffnet, und eine Frau kam herein. Sie hatte eine Hand in die Tasche geschoben, war klein und blond und erwiderte meinen Blick sofort. Sie lächelte freundlich. Ich war zutiefst erleichtert. Hallo, sagte sie. Hallo, antwortete ich. In diesem Moment sah ich aus dem Augenwinkel, wie der Mann aufstand und auf den Bahnsteig hinausging. Was er wohl vorhatte? Es würde doch noch längst kein Zug kommen.

Hier ist es aber einsam, sagte die Frau und kam näher. Sie

blickte mich freundlich an, und nun sah ich unter ihrem Dufflecoat ihren Kragen. Sie war Pastorin. Während sie sich setzte, legte sie ihren Mantel ab, und darunter trug sie ein schönes hellgraues Leinenkostüm, das gut zu der überaus frommen Halsbekleidung passte. Über ihrer Brust hing an einer Kette ein silbernes Kreuz. Es war groß, sah alt aus und zeigte ein Muster aus stilisierten Rosen und Dornen.

Die Frau mochte Mitte vierzig sein, ihre Augen waren lebhaft und freundlich. Wie gut, dass Sie gekommen sind, sagte ich, dieser Mann war wirklich unangenehm, ich hoffe, er kommt nicht zurück.

Wir stellten uns einander vor. Ich freute mich wirklich sehr, jetzt Gesellschaft zu haben, die Zeit würde schneller vergehen, und mit dem unangenehmen Mann könnten wir sicher fertig werden, wenn er zurückkäme.

Die Pastorin hieß Ellinor und war als Seelsorgerin in Avesta gewesen, sie wollte keine Einzelheiten nennen. Ich war ja nicht gerade von der frommen Sorte, hatte mit den Jahren aber gelernt, gläubige Menschen zu respektieren, ich wusste, dass es sich um aufrichtige und ehrfürchtige Personen handeln konnte. Und meine Intuition sagte mir, dass Ellinor ein wirklich feiner Mensch war. Wenn ich nur nicht so hungrig gewesen wäre, hätte ich unser Treffen richtig genossen, und das trotz der Holzbänke, die aus den Anfängen des 20. Jahrhunderts stammen mussten und vor allem Ähnlichkeit mit Foltergeräten hatten.

Als habe Ellinor meine Gedanken lesen können, öffnete sie ihre Tasche. Ganz oben stand eine Kuchenschachtel. Sie nahm den Deckel ab. Die Schachtel enthielt Brote mit Räucherlachs und Salat und außerdem Kanapees mit allerlei Käsesorten und auf spitze Zahnstocher gespießte Oliven. Bitte sehr, sagte sie einfach. Die hab ich selbst gemacht.

Aber ... warum?, stammelte ich, während mir das Wasser im

Munde zusammenlief. Woher konnten Sie wissen ...? – Gott sieht alles, erwiderte sie scherzend. Ich habe gespürt, dass ich Ihnen begegnen würde und Sie Hunger haben müssten. Beim Essen erzählen Sie mir bitte von sich, versprechen Sie mir das, erzählen Sie mir alles! – Sie haben es also noch nicht satt, dass die Leute ihre Probleme bei Ihnen abladen?, fragte ich und biss in das erste Brot, das wunderbar schmeckte.

Absolut nicht. Ich wäre nicht Pastorin geworden, wenn Menschen nicht mein größtes Interesse wären, also, erzählen Sie!

Und das tat ich. Alles sprudelte nur so aus mir heraus. Die immer kürzeren Gespräche mit meiner Tochter, die zuletzt an im Telegrammstil abgefasste Sketche erinnert hatten. Über meinen kleinen Hof, die vielen Ausgaben und die geringen Einkünfte. Da gibt es gar nichts?, fragte sie teilnahmsvoll. Ich habe nichts, bestätigte ich. Der einzige Wertgegenstand, den ich besitze, ist ein ererbter Becher. Im Fernsehen habe ich einmal gesehen, dass ein sehr ähnlicher auf zehntausend Kronen geschätzt wurde. Ich will ihn jetzt holen. Meine Tochter hat ihn, aber ich glaube nicht mehr, dass er dort in Sicherheit ist, deshalb will ich ihn mitnehmen, ehe er etwas damit machen kann, diesem Mann traue ich einfach alles zu. Aber hier rede ich die ganze Zeit über mich, wohin fahren Sie denn, fragte ich dann höflich, obwohl ich mich viel lieber weiterhin bis ins Detail über alle meine Probleme verbreitet hätte.

Ich fahre auch nach Skellefteå, sagte sie. Seelsorge ... ein Todesfall, ja, Sie verstehen. Ich nickte respektvoll. Wie gut, dass es Profis gab, die sich um diese schwierigen Grenzüberschreitungen kümmerten. Ich fahre auch am Sonntag zurück. – Wie schön, erwiderte ich, dann sehen wir uns vielleicht wieder.

Die Zeit verflog, und ich vergaß, mich nach den Broten zu erkundigen, wieso sie aussahen wie von Meisterhand gefertigt, denn als wir gerade auf den Bahnsteig gehen wollten, da nun der Nordpfeil einfahren sollte, hörten wir plötzlich Sirenen. Ein Streifenwagen hielt vor dem Bahnhof, und gleich darauf war alles still. Zwei Polizisten kamen herein. Sie nahmen kein Blatt vor den Mund. In Avesta war ein bestialisches Verbrechen verübt worden, sie wollten wissen, ob wir vielleicht etwas gesehen hatten, das ihnen weiterhelfen konnte. Ellinor schüttelte den Kopf. Ich bin nicht sicher, sagte ich. Vor einer Stunde war ein Mann hier. Er war aggressiv, aber ich weiß ja nicht, ob er der Täter ist.

Das Interesse der Polizisten war sofort geweckt, und ich berichtete so ausführlich, wie ich nur konnte, aber es ist schon seltsam, wie wenig uns noch einfällt, wenn wir uns erst ängstigen. Hatte er einen dunklen Mantel getragen oder eine lange Jacke? Kopfbedeckung? Haarfarbe? Länge? Ich schämte mich meiner vagen Antworten.

Ellinor fragte, was passiert sei. Der eine Polizist erzählte, eine alte Dame sei umgebracht worden, vermutlich handle es sich um einen Raubmord und meine Auskünfte seien vermutlich höchst relevant.

Ich hinterließ Namen und Adresse sowie die meiner Tochter, damit sie mich sofort erreichen könnten. Aber viel mehr kann ich Ihnen wohl nicht erzählen, sagte ich bedauernd.

Nachdem wir in den Zug gestiegen waren und uns in unseren Abteilen eingerichtet hatten – diese modernen Schlafwagen sind überraschend bequem –, trafen wir uns im Speisewagen, wo Ellinor Tee und Muffins bestellte und darauf bestand, mich einzuladen. Trinken Sie aus, befahl sie, und ich gehorchte brav. Sie schaute sich verstohlen um. Dann zog sie eine Flasche aus ihrer geräumigen Handtasche und füllte ganz schnell unsere Tassen wieder auf. Diese Operation verlief blitzschnell. Abendmahlswein, flüsterte sie. Aber ich glaube nicht an Gott, sagte ich. Gott glaubt auf jeden Fall an Sie, das ist die Hauptsache, erwiderte sie. Lassen Sie uns jetzt an diesen unglücklichen Menschen denken, der einem anderen das Leben genommen hat. Und lassen Sie uns auch für die Tote beten. Die Getötete!

Mir lief es eiskalt den Rücken hinunter. Die Macht der Religion ist groß, und Ellinor war eine ganz besondere Persönlichkeit. Sie sind anders als die meisten, genau wie das Kreuz, das Sie tragen, sagte ich und fühlte mich von Rührung und Wein überwältigt. Es ist so schön. – Ja, antwortete sie. Meine letzte Gemeinde hat es mir geschenkt, sie haben dafür gesammelt. Es war sicher schrecklich teuer, aber ich konnte es doch nicht ablehnen. – Sie wollten ihre Dankbarkeit beweisen, Sie hatten es sich sicher redlich verdient, sagte ich. Ach, ich habe nur meine Pflicht getan, erwiderte sie bescheiden. Wir treffen uns auf der Rückreise, und dann erzähle ich Ihnen den Rest der Saga.

Von welcher Saga hier die Rede war, wusste ich nicht. Aber es war sicher eine phantastische Geschichte.

Meine kränkliche Tochter und mein unverschämter angehender Schwiegersohn staunten über mein unerwartetes Auftauchen. Ich zischte durch das Haus wie eine brennende Zündschnur, ja, ich machte aus der Schnüffelei eine Tugend, und ich schämte mich nicht im Geringsten. Was soll eine Mutter denn sonst auch machen, wenn ihr Kind misshandelt und unterdrückt wird? Ich fand aber keine Beweise.

Wir hörten im Radio mehr über den Raubmord. Eine Frau von siebenundsiebzig, ermordet an ihrem eigenen Geburtstag. Das Motiv war unklar, die Polizei arbeitete auf Hochtouren, aber bisher lag die Todesursache noch im Dunkeln, und die ärztlichen Befunde mussten abgewartet werden. Ich erzählte von dem Mann im Wartesaal, und meine Tochter machte mir Vorwürfe, weil ich mich in Gefahr gebracht hatte. Liebe ist eben blind und unlogisch.

Meine Tochter war leichenblass; und mir ging auf, dass sie an Schlafstörungen litt. Trotzdem umarmten die beiden sich hinter Türen und in Ecken, sowie sie sich unbeobachtet glaubten. Das war doch krank, mehr fiel mir dazu nicht ein.

Am Sonntag, als ich aufbrechen wollte, wurde mir endlich eine Erklärung geliefert. Plötzlich waren alle Farben wieder da, die jungen Leute saßen strahlend auf dem Ledersofa und erzählten stolz von ihrer großen Angst und dauerndem Erbrechen, aber jetzt sei die Gefahr vorüber – und sie würden mich zur Großmutter machen.

Ich kann gar nicht beschreiben, wie mir zumute war. Ich schrie einfach alles aus mir heraus. Danach weinte ich, und als wir uns dann beruhigt und sie alle meine Fragen beantwortet hatten, bat ich meinen Schwiegersohn um Verzeihung. Ich hatte alles missverstanden. Die Liebe hatte mich blind und dumm gemacht, so war das eben.

Um halb elf an diesem Abend winkten sie mir auf dem Marktplatz von Skellefteå zum Abschied zu, während ich mit dem Bus nach Bastuträsk fuhr, um dort den Nachtzug nach Süden zu nehmen. Als verfrühtes Weihnachtsgeschenk hatte ich ein Mobiltelefon bekommen, an dem ich jetzt voller Nervosität herumspielte. Meine Tochter wollte ihre alte Mama ein wenig besser unter Kontrolle haben. Ich war gerührt über diese Besorgnis. Aber mir konnte gar nichts passieren, ich würde ja sogar in geistlicher Gesellschaft weiterreisen. Im Bus saß Ellinor jedoch nicht, was mich enttäuschte. Was, wenn sie nun gar nicht kam?

Der Schnee umwirbelte den kleinen Bahnhof von Bastuträsk, wo wir Zugreisenden den Bus verließen. Lautlos glitt plötzlich ein fast restlos abgedunkelter Zug durch den Bahnhof, ohne anzuhalten. Es war ein Erztransport, der einfach kein Ende zu nehmen schien. Der Schnee dämpfte alle Geräusche, und der gespenstische Zug rief in mir unheimliche

Assoziationen hervor. Der Schnee umwirbelte die Welt, eine einsame Lampe leuchtete über der kleinen Schar von Reisenden, die bereits jetzt in Schneemänner verwandelt worden waren.

Endlich kam der Zug nach Stockholm, lautlos tauchte er aus dem Nirgendwo auf. Auf dem Bahnsteig lag hoher Schnee, und ich kämpfte mich zu meinem Wagen durch. Von innen wurde nicht geöffnet, und die Tür war ungeheuer sperrig. Auch im Waggon war kein Mensch zu sehen, und die Abteile waren sorgfältig geschlossen.

Ich streifte mir den Schnee ab, so gut es ging, und lief dann suchend durch den Gang.

In diesem Moment entdeckte ich Ellinor, sie kam mir entgegen, jetzt in vollem priesterlichem Ornat und ohne eine einzige Schneeflocke, vielleicht war sie eine Station früher zugestiegen.

Als ich lächelnd die Tür zu meinem Abteil öffnete, klingelte mein Mobiltelefon. In meiner Überraschung ließ ich alles fallen, was ich in Händen hielt, um zu antworten. Ellinor war näher gekommen, sie streckte freudestrahlend ihre Arme nach mir aus. Und ich fühlte mich von der Aufmerksamkeit dieser seltsamen Frau geschmeichelt.

Es war natürlich meine Tochter. Sie schien nervös zu sein. Mit dem Fuß schob ich meine Tasche ins Abteil und schaute Ellinor mit einer Miene an, die um Entschuldigung bitten sollte.

Mama, wir haben die Nachrichten gehört, keuchte meine Tochter. Du musst dich in Acht nehmen, Mama. Das war gar nicht so, wie du gedacht hast, was diesen Mann angeht. Er war es nicht. Die Frau wurde mit ihrer eigenen Halskette erwürgt, und die ist verschwunden, eine grobe Halskette mit einem antiken Kreuz, und du hast doch von dieser Pastorin erzählt …

Ellinor zog eine Miene, die sagen sollte, «ich warte, bis du fertig bist». Meine Tochter, flüsterte ich ihr laut hörbar zu. Ich habe gerade eine Bekannte getroffen, sagte ich dann ins Telefon. Was hast du eben noch über Tante Anna gesagt? Meine Tochter begriff. Die Ermordete hatte Schnittchen gekauft, das hatte ein Konditor bestätigt, sie hatte Geburtstagsgäste erwartet, und auch die Schnittchen waren verschwunden …

Ellinors prachtvolles Priestergewand wurde von dem großen Silberkreuz mit den Rosenranken geschmückt. Die Kette sah kräftig aus. Instinktiv wich ich in mein Abteil zurück. Ich sah in ihrem Gesicht den Anflug einer Frage, zog aber blitzschnell die Tür zu. Und schloss ab.

Sie steht vor meinem Abteil, flüsterte ich. Sie trägt sie um den Hals.

Ein diskretes Klopfen. Hallo? Was ist passiert? Ich habe neue Brote, und ein wenig Abendmahlswein ist auch noch da. Aber ich habe kein Glas. Können wir aus Ihrem antiken Becher trinken?

Ich rufe die Polizei an, sagte meine Tochter. Hab keine Angst.

Draußen wurde an der Türklinke gerüttelt.

Das Schloss war solide, sie würde nicht hereinkommen. Aber vielleicht könnte sie sich den Weg durch Reden öffnen?

Sie war keine Pastorin. Und meine ganzen Ahnungen hatten nichts getaugt, das musste ich zugeben.

Meine Intuition würde ich von nun an vergessen können.

Die arme alte Dame hatte sicher dieselbe angenehme Bekanntschaft gemacht wie ich. Aber sie hatte nicht das Glück gehabt, gewarnt zu werden.

Ja, das Schloss würde halten.

Wenn ich mir nur nicht so dumm vorgekommen wäre!

Leena Lander Die Äpfel

Aus dem Finnischen von
Angela Plöger

1   *Ein windiges Ufer, wo verkrüppelte Bäume sich in die Vertiefungen der Felsen drücken. Geruch nach Fisch und Salz. Joel betrachtet das Boot, das kurz vor dem Kentern steht. Seine Segel flattern in nassen Fetzen. Der Felsen wogt unter den Füßen wie das Meer. Aus dem Wasser taucht ein seehundartiges Wesen auf, groß und irgendwie unförmig, mit schneeweißem Fell. Auf seinem Rücken sitzt ein nackter Junge, sein Bruder Jan. Seine Augen glänzen wie Glas. Jan winkt ihm zu und lächelt. So lächeln die Ertrunkenen in den kalten Hallen der Ozeane …*

★

«Guten Morgen, na, sind wir schon wach?» Die Stimme zerreißt mit ihrer alltäglichen Munterkeit den Albtraum. «Wie geht es uns denn heute?», fragt die Krankenschwester und stellt das Frühstückstablett auf den Tisch.

Joel Salmela würde am liebsten antworten: Wie es dir geht, weiß ich nicht, aber was meinst du, wie es einem Mann geht, der nur noch zwei Tage zu leben hat und die in der Gesellschaft von Idioten verbringen muss?

Stattdessen setzt er sich folgsam auf und sagt:

«Es kann noch nicht sieben sein, ich bin doch gerade erst eingeschlafen.»

«Das kennen wir», plaudert die Nachtschwester. «Also, heute Abend sollten Sie wirklich etwas zum Schlafen nehmen.»

«Nein!»

«Na gut, aber Sie müssen sich doch ordentlich ausruhen können, damit …»

34

Die Schwester verschluckt den Gedanken, während sie zur Tür geht, durch die ein Bett mit einem Infusionsgestell hereingeschoben wird.

«Soll mein Zimmer zu einer Abstellkammer umfunktioniert werden?»

«Gewissermaßen. Die Kinderabteilung wird zu Weihnachten geschlossen, nur die Intensivstation hat Bereitschaftsdienst … Sie bekommen Gesellschaft, wie Sie es sich gestern gewünscht haben.»

«Ein Kind?!»

Aber die Schwester ist schon gegangen. Joel trinkt seinen Orangensaft und schlürft etwas Tee, rührt aber das Käsebrot nicht an. Das Todesgrauen, das seinen Traum beherrscht hat, lässt nach, verschwindet aber nicht.

«Hierher sollte der Junge kommen, oder?» Ein Hilfspfleger in Weihnachtswichtelmütze mit Pelzrand schiebt sich mit dem Rücken voran zur Tür herein und lässt einen Rollstuhl über die Schwelle huckeln. Darin sitzt ein Junge mit Gipsbein und einem bläulichen Bluterguss an der Schläfe.

In der schläfrigen Schönheit des Jungen liegt etwas Erschreckendes, findet Joel: Er erinnert an die Engel mit den schweren Lidern in den Kirchen von Florenz.

«Guten Morgen. Wir müssen uns ja vielleicht nicht die Hände schütteln, aber ich bin Joel, dein neuer Zellengenosse.»

«Ahaa …»

«Dies ist Eino», sagt der Pfleger. «Das heißt, sie schimpfen ihn Eikka.»

Der gleichgültige Blick des Jungen verrät, dass die Anbiederei bei ihm nicht ankommt.

«Ich geh auf den Balkon, meine Morgenlulle rauchen», sagt Joel.

«Ich komm mit», antwortet der Pfleger. «Eikka hätte bestimmt auch Lust, aber ich kann ihn nicht mehr schieben.»

Joel zieht den Bademantel über den Pyjama und nimmt seine Zigaretten aus der Nachttischschublade. Diesem Fährmann der Unterwelt kann man jedenfalls nicht vorwerfen, bierernst zu sein.

Sie treten in die triefend graue Morgenluft hinaus.

«Also das Krankenhaus wird zu Weihnachten geräumt?»

«Einige Stationen. Auf jeden Fall die Kinder, die können ja nun Heiligabend nicht im Krankenhaus verbringen. Und schließlich haben auch die Angestellten Familie. Wir versuchen, mit so wenig Personal auszukommen wie möglich.»

Joel graut es bei dem Gedanken an das leere Krankenhaus. Die weiße Leere, das Verschwinden der Patienten birgt noch mehr Schrecken als das Stöhnen, das von jenseits der Wand herüberdringt. Es erzeugt eine geradezu gespenstische Stimmung. Etwas allzu Eisiges, Nacktes liegt darin, in einem Krankenhaus ohne Patienten. So als habe jemand das physische Leid fortgehext, um das Haus mit einer noch schaurigeren Bedrohung, der Leere, zu füllen.

«Warum geht der Junge nicht nach Hause?»

Der Pfleger zuckt die Achseln.

«Seine Verletzungen sind anscheinend nicht so schwer. War das ein Unfall?»

«Ach, kein Stück!»

Er nimmt die Wichtelmütze ab und streicht sich über das angeklatschte Haar:

«Ich dürfte das gar nicht sagen, aber es ist doch gut zu wissen, wenn man im selben Zimmer liegt. Er hat versucht, 'ne alte Frau zu berauben, aber die Alte war couragiert, die hing an ihrer Handtasche wie festgeklebt. Und als sie schließlich losließ, stürzte der Bengel vor ein Auto. Die Tante musste auch geflickt werden, aber jetzt sie ist schon wieder zu Hause.»

«Aber der Junge ist doch noch ein richtiges Kind.»

«Das ist keine Altersfrage. Erst dreizehn und schon ein voller Profi. Ich hab das nur erwähnt, weil es unter diesen Umständen nicht unbedingt sinnvoll ist, speziell Geld in der Nachttischschublade aufzubewahren.»

«Na, das wird er doch nun wohl nicht …»

«Das ist einer von den Burschen aus dem Erziehungsheim. Deswegen kann man ihn zu Weihnachten nicht nach Hause schicken. Die versuchen da ja auch, das Haus für die Feiertage leer zu kriegen.»

«Und Eltern hat er nicht?»

«Vermutlich die alte Geschichte, die Mutter 'ne Schlampe und der Vater ein Trunkenbold. Genaueres weiß ich nicht.»

Joels Interesse für den Jungen erlischt. Aus dem Augenwinkel sieht er an dem kahlen Apfelbaum die vertrockneten Schicksalsäpfel hängen. Und richtig, einer ist über Nacht abgefallen, nur noch zwei sind übrig. Zwei Äpfel, zwei Tage bis zur Operation, zwei vertrocknete Lebenstage hat er noch, schießt es ihm durch den Kopf.

Der eisige Wind dringt durch den Bademantel. Joel drückt die Zigarette aus und stapft zurück in die Aula der Station. Der Pfleger folgt ihm, die abgewetzte Wichtelmütze schief auf einem Ohr. Eine Schwester mit drallen Beinen steht auf der Treppe und reckt sich, um an der Spitze des Weihnachtsbaums, der gerade hereingebracht worden ist, einen Stern zu befestigen. Joel bemerkt, dass ihre Strumpfhose eine Laufmasche hat. Zwei junge Mädchen ziehen sich Kaffee aus dem Automaten, schlürfen ihn unbekümmert. Joel betrachtet sich im Spiegel, den großen Mann mit schlechter Haltung und ausgebeulten Pyjamahosen, die Haare nach der Nacht in alle Richtungen abstehend.

Du machst dich lächerlich, sagt er sich. Diese Äpfel, verdammt nochmal, prophezeien überhaupt nichts. Es ist natürlich merkwürdig, dass zu Weihnachten überhaupt noch Äpfel am Baum sind, aber so was kommt vor. Und wenn es vorgestern auch noch vier waren, so ist auch das reiner Zufall. Und der neue Zimmergenosse ist wahrlich kein Engel, der letzte Begleiter auf diesem bitteren Weg. Oder wenn er doch einer ist, dann einer von der schwarzen Sorte, eher mit Luzifer verwandt.

★

2   Bis zum Nachmittag hat Joel den Jungen gründlich satt. Das unerträgliche Gepiepe des Elektronikspiels hört nicht einmal beim Mittagessen auf.

«Wo kriegt man diese Spiele?», fragt er angespannt.

«Keine Ahnung», sagt der Junge und tritt gegen die in einem Klumpen daliegenden Bettdecken.

«Die Schwester hat es mir gebracht.»

«Hast du nicht nach der Bibliothek gefragt?»

«Nee.»

«Liest du überhaupt jemals Bücher? Oder Zeitungen?»

«Nee.»

Jemand pfeift auf dem Korridor. Der Wind heult in den Fensterritzen.

«Aber doch wohl wenigstens mal Comics?»

«Häh?»

«Comicstrips. Donald Duck. Das Phantom. Tarzan. Was es da so alles gibt.»

«Ich hab mal im Fernsehen Tarzan gesehen», sagt Eino.

«Tarzan bundolo.»

Eino hebt den Blick, nicht neugierig, sondern eher gereizt wegen der Unterbrechung.

«Tarzan tötet», erklärt Joel. «Das ist Dschungelsprache.»

«Ja, genau. Unsere Katze hat mal 'n Häschen umgebracht.»

«Ach. Hast du eine Katze? Wie heißt die?»

«Nich ich, aber meine Mutsch. Ich hab nich nach dem Namen gefragt. Die heißt einfach nur Katze. Mutsch guckt mich selten so lange an, dass wir tief gehende Gespräche führen könnten», sagt Eino. «Und einer, der Jakke, hat Tauben abgemurkst, indem er sie mit den Flügeln an die Wand genagelt hat. Erst hat er sie mit Kuchenkrümeln zahm gemacht. Der hat auch ein Eichhörnchen gefangen. Das hat er verbrannt.»

Zu beider Erleichterung unterbricht die Schwester das Gespräch. Für den Jungen ist ein Anruf gekommen.

«Dein Vater. Wir stellen ihn ins Zimmer durch, wenn es dir recht ist, Eino.»

Der Junge starrt sie ungläubig an.

«Was, mein Dad?»

«Ja. Willst du mit ihm sprechen?»

Der Junge nickt. Seine Haltung ist angespannt, als er den Hörer abhebt.

«Hallo … ganz gut … Willste echt kommen? … Keine Ahnung, ich frag mal … Eh, wann is'n hier Besuchszeit? … Jaa, jederzeit vor acht Uhr abends … Komm denn aber auch, ja? … Tschüs dann … Was? So 'n Elektronikspiel würd ich toll finden, aber das kost 'nen Haufen Geld … Na, wenn du welches hast … Also komm denn auch … ja … tschüs!»

Der Junge legt den Hörer auf und grinst breit. Sein Gesicht glüht rot.

«Mein Dad kommt mich am Abend besuchen. Er bringt mir als Weihnachtsgeschenk 'n Elektronikspiel mit, die sind irre teuer, aber er hat grad Geld gekriegt.»

Joel antwortet nicht. Ihn ärgert allein schon der Gedanke an den Vater, der die kriminelle Handlung seines Sohnes mit einem Geschenk honoriert. Kein Wunder, dass der Junge im Erziehungsheim gelandet ist, denkt er, als Ergebnis einer so abartigen und verantwortungslosen Erziehung.

Aber die Misslaunigkeit des Jungen hat sich mit einem Schlag in offene Geselligkeit verwandelt, und er zeigt dem Zimmergenossen vor dem Abendessen allerlei Kartentricks mit einem kleinen Stapel Patiencekarten, die er in der Tasche seines Bademantels aufbewahrt.

«Die hab ich in der Kinderstation abgegriffen», erklärt er. «Die hab'n da keine anständigen Karten, nur so 'ne mickrigen.»

«Weißt du, warum du immer Patiencekarten bei dir haben solltest?», fragt Joel.

«Nee. Warum?»

«Wenn du dich mal im Wald verirrst, dann brauchst du nur die Karten hervorzuholen und eine Patience zu legen. Gleich erscheint jemand hinter dir und gibt dir gute Ratschläge.»

Der Junge sieht ihn schief an.

«Wohl kaum.»

Joel seufzt. «Soll ich dir beibringen, wie Napoleon von St. Helena fortkommt?»

«Ja, das kann ich mir denken. Er fängt an, Karten zu spielen.»

«Nein, so heißt eine Patience.»

«Ach so, ich hab gedacht, das wär irgend'n König.»

«Der französische Kaiser, der auf die Insel St. Helena verbannt war, aber in diesem Fall ist es ein Spiel. Die Karten werden pyramidenförmig gelegt, in die erste Reihe eine, in die zweite zwei und dann drei …»

Obwohl Eino so tut, als verfolge er interessiert den Verlauf des Spiels, bemerkt Joel, dass der Junge auf das Zuschlagen der Außentür horcht.

Bis zum Abendbrot verwandelt Einos Hoffnung sich in Gereiztheit. Joel muss alle Kraft zusammennehmen, um den Jungen nicht wegen seines Schmatzens und Knurpsens zurechtzuweisen. Aber der Junge bemerkt seine Miene und schiebt den Rest des gehamsterten Knäckebrotstapels in seine Nachttischschublade. Er zieht sich die Decke über den Kopf und stellt sich schlafend.

Nach sieben klopft es an der Tür, und Eino fährt hoch wie eine Spiralfeder. Der Besuch ist nicht für ihn.

Der Junge steht auf und verlässt mit seinen Krücken den Raum.

«Hallo, Liebster. Bei dir hier ist es ja schon richtig weihnachtlich», sagt Aino und bückt sich, um Joel einen kühlen Kuss auf die Wange zu geben. «Was für ein hübscher Hyazinthenkorb …»

«Vom Verleger.»

«Der war bestimmt teuer.»

«Hoffentlich.»

«Ich hab dir nur Zeitungen mitgebracht, du hast ja gesagt, du möchtest nichts. Na, wie ist es dir so ergangen?»

«Gut. Bei dem Faulenzerleben hier …»

★

3   Einos Vater erscheint den ganzen Abend nicht. Der Junge schafft es nicht, seine Enttäuschung männlich zu verbergen.

«War das deine Tochter?», fragt er. «Die am Abend hier war.»

«Meine Frau.»

«Sag bloß. Verdammt jung.»

«So ist es.»

«Hast du Kinder?»

«Ja. Aus erster Ehe. Zwei Söhne.»

«Kommen die dich besuchen?»

«Glaub ich nicht.»

«Aha. Würdest du sie besuchen, wenn sie ins Krankenhaus müssten?»

«Ja.»

«Aber die brauchen nich ins Krankenhaus?»

«Meines Wissens nicht.»

«Wenn sie nun gar nich wissen, dass du im Krankenhaus liegst?»

«Schon möglich.»

Im Zimmer ist es heiß. Joel dreht die Heizung unter dem Fenster runter.

«Vielleicht kommt mein Vater ja morgen noch», sagt Eino.

«Hoffen wir's.»

«Vielleicht hat er's nich geschafft, das Geschenk zu kaufen, das ich mir gewünscht hab, und ist deshalb nich gekommen.»

«Sicher irgend so was», bestätigt Joel.

«Das is ziemlich teuer.»

«Bestimmt.»

«Du bist natürlich reich?»

«Das nun wirklich nicht.»

«Aber doch ein berühmter Schriftsteller.»

«Woraus schließt du das? Eher Redakteur. Die paar Bücher, die ich zusammengeschrieben hab.»

«Ich hab deine Bücher nich gelesen. Sollte ich das?»

«Nein. Wieso denn?»

«Worum geht's da?»

«Mal um dies, mal um das.»

«Bestimmt ums Sportfischen?»

Joel lacht.

«Darum auch. Wie kommst du darauf?»

«Ich hab in der Bibliothek ein Buch von dir gesehen. Da war ein Fisch auf dem Deckel. Lohnt es sich, das auszuleihen? Ich mein, das hatte noch keiner gelesen. Da war noch kein Ausleihvermerk drin.»

«An deiner Stelle würd ich das nicht riskieren. Wenn ich mich recht erinnere, ist das ein ziemlich trockenes Machwerk. Obwohl es von dem großen Mauri Rapala erzählt.»

«Häh?»

«Das war ein berühmter Erfinder von Wobblern. Und mein Vetter. Wir nannten ihn Maukka.»

«War der reich?»

«Das war er. Zuletzt. Mein erfolgreicher Vetter. Dank Maukka ist Finnland die absolute Nummer eins in der Welt, wenn es um Blinker geht. Aber alles fing mit dem Hunger an. Es galt, einen Köder zu erfinden, dem der Fisch absolut nicht widerstehen kann. Maukka lag stundenlang auf dem Anlegesteg und beobachtete das Leben unter Wasser, um herauszufinden, was der Raubfisch will.»

«Alle Achtung», sagt Eino.

Genau, denkt Joel, und auch ich habe in späteren Jahren die «Vom Habenichts zum Millionär»-Geschichten des Geschäftslebens bewundert, die Männer, die mit dem klackenden Zuschnappen ihrer Aktenkoffer die Schicksale von Hunderten von Menschen besiegeln, und die schwarzen Mercedesse, die von livrierten Chauffeuren gesteuert werden, glückliche Zufälle, Börsenüberraschungen. Erst hab ich den Sozialismus und dann die Anarchie und die grüne Bewegung aufgegeben, und dann sah ich plötzlich das menschliche Leben als eine Produktionsstätte mit Ertragsverantwortung. Und war noch mehr entzückt von Wörtern wie Leistung und Ertrag, Risiko und Gewinn. Und vergaß die lebendigen Menschen. Wie meine eigenen Söhne.

«Auch mein Vetter Maukka war kein Wundertäter», sagt Joel mehr zu sich selbst als zu Eino. «Er konnte nicht mal schwimmen. Stell dir vor: Der Erfinder des besten Wobblers der Welt, und kann nicht mal Hundepaddeln. Einmal haben mein Bruder und ich versucht, Maukka das Schwimmen beizubringen …»

«Wie denn?»

«Wir banden ihm einen Strick um die Brust und zogen ihn wie einen Blinker hinter dem Ruderboot her.»

«Und wie fand er das?»

«Er fand es wohl irgendwie gut, so als Versuch, aber er

brüllte wie am Spieß, jedes Mal wenn er wieder auftauchte. Der alte Karlsson kam mit seinem Ruderboot zu uns und fragte, was wir Jungs da machten. Wir haben ihm natürlich erzählt, dass Maukka schwimmen lernen sollte, bevor er zum Konfirmandenunterricht ging … Na ja, das ist in Ordnung, sagte der alte Karlsson, aber wie wär's, wenn ihr das für alle Fälle etwas näher am Ufer machtet …»

«Mein Scheißvater is Schwimmmeister», sagt Eino. «Das würd man nich glauben, wenn man den jetzt anguckt. Als junger Mann hat der keinen Tropfen getrunken.»

Joel nickt. Auf dem Gesicht des Jungen ist ein angespanntes Lächeln erschienen.

«Ärgert es dich, dass deine Jungs dich im Krankenhaus nicht besuchen?», fragt er.

Wirbelnder Schnee. Schritte der Nachtschwester hinter der Tür.

Joel zieht die Vorhänge vors Fenster. Aus dem Augenwinkel meint er zu erkennen, dass vom Baum wieder ein Apfel abgefallen ist. Er dreht sich um und streckt sich auf dem Bett aus. Die Kehle ist ihm wie zugeschnürt.

«Ja», sagt er.

★

4   Am Morgen ein ruhiges Tiefdruckgebiet.

Die nächtliche Beobachtung, was die Äpfel betrifft, erweist sich als falsch. Es sind immer noch zwei da.

Joel fühlt sich fast heiter, aber Eino ist unruhig, hat nichts zu tun. Er nimmt am Basteln teil. Das bedeutet: Er stibitzt aus dem Bastelraum Gummiband und Draht und baut daraus eine Zwille. Als Joel vom Rauchen kommt, hat der Junge das Fenster geöffnet und schießt mit selbst gemachten Krampen in den Park.

«Hör auf damit. Lass doch um Himmels willen die armen halb erfrorenen Vögel in Ruhe!»

«Nee, ich versuch doch bloß, die vertrockneten Äppel zu treffen.»

«Nein, untersteh dich!», schreit Joel. «Die gehören mir, du Teufelsbrut!»

Der Junge dreht sich entgeistert um.

«Entschuldige, ich hab deinen Namen da drauf nich gesehn. Okay, wenn die Scheißschrumpeldinger für dich so teure Schätze sind. Trotzdem brauchst du nich so brüllen.»

Er macht das Fenster zu, geht ins Bett und nimmt sich wieder das Elektronikspiel vor. Joel versucht, sein Gleichgewicht zurückzugewinnen. Der Junge langt sich das Knäckebrot aus der Nachttischschublade und fängt an, es zu zerknurpsen.

Joel sieht aus dem Fenster. Die Vögel kehren auf die nackten Äste zurück, einer nach dem anderen.

Ein Totengarten, denkt Joel, eine endlose Reihe von Leuten hat ihn betrachtet als das Letzte, was sie sahen.

«Entschuldige, ich benehme mich lächerlich», sagt er zu dem Jungen. «Sieh mal, es ist so: Als ich ins Krankenhaus kam, hingen da noch vier Äpfel am Baum ...»

Joel weiß nicht, wie er fortfahren soll. Er hört das rasselnde Geräusch seines Atems, das Hämmern des Herzens, das Grummeln im Magen. Der Junge sieht ihn nicht an.

«Und die Vier ist sozusagen meine Schicksalszahl», fährt Joel fort und breitet hilflos die Arme aus. «Ich bin am vierten vierten als viertes Kind der Familie geboren. Mein viertes Buch war ein fürchterlicher Flop. Jetzt bin ich vierundvierzig ... Und als ich hierher kam, um operiert zu werden, da hab ich viel darüber nachgedacht, wie es mir ergehen würde, und dann sah ich am Baum die Äpfel. Zu dieser Jahreszeit, verstehst du? Genau vier, nicht mehr und nicht weniger. Unter diesen Umständen. Und jetzt sind zwei davon abgefallen. Wenn die alle abfallen, bevor ich übermorgen operiert werde, dann signalisiert mir das gewissermaßen, dass ... Ich hab eine Geschwulst im Hals, die muss wohl entfernt werden, aber ...»

«Wer lässt die Äppel abfallen?», fragt der Junge und sammelt die Brotkrümel von seiner Decke ab. «Gott?»

Joel muss lachen.

«Das nun doch nicht.»

Der Junge sieht ihn scheel an:

«Glaubst du nich an Gott?»

«Wohl eher nicht.»

«Warum nich?»

«Mein kleiner Bruder Jan musste sich mit dreizehn einer schweren Operation unterziehen. Mutter und ich, wir haben die ganze Zeit gebetet. Auf den Knien, verdammt. Aber er starb. Danach hab ich nicht mehr gebetet.»

«Sag bloß. Und jetzt glaubst du nur noch an irgendwelche Scheißäppel.»

Joel lacht. Der Junge hat Recht. Einige belebende Sekunden lang verspürt er Erleichterung. Wie hat er nur einen bloßen Zufall für ein schlimmes Vorzeichen halten können!

«Was war das für 'ne Operation? An der dein Bruder starb?»

«Eine Herzoperation. Bei uns liegt das in der Familie. In den Genen. Ein Herzfehler.»

«Genau.»

Joel setzt sich die Kopfhörer vom Radio auf. Er will auf jeden Fall den Wetterbericht hören.

★

5   Am Abend bekommt der Junge Besuch, eine ältere Verwandte mit Weintraubentüte und einer Schokoladentafel, auf der ein Weihnachtsmann lacht. Die Frau wirkt ruhig und bescheiden, wie eine Ente in ihrer plusterigen Gluckenhaftigkeit.

«Mir tat richtig das Herz weh, als ich von deinem Unfall hörte. Hast du wirklich versucht, der alten Frau die Einkaufstasche wegzunehmen?», fragt sie. «Und das so kurz vor Jesus'

Geburtstag, wo jeder dem anderen guten Willen entgegenbringen sollte.»

Eine Weile windet sich der Junge und schnauft unter dem prüfenden Blick:

«Die denken alle, ich wollt der Oma die Börse klauen, aber in Wirklichkeit wollt ich ihr über die Straße helfen. Weil die da stand und stand und sich ewig nicht traute loszugehn. Ich hab ihr die schwere Tasche abgenommen, aber sie fing an, zu schreien und mich zu schlagen, und ging auf mich los … Ich hab richtig 'ne Gehirnerschütterung gekriegt und alles … Und keiner glaubt mir, obwohl ich mir das Bein gebrochen hab!»

Die Tante sieht ihn über ihre Brille hinweg unverwandt an. «Ist das wirklich wahr?»

«Ja. Ich würd dich doch wohl nich beschwindeln?»

Joel schlürft den Kaffee, den er sich aus dem Automaten gezogen hat. Er schmeckt grässlich. Joel versucht, seine rasch aufsteigende Gereiztheit niederzukämpfen, und zwingt sich, den Garten als möglichen Schauplatz eines Räuber- und Gendarmspiels zu taxieren. Sein Blick sucht routiniert die strategisch besten Punkte zwischen dem Gebäude und der Mauer, die es erlauben, die Bewegungen der Feinde zu beobachten, und die eventuell einen Fluchtweg bieten.

«Hast du hier alles, was du brauchst?», fragt die alte Frau den Jungen. «Wünschst du dir was? Wo doch Weihnachten ist und alles.»

«Nee, ich brauch nix …»

Joel nimmt aus der Nachttischschublade einen Notizblock und fängt an, einen Buckelwal zu zeichnen.

Der Wal ist kräftig gebaut und hat einen langen Schnabel, kleine Augen und um das Maul einen etwas melancholischen Ausdruck. Die Ränder seines Schwanzes sind länger als der Mittelteil. Die Brustflossen wirken wie elastische Schweineohren, erfüllen aber ihren Zweck. Die größten Schwierigkeiten bereitet ihm der Bauch. Schließlich ist der Wal ein Säugetier. Bedeutet das, er hat ein pralles Euter oder schamhaft in den Bauchfalten verborgene Zitzen?

Während er über diese Alternativen nachdenkt, konzentriert er sich darauf, auf den Körper verschiedene kleine Muster zu zeichnen, kleine Schmarotzer, die sich darauf festgesetzt haben, die aber, um der Wahrheit die Ehre zu geben, eher wie die Tätowierungen eines Maorikriegers aussehen …

Die Frau nimmt aus ihrer Tasche ein kleines, buchförmiges Geschenkpäckchen. Gelbe Kerzen, Glöckchen und Tannenzweige auf dem roten Grund des Einschlagpapiers.

«Hier ist nur so ein kleiner Weihnachtsgruß, den ein Gehilfe des Weihnachtsmanns bei uns vor der Tür abgelegt hat.»

«Vielen herzlichen Dank», sagt Eino mit angestrengtem Lächeln.

Er schüttelt die Schachtel am Ohr, um die Tante zu erfreuen.

«Was da wohl drin is? Am liebsten würd ich es gleich aufmachen», sagt er.

«Na, na. Du solltest schon bis Heiligabend warten», empfiehlt ihm die Tante, fügt aber in entschuldigendem Ton hinzu: «Ich werde dich dann wohl nicht besuchen können. Topi und ich wollen ja zu Antti und den Kindern. Das ist bei uns so 'ne Tradition, wie du bestimmt noch weißt. Die warten so sehr auf uns. Jetzt, wo sie das kleine Baby haben …»

«Okay.»

«Wir haben das noch nicht gesehn. Bloß auf Bildern», erklärt die alte Frau fast außer Atem. «Aber wenn es irgendwas gibt, worüber du dich auch nur ein bisschen freuen würdest, wo du doch die Weihnachtstage hier verbringen musst, dann …»

Eino hat sich abgewandt und guckt aus dem Fenster. Die Tante starrt ziemlich ratlos seinen Rücken an.

«Ja, das heißt, eine Sache gibt's schon, die toll wär», sagt der Junge, sich jäh umdrehend, «aber die is absolut zu teuer.»

«Na, was denn?», erkundigt sich die Tante. «Sag's ruhig!»

Joel wirft den Notizblock in die Schublade zurück.

«So 'n Elektronikspiel», sagt Eino, «damit würd die Zeit schön vergehen, aber das kostet 'n Vermögen ...»

Die Tante schüttelt den Kopf über den Preis des Geräts, aber schließlich kann sie nicht anders und kramt in ihrer Handtasche. Das graue Haar steht ihr über die Ohren. Die Finger mit den knotigen Gelenken ziehen das Portemonnaie hervor.

Der kurze innere Kampf ist vorbei. Sie reicht ihm die Scheine.

★

6 In der letzten Nacht, als Eino zur Toilette gegangen ist, fühlt Joel sich aufgelöst wie eine malträtierte Stoffpuppe. Draußen tobt ein Schneesturm, so als fege der Zorn sämtlicher Rachegötter durch den Garten. Kein Zweifel: Auch die letzten Äpfel würden abfallen. Und das wäre sein Todesurteil. Er schnauft laut bei der Vorstellung, dass sein Herz bei der Operation stillstehen und er niemals wieder einen Sonnenaufgang sehen wird.

Die Nachtschwester kommt und führt Eino herein, der auf das Bett sinkt, ohne ein Wort zu sagen.

«Ich hab diesen jungen Mann erwischt, wie er sich unten vor der Haustür herumgetrieben hat. Er hat ganz nasse Haare. Anscheinend ein Nachtwandler. Haben Sie nichts davon bemerkt?»

«Ich hab gedacht, er geht auf die Toilette», sagt Joel, um Selbstbeherrschung ringend.

Die unsinnigen Fluchtversuche eines unzurechnungsfähigen jugendlichen Verbrechers interessieren ihn jetzt nicht.

Die Schwester sieht, dass ihm der Schweiß auf der Stirn perlt, und fühlt ihm den Puls.

«Können Sie nicht schlafen?»

«Im Grab hab ich dafür genug Zeit.»

«Na, na, Sie sollten jetzt schlafen», beruhigt ihn die Schwester und tätschelt ihm mütterlich die Hand.

«Ich möchte das stornieren», sagt Joel mit tränenerstickter Stimme. «Aus der Operation wird nichts.»

«Na, aber, aber. Die Geschwulst muss doch entfernt werden, bevor sie … Alles wird gut gehen, glauben Sie mir … Doktor Miettinen ist ein äußerst geschickter Arzt. Versuchen Sie jetzt mal zu schlafen. Morgen sieht alles besser aus …»

Als die Schwester gegangen ist, liegt Joel zusammengerollt, die Hände zwischen den Knien, wie ein kleiner Junge, und horcht auf das unablässige Heulen des Windes. Als er die Augen schließt, sieht er, wie ein Seehund von der Größe eines Wals sich vom Ufer entfernt und in immer größere Tiefen schwimmt, wo Sturm und Gezeiten keinen Einfluss haben und wo unermesslich große Pflanzen ihre schwankenden Stängel ausstrecken und Seeungeheuer ohne Augen in gewaltigen Armeen durch den Schlamm torkeln.

Und Jagd machen auf neue Wracks und Leichen.

★

7 Am Morgen des Operationstages ist Joels Gesicht vor Angst gelblich und starr, und er erlaubt der Schwester nicht, die Fenstervorhänge aufzuziehen. Aber sein Zimmergenosse kann seine Neugier nicht bezwingen und späht in den Garten.

«Mann, verdammt, eh! Guck mal, da is noch so 'n Scheiß-schrumpelding übrig … Jetzt stirbst du nich. Komm und guck.»

Joel wendet das Gesicht ungläubig dem Fenster zu und sieht den am Baum hängenden Apfel.

Das ist doch nicht möglich, denkt Joel. Nach so einem Sturm!

Aber er spricht nicht mehr davon, dass die Operation abgeblasen werden soll.

Sie ist erfolgreich. Es gelingt dem Arzt, die Geschwulst vollständig zu entfernen. Während der Genesung bemerkt Joel, dass er manchmal sogar das Knäckebrotgeknurpse aus dem Nachbarbett vermisst. Eino ist ins Erziehungsheim zurückgekehrt.

Am zweiten Weihnachtstag, als sein ältester Sohn Jan kommt, um ihn für ein paar Tage zu sich zu holen, hat er eine merkwürdige Idee. Joel möchte in den Garten gehen und von dort etwas mitnehmen.

«Kommst du an den schrumpligen Apfel da ran?», fragt er seinen Sohn.

«Ja», sagt Jan und gleitet unter den Baum. «Aber was willst'n damit?»

Er springt, zieht den Ast herab, fasst nach dem Apfel.

«Vorsichtig! Den nehm ich zur Erinnerung mit. Als Talisman.»

Jan zieht die Handschuhe aus.

«Wieso das denn?»

Joel sieht zu den Fenstern des Krankenhauses hinauf, in denen Reihen von Kerzen leuchten und warmes gelbes Licht in den halbdunklen Garten werfen.

«Um die Wahrheit zu sagen, der hat mir das Leben gerettet.»

«Das ist doch nicht dein Ernst, Papa.»

«Doch, doch», sagt Joel etwas verlegen. «Ich hätte mich nicht operieren lassen, wenn an diesem Baum am Morgen der Operation kein einziger Apfel mehr gehangen hätte.»

Jan lacht laut auf und schüttelt den Kopf. Und zupft noch

einmal am Ast, aber der Apfel fällt nicht ab. Trotz aller Versuche. Er rupft ordentlich, aber nein.

«Was jetzt?», fragt Joel. «Lass mich auch mal …»

«Auf keinen Fall. Ich schaff das schon.»

Jan dreht sich mit schelmischem Grinsen nach seinem Vater um.

«Kein Wunder, dass er nicht abgeht! Sieh mal! Hier hat irgendein Puppendoktor schweißtreibende Arbeit geleistet, als er das hier montiert hat …»

Er reicht Joel den Apfel.

Joel sieht, dass sich durch den Apfel ein dünner Draht zieht.

«Solchen gibt es im Bastelzimmer», sagt er.

«Ach nee. Hast du da auch mitgemacht?», fragt der Sohn und stößt ihn unbeholfen an. So wie einst als Kind, wenn er den Vater gern umarmt hätte, sich aber nicht traute. «Du musst ja wirklich verzweifelt gewesen sein. Echt gut, dass du mich angerufen hast, bevor du ganz zusammengebrochen bist. Du hättest uns alle blamiert.»

Es hat angefangen, leise zu schneien. Große Flocken fallen auf die Hand, die den Apfel hält. Aus einem alten Mercedes, der auf dem Parkplatz steht, klingt ein fernes Weihnachtslied: «Stille Nacht, heilige Nacht …»

«Mein Zimmergenosse pflegte da alles Mögliche abzustauben», sagt Joel.

«Welcher Zimmergenosse?», fragt Jan. «Hat er das hier gemacht? Und wieso?»

Joel nimmt die Brille ab, wischt die Schneeflocken mit dem Ärmel ab und reibt sich die Augen.

«Du hast mir einen heißen Grog in Aussicht gestellt», sagt er. «Waren das nur faule Versprechungen?»

«Das wird sich jedenfalls so lange nicht erweisen, wie wir hier rumstehen und bibbern», sagt sein Sohn.

«Das ist richtig.»

Joel steckt den Apfel in die Tasche. Aber noch während er im Auto neben seinem Sohn sitzt, kann er nicht anders, er muss die Hand in die Tasche stecken und mit den Fingern den Draht suchen, der durch den Apfel gezogen ist. Wahrhaftig, er war so geschickt durch den fauligen Apfel gezogen, dass auch der schlimmste Sturm ihn nicht von dem vereisten Baum hätte losreißen können.

★ ★ ★

Åke Edwardson
Am Tag vor dem Heiligen Abend

Aus dem Schwedischen von
Gabriele Haefs

Ich konnte die Tannen sehen: eine dunkle Silhouette vor der Nacht, die zum Horizont, zur Stadt hin, heller wurde. Der Zug fuhr einige Kilometer weiter nördlich. Das Tuten der Lokomotive hörte sich an wie das Geschrei wilder Tiere, die über das Feld jagten.

Ich konnte stundenlang am Fenster sitzen, so wie jetzt, mit dem offenen Kamin als einziger Lichtquelle hinter mir. Ab und zu stand ich auf und legte Holz nach. Danach setzte ich mich wieder ans Fenster und schaute hinaus auf den nächtlich leuchtenden Schnee.

So ging es jeden Abend, bis ich müde wurde, mich ins Bett legte und das Feuer verlöschen ließ.

Es war früh Winter geworden. Und der Schnee würde wohl liegen bleiben.

Es war zwei Tage vor dem Heiligen Abend. Was mir jedoch kein Grund zur Freude war. Meine Mutter war in diesem Herbst gestorben, und mein Vater und ich hatten die Wohnung in der Stadt aufgegeben und waren hierher gezogen. Es war die Entscheidung meines Vaters gewesen, und ich hatte nichts dagegen gehabt. Er hatte gesagt, er könne es in der Wohnung nicht mehr aushalten, mit all den vielen Erinnerungen vor Augen, jede Stunde dort bedeute für ihn die Hölle. Wir hatten einen Bekannten, der ein Haus im Wald besaß, und das stand derzeit leer; es gab jedoch Strom, Herd und Kühlschrank.

Einen Kilometer weiter die Straße hinunter hielt ein Schulbus, und mein Vater versuchte, tagsüber zu Hause zu schreiben: Ich war jedoch sicher, dass er nicht viel zustande brachte. Er verfasste so eine Art Werbetexte, und ich wusste wirklich nicht, wie er sich lobend über Waren äußern sollte, die alle Welt unbedingt kaufen musste, wo doch erst vor zwei Monaten das Schreckliche passiert war.

Meine Mutter hatte gelebt wie alle anderen, dann war sie gestorben. Es war von einer Stunde zur anderen passiert, sie war einfach nicht mehr da gewesen. Ich wusste, dass sie es … selbst getan hatte. Dass sie nicht mehr hatte leben wollen. Aber ich wusste nicht, warum. Ich konnte mir ja denken, dass es mit meinem Vater zu tun hatte, aber der genaue Zusammenhang war mir unklar, und zu fragen traute ich mich natürlich nicht.

In der Schule träumte ich meistens vor mich hin, oder ich gab mir Mühe, an gar nichts zu denken.

★

Wir versuchten, gemeinsam zu kochen. Wenn jemand uns gefragt hätte, was wir zuletzt gegessen hatten, hätten wir uns nicht daran erinnern können. Aber niemand fragte. Die anderen begriffen offenbar, dass wir allein sein wollten. In gewisser Hinsicht war das auch schön so. Ab und zu klingelte das Telefon, und mein Vater meldete sich, und ich konnte seine Stimme hören wie ein Radio im Nebenzimmer, in derselben geringen Lautstärke, ohne ein Wort zu verstehen. Nur ein Geräusch, ein gemurmeltes, langes Signal, das nirgendwohin führte. Das Signal entsprach unserem Leben in jener Zeit.

Nachts horchte ich oft auf Geräusche, wenn mein Vater in sein Zimmer gegangen war, nachdem er vorher in der Küche getrunken hatte. Ich wusste, dass er wieder trank, aber er versuchte, sich jeden Abend auf zwei Bier zu beschränken oder auf einen Whisky, wenn ich schon schlafen gegangen war. Der

Whiskygeruch zog durch das ganze Haus, von der Küche, wo mein Vater saß, durch die geschlossene Tür des Schlafzimmers. Ich sprach nie von «meinem» Zimmer. In diesem Haus gab es nichts, was ich bei meiner Rückkehr in die Stadt hätte mitnehmen wollen.

Das Haus lag am Ende des Weges. Dahinter gab es nur noch den Wald. Seit zwei Tagen hatte es heftig geschneit, und der Bauer, der für den Weg zuständig war, setzte zweimal pro Tag seinen Schneepflug ein. Er war am frühen Abend bis zu unserem Haus gefahren. Mein Vater hatte den Wagen umgeparkt, damit der Bauer vor dem Haus eine kleine runde Fläche freiräumen könnte.

★

Inzwischen fiel seit einer Stunde kein Schnee mehr vom schwarzen Himmel. Ich hatte gesehen, wie der Schneefall immer spärlicher geworden war, bis der Wind keine Flocken mehr am Fenster vorbeitreiben konnte. Ich hörte, wie mein Vater in der Küche eine Flasche Bier öffnete.

«Zeit zum Schlafengehen, Kalle.» Ich hörte, wie er das Bier ins Glas goss. «Es ist schon nach zehn.»

«Nur noch ein paar Minuten», gab ich zurück.

Er zog seinen Stuhl über den Boden. Ich nahm an, dass er sich über den Tisch beugte, um aus dem Küchenfenster schauen zu können.

«Ich glaube, es schneit nicht mehr.»

Ich gab keine Antwort. Ich dachte plötzlich an Weihnachtsgeschenke, ich hatte noch keins für meinen Vater gekauft. Ich wusste nicht, ob er etwas für mich hatte. Die Schlittschuhe vielleicht, die ich mir gewünscht hatte. Aber das war vor dem Tod meiner Mutter gewesen. Jetzt spielte das alles keine Rolle mehr. Ich dachte nicht mehr an Eishockey. Ich wollte nicht mehr spielen. Vielleicht würde ich das im nächsten Jahr anders sehen, aber sicher war ich mir nicht.

Am Heiligen Abend wollten wir auf dem Grundstück des Bauern einen Weihnachtsbaum fällen, das hatte er uns erlaubt. Von zu Hause hatten wir einen Christbaumständer mitgenommen. Wir hatten auf dem Dachboden nach Kerzen gesucht, hatten jedoch bald aufgegeben und lieber im Hauswarenladen einen neuen Satz elektrischer Kerzen sowie einige bunte Kugeln gekauft. Ich wusste nicht, ob wir den Baum schmücken und ob wir es überhaupt über uns bringen würden, ihn aus dem Wald zu holen.

«Verdammt, jetzt fängt es wieder an», hörte ich aus der Küche die Stimme meines Vaters. «So was hab ich noch nie erlebt.» Ich hörte, wie er aufstand, die Stuhlbeine schrammten über den Boden. «Noch so eine Nacht, dann kommen wir hier nicht mehr raus.» Jetzt vernahm ich seine Stimme im Wohnzimmer, wo ich saß. Ich schaute ihn an, denn er war in die Tür getreten. «Ivar kriegt den Weg nicht frei, wenn diese Schweinerei noch eine Nacht weitergeht.»

«Nein.»

«Und dann sitzen wir hier fest», sagte er. «Aber vielleicht wäre das auch egal.» Er sah mich an. «Hier sind wir sicher.» Das sagte er zweimal. «Hier sind wir sicher.»

Ich wusste nicht, was er damit sagen wollte. Ich wollte ihn fragen, aber er hatte das Zimmer schon wieder verlassen. Ich hörte, wie er das Bier in ein Glas goss.

Ich war jetzt müde. Weiß und Schwarz verschwammen hinter dem Fenster. Bald würde nicht mehr zu erkennen sein, wo der Weg verlief und wo der Straßengraben die Grenze zwischen Feld und Wald bildete.

«Ich gehe jetzt ins Bett», rief ich.

«Mhm.» Er murmelte in der Küche noch weiter vor sich hin, aber ich konnte kein Wort verstehen. Es hätte sich auch um einen Anruf handeln können, und im selben Moment klingelte das Telefon in seinem Schlafzimmer. Ich hörte wieder das Scharren der Stuhlbeine, dann erhob er sich, ging in das andere Zimmer und meldete sich am Telefon mit einem «Ja?». Ich ging hinterher, um mitzuhören. Er sagte: «Du wolltest doch erst nach Weihnachten anrufen», danach war alles still. Dann kam: «Das geht mich nun wirklich nichts an, verdammt nochmal … nicht das, was danach passiert ist», dann schien er wieder zu horchen, ganz kurz, sagte: «Das sollen sie nur wagen», und: «Ja, ja, ja», dann: «Nein», und dann knallte er den Hörer auf die Gabel.

Er hatte auch ein Mobiltelefon, und das hatte zweimal geklingelt, war jetzt aber stumm. Er hatte es wohl ausgeschaltet. Früher an diesem Abend hatte ich das Telefon auf dem Küchentisch liegen sehen, als er auf seinem Zimmer gewesen war. Ich hatte es hochgehoben und bemerkt, dass es ausgeschaltet war. Plötzlich war es in meiner Tasche. Es war so klein. Kaum größer als ein Schweizer Universalmesser.

Ich ging zu ihm ins Schlafzimmer.

«Was war das denn für ein Anruf?»

Er drehte sich um. «Hast du gelauscht?»

Ich zuckte mit den Achseln.

«Spionierst du mir nach?»

«Ich war eben gerade in der Nähe. Wer hat denn angerufen?»

«Das war nur ein … ein Arbeitskollege.»

«So spät?»

«Wir haben keine feste Bürozeit, Kalle.» Er stand vom Bett auf. «Solche Rücksichten kennen die nicht.»

«Warum hast du vorhin gesagt, dass wir hier sicher sind?»

«Was?»

«Du hast vorhin gesagt, dass es auch egal ist, wenn wir eingeschneit werden. Dass wir sicher sind. Ich und …»

«Mach dir darüber keine Gedanken. Und vielleicht gibt es ja auch immer noch Überraschungen.»

«Aber das w…»

«MACH DIR DARÜBER KEINE GEDANKEN!», sagte er, jetzt mit einer Stimme, wie ich sie lange nicht mehr gehört hatte. Diese Stimme stammte aus der Zeit, als meine Mutter noch gelebt hatte.

«Ich gehe jetzt schlafen», sagte ich und ging.

«Kalle …»

«Ja?» Ich drehte mich um.

«Gute Nacht, Kalle. Kümmer dich nicht um mein Gerede. Das ist nur … na ja, du weißt schon.»

«Ja.»

«Also gute Nacht», sagte er.

«Gute Nacht.»

«Morgen kochen wir den Schinken.»

«Ja.»

★

Ich war wach und horchte auf Geräusche, und plötzlich vernahm ich vor dem Haus Stimmen. Es war kein Traum. Ich hatte kein Auto gehört, aber jetzt sagte jemand etwas. Eine Stimme.

In der Diele wurde Glas zerbrochen. Ich hörte eine grobe Stimme, einen Fluch. Jemand anders fragte: «Hast du dich geschnitten?», und dann folgte eine Antwort, die ich nicht verstehen konnte.

Ich zitterte am ganzen Leib. Ich konnte es nicht kontrollieren, meine Hände zitterten unter der Decke, ich bekam fast keine Luft mehr, meine Füße …

«BESUCH, WESTER!»

Irgendwer schrie in der Diele unseren Nachnamen. Ich hörte grobe Stiefel, die über den Holzboden liefen, in die Küche und dann in das Zimmer, in dem mein Vater schlief, und daraufhin brüllte die Stimme: «HALT LIEBER STILL, DU ARSCH!», gefolgt von dem schrecklichen Geräusch von

Schlägen, die einen Menschen trafen. Weitere Stiefelschritte auf dem Boden. Ein Schrei, der von meinem Vater stammen konnte.

Draußen wurde Licht gemacht, das durch einen Türspalt zu mir hereinsickerte.

Ich kroch unter das Bett. Eine Sekunde später überlegte ich mir die Sache wieder anders und rannte zum Kleiderschrank, der oben ein breites Fach hatte, in dem ich schon einmal gesessen hatte. Wenn man sich so weit wie möglich zurückzog, war man vom Boden her nicht zu sehen.

Der Schrank war hoch, und nur ein Kind konnte mit Hilfe der Wände hochklettern und sich im Fach verkriechen, und ich wollte mich schon hochziehen, als mir einfiel, dass meine Kleidung noch vor dem Bett lag, und ich stürzte zurück und zog Unterhose, Pullover und Hose über meinen Schlafanzug und stopfte mir die Strümpfe in die Tasche, klopfte das Kissen zurecht und zog die Decke über das Bett, stürzte zurück und schloss hinter mir die Schranktür. Als ich dann in das Regalfach kletterte, hörte ich, wie meine Zimmertür aufgerissen wurde. Das Fach war mindestens drei Meter hoch. Der Wandschrank reichte bis in den ersten Stock des Hauses. Ich spürte das Telefon in der Tasche und presste meine Beine gegen die Wand.

«Wo steckt der Junge?»

Ich vernahm die Stimmen durch die Schranktür nur undeutlich.

Ich war jetzt oben, schmiegte mich an die Wand, versuchte, mit ihr eins zu werden.

«Er übernachtet bei … einem Freund.» Das war die Stimme meines Vaters.

«Aber er hat doch in dem Bett gelegen.»

«Das war gestern. Er ist heute Morgen gefahren.»

«Nie im Leben. Das Bett ist doch gar nicht gemacht.»

«Er macht sein Bett nie», sagte mein Vater. Und das stimmte.

Jetzt hörte ich Schritte.

«Unter dem Bett liegt er jedenfalls nicht.»

«Ist das Bett noch warm?»

«Tja … keine Ahnung.» Eine Sekunde Schweigen. «Das ganze Zimmer ist doch so saukalt, dass ich das wirklich nicht feststellen kann.»

«Und was ist das da?»

«Was denn?»

«Die Tür da. Wohin führt die?»

«Das ist ein Kleiderschrank.» Das war wieder die Stimme meines Vaters.

«Aufmachen, Jock.»

Wieder Schritte. Ich presste mich noch fester gegen die Wand. Die Tür wurde aufgerissen, und Licht strömte herein, doch ich lag im Schatten. Ich wusste, dass das Regalfach von dort unten nicht zu sehen war. Im Schatten des Lichtes, das unten brannte, schien es ein Teil der Wand zu sein.

«Hier ist alles leer.»

«Mal nachsehen.» Schritte. «Aber rein gar nichts.» Ich hörte unten zwei leere Kleiderbügel klappern. «Das ist ja verdammt hoch.» Einige Sekunden Schweigen. Ich wusste, dass er nach oben schaute. Ich hielt den Atem an. «Okay.» Die Tür fiel ins Schloss. Wieder die Stimme, jetzt undeutlicher, durch das Holz: «Dann sollten wir uns mal bei diesem Kumpel erkundigen. Wann kommt der Junge wieder nach Hause?»

«Morgen. Am Heiligen Abend.»

«Morgen ist noch nicht der Heilige Abend.»

«Mitternacht ist schon vorbei, also hat er Recht, Steve.» Die andere Stimme. Der Mann, der am Bett gestanden hatte.

«Dann ist also der Tag vor dem Heiligen Abend, Wester.»

Keine Antwort.

«Hast du mich gehört?»

«Ja.»

«Wir hätten unsere Weihnachtsgeschenke gern ein biss-chen früher.»

«Ich habe sie nicht.»

«Was sagst du da?»

«Ich habe überhaupt nichts davon.»

«Das ist doch wohl nicht dein Ernst, oder?»

«Sie sind nicht hier.»

«Ach was?»

«Ich weiß nicht, warum ihr glaubt, dass ich … es haben könnte. Habt ihr mit Berger gesprochen?»

«Ja.» Plötzlich ein schrilles Lachen, fast wie ein Schrei, der auch durch die Schranktür gut zu hören war. «Wir haben … mit Berger gesprochen. Er hat so ungefähr gesagt, wir sollten uns an dich wenden.»

«Das waren so ungefähr seine letzten Worte.» Die andere Stimme. Und wieder dieses Lachen.

«Berger hatte alles», sagte mein Vater. «Wenn er … tot ist, dann habt ihr einen großen Irrtum begangen.»

«Und dann wäre es doch schade, wenn wir gleich noch ei-nen folgen ließen?»

«Ich verstehe das alles nicht», sagte mein Vater, und dann hörte ich Schritte und wieder das schreckliche Geräusch von Schlägen, die einen Menschen treffen, und mein Vater stöhn-te, und alle Stimmen und Schläge und Schreie gingen inein-ander über, und dann wurde alles abgeschnitten und ver-schwand hinter der Schlafzimmertür.

Bald darauf vernahm ich Schritte im Obergeschoss. Viel-leicht suchten sie auch dort noch nach mir.

Ich versuchte, meine Augen an die Dunkelheit zu gewöh-nen, und hielt das abgestellte Mobiltelefon in der Hand. Ich war nicht sicher, ob ich versuchen sollte, es einzuschalten.

Vielleicht wäre das leise Piepsen ja durch die Decke bis in den ersten Stock zu hören oder durch die Wand bis in die Küche. Ich musste warten. Vielleicht würden sie gehen. Wegfahren. Uns in Ruhe lassen. Ich fragte mich, was sie wohl mit meinem Vater angestellt haben könnten, aber das ließ ich sein, als meine Glieder mir wehtaten. Ich bewegte mich vorsichtig, weil meine Beine nicht einschlafen sollten.

Jetzt hörte ich schwache Stimmen aus der Küche. Ich konnte kein Wort verstehen. Ich fragte mich, wie lange ich noch hier sitzen bleiben und darauf warten sollte, dass sie mit einer Taschenlampe zurückkämen und das Regalfach anstrahlten. Sie würden meinen Vater zwingen, den Freund anzurufen, bei dem ich angeblich zu Besuch war. Und wenn er sich weigerte, würden sie ihm etwas antun ... etwas noch Schlimmeres als ohnehin schon.

Ich hielt das Mobiltelefon in der Hand und versuchte, auf den «on»-Knopf zu drücken, denn dann würden die Zahlen aufleuchten, und ich könnte eine Nummer eingeben. Die des Notrufs. Oder ich könnte einen Freund anrufen. Meine Hände zitterten. Ich war schweißnass, und das Telefon rutschte mir aus der Hand. Ich ließ meine Beine über die Kante des Regalbrettes baumeln, und dabei fiel das Telefon auf den Boden. Ich hörte den Aufprall, der aber nicht sehr laut war. Sicher war das Telefon unten auf den Stiefeln gelandet. Ich hielt den Atem an und horchte zur Küche hinüber. Jemand schien zu reden. Ob sie den Aufprall gehört haben konnten?

Ich wartete lange, danach ließ ich mich an der Kante nach unten, stützte mich gegen die Wand ab und kletterte los. Ich suchte das Telefon und fand es in einem Stiefel. Ich steckte es ein und ...

Die Tür wurde aufgerissen. Ein greller Lichtstrahl stach mir in die Augen.

«Guter Trick, Kleiner. Aber du solltest lernen, ein wenig leiser zu sein.»

Ich war noch immer wie geblendet. Eine Hand packte meinen Arm.

«Raus mit dir.» Ich wurde ins Zimmer gezerrt. «Da haben wir ja die ganze Familie zusammen.» Wieder wurde gelacht. «So gehört sich das auch für die Weihnachtszeit.»

Ich wurde durch das Zimmer, durch die kleine Diele und dann in die Küche gestoßen. Mein Vater saß am Tisch. Sein Gesicht war blutverschmiert. Ein Mann stand vor ihm. Er trug eine schwarze Strickmütze und eine Lederjacke, die braun aussah. Er hatte einen Schnurrbart. Der Mann, der mich in die Küche gestoßen hatte, hatte keinen. Seine Haare waren lang und blond. Er roch nach Schnaps. Beide Männer waren wohl ungefähr so alt wie mein Vater.

«Die ganze Bande auf einem Haufen», sagte der Blonde. Der Dunkle schwieg. Er schaute mich aus seltsamen Augen an, sie sahen durchscheinend aus, wie die eines Blinden. Seine Augen waren hellblau und bleich, wie Wasser in einem gefärbten Glas. Ich hatte mich die ganze Zeit schon gefürchtet, doch als er mich jetzt ansah, war ich außer mir vor Angst. Ich glaubte, sie wollten uns umbringen, und bei diesem Gedanken musste ich weinen. Das hier war kein Traum. Mir war klar, dass in dieser Nacht etwas Entsetzliches passieren würde.

«Setz dich hierher», sagte der mit der Mütze und den Augen. Er zeigte auf den Stuhl ihm gegenüber. Ich blieb stehen. Der andere stieß mich an, und ich verlor das Gleichgewicht und knallte mit dem Kinn auf den Tisch. Mein Vater sprang auf, und der Blonde hinter mir trat einen Schritt beiseite und schlug meinen Vater ins Gesicht … mit einem Gewehr oder einer langen Pistole, die ich nur kurz in Bewegung sah, als ich zu Boden ging.

«Sitzen bleiben, Wester.» Er beugte sich über mich. «Hoch mit dir, Junge.» Er zog an mir. «Hoch mit dir und setz dich an den Tisch.» Er schaute den anderen an. «Hast du im Kühlschrank nachgesehen? Ich habe Hunger.»

Der mit der Mütze ging durch die Küche und öffnete die Kühlschranktür.

«Ein roher Schinken», sagte er nach einer Weile. Er griff nach etwas, das ich nicht sehen konnte, da die offene Tür im Weg war. «Hackfleisch, das gerade auftaut.» Er schaute den anderen an. «Fürs Weihnachtsfestmahl.»

Der Blonde sah meinen Vater an. Dann schaute er aus dem Fenster auf den rieselnden Schnee. Er warf einen Blick auf seine Armbanduhr und dann wieder auf meinen Vater.

«Und zwar sofort», sagte er. «Her mit dem Kram.»

«Was?», fragte der Mützenmann.

«Hol den Schinken und das Hackfleisch heraus, und dann kann Wester das Weihnachtsessen kochen.»

«Es dauert doch Stunden, einen Schinken zu kochen. Der ist zwar nicht groß, aber zwei Stunden braucht der mindestens.»

Der andere schaute wieder aus dem Fenster. «Wir bleiben auf jeden Fall bis morgen.»

★

Es war drei Uhr nachts. Ich war nicht müde. Die Angst hielt mich wach. Ich hatte das Gefühl, auf einem Messer zu sitzen. Eine falsche Bewegung, und das Messer würde mich zerschneiden.

Mein Vater stand am Herd. Der Schinken zischte in dem großen Kessel. Mein Vater hatte Zwiebeln geschnitten und mit in Milch eingeweichtem Weißbrot, Hackfleisch, Eiern, schwarzem Pfeffer und allem vermischt, was dazugehörte. Er hatte Frikadellen geformt und wollte sie jetzt braten. Ich hatte aufstehen und zum Herd gehen wollen, um ihm auf irgendeine Weise das Mobiltelefon zuzuspielen, aber sie hatten mich dazu gezwungen, am Tisch sitzen zu bleiben. Sie hatten mich nach einer großen Tasche mit Geld gefragt, aber davon wusste ich nichts, und vielleicht glaubten sie mir. Nach langer Fragerei ließen sie mich dann in Ruhe. Sie stellten auch meinem Vater keine Fragen mehr, und das war vielleicht das Unheimlichste von allem.

Mein Vater briet die Frikadellen. Ich hatte Angst, aber sie rochen trotzdem gut.

«Du bist ja die geborene Hausfrau, Wester. Macht nichts, dass die Gattin verreist ist, oder?» Ich sah meinen Vater an, aber der hatte sich abgewandt. Was hatte er über meine Mutter erzählt? Wussten die Männer nicht … was passiert war?

Der Blonde lächelte und blickte zum Herd hinüber. «Na, was macht der Schinken?»

«Der ist fertig», sagte mein Vater und zog den Kessel von der Herdplatte.

«Scheiß drauf!» Der Blonde sah den anderen an. «Du nimmst den Topf und fischst den Schinken heraus, damit dieser Arsch uns nicht mit dem kochenden Wasser übergießt!» Er sah wieder meinen Vater an. «Weg vom Herd, Wester.» Er schwenkte seine Waffe. Mein Vater entfernte sich vom Herd. Die Frikadellen zischten in der Bratpfanne.

Dann hörten wir in der Nähe einen Traktor.

Der Blonde zuckte zusammen.

Das Traktorgeräusch kam näher.

«Wer zum Teufel kann das denn sein?» Der Blonde sah meinen Vater an. «Zum Teufel, jetzt antworte schon!»

Mein Vater zuckte mit den Achseln. «Sicher der Bauer, der versucht, den Weg zu räumen.»

«Jetzt?»

«Es ist doch fast schon Morgen. Bestimmt will er den Weg freihalten.»

«Kommt er auch hierher?»

«Der Weg führt doch bis zu uns. Er endet hier.»

«Hält er dann hier an?»

«Wie meinst du das?»

«Kommt er rein und redet Müll?»

«Ab und zu.»

«Diesmal nicht», sagte der Mützenmann, und ich hörte, wie er hinter meinem Rücken irgendetwas mit seiner Waffe machte.

«Verlier jetzt bloß nicht die Nerven, Jock», sagte der Blonde. Er sah den anderen an. «Hast du gehört?»

«Ja, ja. Aber das gilt auch für dich.»

Ich konnte jetzt die Scheinwerfer des Traktors sehen, wie Lichtspeere im Schnee, der sich wie eine weiße Wand in einem schwarzen Raum erhob. Vielleicht sah ich dahinter Ivars Umrisse. Er war nicht alt, obwohl er so einen altmodischen Namen trug. Ivar war in Ordnung. Er sagte nicht viel. Er kam nie ins Haus, obwohl mein Vater das behauptet hatte. Ivar wusste, wie uns zumute war, wegen meiner Mutter und überhaupt.

Er musste das Licht in der Küche gesehen haben. Und staunte vielleicht darüber. Ich betete, dass er hielte. Der Traktor brummte und schnaufte beim Drehen, und ich konnte hören, wie Ivar die Handbremse anzog und mit einem leisen Knall in den Schnee sprang.

«Was zum Teufel», sagte der Mützenmann.

«Ganz ruhig», erwiderte der Blonde. «Du hast eben Freunde zu Besuch, nicht wahr, Wester?» Er schaute meinen Vater an. «Nicht wahr?»

«Ja», bestätigte mein Vater und sah mich an.

«Jock richtet die Pistole auf den Kopf des Kleinen», sagte der Blonde.

Mein Vater nickte. Ich spürte, wie etwas Kaltes gegen meinen Kopf gedrückt wurde. Ivar hämmerte gegen die Tür. Mein Vater schaute den Blonden an.

«Geh aufmachen», sagte der Blonde. «Ich stehe dicht hinter dir.»

Ich konnte von meinem Platz aus die Tür sehen, die mein Vater jetzt öffnete. Ich sah im Licht der Scheinwerfer eine Gestalt. Und ich nahm einen eiskalten Windstoß wahr.

«Ja ... hallo», sagte Ivar.

«Hallo», gab mein Vater zurück.

«Ich ... ich will versuchen, den Weg freizuhalten. Es kann wohl jeden Moment aufhören zu schneien.»

Ivar kam in die Diele. Er behielt seine Mütze auf. Ich konnte sehen, dass er den Blonden anstarrte, der dicht hinter meinem Vater stand.

«Jaa ... ein Stück weiter den Weg hoch stand ein Wagen ...»

«Das ist unserer», sagte der Blonde. «Wir sind nicht weiter gekommen.» Er schaute meinen Vater an. «Wir hatten gedacht, wir könnten hier sein, ehe der Schnee wieder loslegt.» Er sah Ivar an. «Aber dann mussten wir doch den Rest zu Fuß gehen.»

«Ach», sagte Ivar. Ich sah ihm an, dass er den Essensduft wahrgenommen hatte. «Hier riecht's nach Weihnachten, ich muss schon sagen.»

«Ja», entgegnete der Blonde. «Wir kochen gerade ... damit alles rechtzeitig fertig ist.»

«Ach...»

«Ich wollte meine Frau überraschen», sagte mein Vater. Er hatte mir den Rücken gekehrt, aber ich konnte sehen, dass Ivar aufschaute. Er schwieg jedoch.

«Meine Frau kommt doch am Heiligen Abend von ihrer Reise zurück, und dann wollte ich alles fertig haben.» Ich konnte sehen, dass mein Vater jetzt den Blonden ansah. «Ivar macht Überstunden, um den Weg freizuhalten.»

«Wie gut», sagte der Blonde.

«Jaaa», bestätigte Ivar. «Und jetzt mach ich mich wieder auf den Weg.» Er setzte seine Mütze auf und ging rückwärts zur Tür. Ich wusste, dass er mich gesehen hatte. Aber ich war nicht sicher, ob er auch meinen Gesichtsausdruck registriert hatte.

Als er draußen auf der Treppe stand, schoss der Blonde ihm in den Bauch, und ich sah Ivars überraschtes Gesicht, ehe er aus der Tür verschwand, ehe sein Körper rückwärts geschleudert wurde. Der Blonde feuerte noch einmal und stieß dann meinen Vater auf die Treppe, und ich hörte einen weiteren Schuss und zitterte unbeschreiblich und hatte das Gefühl, dass der Mützenmann hinter mir ebenfalls zitterte, mit seiner Pistole in der Hand. Ich glaubte, dass er mich jetzt erschießen wollte.

Ich wusste, was jetzt passieren würde. Wie es enden würde.

Sie kamen zurück, in die Küche. Das Gesicht meines Vaters war so weiß wie der Schnee vor dem Haus oder noch weißer. Er schien es mit Schnee eingerieben zu haben, der nicht schmelzen wollte.

«Was zum Teufel», sagte der Mützenmann.

«Das war mir zu unsicher», erwiderte der Blonde.

«Aber es kann doch jemand die Schüsse gehört haben, zum Teufel.»

«In dem Moment fuhr gerade die Bahn vorbei. Und es ist weit bis zum nächsten Haus.»

«Liegt er draußen?»

«Im Traktor.»

«Im Traktor?»

«Ja. Wir müssen ihn nachher wegfahren.»

«Na gut.»

«Was wird jetzt mit dem Fraß?», fragte der Blonde und schaute meinen Vater an. «Die Frikadellen sind doch wohl fertig.» Er sah zu dem anderen hinüber. «Jock, leg doch mal den Schinken auf eine Platte.»

«Muss der nicht … gegrillt werden oder wie das heißt?»

«Darauf scheißen wir jetzt. Her mit dem Schinken, Mann.»

Mein Vater war wie zu Eis erstarrt.

«Setz dich, Wester.»

Mein Vater setzte sich an den Tisch.

«Und dann brauchen wir nur noch ein wenig Besteck», sagte der Blonde.

Seine Augen waren in ihren Höhlen fast verschwunden. Er war irrsinnig. Irrsinnig. Das hier waren Männer, die keine Gefühle kannten. Oder die etwas in ihren Köpfen hatten, das anderen fehlte.

Ihnen war einfach alles zuzutrauen.

★

Ich spürte das Mobiltelefon in meiner Unterhose, bei meinem Schwanz, der sich anfühlte wie eine Backpflaume. Er rieb sich an meinen Eiern. Ich wusste, dass es unsere Rettung bedeuten konnte oder wenigstens den Versuch einer Rettung.

«Ich muss aufs Klo», sagte ich. Bisher hatte ich nicht gewagt, darum zu bitten. Jetzt musste es sein, und zwar aus mehreren Gründen.

«Hast du seine Taschen durchsucht?», fragte der Blonde.

«Ja», sagte der Mützenmann.

«Na gut.»

Auf der Toilette zog ich das Telefon hervor. Der Mützenmann stand vor der Tür, doch dann hörte ich, wie er zurück in die Küche ging, und ich nahm an, dass er dort saß oder stand und quer durch die Diele die Toilettentür im Auge behielt. Er hatte sich davon überzeugt, dass es hier kein Fenster gab, durch das ich entkommen könnte.

Ich pisste und versuchte gleichzeitig nachzudenken … nach zwei Minuten drückte ich auf die Spülung, drehte den

Wasserhahn über dem Waschbecken auf und drückte auf den «on»-Knopf des Telefons. Ich hatte gelernt, Mitteilungen zu schreiben und zu versenden. Ich schrieb also eine, schickte sie ab, stellte das Telefon aus und drehte zugleich den Wasserhahn wieder zu. Vielleicht meinten sie, ich hätte mir lange die Hände gewaschen, aber ich glaube nicht, dass sie das Telefon gehört hatten.

Ich hielt das Telefon in der Hand. Ich wagte nicht, es mit zurück in die Küche zu nehmen. Ich legte es in den Papierkorb, der unter dem Waschbecken stand.

Der Mützenmann stand vor der Tür. Wir gingen zurück in die Küche. Der Blonde saß am Tisch und verzehrte Frikadellen und ein Käsebrot. Der Schinken dampfte auf einer Platte aus rostfreiem Stahl. Er glich einem abgeschlagenen Kopf.

Mein Vater saß am Tisch und starrte den Boden an. Der Mützenmann schob Frikadellen aus der Bratpfanne auf einen Teller.

Jetzt konnte ich nur noch warten, aber es würde sicher nicht lange dauern. Ich hoffte, dass wir gerettet würden, wusste aber nicht, wie das passieren sollte. Ich nahm mir zwei Frikadellen. Es schneite nicht mehr. Es war noch immer Nacht oder früher Morgen. Ich versuchte zu essen, brachte aber nichts hinunter. Die Männer fingen wieder an, meinem Vater Fragen zu stellen. Der Blonde sprang auf und drückte ihm die Waffe an den Kopf. Ich schrie, und mein Schrei war so laut, dass er fast ein Auto übertönt hätte, das sich von Westen auf dem Höhenzug näherte, auf jenem Weg, den Ivar wenige Minuten vor seiner Ermordung freigeräumt hatte.

Der Blonde warf den Kopf herum wie ein Tier. Der Mützenmann eilte ans falsche Fenster.

«Das andere Fenster, du Idiot!»

Der Mützenmann stürzte ins Zimmer, wo der Kamin schwarz und kalt geworden war.

«Ein Auto», schrie er und drehte sich zu uns um.

«Pkw?», fragte der Blonde.

«Ich kann nur die Scheinwerfer sehen, Scheiße», er schaute wieder aus dem Fenster. «Was machen wir jetzt?»

«Ganz ruhig bleiben», sagte der Blonde und richtete seine Waffe auf die Tür.

«Wie du vorhin, was?»

«Fresse, Jock.»

Ich hörte, wie der Wagen vor der Tür bremste, wie er vielleicht durch den Schnee glitt. Er musste neben dem Traktor zum Stehen gekommen sein. Saß Ivar im Traktor, auf dem Sitz … warum zum Teufel war der Wagen vor die Tür gefahren? Begriff er denn nicht, was hier drinnen los war? Hatte er meine Nachricht nicht verstanden?

Draußen rief jemand etwas.

«Was zum …», sagte der Blonde.

«Der ruft dich, Steve», entgegnete der Mützenmann.

«Ich höre.»

«Das ist doch Werner», sagte der Mützenmann.

«Der sollte doch zu Hause warten», bemerkte der Blonde. «Was will der denn hier?»

Jetzt wurde gegen die Tür gehämmert. Mir wurde plötzlich schlecht, und mein Magen krampfte sich zusammen.

Ich hatte meine Nachricht an einen Freund meines Vaters geschickt. Mats Werner war der Einzige, von dem ich wusste, dass mein Vater ihn nach dem Tod meiner Mutter noch getroffen hatte.

Sie hatten eine kurze Reise gemacht, um auf andere Gedanken zu kommen, wie mein Vater gesagt hatte.

Ich hatte nichts kapiert.

«Ich komm jetzt rein», rief er von draußen. «Bleibt ganz ruhig. Ich habe Neuigkeiten.» Er rüttelte an der Tür.

«Die ist doch verschlossen», sagte der Mützenmann.

Der Blonde ging in die Diele und drehte den Türschlüssel um. Mats Werner kam herein und kniff im grellen Licht die Augen zusammen.

Mein Vater schlug die Hände vors Gesicht. Er schien zu wissen, dass jetzt alles zu Ende war.

«Was zum Teufel willst du denn hier?», fragte der Blonde.

«Der Junge hat mir eine Nachricht geschickt», sagte Werner und zeigte auf mich.

«Was?»

«Der Junge hat mir über ein Mobiltelefon eine Nachricht geschickt», sagte Werner und hob sein eigenes hoch, wie um seine Behauptung dadurch zu beweisen.

«Dir? Eine Nachricht?»

«Genau das, du Idiot. An mich. Euer Glück, was?» Er trat vor den Blonden hin und schaute ihm in die Augen. Sie waren gleich groß. «Was treibt ihr hier eigentlich? Aus dem Traktor da draußen hängt ein Typ heraus. Und Wester und der Junge sitzen hier und spachteln», sagte er und schaute zur Küche hinüber. Mein Vater hatte noch immer die Hände vors Gesicht geschlagen. «Warum habt ihr sie nicht erschossen? Hast du nicht begriffen, dass der Typ draußen tot ist? Wir haben jetzt keine Zeit mehr.»

«Was ... was sagst du da?»

«Ihr sollt sie erschießen.»

«Aber wir wissen doch nichts ... noch nicht.»

«Ihr braucht doch nur das Wohnzimmer zu durchsuchen. Irgendwo muss es ja sein.»

«Wir haben gesucht.»

«Nicht gut genug. Jetzt erschießt sie endlich, verdammt nochmal», sagte Werner und griff nach der Waffe des Blonden, aber der Blonde wollte sie nicht loslassen, und Werner sagte: «Dann mach ich das lieber selbst», und ich kniff so fest die Augen zusammen, dass in meinem Kopf alles feuerrot wurde, und ich hoffte und hoffte und hoffte, und in diesem Moment, als ich zwei schwere Schritte aus der Diele hörte und das Rote in meinem Kopf schon schwarz wurde, gerade in diesem Moment hörten wir ein Dröhnen wie aus dem Weltall, und es wurde lauter und lauter, und die Rotoren zerfetzten die Luft wie wütende Eispickel, und der Hubschrauber schien auf dem Hausdach landen zu wollen, wie ein Schlitten, der vom Nordpol kam, und das bedeutete, dass mein anderer Wunsch per Mobiltelefon angekommen war und erfüllt werden sollte, und ich öffnete die Augen, als die gütige Lautsprecherstimme dort oben über Gerechten und Ungerechten gleichermaßen erscholl.

★★★

Benn Q. Holm
Der Mann aus der Vorstadt
Aus dem Dänischen von
Gabriele Haefs

Das Schlimmste an Weihnachten ist nicht die drei Tage lange Klimax, angefangen mit der Essens- und Geschenkeorgie des Heiligen Abends, gefolgt von den Fressrunden des ersten und zweiten Weihnachtstages, wo wir uns aus Rücksicht auf den Familienfrieden in Stücke hacken, um alle zufrieden zu stellen. Es klappt nie, trotzdem versuchen wir es jedes Jahr von neuem. Wenn ich reich wäre, dann würde ich einfach wegfahren und erst nach Neujahr zurückkehren, selbst wenn ich mich mit einem tristen Betonhotel an der Costa Brava begnügen müsste, einem von der Sorte, wo der Strom kommt und geht und der Balkon so groß ist wie eine Duschkabine.

Aber in diesem Jahr machen wir das so: Nachdem wir voriges Jahr Heiligabend bei meinem Vater und seiner neuen jungen Frau gefeiert haben, gehen wir in diesem Jahr zu Mettes Mutter und deren Mann. Das verlangen die Regeln. Am ersten Weihnachtstag gibt es Mittagessen bei meiner Mutter und ihrem Freund. Am zweiten Weihnachtstag gehen Mette und die Kinder mittags zu Mettes Schwester und Schwager (die am Heiligen Abend nicht kommen können, weil sie bei seiner Familie feiern), während ich allein zu meinem Vater hinausfahre. Da mir garantiert ein Weihnachtsbier in die Hand gedrückt werden wird, fast noch ehe ich meinen Mantel abgelegt habe, worauf ich dann zwischen allerlei Heringssorten und Schnäpsen meine Wahl treffen kann, fahre ich lieber mit der S-Bahn.

Das steigert die Fahrzeit, und ein Taxi nach Hause werde ich mir unter gar keinen Umständen leisten können, nach allen Geschenken und Ausgaben, die diese gesegnete Zeit mit sich bringt. Dieses ganze Weihnachtspuzzlespiel geht um Haaresbreite auf, aber nur weil alle unsere Angehörigen in der Nähe der Hauptstadt oder im östlichen Seeland wohnen.

Und als wäre das alles nicht schon schlimm genug (an Silvester wage ich nicht einmal zu denken), gibt es dann noch die vielen Vorbereitungen, und hier denke ich nicht nur an den Einkauf von Weihnachtsgeschenken und Weihnachtszubehör, ich denke auch nicht an die anstrengende Suchexpedition auf dem Dachboden, die die Kisten mit dem Christbaumschmuck ausfindig machen soll, sondern an die Planung, wer den Heiligen Abend bei wem verbringt.

Und als wäre auch das noch nicht schlimm genug, gibt es ja noch den Dezemberalbtraum. Der eigentlich schon im November einsetzt, wenn die Weihnachtsdekoration Straßen und Schaufenster erobert, wenn die dicken Kataloge durch den Briefschlitz poltern und wenn meine alten Freunde per Mail anfragen, ob wir in diesem Jahr nicht doch Zeit für ein oder mehrere Weihnachtsbiere freischaufeln können. Ja, das wäre schön, aber im Dezember gibt es keine Zeit für solche Unternehmungen.

In diesem Jahr war es so: Am ersten Adventssonntag waren wir bei meinem Großvater im Pflegeheim, wo der Weihnachtsbaum angezündet wurde. Mein Großvater erkennt uns alle nicht mehr, aber wir kommen doch immer wieder. Mette hatte schon am Freitag die Weihnachtsfeier ihrer Firma besucht, sie lag den ganzen Samstag im Bett und stöhnte und klagte, mit der Folge, dass ich den ganzen Tag die Kinder unterhalten musste, und am Sonntag war sie noch immer bleich und mitgenommen, um nicht zu sagen mürrisch. Am Dienstag gab es die Weihnachtsfeier in der Schule meines Sohnes, und am Mittwoch, als mein Kopf sich vom vielen Glühwein noch ein wenig schwer anfühlte, musste ich mit einem guten Kunden essen gehen. Der Kunde hat immer Recht, vor allem, wenn es sich um einen guten Kunden handelt, und dieser wollte wirklich nichts auslassen. Also wurde nichts ausgelassen. Am Freitag war die Weihnachtsfeier meiner Abteilung, die ich nicht weiter erwähnen will, ich kann mich an den späteren Abend ohnehin kaum erinnern, und samstags gab es ein Weihnachtsfest beim Fußballverein meines Sohnes, auf das ich auch nicht weiter eingehen möchte, es war so ein Fest in einem verräucherten Clubhaus mit Kreuzfurnierwänden, dicken, hinter einem Meer aus Bierflaschen versteckten Männern in einer Ecke und Pokalvitrinen mit fettigen Glasscheiben. Dann kam das Luziafest im Kindergarten meiner Tochter, unsere Kleine war Nr. 2 im Lichterzug, gleich hinter der Luzia, dieser schrecklichen Emma mit den aufgetakelten Eltern; es wurde bis zum Gehtnichtmehr fotografiert und videogefilmt, und danach gab es Glühwein und Pfeffernüsse. Unsere Tochter geht auch ins Ballett, und die Ballettschule war so freundlich, eine kleine Weihnachtspantomime zu arrangieren, damit die Eltern sehen konnten, was für das viele Geld geboten wird, das sie für den Unterricht hinblättern müssen. Am Samstag waren wir zu verschiedenen Festen eingeladen und mussten ein Vermögen für eine Babysitterin ausgeben. Anna ist erst viereinhalb, Benjamin acht. Normalerweise können wir die Kinder bei Mettes Schwester und ihrem Mann unterbringen, aber die hatten selber etwas vor. Ich wollte zu einem weiteren Weihnachtsfest, diesmal für die ganze Firma. Es wurde ein stiller Abend, da ich absolut erschöpft war und außerdem neben der Frau des Direktors saß. Als die anderen in einer Seitenstraße verschwanden, wo eine nachts offene Kneipe liegt, ging ich weiter zum Rathausplatz und suchte einen Nachtbus. Es war der große Abend der

Weihnachtsfeiern, überall wimmelte es von lärmenden Menschen oder von Menschen, die offenbar früher an diesem Abend gelärmt hatten, die jetzt aber nur noch nach Hause wollten, und zwar sofort. Obwohl außergewöhnlich viele Nachtbusse und Taxen im Einsatz waren, war es unmöglich mitzukommen. Die Busse waren überfüllt, die Taxen ausgebucht. Also ging ich ein langes Stück Weges, nüchtern und müde, kalter Wind wehte, es regnete, und ich hatte keine Zigaretten mehr. Wie durch ein Wunder erwischte ich dann doch einen Wagen, vor der Nase von zwei sturzbesoffenen Teenies, die für diese Jahreszeit überraschend leicht bekleidet waren. Sie taten mir fast Leid, wie sie da im Regen standen, mit verlaufener Wimperntusche und gewissermaßen, verstehen Sie das jetzt nicht falsch, feuchten Brüsten. Ich war seit zwanzig Minuten unterwegs, aber bis zu meinem Vorort waren es noch immer fünfzig Kilometer. Eine teure Fahrt. Über die Autobahn. Endlich kamen wir im Vorort an, der wie immer von allem vollständig unberührt aussah, abgesehen von der Bodega in der Hauptstraße, wo vier Männer mit Flaschen warfen, aber das passiert an jedem Wochenende im Jahr. Das letzte Stück fuhren wir hinter einem anderen Taxi, es bog sogar in unsere Straße ein, die ansonsten leicht zu übersehen ist. Und dann hielt es sogar noch vor unserem Haus an. Mette stieg aus. Genauer gesagt, sie fiel, aber immerhin war sie da.

Ich bezahlte die vierhundert Kronen und beklagte mich mit lauter Stimme. Wir waren ja denselben Weg gefahren, ihr Fest hatte gar nicht weit von meinem stattgefunden.

«Warum hast du mich nicht angerufen?», fragte ich.

Auf die Idee war sie gar nicht gekommen, hihi. Die beiden Taxen fuhren weiter. Sie sahen aus wie ein kleiner Wagenzug. Die Babysitterin schlief auf dem Sofa. Sie ist die Tochter der Nachbarn, ein nettes, vernünftiges Mädchen, das nach dem

Abitur Zahnmedizin studieren will. Ich weckte sie und bezahlte die verabredete Summe. Es war ein seltsames Gefühl, um drei Uhr nachts einer jungen Frau, zu der sie inzwischen ja doch geworden ist, Geld zu geben, obwohl die Situation in keinster Weise unmoralisch war. Unmoralisch war höchstens Mette, die den Reißverschluss an ihrem Kleid zur Hälfte geöffnet hatte.

Die Babysitterin nahm ihren Mantel und ihr Buch.

Wir wünschten noch eine gute Nacht, Mette wurde dabei etwas laut.

Mir ging auf, während Mette mit ihrem üppig-frechen Mund und ihrem weit geöffneten Kleid dastand, dass ich jetzt loslegen sollte.

Was ich dann auch tat, auf dem Sofa, wo eben noch die Babysitterin gelegen hatte.

Auch das war ein seltsames Gefühl.

★

Ja, so war es in diesem Jahr, auch in diesem Jahr. Aber noch immer war der Heilige Abend eine kleine Woche entfernt, und uns fehlte das Wichtigste: der große, gemütliche Ausflug in die Stadt, um Weihnachtsgeschenke zu kaufen. Anna und Benjamin freuten sich unbeschreiblich. Die Geschenke hätten wir auch im lokalen Einkaufszentrum erstehen können, aber wir wollten aus der Sache eine Familienangelegenheit machen, die Kinder fanden es wunderbar, wenn wir alle gemeinsam etwas unternahmen.

Und um nicht den üblichen Marsch auf und ab durch Strøget mit Abstechern in die Warenhäuser Illum und Magasin zu machen, schlug ich vor, den Weihnachtsmarkt in Christiania zu besuchen. Gerade um diese Zeit gab es keine Probleme mit dem alten Hippiereservat, da die Polizei sich nicht dorthin traute, ohne die Hälfte der Kopenhagener Kollegen zu mobilisieren, aber das Leben war ja immer in der reichlich verwelkten Blumenstadt seinen üblichen, holprigen Gang gegangen, und ich hatte von einem Kollegen gehört, dass man dort manches Schnäppchen machen konnte. Auch den Kindern würde es gut tun, zu sehen, dass es andere Lebensformen als die der Vorstadt gab, aber Mette, die ansonsten in jeder Hinsicht liberal ist, starrte mich verärgert an, als gehe es mir nur darum, zwei Gramm Hasch zu kaufen. Das sei nun wirklich nicht das Richtige für Anna und außerdem könne man dort sicher nur allerlei «schräges» Kunsthandwerk bekommen.

«Nein», sagte sie. «Gehen wir lieber in den Tivoli. Da ist es auch schön. Die vielen Lichter und …»

«Ist der Tivoli denn im Winter offen?», staunte Anna.

«Nein», log ich.

«Doch», sagte Mette. «Da gibt es einen richtig tollen Weihnachtsmarkt. Könnte das nicht lustig sein, Benjamin?»

(In unserer Familie wird fast immer die Meinung der Kinder eingeholt, fragen Sie mich nicht, warum, aber so hat sich das eben ergeben.)

«Njo», murmelte er.

«Man kann außerdem alles Mögliche ausprobieren», sagte Mette. «Karussells und Autoscooter.»

«Aber wir müssen genug Geld für Weihnachtsgeschenke übrig behalten», wandte ich ein.

Benjamin dagegen war nun Feuer und Flamme, weshalb ich meinen Trumpf ausspielte: «Im Tivoli gibt es kein McDonald's.» Damit hatte ich ihn auf meiner Seite. (Ich sah keinen Grund zu erwähnen, dass zwei oder drei in der unmittelbaren Nachbarschaft liegen, und Mette, die eine gute Mutter und eine geschickte, wenn auch geizige Geliebte ist, zeigte sich abermals als ungeheuer hoffnungslose Stadtgeographin mit katastrophalem Ortssinn; sie hätte Benjamin leicht zurückgewinnen können, doch sie schwieg verärgert.)

Das Ganze endete damit, dass die Familie beschloss, in die City zu fahren. Bei genauerem Nachdenken war das ein schlechter Kompromiss, aber Mette hätte sich eben nicht so stur verhalten dürfen, als ich Christiania vorgeschlagen hatte.

«Was bist du kindisch», sagte sie, als die Kinder schliefen und wir beim Abendkaffee saßen und den Fernseher anstarrten.

«Aber ein Besuch im Tivoli kostet so viel wie eine halbe Reise nach Mallorca.»

«Trotzdem.»

Der Tag kam. Es war Sonntag, aber die Warenhäuser würden bis zehn Uhr abends geöffnet sein. Da es unmöglich sein würde, in meilenweitem Umkreis der City auch nur einen Parkplatz zu finden, wanderten wir zur S-Bahn, um auf diese Weise die neun Stationen hinter uns zu bringen. Ich möchte lieber gleich erwähnen, dass wir in einem recht netten Vorort wohnen, leider nicht im Norden von Kopenhagen, aber Gott sei Dank auch nicht im Süden.

Obwohl Mette und ich beide ausgiebig studiert haben, können wir uns eine Wohnung im Whiskygürtel nicht leisten. Anfangs habe ich unseren Reihenhausvorort aus den sechziger Jahren geradezu gehasst, der sich um eine Straßenkreuzung und zwei Bauernhöfe entwickelt hat, einen Vorort, der seither ausgebaut worden und mit anderen Vororten zusammengewachsen ist, sodass sie jetzt eine weite, unzerbrechliche Kette um die Stadt bilden. Das Seltsame ist, dass viele andere junge Akademikerpaare aus der Stadt mit kleinen Kindern hergezogen sind, obwohl sie als ganz junge Leute nicht schnell genug von hier wegkommen konnten. Sie leiden wie wir unter den turmhohen Wohnungspreisen, und obwohl wir nicht an dem Wohnort unserer Träume geendet sind, hat das alles so viel gekostet, dass wir uns nur mit Mühe vorstellen können, wie wir diesem Vorort jemals wieder entrinnen sollen. Die ursprünglichen Bewohner, hart arbeitende Sozialdemokraten, haben sich inzwischen an die neuen Familien und unsere sommerlichen Grillabende gewöhnt, mit anderen Worten, der Vorort ist zum Gemischtwarenladen geworden, sozial und mental, aber leider nicht architektonisch; anfangs fiel es mir schwer, unser Haus zwischen den vielen anderen in der Straße zu finden, dann aber habe ich doch gelernt, die Unterschiede zwischen Zäunen und Giebeln und allem anderen zu sehen, und langsam, aber sicher ergab sich eine Art Heimatgefühl.

Auf dem Bahnsteig warteten schon viele andere, und als der Zug aus Frederikssund einfuhr und die roten, mit Graffiti bedeckten Türen aufgingen, kam die erste Warnung. Die Abteile waren überfüllt, und nur mit Müh und Not konnten wir Annas Karre unterbringen, die sie eigentlich nicht mehr braucht, für die wir aber später am Tag dankbar sein würden, wenn sie wehe Füße oder auch nur einen hysterischen Anfall bekäme, und außerdem konnten wir darin die Geschenke verstauen.

Wir fuhren bis Nørreport, um auf diese Weise dem Gewimmel in der Fußgängerzone des Strøget zu entgehen. Da ich unter der Woche in der Stadt arbeite, hatte ich fast das Gefühl, sonntags ins Büro zu müssen, aber die Kinder und Mette rissen erwartungsvoll die Augen auf, als wir endlich die Karre die Treppe hochbugsiert hatten (der Fahrstuhl war außer Betrieb) und durch die Købmagergade gehen konnten. Aber was heißt schon gehen. Wir mussten uns vorwärts schieben, stoßen und drängeln.

Aber wir kamen doch immerhin an.

Wenn auch nur langsam.

Das lag jetzt nicht mehr so sehr an der Menschenmenge, sondern an den unterschiedlichen Wünschen und Interessen der Familie. Zuerst entdeckte Benjamin einen Laden, wo War-hammers und Herr-der-Ringe-Figuren verkauft wurden. Dann erblickte Anna einen Süßigkeitenladen. Mette studierte jedes Schaufenster so gründlich, als stehe uns die ganze Ewigkeit zur Verfügung. Ich versuchte, mich zu beherrschen, in dem Wissen, dass der Weihnachtsfriede brüchig ist. Und wer viel-leicht glaubt, dass die Menschen wegen der Feiertage und der bevorstehenden Ferien guter Dinge gewesen seien, sollte sich das lieber noch einmal überlegen. Kinder weinten, Eltern schimpften. Wir unterschieden uns also überhaupt nicht von der Menge.

Aber gerade die Menge, diese vielen Menschen. Wäre ich Künstler und kein IT-Mann, dann hätte ich mich vielleicht ge-fragt, wer sie waren, woher sie kamen, was sie umtrieb, aber jetzt gingen sie mir nur auf die Nerven, diese vielen vorüberei-lenden Menschen. Ich hatte das Gefühl, in einem verschmutz-ten Fluss zu baden.

Endlich passierten wir die alte Sternwarte und konnten Il-lums weihnachtlich geschmückten Warenpalast sehen.

Vor vielen Jahren, ehe ich Mette kennen gelernt hatte, hat-te dieser Stadtteil Spaß und Aufregung bedeutet. Hier lagen damals alle Cafés und Kneipen, ja, sie lagen noch immer hier, wie ich feststellen konnte, und es waren auch noch neue da-zugekommen. Hier waren wir ausgegangen, um uns zu betrin-ken und Mädchen anzubaggern. Meistens hatten wir uns nur betrunken, aber es war trotzdem keine schlechte Zeit gewe-sen, und ein seltenes Mal hatten wir sogar Beute gemacht. Ältere Damen, gehirntote Vorortschnallen. Aber drin ist drin, wie es im Fußball heißt. Dann hatte ich glücklicherweise Met-te kennen gelernt, und es konnte keinen Zweifel daran geben, dass wir zusammengehörten, nicht, nachdem sie schwanger geworden war und den zukünftigen Benjamin erwartete. Und so war es geblieben, denn wir hatten in unserer Ehe nur eine richtig große Krise gehabt (wenn auch viele kleine), und der hatte Anna ein jähes Ende bereitet.

Wir betraten das Warenhaus.

Zwei Stunden später verließen wir es wieder, und unsere einzigen Einkäufe bestanden aus drei Paar Socken für meinen Vater und einem Malbuch für Annas jüngste Cousine.

Wir hatten jedoch genügend Voraussicht besessen, da wir aus früheren Erfahrungen gelernt hatten, um zwei große Tüten Süßigkeiten mitzunehmen und damit gewisse Münder zu stopfen. Die Tüten waren bereits leer, und jetzt mussten wir entscheiden, ob wir uns aufteilen wollten. Wenn Mette den großen Spielwarenladen übernahm, könnte ich mit den Kindern ins Magasin du Nord gehen, das zweihundert Meter weiter lag und umspült wurde von einem funkelnden Meer aus kleinen weißen Glühbirnen, wodurch es aussah wie ein riesiger quadratischer Eisberg. Gesagt, getan. Wir verabredeten uns für genau eine Stunde später in der Cafeteria des Magasins.

Da ich wusste, wie schwer es sein konnte, an so einem Tag einen Tisch zu ergattern, fuhren wir mit der Rolltreppe sofort zur Cafeteria hoch. Die Kinder stellten sich natürlich an, sie hatten sich auf einen Überfall auf die Spielzeugabteilung gefreut, aber ich hatte ja doch auch ein wenig zu sagen, und außerdem konnte ich mit Cola und Kuchen locken.

Kaum hatten wir endlich in der großen Cafeteria, wo es nach nassen Mänteln, Kaffee und warmen Croissants roch, einen Tisch belegt, als Mette auch schon auftauchte. Manchmal überrascht sie mich.

«Was habt ihr gekauft?» Stolz schwenkte sie drei oder vier große Tüten voll Spielzeug.

«Äh, Kaffee und Kuchen», antwortete ich. «Wir haben für dich ein Stück Schokoladenkuchen aufbewahrt.»

«Aber du hast doch versprochen, dass ihr in die Sportabteilung geht.»

«Da war es schwarz vor Menschen», sagte ich, und damit hatte ich bestimmt Recht.

«Was ist denn in den Tüten, Mama?», rief Benjamin. «Welche ist für mich?»

«Finger weg», rief sie zurück.

Eine feine Dame am Nachbartisch schaute zu uns herüber. Sie saß allein da, eingeklemmt zwischen den Mitgliedern einer lärmenden Familie, die etwas ungeheuer Südliches an sich hatte; der Vater war einer von den Typen, die zu Weihnachten, wo die Saison eingestellt war, ihr Fußballhemd lüfteten.

Die Lautsprecheranlage des Warenhauses knackte. Noch ein Kind gefunden, das sich verlaufen hatte. Es wartete beim Informationsschalter im Erdgeschoss auf seine Eltern.

«Vielleicht sollte ich mal kurz in der Musikabteilung vorbeischauen?», sagte ich.

«Darf ich mitkommen?», rief Benjamin.

«Du brauchst nicht zu schreien, du bist nicht in der Schule», sagte Mette ziemlich laut.

Die feine Dame verzehrte einen winzigen Bissen von ihrem Sahneschaumkuchen. Der Fußballvater kratzte sich im Ohr und fischte einen Klumpen Ohrenschmalz von der Farbe seines Hemdes heraus.

«Gut», sagte Mette. «Wir treffen uns in einer halben Stunde in der Küchenabteilung. Und wenn ich eine halbe Stunde sage, dann meine ich …»

«Jaja. Ich bin kein Kind.»

«Weißt du, wo die liegt?»

«Äh, im dritten Stock.»

«Im vierten.»

«Komm schon, Papa!»

Benjamin rannte vor mir her. Er verschwand in der Ecke mit den Computerspielen, ich versuchte, mich zu den CDs durchzudrängen. Als ich endlich dort angekommen war, schob sich ein Arm über meine Schulter und schnappte mir eine CD vor der Nase weg. Ich fand zwei CDs, die ich mir schon lange gewünscht hatte, und dann fiel mir meine Mutter ein. Ich ging zu den Sonderangeboten und erstand eine Billie-Holiday-Zusammenstellung, die fast nichts kostete. Ich hatte eine Ahnung, dass meine Mutter schon eine ganze Billie-Holiday-Sammlung hatte, aber umtauschen konnte sie ja immer noch.

Es wäre gelogen, wenn ich behaupten wollte, es sei leicht gewesen, den Knaben mitzulotsen, und die Sache wurde auch nicht besser dadurch, dass ich ihm energisch das Kriegsspiel verweigerte, das er mitnehmen wollte.

«Wer weiß? Vielleicht bekommst du das zu Weihnachten!»

«Ich will es aber jetzt! Nie krieg ich, was ich mir wünsche.»

«Nein, und schon gar nicht, wenn du dich nicht anständig benimmst.»

Der Vorteil an der Weihnachtshektik war, dass auch alle anderen Eltern damit beschäftigt waren, ihre sauren und quengelnden Kinder zur Ordnung zu rufen, weshalb niemand verärgert schaute, sie sahen höchstens verständnisinnig auf, aber ich hatte keine Zeit, um diesen Blickwechsel mit wildfremden Menschen zu genießen, auch wenn darunter viele schöne Mütter waren, die im Moment jedoch ebenfalls ein wenig erschöpft und ärgerlich aussahen.

In der Küchenabteilung hatte Mette zwei weitere Tüten erworben; sie schwenkte ihre Einkaufsliste und sagte: «Wir brauchen noch etwas für meine Schwester und den Mann deiner Mutter und die ... äh ... Frau deines Vaters.»

«Denen schenken wir nie etwas.»

«Aber sie uns.»

«Wir schenken denen nie etwas, habe ich gesagt.»

«Na, dann von mir aus», sagte sie. «Anna will den Weihnachtsmann sehen.»

Anna saß in der Karre und schaute sich die vielen anderen Kinder an, sie war überraschend still. Sicher glaubte sie, in einer Art riesigem Kindergarten mit Elternsprechtag gelandet zu sein.

«Wenn du mit Anna zum Weihnachtsmann gehst, können Benjamin und ich den Rest erledigen.»

«Sind wir dann schon fertig?»

«Nein, Schatz. Was glaubst du denn selber?»

Ich nahm die Karre und machte mich auf die Suche nach dem Weihnachtsmann. Der war oben im Haus. Also mussten wir zum Fahrstuhl, auf den schon viele andere Kinderwagen und Karren warteten, dazu allerlei gehbehinderte Rentner und zwei betrunkene Schweden. Es wimmelte überhaupt überall von Schweden, und jetzt konnten sie sich ja auch einfach in den Zug setzen und über die Øresundbrücke fahren, wenn sie dann nicht vergaßen, an der neuen U-Bahn-Station im Keller des Warenhauses auszusteigen.

Als wir oben ankamen, gab es schon eine so lange Schlange, dass man glauben konnte, irgendeine Berühmtheit signiere ihre Memoiren, die sie einem hoch bezahlten Journalisten erzählt hatte. Wir stellten uns hinten an. Es ging ziemlich langsam weiter. Wie immer in solchen Situationen versuchte ich positiv zu denken. Es war trotz allem weniger unangenehm, als für einen teuer erkauften Platz auf einem Seelenverkäufer Schlange zu stehen, der am nächsten Morgen von der italienischen Küstenwache geentert werden würde, wenn er überhaupt so weit kam und nicht schon vorher mit Mann und Maus und kleinen, frierenden Kurdenkindern versank, oder Herzprobleme zu haben und sich nicht aus der Warteschlange freikaufen und zur Behandlung in eine Privatklinik begeben zu können. Aber jetzt stieß Anna einen Schrei aus, weil sie ihren Lutscher verloren hatte, der hatte sie bisher einigermaßen in Anspruch genommen und deshalb für Ruhe gesorgt. Ich durchwühlte fieberhaft meine Tasche, fand aber nur meine Zigaretten, und die bloße Berührung der zerknitterten Packung erweckte meine Rauchlust. Aber überall hingen große Rauchen-verboten-Schilder.

Immerhin konnten wir jetzt den Weihnachtsmann auf seinem Podium sehen. Wenn wir ihn dann endlich erreicht hätten, würde Anna nur eine kleine Tüte Pfeffernüsse bekommen. Wir konnten ihn auch hören, durch den Lärm ungeduldiger Kinder und den knackenden Lautsprecher (diesmal ging es nicht um ein Kind, das sich verlaufen hatte, sondern um Sonderangebote an Seidenunterwäsche, wobei mir einfiel, dass ich für Mette ein Geschenk kaufen musste. Aber morgen war ja auch noch ein Tag, mein letzter Arbeitstag vor den Weihnachtsferien). «Ho-ho! Ho-ho!», hörten wir, und als wir näher kamen, stellte sich heraus, dass zumindest die kleineren Kinder Angst vor dem Weihnachtsmann und seinem hohlen Ho-ho hatten, ja, man hätte meinen können, dass er sie verjagen wollte, dieser Teufel; garantiert ein arbeitsloser Säufer, der jeden Job annehmen musste, der sich gerade bot.

Jetzt waren wir nur noch zwei Kinder vom Weihnachtsmann mit seinem weiten roten Mantel und dem langen weißen Nylonbart entfernt, der sich inzwischen verfilzt hatte und aussah wie riesige Rotzbrocken. Anna zitterte. Ich hatte sie auf den Arm genommen. Ich war sehr stolz auf sie, es stand fest, dass sie eines Tages so schön werden würde wie ihre Mutter, und deren Temperament hatte sie auch geerbt.

Wir rückten auf.

«Ho-ho. Ho-ho!»

«Ich muss Pipi machen, Papa.»

«Ja, aber jetzt musst du noch zwei Sekunden durchhalten.»

«Das kann ich nicht.»

«Wenn du dem Weihnachtsmann die Hose voll pisst, dann kriegst du einen neuen Lutscher.»

Sie sah mich an, ein wenig verärgert. Ja, sie hatte Ähnlichkeit mit ihrer Mutter.

«Das sollte nur ein Witz sein, Anna.»

Dann waren wir plötzlich an der Reihe.

Ich stellte sie auf den Boden. Sie rührte sich nicht von der Stelle, sie starrte einfach nur den Weihnachtsmann an.

«Tritt näher, meine Kleine. Und sag mir deinen Namen, hoho?» Ich stupste ihren Rücken an, aber sie wippte nur hin und her, wie diese Plastikbecher, von denen sie im Laufe der Zeit übrigens schon eine stattliche Menge umgestoßen hat. Ich stupste noch einmal, diesmal etwas fester. «Wird das hier nochmal was, oder wie?», fragte hinter mir irgendeine vergrätzte Mutter. «Halt die Fresse, Alte», fauchte ich. «Und du, Anna, spring jetzt zum Weihnachtsmann hoch, damit du deine Pfeffernüsse bekommst.»

Man soll Kinder nicht unter Druck setzen, das wusste ich ja, deshalb hob ich sie einfach hoch und setzte sie dem Weihnachtsmann auf den Schoß, es würde mich nicht wundern, wenn der Arsch pädophil gewesen wäre, jedenfalls streichelte er ihre Haare. Sie sprang herunter und verschwand in der Menge.

«Gib mir doch einfach ihre Pfeffernüsse», sagte ich.

«Die kriegen nichts, wenn sie nicht sitzen bleiben», erwiderte der Weihnachtsmann.

«Jetzt her mit den Scheißpfeffernüssen. Wir haben schließlich eine halbe Stunde Schlange gestanden.»

«Fröhliche Weihnachten, Kumpel.» Er warf mir eine Tüte zu, und ich rannte los, um Anna zu suchen.

Sie stand vor der Rolltreppe und schluchzte.

«Sieh mal, was Papa für dich hat!»

Wütend nahm sie die Tüte.

«Sag mal, musst du nicht Pipi machen?»

Sie nickte.

Ich konnte die Toiletten finden, und während wir noch warteten, fiel mir die Karre ein. Die stand noch immer beim Weihnachtsmann, beladen mit allen Geschenken.

«Musst du ganz viel Pipi machen?»

«Ja», schluchzte sie. «Ein bisschen ist schon gekommen.»

Zehn Minuten darauf konnten wir zum Weihnachtsmann zurückwandern.

«Hallo, hier geht es der Reihe nach», brüllte hinter mir ein dicker Mann.

«Jaja.»

«Diese Leute heute», sagte eine Großmutter.

«Ho-ho! Ho-ho!»

«Ich will nicht zum Weihnachtsmann», schrie Anna.

«Pst, zum Teufel. Wir wollen ja nur die Karre holen.»

Alle Geschenke schienen noch vorhanden zu sein, wir gingen zum Fahrstuhl zurück und stellten uns an. Ich hatte mich mit Mette in der Bettwäscheabteilung verabredet.

Benjamin spielte mit einem Stoffstück. Eine Verkäuferin musterte ihn wütend und legte das Stoffstück zusammen.

«Wo ist Mama?»

Er zuckte stumm mit den Schultern und entdeckte dann Annas Tüte mit den Pfeffernüssen.

«Grr, warum kriegt die …»

«Hier.» Ich drückte ihm die Tüte in die Hand.

Das hätte ich lieber lassen sollen. Anna bekam einen Anfall.

«Na, das klang doch gleich nach euch.»

Ich drehte mich um.

Mette hielt einige Sofakissen im Arm.

«Wie findest du die für meine Mutter und …»

«Ich brauche frische Luft, sonst sterbe ich.»

«Hör doch auf, Schatz. Wir sind fast fertig.»

«Ich setzte mich in ein Café.»

Mette schwieg. Sie sah mich nur an.

«Ich ... öh, das tu ich. Basta.»

Sie sagte noch immer nichts.

«Ich kann ja Benjamin mitnehmen. Sollen wir uns ins Café Sommersko setzen und eine Cola trinken?»

«Juhu!»

★

Das Café war überfüllt. In meiner Jugend war ich oft hier gewesen, unter anderem. Jetzt stand hier die trendige Jugend, sie war gut angezogen, ja, fast elegant. Endlich kamen wir an die Reihe.

«Eine Cola mit Trinkhalm und ein großes Fassbier.»

«Normal oder Gold?»

«Na, dann lieber Gold.»

Benjamin blies Blasen in die Cola, die er dann rasch leerte. Dann kaute er auf den Eiswürfeln herum, den puren Bakterienbomben, aber Herrgott. Ich rauchte zwei Zigaretten. Als Mette noch immer nicht auftauchte, konnte ich auch gleich noch ein Bier bestellen.

In dem großen Café mit der französischen Ausstattung, der englischen Musik und der amerikanischen Speisekarte herrschte eine ausgelassene, sorglose Stimmung, und der teuren Kleidung und den aus exklusiven Boutiquen stammenden Einkaufstüten der jungen Menschen konnte man ansehen, dass sie noch keine Familie gegründet hatten.

«Krieg ich noch eine Cola?», fragte Benjamin, als mein neues Bier gebracht worden war.

«Du hast doch deine Eiswürfel.»

«Die hab ich gegessen.»

«Du musst lernen, dir die Sachen einzuteilen, mein Lieber.»

Er schmollte, bis ich ihm fünf Kronen für den Süßigkeitenautomaten zusteckte.

Dann kam Mette.

«Warum hast du nicht gesagt, dass Anna sich in die Hose

gepisst hat?», brüllte sie quer durch das Lokal. Die Gucci-jugend betrachtete uns nachsichtig.

«Hat sie das? Dann sollten wir machen, dass wir nach Hause kommen.»

«Nein, ich muss jetzt unbedingt etwas trinken.»

«Das dauert hier eine Ewigkeit, Mette.»

«Dann gib mir einen Schluck von deinem Bier.»

«Warte, ich hole dir was.»

«Gehen wir nicht bald zu McDonald's?», fragte Benjamin, als ich zwei Bier und eine Cola mit zwei Strohhalmen auf den Tisch stellte.

«Wir essen unterwegs eine Pizza», sagte ich.

«Wir kriegen doch nirgendwo einen Tisch», sagte Mette, als ihr Gesicht endlich auftauchte, nachdem es für mindestens zehn Zentiliter hinter ihrem Bier versteckt gewesen war.

«Wir nehmen von einem Imbiss eine mit.»

«Aber Schatz. Wir wollten es uns doch gemütlich machen, wo Weihnachten ist.»

«Prost!» Huch, fast hätte ich Bier vergossen.

«Wie viel hast du eigentlich schon getrunken?», fragte Mette.

«Ich?»

«Drei Riesenbier», sagte Benjamin.

«Danke», sagte ich. «Das merke ich mir.»

«Ich muss pissen», sagte er.

«Die Toiletten sind unten.»

Mette sah sich in dem großen Lokal um.

«Himmel, ich war schon ewig nicht mehr hier.»

«Tja.» Ich steckte mir eine Zigarette an.

«Musst du Anna deinen Rauch ins Gesicht blasen?»

«Die Luft hier ist doch ohnehin schon total zugeräuchert, Mette.»

Beleidigtes Schnauben. Dann zog sie ihre Einkaufsliste hervor.

«Wir brauchen noch …»

Während sie redete, schaute ich mich um. Dort hatte ich einmal gestanden. Am Zinktresen. Jünger und naiver. Ach ja. Und wenn man sich nun die vorüberstolzierenden Models ansah.

«… und deinen Opa.»

«Das ist doch weggeworfenes Geld. Der erkennt ja nicht einmal meine Mutter.»

«Aber Schatz. Nun sei doch nicht so.»

★

Dann gingen wir wieder die Købmagergade hoch, und fast alle wollten in dieselbe Richtung wie wir, heimwärts, zum Bahnhof, zu den Bussen, zu dem Wagen, der garantiert ein Knöllchen aufwies, weil sie zu dicht an einer Straßenecke geparkt oder zu wenig in die Parkuhr eingeworfen hatten. Die Imbisse, wo Pizzaschnitten oder Thaikost verkauft wurden, waren wie ausgeplündert. Obwohl wir beide sauer werden, wenn Benjamin uns zusetzt, hatten wir Erbarmen und gingen zu McDonald's. Dort gab es keine freien Tische. Wir mussten Essen und Getränke in großen braunen Tüten mitnehmen, die mich daran erinnerten, dass wir neue Staubsaugerbeutel kaufen mussten. Der nächste Tag würde überhaupt hektisch werden, denn es war der letzte Tag, an dem die Läden geöffnet hatten, und auch wenn wir an den Feiertagen nicht viel zu Hause sein würden, brauchten wir doch Brot, Milch und alles, was dazugehört.

Hinunter zum Bahnsteig und dann in den überfüllten Zug hinein. Wir landeten in einem Raucherabteil, und Mette, die absolut umweltfanatisch ist, bestand darauf, an der nächsten Haltestelle auszusteigen und eine andere Bahn zu nehmen. Wir standen in Vesterport herum und schlugen Wurzeln, bis dann endlich ein Zug kam. Mit Müh und Not konnten wir uns hineinzwängen. Ich hatte einen tierischen Hunger, aber ich brachte es nicht über mich, auf dem Bahnsteig zu essen. Benjamin hatte schon alles verzehrt und sich das ganze Gesicht mit Burgerresten verschmiert. Außerdem musste ich nach den drei großen Bieren wie besessen pissen.

Als wir den Hauptbahnhof erreichten, pressten sich neue Horden in den Zug, und da sie alle große Tüten, Erkältungen und müde Kinder mit sich herumschleppten, war der Rest der Fahrt die pure Folter. Wenn wir im Norden gewohnt hätten, hätten wir die geräumigere Küstenbahn nehmen können, zusammen mit zivilisierteren Menschen.

Ich hatte mich nur selten so über den Anblick unseres leblosen Vorortes gefreut, über den grauen Bahnsteig und das fleckige Licht der dahinter liegenden Wohnsiedlung. Ich rannte auf die Bahnhofstoilette, wo es unbeschreiblich stank, aber eigentlich auch nicht schlimmer als in der S-Bahn, nur eben anders. An der Wand gab es die üblichen obszönen Blasangebote, zusammen mit Telefonnummern und primitiver Höhlenmenschenpornographie vom Beginn des 20. Jahrhunderts. Groß war meine Überraschung, als ich unsere eigene Telefonnummer entdeckte. Sicher steckten Benjamins Schulkameraden dahinter. Fingen die heute schon so früh damit an? Er war doch erst acht!

Anna war in ihrer Karre eingeschlafen. Die wenigen Läden in der Hauptstraße hatten schon längst geschlossen. Es gab jetzt einen eleganten Einrichtungsladen, ein kleines, aber nicht unwichtiges Zeichen dafür, dass in unserem Vorort neue Zeiten heraufzogen. In einigen Jahren würde er fast durch und durch respektabel sein, und wir würden nicht mehr erröten müssen, wenn wir auf Festen nach unserer Adresse gefragt wurden.

Trotzdem war es seltsam. Wer reißt mir das Herz aus dem

Leib, dachte ich, und wirft es über einen dieser Zäune. In fast allen Gärten waren beträchtliche Mengen an elektrischem Weihnachtsschmuck angebracht worden, das Ganze hatte deshalb einen Hauch von Las Vegas. Die drei Bier waren verdampft, ich war jetzt nur noch müde. Es war schon spät, und ich musste früh zur Arbeit. Im Dunkeln stand ich auf, im Dunkeln kam ich nach Hause. Mir ging auf, dass Mette und ich an diesem Tag kaum drei zusammenhängende Wörter gewechselt hatten. Aber so war es auch im Alltag, und abends waren wir in der Regel einfach erschöpft.

Wir hörten ein Rascheln von einer Auffahrt, und da stand doch tatsächlich die Nachbarstochter, unsere Babysitterin, und küsste irgendeinen jungen Spund mit Baseballmütze. Sie schien sich nur mit Mühe auf den Beinen halten zu können.

«Eismann!», schrie Benjamin.

Mette brachte ihn zum Schweigen, und wir gingen weiter.

Ich legte für einen Moment den Arm um Mette und küsste sie kurz aufs Haar.

«Wenn du das Essen warm machst, dann bringe ich Anna ins Bett», sagte sie.

Unser Haus tauchte auf, wie ein kleines Boot zwischen allen anderen in einem Yachthafen.

Mette trug Anna nach oben, Benjamin ließ sich vor den Fernseher fallen.

Ich blieb eine Weile stehen, ohne so recht zu wissen, was ich mit mir anfangen sollte. Ich riss die braunen Tüten auf, in denen das Essen sich in eine Ketchupschmiere mit Zwiebelringen und Burgerstücken verwandelt hatte.

Ich ging in den Garten hinaus und rauchte meine Abendzigarette.

In der Entfernung konnte ich, durch die Stille des Vorortes, die S-Bahn über die Schienen rattern hören.

Es hörte sich an, als klappere die Dunkelheit in der abend-
lichen Kälte mit den Zähnen.

Und dann, aus der Nähe, ein törichtes Mädchenkreischen.

Und dann war wieder alles still.

★ ★ ★

Leena Lehtolainen
Tag des dunklen Lichts
Aus dem Finnischen von
Angela Plöger

An dem Tag, da Johanna ihn verließ, beschloss er, Killer zu werden. Zweiundzwanzig Jahre lang war er ein anständiger Junge gewesen, aber jetzt war es Zeit, dass sich etwas änderte. Er musste herausfinden, was wirklich mit Anni passiert war, und sich an demjenigen rächen, der ihren Tod verschuldet hatte.

«Ich habe nicht die Kraft, gegen Annis Schatten anzukämpfen», sagte Johanna, als sie Ville seine Wohnungsschlüssel zurückgab. «Du willst dich gar nicht von ihrem Tod erholen. Leb wohl.» Johanna standen Tränen in den Augen, aber Ville war nicht nach Weinen zumute. Seine Tränen waren an dem Tag versiegt, da er Annis Leiche gefunden hatte. Die letzten Monate ihres Lebens hatte Anni in einer von ihren Eltern angemieteten Einzimmerwohnung in der Punavuorenstraße gewohnt. Nach den Spuren zu schließen, hatten dort noch andere Leute kampiert. Ville hatte nie erfahren, wer ihn an jenem nebligen Morgen Anfang September angerufen hatte.

«Komm schnell. Anni geht es schlecht.»

Dann wurde aufgelegt. Das Auto seiner Mutter stand auf dem Hof, Ville raste mit über hundert Stundenkilometern in Richtung Zentrum und hoffte, dass kein Polizist ihn erwischte. Der Nebel kondensierte an seiner Windschutzscheibe zu Tropfen. Die Sicht betrug nur wenige Meter, aber Ville fuhr so schnell er sich nur traute. Als er bei der Wohnung ankam, bemerkte er, dass jemand die Tür offen gelassen hatte. Anni war zu Hause und war doch nicht zu Hause. Ihr Herz hatte aufgehört zu schlagen, und das Blut zirkulierte nicht mehr. Ville versuchte es vergeblich mit Mund-zu-Mund-Beatmung und Herzmassage, bevor er den Notarztwagen rief.

Als Anni beerdigt wurde, hatte Ville das Gefühl, dass er mit Anni ein Stück von sich selbst begrub.

Nach Annis Tod ging äußerlich scheinbar alles so weiter wie zuvor. Ville wohnte bei seinen Eltern und studierte Medizin, die Eltern arbeiteten zwölf Stunden am Tag. Die Polizei verbuchte Annis Tod einfach unter Überdosis. Aber warum war Anni in die Drogenabhängigkeit geraten? Irgendjemand musste daran schuld sein.

Nach dem Gymnasium war Ville zur Armee gegangen. Anfangs schrieb Anni ihm oft, aber allmählich wurden ihre Briefe seltener. Zuletzt kamen nicht einmal mehr SMS. Anni hatte bessere Gesellschaft gefunden, aber wen? Sie zog von zu Hause aus, pausierte ein Jahr und arbeitete einige Monate als Empfangsdame in einer Werbeagentur. Das hatte sie schon vor Weihnachten satt.

Als Ville im Frühjahr vom Militärdienst zurückkam, war Anni nicht mehr die Alte. Ville bewarb sich an der medizinischen Fakultät und wurde angenommen. Schon auf der Erstsemesterparty lernte er Johanna kennen, und bald trafen sie sich regelmäßig. Anni wollte gern einen Studienplatz in Kommunikationswissenschaft bekommen, schaffte es aber nicht, regelmäßig dafür zu lernen. Nach Sommerbeginn sah Ville sie kaum noch. Sie entfernten sich immer mehr voneinander. Anni konnte Johanna nicht ausstehen und Johanna nicht Anni. Bis zuletzt bemühte sich Ville darum, keine Wahl treffen zu müssen, denn Anni, seine Zwillingsschwester, stand ihm außergewöhnlich nahe.

Als letztes Jahr kurz vor Weihnachten die Schlüssel zur Praxis der Mutter verschwanden, hatte Anni gerade zuvor ihre Eltern zu Hause besucht. Die Mutter glaubte, sie habe die Schlüssel irgendwo verloren. Ein paar Tage später ging sie in die Praxis, und da bemerkte sie, dass jemand in der Nacht in die Räume eingedrungen war. Und zwar mit einem Schlüssel, denn wie die Polizei feststellte, gab es keine Einbruchsspuren. Nur ein Fenster war zur Irreführung eingeschlagen worden. Die Mutter erledigte ihren Zahlungsverkehr durch Rechnungsstellung, in der Praxis befand sich kein Bargeld. Dafür war der Computer gestohlen worden sowie alles, was als mögliches Rauschmittel gelten konnte. Die Familie Auvinen wusste, dass hinter alldem Anni und ihre Freunde steckten. Ville verlangte, die Eltern sollten das der Polizei sagen.

«Würdest du deine eigene Schwester verraten?», hatte sein Vater entgeistert gefragt. «Das würde doch nur unangenehme öffentliche Aufmerksamkeit erregen. Vergessen wir's. Die Versicherung kommt für den Schaden auf.»

Danach achteten die Eltern noch sorgfältiger darauf, dass es Anni nie an Geld fehlte, denn Kinder gutsituierter Familien verstrickten sich nicht in kriminelle Machenschaften. Anni hatte offenbar vorübergehend ein finanzielles Problem gehabt, Drogen konnten da nicht im Spiel sein, so meinten die Eltern. Ville hatte einmal Hasch geraucht. Das hatte ihn so aggressiv gemacht, dass er einen Schreck bekam und das nicht noch einmal probierte.

Allmählich kam Ville Annis neuen Freunden auf die Spur, aber von seinem heimlichen Leben als Privatdetektiv erzählte er niemandem. Bei der Beerdigung war ein mickriger kleiner Kerl namens Karppanen gewesen, der flüchtete, als Ville ihn nach dem Ende der Zeremonie ansprechen wollte. Er hatte Anni einen Strauß auf den Sarg gelegt, aber nichts gesagt. Ein paar Tage nach dem Begräbnis, als Ville auf dem Weg in Annis Wohnung war, sah er Karppanen vor dem Haus herumlungern, so als wartete er darauf, eingelassen zu werden. Ville schoss der

Gedanke durch den Kopf, Karppanen könnte einen Schlüssel zu Annis Wohnung haben. Das Türschloss war jedoch ausgewechselt worden, am Tage nachdem er Anni tot aufgefunden hatte, das hatten die Eltern für sinnvoll gehalten.

Jetzt ging Ville nicht in Annis Wohnung, sondern blieb im Treppenhaus, um abzuwarten. Zehn Minuten später trat Karppanen aus dem Fahrstuhl. Der Haustürschlüssel passte noch, aber als Karppanen erfolglos versuchte, damit die Wohnungstür zu öffnen, ging Ville auf ihn los.

«Was zum Teufel machst du hier?»

Ville hatte sein Leben lang Fußball gespielt. Ihm hatten die Eltern das Fußballtraining, Anni die Ballettstunden finanziert, und beide hatten Klavier gespielt. Durch das Fußballtraining war er schnell und stark geworden, Karppanen zitterte in seinem Griff und versuchte vergeblich, das Stilett aus der Tasche zu ziehen.

«Bist du Annis Bruder? A-Annis vollkommener Bruder?», winselte Karppanen. «I-ich hab da drin noch meine Medikamente. Kuck hier!» Karppanen zeigte Ville seine linke Hand, an der sich anstelle des kleinen Fingers ein schlecht vernarbter Stumpf befand.

«Der tut weh. Das halt ich nich aus ohne meine Tabs.»

Ville überlegte einen Moment. Er war hierher gekommen, um seine Briefe zu holen und um nachzusehen, ob sich nach der Durchsuchung der Polizei noch etwas fand, das ihm zum Namen von Annis Dealer verhelfen würde. Karppanen, der sich in der Wohnung vorgestellt hatte, versprach besseren Erfolg. Tabletten fanden sich natürlich nicht, aber Ville versprach, ihm welche zu beschaffen. Er hatte noch nicht das Recht, Rezepte auszustellen, aber zu Hause im Arzneimittelschrank der Mutter gab es Mittel, die Karppanen zufrieden stellen würden. Sie einigten sich auf einen Deal. Karppanen würde von Ville rezeptpflichtige Schmerz- sowie Beruhigungsmittel bekommen, wenn er Ville erzählte, mit wem Anni Umgang gehabt hatte. Karppanen verriet in seiner Not ein paar Namen, der wichtigste davon war Esa Dahlman.

«Das war wohl Annis Freund ... Jedenfalls sah man sie immer zusammen.»

«Wo findet man diesen Dahlman? Und seine Telefonnummer?» Karppanen antwortete, so gut er konnte. Ville war von seinem Gewinsel angewidert. Er konnte Karppanens Alter nicht schätzen, vermutete aber, dass er nicht mehr lange zu leben haben würde. Dieser Gedanke ließ ihn kalt.

Als Ville einige Stunden später auf der Herrentoilette des Bahnhofs dem zitternden Karppanen die Mittel übergab, hatte er das Gefühl, ebenso ein Mann zu sein, der mit Trugbildern und einem Augenblick der Erleichterung handelte wie Dahlman, der Anni damit geködert hatte. Karppanen wusste nicht, wo Anni und Dahlman sich kennen gelernt hatten. Ville versuchte nach besten Kräften, sich Klarheit zu verschaffen aufgrund der wenigen Informationen, die er aus Karppanen hatte herausholen können.

Er beschloss, Esa Dahlman zu beobachten. Die Mitglieder der Gang trafen sich gewöhnlich in der heruntergekommenen Kneipe Salve am Ufer der Hietalahti-Bucht und wohnten in den unruhigen Vororten im Osten von Helsinki. Ville lernte das düstere Hafengebiet von Jätkäsaari kennen, wo die Bande ihre Drogengeschäfte abwickelte. Durch diese Nachforschungen eröffnete sich Ville ein ganz neues Helsinki, die Welt muffiger Kneipen und verzweifelter Menschen. Anfangs hegte er die Vorstellung, die Kenntnis dieser Welt würde aus ihm einen besseren Arzt machen, aber tatsächlich weckte sie seinen Rachedurst.

«Vermisst ihr Anni nicht?», fragte er seinen Vater in einem der seltenen Momente von Offenheit, da sie auf der Terrasse mit dem Saunabier in der Hand saßen, um sich abzukühlen.

Das Meer war nicht zu sehen, aber es duftete und war bis zu ihrem Grundstück zu hören.

Der Vater saß lange schweigend da, ehe er antwortete. «Doch, wir vermissen sie. Besonders Mutter überlegt, was sie falsch gemacht hat. Anni hatte ja alles: Geld, Geschenke, sie sah gut aus. Wahrscheinlich hat es ihr schwer zu schaffen gemacht, dass sie nicht gleich beim ersten Versuch einen Studienplatz bekommen hat, zumal du gleich zugelassen wurdest. Sie hat sich immer mit dir verglichen.»

«Ach, es war also meine Schuld, dass ...» Ville hatte sich plötzlich die Kehle mit Bier spülen müssen.

«Natürlich nicht, niemand war schuld. Auch an einem Hirntumor ist niemand schuld, er entsteht einfach. Manchmal kann ich ihn entfernen, manchmal nicht. Das muss man halt so hinnehmen. Merk dir das, sonst kommst du als Arzt nicht klar.» Der Vater ging zurück in die Sauna, Ville blieb und starrte in die Dunkelheit des Oktobers. Vater und Mutter lebten in ihrer Doppelhaushälfte, behandelten ihre Privatpatienten und hielten es für besser, sich von der Metro fern zu halten. Östlich von ihnen existierten für sie nur die Stadtteile Marjaniemi und das alte Herttoniemi, aber die Viertel mit den Leuten, die Trainingsanzug trugen, interessierten sie nicht. Ville und Anni waren so erzogen, dass sie sich für etwas Besseres hielten. Es war selbstverständlich gewesen, dass auch sie zu den Erfolgreichen gehören würden.

Ville hatte das Gefühl, seine Eltern zu betrügen, wenn er, statt in der Bibliothek zu sitzen und normal zu studieren, Dahlman und dessen Kumpane verfolgte. Ein paarmal überlegte er, ob er sein Wissen der Polizei mitteilen sollte. Obwohl es lebensgefährlich war, eine Aussage zu machen, wäre es die Sache doch wert, wenn die Gang der Polizei ins Netz ginge. Als Karppanen Mitte November erstochen im Cholerabecken des Hafens gefunden wurde, überlegte er es sich anders. Die

Polizei war gegen Dahlman machtlos. Er selbst musste Anni rächen und Esa Dahlman umbringen.

Als sie zehn Jahre alt gewesen waren, hatte Anni ihn angestachelt, mit dem Finger durch die Kerzenflamme zu fahren.

«Kuck mal, das tut überhaupt nicht weh.» Anni hatte es ihm vorgemacht. Sie war zuerst zur Welt gekommen, war mutiger und entschiedener. Ville hatte den Finger in die Flamme gehalten, aber er verbrannte sich, und am Finger entstand eine große Brandblase. Anni hatte gehöhnt, er sei zu langsam.

Ville wählte für seine Aktion den Lucia-Tag, denn Anni war im Gymnasium die Lucia gewesen. Ihre langen blonden Haare hatten im Licht der Kerzenkrone geschimmert, und ihre klare Stimme hatte die bekannten Weihnachtslieder gesungen. Von klein auf hatten die Auvinen-Zwillinge sich den Lucia-Umzug angesehen, und auch jetzt begab Ville sich zum Senatsplatz. Das Hauptgebäude der Universität und das Schloss des Staatsrats leuchteten gelb im Dunkel des Abends, und das Publikum strömte zusammen, um die Prozession der Lucia und ihrer Gefährtinnen zu erwarten. Ville fand, dass der Senatsplatz der schönste Platz von Helsinki war, aber jetzt konnte er den Anblick nicht genießen.

Als er auf dem Platz ankam, begannen die Kirchglocken zu läuten. Bald würde Lucia die Treppen des Doms herabsteigen. Der Himmel klarte auf, und zwischen den Wolken konnte man einige Sterne erkennen. Sie blinkten schüchtern, als fürchteten sie sich, mit den Lichtern der Stadt zu konkurrieren. Der Schnee leuchtete frisch und rein, die japanischen Touristen fotografierten die Kirche. Ville und Johanna hatten im Sommer oft auf der Treppe gesessen und Eis gegessen. Die Trauerfeier für Anni hatte in dieser Kirche stattgefunden, denn die Eltern hatten sich für den letzten Weg ihrer Tochter eine prachtvolle Kulisse gewünscht.

Es war, als füllten sich die Stufen zur Domkirche mit Licht, als die Lucia sie herabstieg. Ihr Haar unter der schweren Kerzenkrone glänzte golden. Der Wind wehte von Süd, und Lucia musste aufpassen, dass ihre Haare nicht in die Flammen wehten.

Ville hatte lange an dem Plan gefeilt. Die notwendigen Gerätschaften waren bereit, sowohl die Spritze mit dem Betäubungsmittel als auch ein Skalpell. Dahlman handelte mit Cannabisprodukten und Heroin. Karppanen hatte Ville erzählt, welche Codes Dahlman benutzte. Ville wusste nicht, ob die Codes noch gültig waren, aber er wollte es ausprobieren. Nachdem die Polizei das Recht hatte, Scheinkäufe zu tätigen, waren die Händler noch vorsichtiger, aber auch sie mussten leben. Dahlmans Codesprache war von der Art, als handle es sich um vollkommen harmlose Dinge. Ville seinerseits hatte sich ein neues Handy und eine geheime Telefonnummer besorgt. In Dahlmans Kreisen pflegten die Nummern nicht im Display zu erscheinen.

Die Lucia wandte sich zum letzten Mal dem Publikum auf dem Senatsplatz zu und winkte, dann stieg sie ins Auto. Bis Weihnachten würde sie mit ihren Gefährtinnen durch Altenheime, Schulen und Krankenhäuser ziehen und den Leidenden Licht und die frohe Botschaft bringen. Ville hatte Anni bei ihren Lucia-Auftritten in den Altenheimen musikalisch begleitet. Die Omas und Opas hatten gefunden, Anni singe wie ein Engel, und sie hatten ihr mit Tränen in den Augen zugehört. Viele dieser Alten lebten noch, aber Anni nicht, und das war ungerecht.

Ville hatte Studien über Zwillinge gelesen. Identische Zwillinge heirateten oft Partner, die an den anderen Zwilling erinnerten, und wählten ähnliche Berufe. Oft starben sie gleichzeitig, manchmal ohne voneinander zu wissen. Aber er und Anni waren nicht identisch. Er konnte Jahrzehnte länger leben als seine Schwester.

Ville verließ den Senatsplatz, bei der Treppe des Ständehauses fand er etwas Schutz vor dem Wind. Mit steifen Fingern tippte er die Nummern ein, denn er hatte Dahlmans Daten nicht in seinem Handy speichern wollen. Es klingelte etwa zehnmal, bevor Dahlman sich meldete.

«Ja?»

«Die Katze ist krank, ich brauche einen Tierarzttermin», sagte Ville so, wie Karppanen ihn instruiert hatte. Katze bedeutete Haschisch, Hund Ecstasy und Pferd natürlich Heroin. Ville fand das plumpe Rotwelsch von Dahlmans Gang abstoßend, obgleich es ja auch in seinem Beruf eine Sprache gab, die Außenstehenden verschlossen blieb und den Mitgliedern der Ärzteschaft ein Gefühl der Zusammengehörigkeit gab.

Jetzt würden die richtigen Antworten Ville ein Treffen mit Dahlman garantieren.

«Geht es der Katze sehr schlecht?»

«Ziemlich.»

«In einer Stunde am Verladekai B von Jätkänsaari.»

Als Dahlman auflegte, schoss bei Ville das Adrenalin in die Adern. So was hatte er noch nie gemacht. Die Beine liefen fast von allein, er fühlte sich, als jagte er einem Ball hinterher. Ville machte sich auf den Weg und ging die Alexanderstraße entlang zur Metrostation am Bahnhof. Auf der Weihnachtsstraße herrschte dichtes Gewühl, aus den Geschäften klangen Weihnachtslieder. Die Leute drängten sich hinein, um Weihnachtseinkäufe zu machen. Niemand von ihnen ahnt, dass ich unterwegs bin, um einen Mord zu begehen, dachte Ville. Das Wort schepperte ihm unangenehm im Kopf. Bisher hatte er an seine Absicht noch nie als Mord gedacht, sondern als legitime Bestrafung für Annis Tod. Ville hatte beschlossen, Arzt zu werden, weil das ein angesehener Beruf war und weil er den Menschen helfen wollte. Die Eltern hatten ihn ausgelacht und gesagt, die alltägliche praktische Arbeit werde ihm unnützen Idealismus schon austreiben.

Dahlman würde natürlich eine Waffe bei sich haben. Auch Ville hatte überlegt, ob er sich eine besorgen sollte, aber das wäre zu riskant gewesen. Er wollte keine Spuren hinterlassen, deshalb war ein Messer besser. Das war etwas ganz anderes als das erbärmlich stumpfe Stilett von Karppanen, das zuletzt in dessen eigener Lunge gesteckt hatte. Die Polizei hatte den Fall für den Selbstmord eines ausgepowerten Narkomanen gehalten.

In Ruoholahti stieg Ville aus. Am Ufer ragten mehrstöckige Häuser auf, in deren Fenstern Weihnachtslichter leuchteten. Von irgendwoher wehte Pfefferkuchenduft herüber. Anni hatte Pfefferkuchen mit Mandelschrot verabscheut, Ville wiederum mochte gerade die am liebsten. Ob es im Gefängnis wohl Weihnachtsspeisen gab, ging es Ville durch den Sinn, aber er verscheuchte den Gedanken. Ihn würde man nicht erwischen.

Der Frost hatte zugenommen, am Meer wehte ein eisiger Wind. Bis zu dem Treffen waren es noch fünfzehn Minuten. Ville begab sich in den Windschatten des Verladekais und wartete. Er zog in Gedanken die ihm vom Fußball her bekannte Phantasieübung durch, was er als Nächstes tun musste. Auf Armlänge an Dahlman herankommen. Das würde leicht sein, denn er musste das Haschisch in Empfang nehmen und Dahlman das Geld geben. Dahlman die Betäubungsspritze in den Schenkel stechen. Ihm mit dem Skalpell die Kehle durchschneiden. Ville wusste genau, wo er schneiden musste, das hatte er von seinem Vater gelernt, noch bevor er an die medizinische Fakultät gekommen war.

Etwas an dieser Vorstellung widerstrebte ihm. Was geschah hier mit ihm? Er studierte, um Heiler zu werden, nicht Killer. Würde er es fertig bringen, Dahlman liegen und verbluten zu lassen? Und wenn er nun doch erwischt wurde? Für Mord gab es zwölf Jahre Gefängnis, für Totschlag sieben. Jedenfalls durfte er nicht zugeben, dass er den Mord geplant hatte, er müsste behaupten, dass es Selbstverteidigung war. Dahlman übte einen riskanten Beruf aus. Die Verdächtigungen würden sich gegen eine konkurrierende Rauschgiftbande richten.

Das Geräusch eines näher kommenden Autos schreckte Ville aus seinen Gedanken auf. Das Auto hielt, für Ville unsichtbar, hinter einer Mauer aus Containern. Dann ein Türklappen und der Hall von Schritten: eisenbeschlagene Stiefel:

«Miez, miez …» Die Männerstimme war spöttisch.

«Hier», antwortete Ville. Die Spritze steckte in der Tasche seines Wintermantels, die Schutzkappe würde er mit einer raschen Handbewegung entfernen können.

Esa Dahlman erschien. Er wollte nicht verbergen, dass er gefährlich war. Das Stoppelhaar war schwarz gefärbt, ein schmaler Bart rahmte sein Kinn. Sein Kampfanzug war wie aus einem schlechten Actionfilm. Ein amüsiertes Lachen stieg Ville in den Hals, und er trat aus dem Schatten des Lagercontainers hervor. Wie er Dahlman doch verachtete!

«Wie viel Arznei brauchst du?» Auch über dessen Gesicht huschte ein selbstsicheres Lächeln.

«Zwanzig Gramm.»

«Eine Katze, die mit wenig zufrieden ist. Zuerst das Geld, dann kriegst du deine Arznei. Sechzig Euro.»

Ville ging auf Dahlman zu. Er musste schnell handeln, zuerst die Spritze, dann das Messer. Das fünfte Gebot, du sollst nicht töten. Der ärztliche Eid schrieb vor, das Leben zu achten. Nimm jetzt die Spritze. Dahlmans hässliches Gesicht lächelte, Ville sah nichts anderes als dieses Gesicht. Gleich wird es nicht mehr lachen. Du ruinierst dir dein Leben, und Anni kannst du damit nicht wieder lebendig machen. Nimm das …

«Sieh da, sieh da», sagte Dahlman plötzlich. «Die Mieze

von Anni Auvinens Bruder ist also krank. Jungs, seht zu, dass er keine Waffe hat.»

Ville war so auf Dahlman konzentriert gewesen, dass er die näher kommenden Schritte nicht gehört hatte. Es waren drei Männer. Einer griff ihn von hinten an, die anderen von der Seite. Ville konnte noch die Spritze hervorziehen und sie dem von rechts Kommenden in die Seite rammen, bevor er sich der Übermacht ergeben musste.

«Scheiße, was war da denn drin?», heulte der Mann, der die Spritze bekommen hatte, und sank, sich die Einstichstelle haltend, zu Boden. Die anderen warfen Ville bäuchlings auf den mit Pulverschnee bedeckten Asphalt.

«Der HI-Virus. Aids», log Ville.

«So was also. Demnach bist du gar nicht so naiv, wie ich dachte. Hast du geglaubt, Karppanen würde mir nicht erzählen, wer sich nach meiner Handynummer erkundigt? Der verdammte Quatschkopp hat bekommen, was er verdient, und dir wird es genauso ergehen. Anni hat erzählt, was für ein Trottel ihr Bruder ist. Hast du wirklich geglaubt, dass meine Codes noch dieselben sind wie zu Karppanens Zeiten? Eine kranke Katze … Wir werden gleich sehen, wer hier krank ist!»

Dahlman trat Ville in die Seite, aber der Tritt sollte eher demütigen als wehtun. Ville spürte, wie wütende Hände seine Taschen durchwühlten und seinen Körper abtasteten, und er hörte, wie sein Messer und sein Handy klirrend auf den Asphalt fielen.

«Ein verdammt gutes Messer. Das befördert mit einem Schnitt vom Leben zum Tod. Nehmt es mit und werft das Handy ins Meer», befahl Dahlman. «Und stellt Auvinen auf die Beine!»

Als Dahlmans Gorillas von ihm abstiegen, versuchte Ville, sich loszureißen. Er hielt inne, als er sah, was Dahlman in der Hand hatte. Einen großkalibrigen Revolver. Aber was hatte das noch für eine Bedeutung. Alles war verloren, er war gescheitert.

«Schieß doch.»

«Doch nicht hier, du Holzkopf!» Es hatte so weit aufgeklart, dass die Lichter des Verkehrs auf der Brücke nach Lauttasaari gut zu erkennen waren. Sie befanden sich allzu sehr in der Stadtmitte und in der Nähe möglicher Zeugen.

«Ratte, bist du ohnmächtig? So schnell bringt Aids einen nicht um.»

Der Mann, dem Ville die Betäubungsspritze in die Seite gerammt hatte, war bewusstlos geworden.

«Was für Zeug war in der Spritze?»

Ville antwortete nicht. Würde er eine Chance haben, wenn er sich den Griffen der Gorillas entwand und wegrannte? Ob Dahlman ein guter Schütze war? Aus seiner Armeezeit wusste Ville noch, dass man mit so einem Revolver auch aus großer Entfernung einen Menschen töten konnte, aber nur, wenn man die richtige Stelle traf.

«Wir müssen Ratte wohl ins warme Auto bringen», seufzte Dahlman. «Den Auvinen nehmen wir mit, der kommt in den Kofferraum. Wir suchen uns ein geeignetes Plätzchen, wo wir mit ihm spielen können. Bist du genauso verspielt wie deine Schwester? Anni liebte Spiele, und Männer. Für Stoff ließ sie jeden ran. Bist du neidisch?»

Ville wollte sich auf Dahlman stürzen, aber die Männer packten ihn noch fester bei den Schultern und zerrten ihn hinter den Container. Ville fiel ein, dass Karppanens Leiche im Cholerabecken gefunden worden war. Er brauchte sich nicht einzubilden, dass er davonkommen würde, indem er bloß einen Finger opferte.

Schon fühlte er sich nicht mehr wie ein stolzer, einsamer Rächer, sondern wie ein kleiner Junge, der sich in die falsche Gesellschaft verirrt hat, aber der Stolz hinderte ihn daran, seine Angst zu zeigen. Der Wagen war ein verbeulter Opel. Plötzlich hatte Ville das Lied von der Opel-Gang seiner Lieblingsband Die Toten Hosen im Kopf, und er klammerte sich an die Melodie wie an eine tröstende Hand. Das Summen half, er hatte das Gefühl, sich dadurch der Dahlman-Bande entziehen, für sie unerreichbar werden zu können.

«Halt die Schnauze, Scheißkerl», sagte einer von Dahlmans Kumpanen und gab Ville einen Schlag auf den Mund. Der Blutgeschmack war ihm vertraut und immer gleich widerlich. Als kleiner Junge hatte er sich geekelt, wenn ihm ein Zahn ausging, denn von dem dabei austretenden Blut hatte er sich übergeben müssen. Später hatte er sich daran gewöhnen müssen, denn auf dem Fußballfeld blieben Verletzungen nicht aus. Jetzt stieg wieder die Übelkeit in ihm auf. Um sie niederzukämpfen, summte er im Stillen weiter.

«In den Kofferraum mit ihm», knurrte Dahlman. «Fesselt ihn, damit er keine Dummheiten macht. Wenn Anni doch das hier sehen könnte. Sie hätte das gern selbst mit diesem scheinheiligen kleinen Loser gemacht.»

Ville bemühte sich, nicht hinzuhören. Das Geräusch des Verkehrs auf der Brücke nach Lauttasaari schien aus einer anderen Welt zu kommen. Jemand drehte Ville die Arme auf den Rücken, ein grober Strick schnitt ihm in die Handgelenke. Augenblicke später waren seine Hände taub. Die Heckklappe kreischte wütend auf, Ville wurde zwischen Putzlappen gestoßen, die nach Benzin stanken. Für einen Moment sah er noch die Sterne, bevor vollständige Dunkelheit ihn umgab.

Villes Hände waren gefesselt, aber die Beine waren frei. Als das Auto sich in Bewegung setzte, begann er, die Heckklappe mit Fußtritten zu traktieren. Der Wagen war schon so verrostet, dass er das Blech durch heftige Tritte vielleicht kaputtkriegen konnte. Schreien würde nichts nützen, denn der Motor und der kaputte Auspuff machten einen Höllenlärm.

Er wollte nicht glauben, was Dahlman von Anni gesagt hatte. Anni hatte ihn nicht gehasst, sie hatten sich einfach auseinander gelebt. Anni hätte gewollt, dass er sie rächte. So hatte sie auch als Kind angenommen: Wenn jemand sie ärgerte, würde Ville ihm eins in die Schnauze hauen, auch wenn er sich nicht gern prügelte. Mutter und Vater fanden das ritterlich, wenn er es nur nicht übertrieb. Der Junge sollte harte Fäuste haben, sonst würde er in der Welt nicht zurechtkommen. Auch auf dem Fußballplatz durfte man so lange rempeln, wie die gelbe Karte nicht hochgehalten wurde. Ville bearbeitete das Schloss mit Fußtritten wie seinen ärgsten Feind. Aber das führte zu nichts, und nach einer Weile gab er es auf. Zeit und Richtung hörten auf zu existieren, und es war schwer zu sagen, ob sie fünf oder fünfzig Minuten gefahren waren, als der Wagen plötzlich hielt.

Das gelbe Licht der Taschenlampe war in Villes Augen wie eine Explosion. Ringsum herrschte nur Dunkelheit, aber er unterschied das Rauschen des Windes in hohen Bäumen.

«Ratte pennt immer noch. Du wolltest wohl mir das Betäubungsmittel spritzen und dann an mir herumschnippeln. Verdammter Feigling, hast dich nicht getraut, auf einen wachen Mann loszugehen! Du kriegst kein Betäubungsmittel. Zieht ihn raus und bindet ihm auch die Beine!»

In Dahlmans Stimme lag weder Lachen noch Spott, nur noch Hass. Ville wurde aus dem Kofferraum gezerrt und krachend auf den mit Schnee bedeckten steinigen Boden geworfen. In der Dunkelheit war das Rauschen des Meeres zu hören, abgesehen von den Autoscheinwerfern herrschte überall Dunkelheit. Doch immerhin sah Ville die Sterne: Über ihm stand der Große Bär, weiter weg strahlte der Orion. Er hatte Anni die Namen der Sterne beibringen wollen, aber sie fand nur interessant, wie unerreichbar sie waren. Ville versuchte sich zu vergegenwärtigen, wie die Kerzen an Annis Luciakrone gestrahlt hatten gleich Sternen, spürte aber nur, wie der Strick um seine Beine strammer wurde. Das Blut zirkulierte nicht mehr in den Händen, es war, als endeten seine Arme im Leeren. Ich bin nicht hier. Ich bin irgendwo anders, wo Dahlman mich nicht erreichen kann, dachte Ville noch, bevor es losging.

Nicht ein einziger, barmherziger Schnitt, sondern viele kleine, Dutzende von Schmerzen auf einmal. Fußtritte und Schläge zerschmetterten ihn, das Blut würde langsam, aber unaufhaltsam aus seinem Körper herausrinnen. Ville wusste genau, wie sein Organismus auf die Verletzungen reagieren würde. Er wunderte sich, warum sie sich nicht auf seinen Kopf konzentrierten. Vielleicht wollten sie ihn bei Bewusstsein halten, damit er möglichst lange Schmerzen empfand.

Das Allerschlimmste waren ihre Reden, die Worte, denen er sich nicht entziehen konnte. Dahlman behauptete, Anni habe ihn gehasst, weil er in allem erfolgreicher war als sie. Anni habe ihn einen verkappten Schwulen genannt, der nach seiner Schwester geiferte.

«Du warst der Meinung, Anni sei ein Nichts gewesen, wenn sie nicht ebenso dachte wie du. Nur deine Welt war die richtige. Deshalb wollte sie etwas tun, was dir verhasst war. Sie hat sich selbst den goldenen Schuss gesetzt, ganz bewusst. Die Bullen waren hinter ihr her, sie wäre für das Dealen in den Knast gekommen. Sie wollte dir und deiner scheinheiligen Familie keine Schande machen.»

Dahlman versetzte ihm noch einen Fußtritt gegen den Kopf, bevor die Männer gingen, und diesmal mit der Absicht, ihn bewusstlos zu machen.

«Du sollst allein sterben, so wie deine Schwester. Hierher kommt niemand», sagte Dahlman zum Abschied. Dann rumpelte das Auto davon, in die Dunkelheit.

Ville hatte nicht die Kraft, mit den Augen das Licht der Sterne zu suchen. Bald bin ich bei Anni. Anni ist nicht in der

Hölle. Himmel und Hölle sind Erfindungen der Menschen. In der Hölle ist es heiß, aber mich friert. Ville versuchte, eines seiner Lieblingslieder zu singen. «Ich will nicht ins Paradies, wenn der Weg dorthin so schwierig ist ...» Und ich komme auch nicht ins Paradies, weil ich einen Mord begehen wollte. Ich bin schuld an Annis Tod. Nicht Dahlman und auch sonst niemand, sondern ich.

Es war das Beste, vor diesem Gedanken in die Bewusstlosigkeit zu flüchten. Die Kälte wandelte sich in Wärme, denn Ville wurde es warm. Die Hölle rückt schon näher, war sein letzter Gedanke. Dann ein helles Licht vor langer Dunkelheit. Die Hölle war ein schwankender Körper und laute Stimmen, überall Schmerzen, besonders schlimm am Arm. Wieder ein Traum, ein Traum, in dem Anni ihm zurief: Ich hasse dich, ich hasse dich! In der Hölle roch es vertraut, Ville war schon mal dort gewesen, hatte aber die Welt aus einer anderen Perspektive gesehen. Allmählich, während sein Kopf klar wurde, begriff er, dass er im Krankenhaus war. Ein englischer Schäferhund hatte ihn im Morgengrauen gefunden, im letzten Moment. Seine Körpertemperatur war schon auf fast vierunddreißig Grad abgesunken.

Villes Heilungschancen standen gut, aber er wollte nicht ins Leben zurückkehren. Anni hatte ihm die Hölle auf Erden bereitet, denn sie war gestorben mit Hass auf ihn. Vater und Mutter kamen ihn besuchen, die Polizei versuchte herauszubekommen, wie er an das einsame Ufer auf der Halbinsel Porkkala geraten war, aber Ville wollte nicht sprechen, er gab nur zu verstehen, dass er irgendwelchen Unbekannten zum Opfer gefallen war. Die Zeit trieb an ihm vorbei, Weihnachten rückte heran. Die Ärzte nahmen an, der junge Mann wolle zu Weihnachten nach Hause. Für Ville war das Haus auf der Insel Kulosaari nur eine Kulisse. Das Schlimmste war, dass, als er dorthin kam, Johanna ihn erwartete. Er hatte sie nicht

mehr gesehen, seit sie im Oktober die Beziehung zu ihm abgebrochen hatte. Johanna wirkte vertraut: die Nase ein wenig
zu breit, die linke Braue zuckte.

«Ich bin gekommen, um dir ein Weihnachtsgeschenk zu
bringen», sagte Johanna. Das Paket wirkte höckerig. Johanna
strickte, bestimmt war da der hellblaue Pullover drin, den sie
heimlich für Ville gestrickt hatte. Er hatte einmal ein halbfer-
tiges Rückenteil in ihrem Zimmer gesehen.

Vater und Mutter zogen sich zurück, sie erwarteten wohl
eine große Versöhnungsszene. Ville war dazu noch nicht bereit. Er wollte nur seine Ruhe.

«Haben Annis Drogenkumpane dich verprügelt?», fragte
Johanna, sobald die Eltern außer Hörweite waren. «Du bist
übrigens nicht der Einzige, Ville, der sich aufs Beschatten versteht. Ich hoffte, du hättest jemand anders, aber du hast tatsächlich nur der Erinnerung an Anni nachgehangen. Und genau das hätte sich Anni auch gewünscht.»

Ville schüttelte den Kopf. Was meinte Johanna?

«Irgendeine Erklärung musste sie für ihr Scheitern doch
haben. Sie hat sich nur auf dich verlassen, wenn sie auf eure
Eltern hätte setzen sollen. Deshalb hingt ihr so sehr aneinander, weil ihr von den Erwachsenen keine Unterstützung be-
kamt. Du hast versucht, ihnen zu gefallen, um Aufmerksamkeit zu erregen, Anni hat es genau umgekehrt gemacht.»

«Ich hab keine Lust auf deine Analysen», sagte Ville leise.

«Bestimmt nicht. Du möchtest nicht hören, dass Anni wollte, auch bei dir sollte alles schief gehen. Da sie es nicht
schaffte, ihre Träume zu verwirklichen, welches Recht hatte
dann irgendjemand anders, das zu tun?» Johanna stand auf,
um zu gehen. Draußen dämmerte es, im Hof des Nachbarn
leuchteten die Weihnachtslichter. Sie blendeten Villes empfindliche Augen. Gleich würden die Kopfschmerzen wieder
einsetzen.

Er hörte, wie Johanna ging. Auf dem Tisch brannten Kerzen, und Ville erkannte, dass der Kerzenständer Annis alte Lucia-Krone war, die auf vier Steinen befestigt war. Er zog seinen Finger durch eine Flamme und verbrannte sich nicht.

Das Handy seines Vaters lag auf dem Tisch. Er nahm es und suchte in seiner Brieftasche nach der Visitenkarte des Polizisten. Ganz egal, was Dahlman über Anni sagen würde, er würde es aushalten. Anni hatte einmal gesagt, Mitleid sei eine Krankheit. Er bemitleidete Anni.

★ ★ ★

Unni Nielsen
Schmetterlinge im Dezember
Aus dem Norwegischen von
Gabriele Haefs

An diesem Heiligen Abend regnet es morgens Eis. Dünne Regenschleier gefrieren auf allen Glasoberflächen, die sie berühren. Schwarze Eiszweige spielen mit gekrümmten Fingern an den Apfelbäumen im Garten ihr Glasperlenspiel, spröde Klänge im Wind. Benjamin steht im Dunkeln und horcht auf das Glasperlenspiel, er weiß nicht, wie lange er schon hier steht, er spürt, dass die Kälte durch seine Kleidung dringt, bis zu den Knochen.

Und da bleibt sie für den restlichen Tag. Er ist steif vor Frost, kann einfach nicht wieder warm werden, kann auch nichts tun. Er müsste eigentlich vor dem Auftritt in der Kirche noch einmal Noten und Liedertexte büffeln, er weiß, dass die irgendwo auf seinem Zimmer in einem Papierhaufen liegen.

★

Die Zeit sickert Benjamin durch die Finger, und immer wieder schaudert er zusammen, weil die Kälte ihm noch immer in den Knochen steckt. Dann klingelt das Telefon, und plötzlich herrscht das Chaos, er hört die allerzielstrebigsten Schritte seiner Mutter auf der Treppe; Joffe hat angerufen, sie hatten eine Verabredung, wo in aller Welt bleibt Benjamin? Der Chor muss in zehn Minuten in der Kirche sein, das Konzert beginnt in einer Stunde. «Und du sitzt einfach hier wie vom Mond gefallen, und dabei hast du dich noch nicht einmal umgezogen. Was ist eigentlich los mit dir, Benjamin?»

«Nerv hier nicht rum, ich bin ja schon fast weg.»

★

Benjamin läuft hinaus in eine Welt aus Glas und wird von einer Haut überzogen, die nicht schmelzen will. Er steckt unter dem Eis, und sofort fühlt er sich angenehm betäubt vom Eis, wie in einer Glasglocke, Schmetterlinge im Kopf. Die Bäume verschwinden im grauen Nebel, der Umrisse, Farben und Geräusche dämpft. Es ist dunkel geworden. Das Licht war schon um fünf Uhr verschwunden. Der Tag ist eingekapselt unter durchsichtigen Eishäuten. Es knirscht und knackt unter seinen Füßen, er scheint über zerstoßenes Glas zu laufen, Lichtkreise umgeben alle Straßenlaternen, davor hängt grauer Nebel, der das Licht in sich aufsaugt. Der Frost kriecht unter seine Kleidung.

Benjamin läuft, kommt zu spät, läuft aber trotzdem. Joffe wartet vor der Friedhofsmauer.

«Du blöder Trottel! Jetzt kriegen wir beide Ärger.»

Sie hören Orgelklänge, laufen das letzte Stück, erreichen atemlos den Kirchenvorraum.

Plötzlicher Wechsel. Gelbes Licht, ein Raum aus kompaktem Klang und gelbem Licht hinter den Mauern, Musik, Widerhall an den hohen weißen Gewölben.

«Wieso habt ihr denn so rumgetrödelt?», kläfft Andersen total außer sich. «Nicht einmal am Heiligen Abend könnt ihr pünktlich sein!»

Sie werden die Treppen zur Empore hochgescheucht, schlüpfen in die Reihe hinter den Tenören, machen sich an den Notenblättern zu schaffen. Plötzlich ist es ganz still, sie hören nur den Nachhall in den Wänden, die Unruhe von unten, schon strömt das Publikum herein.

Benjamin steckt unter dem Eis, er ist in eine Welt aus Glas hinausgegangen und wurde von einer Haut überzogen, die auch hier drinnen nicht schmilzt, in der Wärme und dem gelben Licht. Er ist noch immer unter dem Eis, ist noch immer vom Frost betäubt, steckt in einer Glasglocke, wo die Orgeltöne seltsam und spröde klingen, ein Glasperlenspiel von weit weg. Auch der Augenblick erstarrt, er weiß nicht, ob für lange oder kurze Zeit, dann folgt ein einzelner Trompetenton. «Panis Angelicus.» Das Trompetensolo verklingt, und Cecilies Sopran übernimmt. Dann fällt der Chor ein. Benjamin singt: «Panis Angelicus, fit panis hominum …»

Brot vom Himmel, das Er uns Menschen gegeben hat, steht als Übersetzung auf dem Notenblatt. Und das mag ja auch stimmen. Es ist Heiligabend, und vielleicht war auch das tägliche Brot ursprünglich als Menschenrecht gedacht? Hat Andersen deshalb für diesen Tag dieses Lied ausgewählt?

«Ores mirabilis, manducat Dominum …»

Es ist ein friedliches Gefühl, gefroren zu sein, betäubt, unter einer Eisschicht. Die Trompete, Cecilies Stimme, dahinter die Chorstimmen, nichts kommt näher. Nichts kommt jetzt näher. Aus der hintersten Reihe sieht er die Decke des Kirchenschiffes, ein hohes weißes Steingewölbe, Kristallkronen, den obersten Rand der Altartafel und ganz oben Jesus mit dem Kreuz auf der Schulter. Benjamin sieht nur Jesus am Kreuz, er sieht nicht die Menschen dort unten, die jetzt applaudieren. Dort unten sind irgendwo seine Eltern und seine Tante Inga.

Die Eisschicht, die Benjamin umgibt, will nicht schmelzen. Alles ist ruhig und friedlich und fern und gefroren. Es ist der Heilige Abend, und der Pastor spricht über die Frohe Botschaft und über Solidarität und Nächstenliebe, als handele es sich bei beidem ungefähr um dasselbe. Jetzt wird Papa sauer, denkt Benjamin. Und wenn sie nachher zu Hause sitzen, wird er uns erklären, warum, noch einmal. Aber auch das ist nicht weiter wichtig, denn hier unter dem Eis wird auch dann alles friedlich sein.

★

«Was ist los mit dir?», flüstert Thale.

Sie ist einen Schritt zurückgetreten, sie lehnt sich an Benjamin, ist dicht an seinem Ohr. Ihre Seidenhaare streifen über seine Wange, fast wie ein Hauch, wie ein Spinngewebe, wie ein honigfarbener Lichtflimmer vor seinen Augen, eine Erinnerung an Wind und grüne Äpfel.

Die Glasglocke birst, ein knirschendes Geräusch. Ein Rauschen in den Ohren, das ist die Brandung, auf die er schon so lange wartet, er wusste nicht, dass es so sein würde, nur ein einsamer Ton, ein Trompetensolo, weiche Bögen, weiße Gewölbe. Benjamin packt das Geländer hinter sich mit beiden Händen, spannt den Rücken an und klammert sich fest, wie im Boot, bei hohem Seegang. Er begegnet Thales Blick, wäre fast darin verschwunden, klammert sich aber fest, schüttelt den Kopf, reißt sich los.

«Nichts», sagt er und bewegt seine Mundwinkel zu einem Lächeln. Sie glaubt ihm nicht, das kann er sehen, und sie steht viel zu dicht bei ihm. Er würde sie gern wegschieben, aber er darf jetzt nicht loslassen, er konzentriert sich wieder auf die Musik, die Orgelmusik kann das Rauschen in seinen Ohren mit Mühe übertönen. Die Orgel spielt «Schön ist's auf Erden.» Alle singen. Chorstimmen in Benjamins Umgebung, Stimmen unten im Kirchenschiff, sie alle heben das Lied zum weißen Gewölbe hoch. Benjamin krümmt sich zusammen, schlüpft unter dem Geländer hindurch, schleicht die Treppe hinunter und aus der Kirche.

★

Draußen ist das Wetter umgeschlagen. Es regnet nicht mehr, der Dunst ist dichter, weißer und viel kälter geworden. Der Frost hat weißen Reif über Treppenstufen und Säulen am Eingang gestreut, Eisblumen auf blauem Granit. Benjamin drückt Stirn und Hände gegen den Stein, doch die Kälte trifft ihn nicht mehr, sie schmilzt an seiner Haut, sie hinterlässt keinerlei Erinnerung an den Frost. Die Orgeltöne hängen in der Luft und im Stein, «Schön ist's auf Erden», seine Hände bringen die Eisblumen zum Schmelzen, Wassertropfen laufen die Säulen hinab und erstarren sofort zu blankem Stahleis. Blaue Granitkristalle, Schmetterlinge unter dem Eis, aus Stein, Schmetterlinge im Dezember. Im Stein zittern Orgelakkorde, Untertöne, sie schlagen mit den Flügeln, sie vibrieren leise tief im Granit.

★

Dann schlagen die Kirchenglocken zu, dicht über ihm. Benjamin fährt zurück, muss sich an die Mauer lehnen. Die Zeit gefriert, bleibt für einen Moment aus steinschwerem Klang stehen, Widerhall und blaue Schmetterlinge auf schwarzem Grund. Er steckt mitten dazwischen, im Klang, der über ihn hinwegrollt, in den Brandungen, in den Bewegungen, die im selben Augenblick aus und ein gehen, in dem Augenblick, der stehen geblieben ist.

Und dann ergießt sich plötzlich ein Wasserfall aus gelbem Licht über die Treppenstufen. Auch der Augenblick schmilzt, strömt über den Granit, ein Fluss aus Licht vor dem Fluss aus Menschen, aus der sich öffnenden Tür. Gesichter, seine Eltern, Tante Inga, die Benjamin ansieht und seinen Arm packt, die Benjamin losreißt.

«Die Kälte hat sich jetzt festgesetzt», sagt sie. «Das spüre ich am Atem. Kann Benjamin mich nach Hause bringen? Ich habe keine Lust, mir gerade am Heiligen Abend den Oberschenkelhals zu brechen.»

«Wir können doch alle vier in diese Richtung gehen», sagt Benjamins Mutter.

«Nein, stell dir vor, das finde ich total unnötig», sagt Tante Inga mit einer ganzen Ladung Kieselsteine in der Stimme. «Ich brauche keine Völkerwanderung, ich brauche nur Benjamin», fügt sie hinzu, ein wenig milder, aber nicht sehr viel.

Jetzt bricht kein Eis mehr unter den Füßen, bei jedem Schritt hören sie den Frost knacken und knirschen, es ist ein trockeneres, noch gefroreneres Geräusch. Aber Tante Inga hat seinen Arm gepackt, in einem festen warmen Griff, du brauchst dich nicht mehr so zusammenzureißen, sagt ihr Griff. Aber Benjamin weiß nicht, ob er es wagt, damit aufzuhören.

★ ★ ★

Henning Mankell und Håkan Nesser
Eine unwahrscheinliche Begegnung

Aus dem Schwedischen von
Gabriele Haefs

Plötzlich ging Wallander auf, dass er nicht mehr wusste, wo er war. Warum war sie nicht lieber nach Ystad gekommen?

Auf der Autobahn irgendwo im Norden von Kassel hatte er sich schon gefragt, ob er überhaupt noch weiterfahren sollte. Es hatte sehr heftig geschneit. Ihm war bereits klar, dass er zu dem Treffen mit seiner Tochter Linda zu spät kommen würde. Warum hatte sie eigentlich Weihnachten irgendwo mitten in Europa feiern wollen?

Er schaltete die Innenraumbeleuchtung seines Autos ein und nahm die Karte hervor. Vor ihm lag die Straße öde im Scheinwerferlicht. Hatte er sich verfahren? Um ihn herum war alles dunkel. Er fürchtete plötzlich, die Weihnachtsnacht im Auto verbringen zu müssen. Er würde über diese europäischen Straßen irren und Linda niemals finden.

Er suchte auf der Karte. War er überhaupt irgendwo? Oder hatte er eine unsichtbare Grenze überschritten und war in ein Land geraten, das es gar nicht gab? Er legte die Karte beiseite und fuhr weiter. Das Schneegestöber hatte sich ganz plötzlich gelegt. Nach zwanzig Kilometern hielt er an einer Kreuzung. Er las die Schilder und kramte wieder die Karte hervor. Nichts. Er würde jemanden nach dem Weg fragen müssen. Er bog in die Richtung ab, in der sich die nächstgelegene Siedlung befinden sollte.

Die Ortschaft war nicht größer, als er erwartet hatte. Aber die Straßen waren wie ausgestorben. Wallander hielt vor einem Restaurant, das offen zu sein schien. Er schloss den Wagen ab und merkte, dass er Hunger hatte. Er betrat ein dunkles Lokal und atmete ein Europa ein, das es kaum noch gab. Stillstehende Zeit, starker, schaler Zigarrengeruch. Hirschgeweihe und Wappen gaben sich an den braunen Wänden ein Stelldichein mit Bierreklamen. Ein Tresen, ebenfalls braun, ohne Gäste, dunkle Nischen, ungefähr wie Boxen in einem Kuhstall. An den Tischen Schatten, die sich über ihre Biergläser krümmten. Im Hintergrund war Musik zu hören. Weihnachtslieder. «Stille Nacht». Wallander schaute sich um, konnte aber keinen freien Tisch finden. Ein Glas Bier, dachte er. Und dann eine vernünftige Beschreibung, wie ich fahren soll. Danach Linda anrufen. Und sagen, ob ich heute Abend noch komme oder nicht.

In einer Nische saß ein einsamer Mann. Wallander zögerte. Dann fasste er einen Entschluss. Er trat vor und zeigte auf den freien Stuhl. Der Mann nickte.

Wallander setzte sich.

Sein Gegenüber hatte einen Teller vor sich stehen. Ein alter Kellner mit traurigem Gesicht trat an den Tisch. Gulasch? Wallander zeigte auf Teller und Bierglas. Dann wartete er. Der Mann ihm gegenüber aß mit langsamen Bewegungen. Wallander dachte, er könne ja immerhin den Versuch machen, ein Gespräch in die Wege zu leiten. Nach dem Weg fragen, danach, wo er hier überhaupt war. Als der Mann seinen Teller zurückschob, nutzte er die Gelegenheit.

«Ich möchte ja nicht stören», sagte Wallander. «Aber sprechen Sie Englisch?»

Der Mann nickte abwartend.

«Ich habe mich verfahren», sagte Wallander. «Ich bin Schwede, ich bin bei der Polizei, ich wollte mit meiner Tochter Weihnachten feiern. Aber ich habe mich verfahren. Ich weiß nicht einmal, wo ich hier bin.»

«Maardam», sagte der Mann.

Wallander erinnerte sich an die Straßenschilder. Aber er glaubte nicht, den Ort auf der Karte gesehen zu haben.

Er nannte sein Reiseziel. Der Mann schüttelte den Kopf.

«Das schaffen Sie heute Abend nicht mehr. Es ist weit. Sie haben sich wirklich verfahren.» Dann lächelte er. Das Lächeln kam unerwartet. Als erhellte sich sein Gesicht.

«Ich bin auch bei der Polizei», sagte er dann.

Wallander blickte ihn fragend an. Dann streckte er die Hand aus.

«Wallander», sagte er. «Kriminalpolizei. In einer schwedischen Stadt namens Ystad.»

«Van Veeteren», sagte der Mann. «Bei der Polizei hier in Maardam.»

«Zwei einsame Polizisten also», sagte Wallander. «Von denen der eine sich verfahren hat. Wirklich keine sonderlich lustige Situation.»

Van Veeteren lächelte noch einmal und nickte.

«Da haben Sie Recht», sagte er. «Da treffen sich zwei Polizisten, nur weil der eine einen Fehler begangen hat.»

«So ist es eben», erwiderte Wallander.

In diesem Moment wurde das Essen gebracht. Van Veeteren hob sein Glas und trank ihm zu.

«Essen Sie langsam», sagte er. «Sie haben Zeit.»

Wallander dachte an Linda. Daran, dass er sie anrufen musste. Aber ihm war schon klar, dass der Mann, der auch bei der Polizei war und diesen fremd klingenden Namen trug, Recht hatte.

Er würde den Heiligen Abend an diesem seltsamen Ort verbringen, der Maardam hieß und wohl nicht einmal auf der Karte vermerkt war.

So war es eben.

Und ließ sich nicht ändern.

Wie so vieles im Leben.

Wallander rief Linda an, die natürlich enttäuscht war. Aber sie sah die Lage auch ein.

Nach diesem Anruf blieb Wallander vor der Telefonzelle stehen.

Die Weihnachtslieder stimmten ihn wehmütig.

Er hielt nichts von Wehmut. Schon gar nicht am Heiligen Abend. Draußen fiel jetzt wieder Schnee.

★

Van Veeteren saß noch immer am Tisch und betrachtete zwei über Kreuz liegende Zahnstocher. Seltsam, dachte er. Hätte fast darauf geschworen, dass ich bis zum Weihnachtsmorgen mit niemandem auch nur zwei Worte wechseln muss … aber dann taucht hier diese Gestalt auf.

Polizist aus Schweden? Im Schneegestöber verfahren?

Unwahrscheinlich wie das Leben an sich. Er selbst war allerdings auch nicht aufgrund irgendwelcher Pläne hier gelandet. Nach dem obligatorischen Heiligabendessen mit Renate und den nachmittäglichen Weihnachtsanrufen bei Erich, Jess und den Enkelkindern hatte er sich mit einem Dunkelbier in einem Schaumbad verkrochen und vorher Händel voll aufgedreht. Und dann auf den Abend gewartet.

Heiligabendschach mit Mahler in der *Gesellschaft*.

Genau wie letztes Jahr. Und wie vorletztes.

Mahler hatte dann um kurz vor sechs angerufen. Aus dem Krankenhaus oben in Aarlach, wo der alte Dichter mit seinem noch älteren Vater und einem frischen Oberschenkelhalsbruch saß.

Schade für einen vitalen Mann von neunzig. Schade um die Eröffnung, die er sich im Bad überlegt hatte. Schade um so vieles. Als er sich im Schneegestöber dann endlich zur *Gesellschaft* durchgekämpft hatte, war ihm aufgegangen, dass er dort ohne Mahler nichts zu suchen hatte. Er war einige

Blocks weiter in Richtung Zwille gegangen und hatte sich endlich auf gut Glück in dieses Restaurant hier gesetzt.

Essen musste er ja auf jeden Fall. Und vielleicht auch trinken.

Der schwedische Polizist kehrte mit düsterem Lächeln zurück.

«Haben Sie sie erreicht? Wie war noch gleich Ihr Name?»

«Wallander. Ja, kein Problem. Wir haben alles einfach um einen Tag verschoben.»

In seinem Blick lag plötzlich eine sanfte Wärme, und es konnte keinen Zweifel daran geben, woran das lag.

«Töchter zu haben ist manchmal gar nicht dumm», sagte van Veeteren. «Auch wenn man sie nicht findet. Wie viele haben Sie?»

«Nur eine», sagte Wallander. «Aber sie ist toll.»

«Bei mir genauso», sagte van Veeteren. «Ich habe auch noch einen Sohn, aber das ist etwas anderes.»

«Kann ich mir vorstellen.»

Der traurige Kellner tauchte auf und fragte, wie es weitergehen sollte.

«Ich persönlich trinke Bier am liebsten allein», sagte van Veeteren. «Und Wein in Gesellschaft.»

«Ich sollte mir ein Quartier für die Nacht suchen», sagte Wallander.

«Hab ich schon erledigt», erklärte van Veeteren. «Rot oder weiß?»

«Danke», sagte Wallander. «Dann lieber rot.»

Der Kellner verschwand wieder in den Schatten. Einige Augenblicke des Schweigens senkten sich über den Tisch, während aus den Lautsprechern zugleich ein «Ave Maria» unbekannten Ursprungs erscholl.

«Warum sind Sie zur Polizei gegangen?», fragte Wallander.

Van Veeteren musterte den Kollegen eine Weile, ehe er antwortete.

«Diese Frage habe ich mir schon so oft gestellt, dass ich mich an die Antwort nicht mehr erinnern kann», sagte er. «Aber Sie sind doch sicher zehn Jahre jünger, deshalb wissen Sie es vielleicht?»

Wallander verzog den Mund und ließ sich zurücksinken.

«Ja», sagte er. «Obwohl ich es mir bisweilen energisch in Erinnerung rufen muss. Es geht um dieses Übel; das will ich ausrotten. Das Problem ist nur, dass darauf offenbar eine ganze Zivilisation aufgebaut worden ist.»

«Ein Teil der tragenden Mauern jedenfalls», sagte van Veeteren und nickte. «Ich dachte ansonsten, Schweden sei von den ärgsten Auswüchsen so einigermaßen verschont geblieben ... das schwedische Modell, der Gemeinschaftsgeist ... das hat man ja alles gelesen.»

«Ich habe auch daran geglaubt», sagte Wallander. «Aber das ist nun schon einige Jahre her ...»

Der Kellner brachte mehr Rotwein und auf Kosten des Hauses einen Käseteller. Das «Ave Maria» verklang, und statt seiner war melancholische Geigenmusik zu hören. Wallander hob sein Glas, hielt dann aber inne und horchte.

«Kennen Sie das da?», fragte er.

Van Veeteren nickte.

«Villa-Lobos», sagte er. «Wie heißt es denn noch gleich?»

«Das weiß ich nicht», sagte Wallander. «Aber es sind acht Celli und ein Sopran. Es ist teuflisch schön. Hören Sie nur!»

Sie schwiegen eine Weile.

«Wir haben offenbar einige Gemeinsamkeiten», sagte Wallander.

Van Veeteren nickte zufrieden.

«Sieht so aus», sagte er. «Wenn Sie auch noch Schach spielen, sind Sie wirklich ein verdammter Glückstreffer!»

Wallander trank einen Schluck. Dann schüttelte er den Kopf. «Nur sehr schlecht», gab er zu. «Bridge geht schon besser, aber auch da bin ich kein Meister.»

«Bridge?», fragte van Veeteren und nahm sich ein Drittel des Camembert. «Das habe ich seit dreißig Jahren nicht mehr gespielt. Und zu meiner Zeit ging das immer zu viert.»

Wallander lächelte und machte eine vorsichtige Kopfbewegung.

«Da hinten sitzen zwei Männer mit einem Kartenspiel.»

Van Veeteren beugte sich aus der Nische und schaute hinüber. Es stimmte. Einige Meter von ihnen entfernt saßen zwei andere Herren und warfen mit müder Miene Karten auf den Tisch. Der eine war hoch gewachsen, mager und ein wenig gebeugt. Der andere war fast sein Gegenteil; klein, kräftig und verbissen. Beide Ende vierzig, soweit man nach Falten und Haaren gehen konnte.

Van Veeteren erhob sich.

«Na gut», sagte er. «Heiligabend ist schließlich nur einmal im Jahr. Also machen wir einen Versuch.»

Es dauerte keine zehn Minuten, bis die Partie begonnen hatte, und nach fünfundzwanzig hatte das Paar Wallander/van Veeteren vier doppelte Piks einkassiert.

«Purer Zufall», murmelte der kleinere Mann.

«Auch ein blindes Huhn findet mal ein Korn», erklärte der größere.

«Zwei», sagte van Veeteren. «Zwei blinde Hühner.»

Wallander mischte mit etwas ungewohnten Händen.

«Und was machen die Herren so im Alltag?», fragte van Veeteren und nahm die angebotene Zigarette.

«Bücher schreiben», sagte der Größere.

«Kriminalromane», sagte der Kleinere. «Wir sind durchaus nicht unbekannt. Zumindest zu Hause nicht. Zumindest ich nicht. Wir haben uns verfahren, deshalb sitzen wir hier.»

128

«Heute Abend verfährt sich wohl alle Welt», sagte van Veeteren.

«Kriminalschriftsteller verfahren sich oft», sagte Wallander und gab Karten. «Auch das ist wahrscheinlich eine ziemlich miese Branche.»

«Sicher», sagte van Veeteren.

Sie hatten die folgende Partie, bei der der nicht unbekannte Autor als Spielführer fungierte, ungefähr zur Hälfte hinter sich gebracht, als der Kellner ungebeten aus dem Schatten auftauchte. Er sah noch besorgter aus als zuvor.

«Darf ich darauf hinweisen», fragte er untertänig, «dass wir in zehn Minuten schließen? Heute ist schließlich der Heilige Abend.»

«Was zum Henker…», sagte Wallander.

«Was zum Teufel …», sagte van Veeteren.

Der größere Kriminalautor hustete und schwenkte abweisend den Zeigefinger. Aber das Wort ergriff dann der kleine, nicht unbekannte:

«Darf ich meinerseits darauf hinweisen», sagte er ohne den geringsten Anflug von Untertänigkeit, «dass ein Autor doch immerhin einen Vorteil hat …»

«… auch wenn er sich verfahren hat», warf der Größere dazwischen.

«… dass nämlich wir die Dialoge schreiben», vollendete der Kleinere den Satz. «Und jetzt haben Sie die verdammte Freundlichkeit und fangen noch einmal an.»

Der Kellner verbeugte sich. Verschwand und kehrte gleich darauf mit einem Schlüsselbund zurück. Verbeugte sich abermals und räusperte sich.

«Im Namen des Wirtes möchte ich Ihnen allen gesegnete Weihnachten wünschen», sagte er. «Sie können sich selber am Tresen bedienen, und im Kühlschrank gibt es kalten Aufschnitt. Schließen Sie hinter sich ab, wenn Sie gehen, und vergessen Sie nicht, die Schlüssel in den Briefkasten zu werfen.»

«Sehr gut», erklärte van Veeteren und blies einen Rauchring. «Es gibt also doch noch einen Rest gesunde Vernunft und Güte auf der Welt.»

Der Kellner zog sich zum letzten Mal zurück. Als er das Restaurant verließ, war für einen Moment das Heulen des Schneesturms zu hören, aber dann schloss sich die Winternacht um das kleine Restaurant in der Stadt, die es auf der Karte nicht gab.

Gesunde Vernunft?, dachte Kurt Wallander und stach mit dem König des Tisches, dem Buben, eine Drei. Güte?

Aber wenn überhaupt, dann am Heiligen Abend.

Und in Gesellschaft fiktiver Poeten.

Poeten, leck mich!, dachte er dann später. Acht Romane und nicht eine einzige verdammte Zeile Blankvers.

Am nächsten Tag würde er Linda sehen.

★ ★ ★

Steinunn Sigurðardóttir
Der lebende Freund
Aus dem Isländischen von
Coletta Bürling

Es waren einmal im 20. Jahrhundert fünf alte Freunde, die hoch und heilig gelobt hatten, sich am Heiligen Abend des Jahres 2002 im Botanischen Garten in Reykjavík zu treffen. Sie rechneten damit, dass sie vor diesem Termin das Zeitliche gesegnet haben würden, und sicherheitshalber hatten sie sich verabredet, da es passieren könnte, dass sie getrennt würden. Im jenseitigen Gewühl wäre es bestimmt nicht angenehm, jemanden ausfindig zu machen.

Als es so weit war, lebte Vernhard immer noch. Er war unschlüssig, ob er zu diesem Stelldichein gehen sollte, weil seine Freunde ihn wohl kaum erwarteten. Andererseits war er ein wenig gespannt, sie zu treffen, und dies war ja im Augenblick die einzige Gelegenheit. Vernhard entschied sich nach einigem Hin-und-her-Überlegen, in den Botanischen Garten zu trotten und abzuwarten, was geschehen würde. Er wohnte ja schließlich ganz in der Nähe auf dem Sunnuvegur, und es lag kein Schnee.

Er packte die Thermoskanne mit Kaffee und ein Brot mit geräuchertem Lammfleisch in seine Badetasche, die schon so betagt war, dass noch Loftleidir darauf stand. Falls er warten müsste. Es war unbedacht gewesen, keine genaue Zeit zu vereinbaren. Außerdem war es ja auch gar nicht sicher, ob die Freunde abkömmlich waren.

Der alte Mann machte die rote Lichterkette an, als er aus dem Haus ging. Er hatte sie wie alle Jahre wieder Mitte De-

131

zember in die Eberesche gehängt. Schwer zu sagen, wie ein Mann, der so schwach auf den Beinen war, es schaffte, auf eine Leiter zu steigen. Er dachte auch nicht darüber nach, wie es zu bewerkstelligen war. Die dunklen Dezembertage waren ohne die rote Lichterkette vor dem Wohnzimmerfenster ganz einfach undenkbar. Undenkbar war es auch, jemanden um Hilfe zu bitten. Er war zu der Erkenntnis gekommen, dass es nicht der schlimmste Tod wäre, daneben zu treten und von der Leiter zu fallen.

Bei der Langholtschule tobten kleine Jungs mit einem Fußball herum, und ihr Rufen und Schreien hallte im ganzen Viertel wider. Plötzlich fingen Kirchglocken an zu läuten, aber es war unmöglich zu sagen, aus welcher Richtung die Klänge kamen. Ob es das Geläut aus der Langholtkirche, der Áskirche oder der Lauganeskirche war, welches kaputt war, denn am Heiligen Abend hatten keine Glocken kurz nach drei Uhr zu läuten. Vernhard war sich hundertprozentig sicher in Bezug auf die Zeit, er hatte gerade erst seine Uhr gestellt. Er musste nämlich spätestens um halb sieben wieder zurück sein, bevor Hekla kam, um ihn zum traditionellen Schneehuhnessen abzuholen. Das Dumme war nur, dass Vernhard nicht das Geringste für Schneehühner übrig hatte, und außerdem war er ganz und gar dagegen, Vögel zu schießen, besonders Schneehühner. Aber er würde seinen Liebling treffen, die kleine Urenkelin Magga, die ihn Vennopi nannte und krähte und lachte, wenn er Grimassen schnitt.

Seit Mitte Oktober hatte er sich nicht getraut, in den Botanischen Garten zu gehen. Er war aber jeden Tag aus dem Haus gegangen, wenn das Wetter passabel war, zumindest bis auf den Bürgersteig. Anfang Dezember war er eine ganze Woche wegen Glatteis und unablässigem Sturm ans Haus gefesselt gewesen. Er war durch das Haus geschlurft, hatte an allen Außentüren gehorcht, war aber nicht so weit gegangen, eine zu öffnen, nicht die Balkontür, nicht die Hintertür und erst recht nicht die Haustür, so stürmisch war es gewesen. Und noch weniger hatte er sich bei der Eisesglätte auf die Straße getraut, sondern trübseligen Gedanken nachgehangen. Als ob alles zu Ende sei und es noch nicht einmal mehr Sinn hätte, sich mit jemandem zu unterhalten. Wenn jemand angerufen hatte, hatte er vorgegeben, sich gerade hinlegen zu wollen, damit niemand erführe, wie es ihm ging. Er war so depressiv gewesen, dass er sogar die Putzfrau abbestellt hatte, deren Kommen ihm sonst immer Vergnügen bereitete.

Dann aber ging es aufwärts, als er wieder bis zum Lebensmittelladen kam. Zu essen war fast nichts mehr im Haus, in der Gefriertruhe waren nur noch Kabeljaufilets, Roggenbrot und zwei Eistorten. Außerdem achtete er immer darauf, genug Coca-Cola und Prins Póló im Haus zu haben, um nicht dem Hungertod preisgegeben zu sein, falls er viele Wochen von der Außenwelt abgeschnitten wäre. Er hatte es Hekla und der Putzfrau strengstens untersagt, sich in seine Einkäufe einzumischen. Sie schummelten aber beide regelmäßig, indem sie selbst gebackenes Brot, Fladenbrot und hausgemachte Leberwurst anschleppten. Sie begriffen überhaupt nicht, wie er mit dem Einkaufen zurande kam. Das war sein Geheimnis. Er ging nämlich bis zum Laden, ließ sich aber dann die Waren nach Haus bringen, denn der Weg dorthin fiel ihm schon schwer genug, da wollte er sich auf dem Rückweg nicht auch noch mit Tüten abschleppen. Sigrún aus dem Laden hatte ihm oft genug angeboten, dass er einfach anrufen und bestellen könnte, aber das kam nicht infrage. Er wollte an Ort und Stelle bar auf die Hand bezahlen. Außerdem bildete er sich ein, dann womöglich keinen Grund mehr zu haben, überhaupt noch das Haus zu verlassen, wenn er nicht mehr einkaufen ginge, ja, dass er viel-

leicht sogar froh sein würde, nicht mehr aus dem Haus gehen zu müssen.

Dieser alte Mann, von dem ich erzähle, tat sich also
schwer mit dem Alter. Die lumpige staatliche Altersbeihilfe
spülte er jeden Monat durchs Klo. Er flippte aus, wenn jemand ihm gegenüber ein Altersheim erwähnte oder auch nur
eine unschuldige Seniorenwohnung. Bei der letzten Attacke
dieser Art ging Hekla die Sache ganz vorsichtig an, aber auch
das fruchtete nichts, ihr Vater geriet dermaßen in Wut, dass
sie sich seitdem nie wieder getraut hatte, solche Institu-
tionen zu erwähnen. Da er sich aber ein wenig für seine
Unbeherrschtheit schämte, ließ er sich darauf ein, einem
Notrufpieper und einer Putzfrau zuzustimmen. Das Wort
Haushaltshilfe war ihm verhasst. Er achtete aber darauf, den
Notrufpieper nicht eingeschaltet zu haben und die Putzfrau
mit Geschwätzigkeit und Rauchen so aufzuhalten, dass sie
überhaupt nichts zuwege brachte. Den Zigaretten sprachen
sie aber derart ausgiebig zu, dass der Rauchdetektor zu schrillen anfing, und nach dem Putztag lag Vernhard regelmäßig
am nächsten Tag hustend im Bett. Aber es war die Sache
wert. Und am darauf folgenden Tag putzte er heimlich selbst.
Das dauerte allerdings seine Zeit, und mit den Pausen ging
der ganze Tag dabei drauf. Auf diese Weise verkürzte sich die
Woche fast um die Hälfte, und das kam ihm jedenfalls gut
zupass, da er nun einmal nicht besonders geschickt darin
war, sich die Zeit zu vertreiben.

Der Botanische Garten umfing den alten Mann, und die
lauwarmen, schräg einfallenden Strahlen der Wintersonne
umspielten ihn wie das warme Wasser im Schwimmbad.
Nicht weit vom Tor setzte er sich hin, auf die Bank, die er
seine Loge nannte. Jetzt entspannte er die Glieder wie im heißen Pool neben dem Freibad, wie er es so oft zu jeder Jahreszeit mit seinen Freunden getan hatte. Hoffentlich waren sie

schon in den Park gekommen. Ragnar war zwar nicht sonderlich aufs Schwimmen versessen, nein, er war ein genauso überzeugter Mensch der Innenräume, wie andere Outdoor-Freaks sind. Eigentlich unwahrscheinlich, dass er die Verabredung einhielte.

Vernhard trank einen Schluck Kaffee und dachte an Bensi, den Helden aus seinem Lieblingsbuch, den alten Mann der Berge, der im Advent Schafe im Hochgebirge suchte und sich im Schnee eingraben musste, um sich Kaffee zu kochen, während oben auf der Erde ein wilder Schneesturm tobte. Aber was war nun mit den Freunden, die er hier treffen wollte? Niemand war ihm über den Weg gelaufen, so wie er gehofft hatte. Nirgends hörte man das Gekichere von Baldur, die melodische Stimme von Sigga, das Husten von Ragnar.

Wenn das nur kein vergeblicher Gang war! Es fiel ihm so schwer. Er würde es nur mit knapper Not wieder nach Hause schaffen. Er hätte einen Zettel hinterlassen sollen, wohin er gegangen war. Den verdammten Notrufpieper hatte er zwar bei sich, aber eher würde er krepieren, als ihn zu betätigen. Wenigstens bestand nicht die Gefahr zu erfrieren, denn es war kein Frost. Er hatte eine lange Unterhose und ein Wollunterhemd an, die Schaffellmütze auf dem Kopf, fellgefütterte Galoschen. Es war, als ob man im Haus wäre. Er wurde ein bisschen schläfrig, wie er da auf der Bank saß. Ein frecher Tannenzweig zwängte sich ihm über die Schulter und duftete nach Leben und Farben.

Er musste eingenickt sein. Ein zartes Dämmerlicht lag über dem Park, und irgendwo in seiner Nähe saß ein Vogel, der eher wisperte als zwitscherte. Er schraubte den Becher auf die Thermoskanne und steckte sie wieder in die Loftleidir-Tasche. Und dann stützte er sich auf seinen Stock und kam auf die Beine. Weihnachtliche Lichterketten leuchteten mitten im Park, und er tappte dorthin. Jetzt war es schon so weit, dass

sogar die federleichte Tasche ihm bleischwer vorkam. Braten-
duft drang aus dem Haus des Parkwächters, und er verspürte
Hunger, denn er hatte vergessen, das Brot mit dem Räucher-
fleisch zu essen.

Vernhard brauchte unglaublich lange, um bis zu seinem
Lieblingsplatz mit der isländischen Flora zu kommen. Dort
ließ er sich entkräftet auf einer Bank nieder. Es stand eigentlich so gut wie fest, dass die Freunde hier zusammenkommen
würden. Immer hatten sie bei der isländischen Flora Halt gemacht, wenn sie nach dem Schwimmen durch den Botanischen Garten gebummelt waren. Jeder hatte seine Lieblings-
pflanze. Seine eigene war Silberwurz, Sigga schätzte den
Prachtsteinbrech über alles, und Spaßmacher Baldur, der immer herumalberte, den Baldrian, was er damit kommentierte,
dass sie beide Heilkräfte besäßen. Sogar Ragnar, der Indoor-
Freak, der nur ganz selten mit durch den Garten ging, hatte
eine Lieblingsblume. Das war der Frühlingsenzian, die kleinste und strahlendste Blume, die man sich vorstellen konnte.
Ragnar war nämlich tief in seinem Herzen erstaunlich roman-
tisch und zart besaitet, trotz seiner rauen Schale. Genau an
diesem Ort hatten sie häufig über alte Zeiten gesprochen.
Und dann wurde über nichts geredet, was nicht mindestens
ein halbes Jahrhundert zurücklag. Es wurde kaum über
Krankheiten gesprochen, von denen es genug gab, auch die
Nachkommen wurden selten erwähnt, von denen es ebenfalls
genug gab. Nein, Baldur erzählte Geschichten von Reittouren
im Skagafjörður, und zwar mit Geräusch- und Rapeffekten,
und Sigga sprach über ihre Heimat Skaftàrtunga und rezitier-
te Verse, wobei man argwöhnen konnte, sie hätte sie selbst
verfasst.

Vernhard hörte keinerlei Geräusch, das darauf hindeuten
konnte, dass die Freunde in der Nähe waren, aber irgendwie
kam es ihm so vor, als läge der Geruch von Ragnars Zigarren

in der Luft. Er ging dem Geruch nach, kam zu einem Treibhaus, wo das ganze Jahr über etwas blüht und man sich mit seinem Proviant hinsetzen und picknicken konnte. Bis vor zwei Jahren hatte er viele Tage dort verbracht. Aber in jenem Jahr begannen seine Beine nicht mehr mitzumachen, ja, und das war auch das Jahr, in dem Baldur gestorben war.

Baldur hatte immer Heiterkeit um sich verbreitet und immerfort Witze reißen müssen, ein Witzbold durch und durch, und manchmal kam stundenlang kein ernsthaftes Wort über seine Lippen. Das konnte gewiss ermüdend sein, aber darum geht es nicht in der Erinnerung. Baldur war eine Seele von Mensch. Bei ihm wusste man, woran man war. Das galt aber nicht für seine Witze. Es waren meistens irgendwelche komischen Anspielungen, mit denen man nichts Rechtes anfangen konnte.

Jetzt hörte er den Klang von Siggas Stimme, weich und melodisch, und ein Lachen schwang darin mit. Vernhards alte Pumpe lief schneller, und er versuchte nach Kräften, es ihr nachzutun. Die Tür zum Treibhaus öffnete sich, als er nur noch ein paar Meter entfernt war, und da standen sie im Eingang: Baldur, Ragnar, Sigga und Nonni.

Sigga breitete die Arme aus, um ihren Freund in Empfang zu nehmen, und er sank ihr entgegen.

Willkommen, sagte sie.

Willkommen, sagten die Männer.

Danke.

Sigga führte ihn zum nächsten Tisch. Sie setzten sich um ihn herum, schauten einander lächelnd und etwas verlegen an.

Ihr habt mich also doch erwartet, sagte Vernhard.

Ja, irgendwie, sagte Sigga schüchtern. Es ist ja nicht so weit von dir.

Was für ein Glück, dass ich euch gefunden habe, sagte Vernhard, und die Freunde lächelten.

Als er sich nach dem Kraftakt langsam wieder erholte, sah er seine Freunde klarer. Das Jenseits schien ihnen nicht weiter zugesetzt zu haben. Also waren sie da gut aufgehoben, und darüber war er erleichtert.

Was für ein herrlicher Ort für ein Wiedersehen unter guten Freunden, ein Treibhaus, wo selbst im tiefsten Winter das eine oder andere blühte. Es schien den Naturgesetzen zu widersprechen, dass die dunkelsten Tage rotgelbe Tulpen, tiefblaue Hyazinthen und kleine Blüten an einem Strauch hervorbringen konnten.

Schön, sagte Vernhard, indem er auf die hübschen Lichterketten blickte, die sich um das Gitterwerk der Holzbrücke über den kleinen Teich rankten. Sie flimmerten auf dem Wasser, und es kam ihm wie eine Miniaturausgabe himmlischer Lichter und des Meeres vor.

Ja, das ist schön, stimmte Sigga ihm zu. Vernhard hatte den Eindruck, dass es fast ein bisschen weinerlich klang, woran auch immer das lag. Konnte es sein, dass sie irgendetwas aus dem irdischen Leben vermisste, was sie und andere als Nichtigkeiten bezeichnet hatten, verglichen mit der Glückseligkeit, die einen erwartete? Sie fügte hinzu:

Ach, das Schwimmbad und der Botanische Garten gehen einem nicht aus dem Sinn.

Die anderen Freunde schwiegen, und Vernhard blickte sie fragend an.

Das lässt sich nicht leugnen, sagte Nonni.

Ach so, sagte Vernhard. Angeblich soll es doch so vollkommen bei euch sein?

Es ist schon ganz in Ordnung, entgegnete Ragnar und blies Rauch von sich oder auch Nicht-Rauch.

Und es gibt doch bestimmt jede Menge Dinge, die es mit dem Schwimmbad und dem Botanischen Garten aufnehmen können?

Sprechen wir lieber nicht darüber, sagte Baldur todernst.

Jetzt wurde Vernhard argwöhnisch. Baldur ernst? Sie verheimlichten ihm etwas, wollten ihm etwas vorenthalten.

Der Botanische Garten ist nun mal ein wunderschöner Ort. Ein ganz besonderer Ort, sagte Nonni.

Wird ja wohl kaum den paradiesischen Gefilden und dem Harfengeklimper gleichkommen, die einem in Aussicht gestellt worden sind, meinte Vernhard, obwohl ich eigentlich immer mehr für das Klavier gewesen bin. Ich finde die Harfe kitschig.

Mach dir keine Sorgen wegen Harfen, sagte Sigga, bei uns wird nichts gespielt.

Was, keine Musik?

Es gibt ziemlich viele Choraktivitäten.

Vernhard schwieg verblüfft, bis Sigga hinzufügte: Männer- und Frauenchöre.

Warum keine gemischten?

Das ist alles ziemlich separat.

Separat?

Es ist nicht alles so, wie man uns gesagt hat. Sei darauf vorbereitet, wenn du kommst. Aber lassen wir das beiseite. Das wird sich alles finden.

Es wäre aber ganz interessant zu wissen, warum alles so separat ist.

Darüber haben wir nichts erfahren. Es erinnert in vielerlei Hinsicht an ein Internat. Ein bisschen eng und so. Und Korridore.

Aber häng das mit dieser Organisation nicht an die große Glocke, sagte Nonni, der sehr vorsichtig war. Und nenn es bloß nicht Internat. Es würde bestimmt nicht gut aufgenommen und könnte ganz einfach missverstanden werden.

Na, das kann ja heiter werden, entgegnete Vernhard. Und das mir, wo ich doch an ein so großes Haus gewöhnt bin, dass ich jetzt mehr als eine halbe Stunde von einem Ende zum anderen brauche. Ich glaube, da bleibe ich doch lieber noch ein bisschen länger in meinem Privatinternat.

Vergiss nicht, dass es auch seine Vorteile hat. Wir haben uns zumindest gegenseitig, bemerkte Baldur positiv. Wir dürfen auch Witze reißen, so viel wir wollen. Bloß keine obszönen. Das wird nicht geduldet.

Und welches Presbyterium mischt sich da ein, was für Witze ihr erzählt?, fragte der Erdenbewohner Vernhard.

Die Aufseher achten darauf, dass alles ordentlich und gesittet zugeht, antwortete Ragnar und hustete. Man darf beispielsweise drinnen nicht rauchen.

Aufseher. Das wird ja immer schöner. Das muss ja schlimmer sein als Haushaltshilfe. Darf man fragen, an was für einem Ort ihr eigentlich seid.

Am zweitbesten.

Am zweitbesten? Bedeutet das ganz unten, durch die Blume gesagt?

Dazwischen liegen noch zwei Stockwerke. Es gibt nicht nur oben und unten, wie uns gesagt wurde. Aber das findest du schon noch früh genug heraus.

Tja, ich weiß nicht.

Findet ihr es richtig, ihm davon zu erzählen?, fragte Sigga besorgt und blickte Baldur, Ragnar und Nonni an.

Nein, sagte Ragnar, ich finde es nicht richtig, ich hätte es nicht vorab wissen mögen.

Was soll denn das, es ist doch besser, vorher klipp und klar Bescheid zu wissen, meinte Vernhard.

Am besten machst du das, Nonni, sagte Ragnar, du bist so objektiv und kannst so gut erzählen.

Na schön, willigte Nonni ein. Beginnen wir dann in der obersten Etage, da wimmelt es von Heiligen und solchen Leuten, die sich aufgeopfert haben, so wie Priester und Feuerwehrleute und allein stehende Mütter. Auf der ersten Etage sind einfach normale, anständige Leute wie wir, die sich nichts anderes haben zuschulden kommen lassen, als ganz einfach Mensch zu sein. Im Parterre sind ziemlich schlechte Leute, die einmal im Leben etwas Schlimmes verbrochen haben, und im Keller sind Massenmörder und anderes Gesocks, aber auch eine Reihe von Politikern, die ewig rumgebrüllt und sich über alles Mögliche aufgeregt haben. Aus irgendwelchen Gründen wird das schwer bestraft.

Du willst mich wohl verkohlen, fragte Vernhard.

Nein, nein, sagte Sigga, auf die man sich verlassen konnte. Und sie schauten Vernhard so an, als bemitleideten sie ihn irgendwie, weil er jetzt Bescheid wusste.

Ist es auf allen Etagen gleich langweilig?, fragte Vernhard.

Die Freunde verstummten und wandten ihre Blicke ab.

Dann erklärte Baldur, das sei genau der springende Punkt. Es hätte sich durch die Aufseher herumgesprochen, dass im Keller am meisten los sei. Da würden so viele Geschichten erzählt. Geschichten den lieben langen Tag, bis zum Schlafengehen. An diesem Ort wären natürlich nicht alle erbaulich, aber da sich die Leute nun einmal nicht ändern, wollen sie lieber schlimme Geschichten hören als gute. Und im Keller würde am allermeisten gelacht, sagen die Aufseher, und andererseits seien Güte und Edelmut im dritten Stock auf die Dauer eher trist. Die Aufseher seien froh, wenn sie eine Extraschicht im Keller bekämen.

Die Uhren schlugen sechs. Der Klang war so mannigfaltig, dass es ganz den Anschein hatte, als läuteten sämtliche Kirchenglocken von Reykjavík in das Treibhaus des Botanischen Gartens hinein. Jetzt waren alle im Land frisch gebadet, die Geschenke waren eingepackt, das Festessen war fertig oder so gut wie, Häuser und Wohnungen bis in den hintersten Winkel geschrubbt, alle Portemonnaies leer, Überziehungskredite bis zum Letzten ausgeschöpft, und der wochenlange Wettlauf auf Weihnachten war beendet. Die Einzigen, die nicht daran teilnahmen, waren unmündige Kinder, einige Kriminelle, Tippelbrüder und Greise. Aber genau zu dieser Stunde begann der alte Vernhard mit seinem Wettlauf, oder besser Wettgang, zurück zu seinem Haus am Sunnuvegur. Sonst würde man ihn suchen lassen.

Liebe Freunde, ich muss jetzt los, sagte er zu Sigga, Baldur, Nonni und Ragnar. Ich werde zum Schneehuhnessen abgeholt, und das, wo ich diese Vögel überhaupt nicht mag und es schrecklich finde, sie abzuknallen.

Aber du bekommst bestimmt gute Beilagen, meinte Sigga.

Ja, ich sollte mich eigentlich schämen, erwiderte Vernhard, und danach selbst gemachtes Eis. Und was gibt's bei euch?

Pah, darüber reden wir lieber nicht, sagte Ragnar und inhalierte die Rauchkugel wieder, die er zuvor wie einen Kaugummi aufgeblasen hatte.

Doch, ich möchte gern wissen, was ihr bekommt.

Wir bekommen gar nichts, entgegnete Ragnar bissig. Wenn wir zurückkommen, werden wir sofort aufs Zimmer geschickt und kriegen erst am nächsten Abend was zu fressen. Und zwar Reste.

Aber da ist einer von den Aufsehern, der uns eventuell etwas zuschmuggeln könnte, falls er Wache hat, denn es ist ja Heiligabend. Er ist gegen diese Regeln, dass man nicht zwischendurch mal abhauen darf, um alte Freunde zu treffen.

Das tut mir aber Leid, dass ihr darben müsst, sagte Vernhard.

Pah, uns ist es völlig wurscht, gab Baldur zurück. Und ich habe größte Lust, im nächsten Jahr wieder hierher zu kommen.

Die Freunde waren alle dafür. In der Stunde des Abschieds fehlte nicht viel, und alte Augen wären feucht geworden. Bei

Vernhard war es allerdings nach kurzer Zeit mit der Rührung vorbei, denn er hatte große Mühe, den Rückweg zu bewältigen. Außerdem ging es ihm durch den Kopf, wo er wohl landete, wenn es so weit war. Es war ausgeschlossen, dass er ein so unglaublich guter Mensch gewesen war, dass er zu den opferbereiten Müttern und Feuerwehrleuten in die oberste Etage käme. Parterre war auch nicht wahrscheinlich, denn er hatte sich keine einzelne größere Übeltat zuschulden kommen lassen, sondern eher viele kleinere Dinge. Deswegen wäre es wohl die stinklangweilige erste Etage, die ihn erwartete. Vielleicht wäre es dann besser, sich in den Keller hinunterzulavieren, solange er noch die Chance hatte, die entsprechenden Maßnahmen zu ergreifen. Allerdings stand es nicht sonderlich um seine Kräfte für ausgesuchte Gemeinheiten, gar nicht zu reden von Massenmorden, um an den schlimmsten Ort zu kommen. Er könnte natürlich anfangen, andere anzubrüllen. Aber wen denn? Die Putzfrau? Sigrún im Lebensmittelgeschäft? Und weswegen? Wegen Rosinen, bei denen das Verfallsdatum abgelaufen war? Das Dumme war auch, dass das gar nicht seine Art war. Aber selbst wenn es ihm gelänge, könnte trotzdem alles für die Katz sein. Wahrscheinlich würde es überhaupt nicht registriert, wenn er erst in den letzten Jahren oder Monaten seines Lebens anfinge loszubrüllen. Deswegen würde es nur Scherereien in dieser Welt und keine Belohnung im Jenseits geben.

Er hörte die kleine Magga rufen, als er sich dem Sunnuvegur näherte: Vennopi, Vennopi, komm zum Heiligen Abend!

Sie erreichte den alten Mann vor ihrer Oma und umklammerte sein Bein. Er streichelte ihr über den Kopf und sagte, sie sei sein kleiner Liebling.

Wo treibst du dich denn herum, Papa?, fragte Hekla. Ich habe einen fürchterlichen Schreck bekommen, als du nicht aufgemacht hast.

Völlig überflüssig.

Wo warst du denn eigentlich?

Ich war fertig mit allen Vorbereitungen und bin ein bisschen in den Botanischen Garten gegangen.

Auf was für Einfälle du kommst, ausgerechnet Heiligabend. Musst du dich nicht umziehen?

Ist schon in Ordnung, ich kann gleich so mitkommen. Ich weiß, die Schneehühner dulden keinen Aufschub.

Wir können aber wirklich warten, bis du dich festlich angezogen hast, lieber Papa.

Ich bin immer festlich angezogen. Also beeilen wir uns.

Beilen wir uns, beilen wir uns, echote Magga.

Und damit fuhren sie los zu den Schneehühnern, die Vernhard nicht mochte. Jedes Jahr erklärte er am Heiligen Abend, dass er dagegen sei, diesen schönen und intelligenten Vogel abzuschießen. Aber die Beilagen schmeckten diesmal ungewöhnlich gut. Waldorfsalat, Rotkohl, Johannesbeergelee und glasierte Kartoffeln. Und er sprach Heklas selbst gemachtem Eis ordentlich zu, während er an seine armen Freunde dachte, die ohne etwas zu essen auf der ersten Etage eines ungewissen Ortes hungrig auf der Strafbank saßen.

Am Tag nach Weihnachten lag eine leichte Schneedecke über der Stadt. Als es hell geworden war, machte der Parkwächter eine Runde und bewunderte die weiße Pracht, mit der Bäume und Erde überzuckert waren. Als er den Türknauf des Treibhauses ergriff, stellte er fest, dass es nicht verschlossen war. Er bemerkte Zigarrengeruch und sah die Stummel auf dem Boden neben einer verschlissenen Loftleidir-Tasche. In ihr befanden sich eine karierte Thermoskanne und ein Brot mit geräuchertem Lammfleisch.

Der alte Vernhard vom Sunnuvegur rief am gleichen Tag beim Parkwächter an und erklärte, er sei so vergesslich geworden, dass ihm seine Tasche abhanden gekommen wäre, wahrscheinlich im Botanischen Garten. Der Parkwächter fragte, wann das gewesen sei, aber Vernhard gab vor, so verkalkt zu sein, dass er sich unmöglich daran erinnern könnte, wann er zuletzt dort unterwegs gewesen war, er sei in dem Stadium angelangt, wo es zwischen Weihnachten und Ostern ohne weiteres einen Kurzschluss geben könnte. Aber er sei froh, dass die Tasche gefunden war. Sie wären so lange prima miteinander ausgekommen, und er vermisste sie.

Der Parkwächter fragte höflich nach den Zigarrenstummeln im Treibhaus. Vernhard hatte natürlich keine Ahnung, wo die herkamen, und sagte wahrheitsgemäß, dass er nur zu Hause rauchte, um der Putzfrau Gesellschaft zu leisten, und dann auch nur Zigaretten.

Willy Josefsson Wie Eis auf dem Wasser

Aus dem Schwedischen von
Gabriele Haefs

Das Auge verfolgte ihn den ganzen Weg lang.

Es saß hinter seinem eigenen Augenlid, und nichts konnte es zum Verschwinden bringen.

Er hielt an und aß eine Pizza. Es war schon dunkel, und das Schneegestöber zwang ihn, langsam zu fahren. Er betrachtete die lange Schlange von Autoscheinwerfern, die sich den Hang hochzog, immer wieder bewegte sie sich so sorglos, als werde sie von einer unsichtbaren Hand gelenkt. Routinemäßig. Alltäglich.

Bald würden einzelne Lichtpunkte aus der Schlange ausscheren und ihre Ziele ansteuern: Vorortvillen, Wohnungen, wartende Familien. Und andere Lichter würden ihren Platz einnehmen, die Leere füllen. Auch das wäre normal, alltäglich. Als sei nichts passiert.

Noch vor ganz kurzer Zeit hatte er selbst dieser anonymen Gemeinschaft angehört. Er versuchte, sich seinen eigenen Wagen in dieser Kette vorzustellen, aber es gelang ihm nicht. Sogar sein Auto hatte die Normalität verlassen. Er würde es waschen und staubsaugen müssen.

Er merkte, dass er auf einem Stück Pizza herumkaute, und sah zu seiner Überraschung, dass er fast die gesamte tomatenrote Füllung verzehrt hatte, ohne auch nur einmal daran zu denken. Die harte Kruste hatte er wie immer am Tellerrand liegen lassen. Aber er konnte sich nicht daran erinnern, wie das passiert war.

Er lehnte sich an die Fensterscheibe, die den hell beleuchteten Fenstertisch von Dunkelheit und Schneegestöber trennte, es war kühl unter seiner Stirn, und er blieb eine Weile so sitzen, als finde er Trost in dieser Kühle.

Für einen Moment stellte er sich vor, dass diese Fensterscheibe ihn von der Welt trennte. Seit er die aufgehackte Stelle auf dem Eis verlassen hatte, umgab ihn ein unwirkliches Gefühl, so als hindere etwas ihn daran, die Dinge in seiner Umgebung zu erreichen. Dann entdeckte er sein Spiegelbild. Er saß so dicht vor dem Fenster, dass seine beiden Augen zu einem einzigen zu verschwimmen schienen, und wieder wurde er von Entsetzen überwältigt.

Das Auge. Er hatte gesehen, wie es gebrochen war, und dabei war ihm aufgegangen, dass dieser Anblick ihn für den Rest seines Lebens verfolgen würde.

Er stand auf und bezahlte. Er hatte den Eindruck, dass die Frau hinter dem Tresen ihn argwöhnisch musterte, aber das war vielleicht nur Einbildung.

Er zwang sich dazu, sich nicht umzudrehen, und versuchte, sich so natürlich wie möglich zu bewegen, als er durch das Lokal und durch die Tür in die Außenwelt ging. Auch diese Tür war aus Glas.

Noch immer trennte ein dünner Film ihn von der Wirklichkeit, als er sich ins Auto setzte. Aber seine Hände wussten, was sie zu tun hatten, sie kannten Routine, Zündschlüssel, Gangschaltung, Lenkrad. Auf irgendeine Weise kam ihm das beruhigend vor, obwohl es beim Eisloch ja auch so gewesen war. Seine Hände hatten gearbeitet, er selbst hatte zugesehen.

Dem Axthieb, der ein singendes Geräusch durch den ganzen Teich geschickt hatte. Dem Wasser, das hochgestiegen war und die Farbe der weißen Adern im Eis verwandelt hatte, von Puderzucker in durchsichtiges Glas.

Die Adern, ja. An die wollte er nicht denken. Jetzt nicht.

Er lauschte den Bewegungen der Scheibenwischer. Sie

mühten sich vergeblich ab, kaum hatten sie die Schnee-flocken von der Windschutzscheibe entfernt, schon legte sich eine neue, weiche Flockenschicht darauf und verstärkte sein Gefühl, von der Außenwelt abgeschieden zu sein. Von der Normalität.

Und in diese Lage hatte er sich selbst gebracht. Auf irgend-eine unklare Weise war ihm bewusst, dass er das nicht verges-sen durfte. Er hatte eine Wahl gehabt.

★

Die Straße ging abwärts, und die Sicht wurde besser. Es schneite nicht mehr, und vor ihm breitete sich plötzlich die Ebene aus; die Lichter der kleinen Dörfer am Ufer funkelten wie die Lampen einer Landebahn. Für einen Moment kam er sich schwerelos vor, und er zuckte vor etwas Unbekanntem zurück, vielleicht vor der neuen Freiheit. Aber dieser Moment war fast sofort wieder verstrichen.

Der Asphalt änderte seine Farbe, er wurde schwarz und stahl ihm das Licht. Er hatte immer noch ein Stück Weg vor sich, er hatte sich die Stelle sorgfältig ausgesucht, und streng genommen war dieses Wetter nur gut für ihn. Es zwang ihn dazu, sich zu konzentrieren und nicht daran zu denken, was draußen im Wald geschehen war. Er hatte die Axt mit in die Tiefe sinken lassen, das war das Einfachste gewesen.

Nur das Auge ließ sich nicht verdrängen. Er wusste, er hät-te nicht hinschauen dürfen, aber er hatte nicht widerstehen können. Etwas hatte ihn zum Hinsehen gezwungen. Und ge-nau in dem Augenblick, in dem das Auge gebrochen war, hatte er die wortlose Frage wahrgenommen.

Nur wahrgenommen, nicht gehört.

Oder hatte er sich das vielleicht nur eingebildet? Er riss sich zusammen und wischte sich die Handflächen nacheinan-der an den Hosenbeinen ab. Der Schweiß schien sich einge-fressen zu haben und sich nicht entfernen lassen zu wollen, aber vielleicht war auch das Einbildung. Er fasste das Lenk-rad mit neuer Kraft. Jetzt war er frei, und darum war es im Grunde doch die ganze Zeit gegangen.

Der Verkehr wurde dichter, als er sich der Stadt näherte. Die ersten Straßenlaternen tauchten auf und verjagten sein Gefühl von Unwirklichkeit. Ein Bremslicht schrie vor ihm rot auf, als ein Volkswagen weiter vorn die Spur wechselte, aber er war in den Rhythmus hineingeglitten und brauchte nicht einmal nachzudenken. Das war sicher die Lösung, nicht zu denken.

Er lotste sich durch das Gedränge auf den beiden ersten Kreuzungen und durch den Kreisverkehr. Danach hatte er sein Wohnviertel erreicht. Er stellte das Auto an der üblichen Stelle ab und ging dann das kleine Stück zu dem Haus, in dem er wohnte.

Ehe er die Tür erreicht hatte, blieb er wie immer einen Moment stehen und schaute nach oben. Die Balkons hingen wie kleine Badewannen vor den Fassaden, und von hier unten sahen sie umso kleiner aus, je höher er seinen Blick wandern ließ. Aber er brauchte die Stockwerke nicht mehr zu zählen, um zu wissen, in welchem er wohnte. Mit den Jahren hatte er die Proportionen des Hauses kennen gelernt.

Er fuhr mit dem Fahrstuhl nach oben und spürte zum ers-ten Mal, dass er nun endlich allein war. Am nächsten Morgen würde er den Wagen waschen, und danach könnte sein neues Leben beginnen. Er würde nicht zurückblicken.

Er schloss die Wohnungstür hinter sich ab und trat ans Fenster. Unten im Park sah er den angestrahlten Weiher, der ihn zuerst auf die Idee gebracht hatte. Das vereiste Oval warf einen matten Glanz über das es umgebende Dunkel. In der Mitte des Weihers bewegten einige Graugänse sich unaufhör-lich, um das Wasser über einem langsam schrumpfenden Loch offen zu halten. Trotz ihrer Anstrengungen war nur noch ein kreisrunder dunkler Fleck in der weißen Ellipse zu sehen.

Lange blieb er stehen und schaute auf diese Figur hinunter. Sie hatte etwas Vages, was er nicht definieren konnte, was ihn an etwas erinnerte, woran er nicht erinnert werden wollte.

Erst als er die Lampe gelöscht hatte und unter der Bettdecke lag, gewann das Bild an Bedeutung. Er ging zum Fenster und schaute hinaus, aber die Laternen dort unten waren inzwischen gelöscht, und er konnte nur eine diffuse weißliche Rundung zwischen den Parkbäumen erkennen.

★

Das schrille Signal traf mit dem trüben Morgenlicht zusammen. Er begriff nicht, wer in dieser Frühe an der Tür klingeln mochte, und sein Magen war plötzlich eiskalt. Er staunte darüber, dass die Angst ihm wie Eis vorkam und ihn nicht wie sonst in Schweiß ausbrechen ließ.

Aber es wurde nicht noch einmal geschellt. Er hielt den Atem an und spürte, wie die Kälte in seinem Magen langsam schmolz, dann stand er auf und ging ans Fenster.

Unten war kein Mensch zu sehen, nur die Enten bewegten sich weiterhin in der Pupille des großen Auges, das zu ihm hochschaute. Er wartete eine ganze Weile und versuchte, nicht in ihre Richtung zu sehen. Als nichts passierte, ging er zögernd in die Diele.

Die Morgenzeitung lag vor der Tür, zusammen mit der Mitteilung, dass sie leider zu spät geliefert worden war. Er blieb stehen und betrachtete den schwarzen Namenszug der Zeitung, und die Kälte stellte sich wieder ein.

Jemand wusste Bescheid. Vielleicht stand es ja schon in der Zeitung.

Er ließ sie auf dem Boden liegen und ging zurück ins Bett. Er versuchte nachzudenken, aber seine Erinnerung wollte ihm nicht gehorchen. Es hatte geschneit, das wusste er. Er wusste noch, dass er das zufrieden registriert hatte, nun würden seine Spuren verwischt werden.

Er versuchte, alles Schritt für Schritt durchzugehen, sah aber nicht klar. Er hatte sich die Sache schon so oft vorgestellt, dass die verschiedenen Versionen – die erdachten und die tatsächliche – ineinander übergingen. Die Autofahrt, der Vorwand, warum er über den Waldweg fuhr. Der Grund, den er sich ausgedacht hatte, damit sie am See in die Hocke ging.

Er hatte sich sogar mehrere Varianten für alles vorgestellt, was schief gehen konnte. Nur mit dem dünnen Eisfilm über der Pupille und der darunter befindlichen Tiefe hatte er nicht gerechnet.

Er wusste, dass alle Fehler begehen, und das war seiner gewesen: ihr ins Auge zu schauen.

Und was war danach passiert?

Das wusste er nicht. Vielleicht war er gesehen worden.

Er war plötzlich unsicher. Es gab irgendwo in der Handlungskette eine leere Stelle, einen weißen Fleck, den er nicht füllen konnte.

Er hatte seinen klaren Blick verloren, hatte sich die Sache zu nahe gehen lassen. Vielleicht hatte er auch noch andere Fehler begangen.

Die Unruhe trieb ihn wieder ans Fenster, aber sein Blick wollte nur an dem fast zugefrorenen Weiher haften bleiben.

Abrupt kehrte er diesem Anblick den Rücken zu. Aber er schien seine Gedanken an sich zu ziehen und ihn daran zu hindern, diese selbst zu lenken.

Er ging ins Nachbarzimmer und machte das Radio an, schaltete es aber fast sofort wieder aus.

Er blieb mitten im Zimmer stehen und horchte auf die Stille, sie kam ihm anders vor, jetzt, wo sonst niemand in der Wohnung war, unbeweglich und Geborgenheit schenkend.

Wie Eis auf dem Wasser, dachte er, ohne wirklich zu wissen, warum.

Er blieb vielleicht eine halbe Stunde so stehen, dann riss er sich zusammen. Der Wagen musste gesaugt und gewaschen werden. Das war als Allererstes zu erledigen.

Während er sich anzog, ging er alles noch einmal durch, aber der weiße Fleck war noch immer vorhanden. Vielleicht hatte er am Eisloch etwas getan, woran er sich nicht erinnern konnte. Vielleicht aber auch nicht.

Er ging die Treppe hinunter, konnte sich aber von seiner bohrenden Unruhe nicht befreien. Und nun war er auch unsicher, was den restlichen Handlungsverlauf betraf, den er doch so gut unter Kontrolle geglaubt hatte.

War an dem Waldsee überhaupt etwas passiert? War er denn wirklich dort gewesen?

Die Angst stellte sich wie ein Sog wieder ein. Für einen Moment hatte er das Gefühl, zwischen zwei Wirklichkeiten zu schweben und jederzeit dazwischen in ein Vakuum stürzen zu können.

Er versuchte, dieses erstickende Gefühl abzuschütteln, und atmete in der kalten Luft tief ein, sowie er vor der Tür stand. Sein Atem wurde zu Rauch, als er ihn wieder ausstieß, und er lief mit raschen, ängstlichen Schritten zum Parkplatz.

Der Wagen stand immerhin an der Stelle, wo er ihn abgestellt zu haben glaubte. Für eine Sekunde war er erleichtert, dann ging ihm auf, dass das nun wirklich kein Beweis für irgendetwas sein konnte.

★

Eine neue Glaswand trennte ihn vom Wagen, während die rotierenden Bürsten ihr ruckartiges Programm durchliefen. Er hatte sich für das teuerste entschieden, mit Unterspülung und Wachs, und die Frau, die die kleine Plastikmarke für den Waschautomaten herausgesucht hatte, hatte ihn wie einen

Bekannten angelächelt; zu spät war ihm aufgegangen, dass sie ihm am Vorabend die Pizza serviert hatte.

Er wusste nicht, warum er zu der Raststätte oben auf der Anhöhe zurückgefahren war. Die während der Nacht zugeschneiten Reifenspuren und die weiße Schneedecke auf dem Wagendach hatten den Wagen aussehen lassen, als stände er seit Tagen auf dem Parkplatz, und wieder war dieses Gefühl von Unwirklichkeit über ihn gekommen. Etwas anderes als sein Wille hatte ihn aus der Stadt und auf die kurvenreiche Landstraße hinausgetrieben.

Vielleicht hatte er die Vorstellung gehabt, seine Erinnerung werde sich klären, wenn er denselben Weg nähme wie am Vortag. Aber die leere Stelle gab nicht nach, er hatte eher das Gefühl, dass sie noch wuchs. Sosehr er sich auch anstrengte, er konnte sich nicht am See sehen oder das Gewicht der Axt in den Händen spüren; die Bilder in seiner Erinnerung schienen immer unzuverlässiger zu werden und sich mehr und mehr mit seiner Einbildung zu vermischen, je näher er der Abzweigung im Wald kam.

Aber an die Frau von der Tankstelle konnte er sich erinnern. Sie hatte ihn argwöhnisch angeschaut, das wusste er jetzt wieder, aber er wusste nicht, was er selbst gesagt oder getan hatte. Auf irgendeine Weise musste er ihre Aufmerksamkeit erregt haben, er wusste nur nicht, wie.

Er starrte die schmutzige Glaswand an, und wieder meldete die Angst sich zu Wort; war seine Tat ihm vielleicht anzusehen?

Er fuhr zusammen, als die durchsichtige Wand plötzlich zusammengefaltet und von einer Stahlkonstruktion hochgehoben wurde, die unter der Decke der Waschanlage verlief. Das Auto stand blank und sauber vor ihm, und Feuchtigkeitsperlen glitzerten auf dem frisch gewaschenen Lack, aber seltsamerweise fühlte er sich bei diesem Anblick noch viel weniger wohl in seiner Haut.

Er fuhr den Wagen aus der Halle und setzte dann in den nächsten Raum zurück. Ein dicker grauer Schlauch, der ihn an einen Elefantenrüssel erinnerte, war an der einen Querwand an einem Stativ befestigt. Für den Staubsauger brauchte er ganz besondere Marken, und für einen Moment spielte er mit dem Gedanken, auf alles zu pfeifen. Aber dann dachte er an seinen Plan, den er einfach befolgen musste, und deshalb zwang er sich dazu, wieder zu der Frau zurückzugehen.

Als er das Geld auf den Tresen legte, lächelte sie ihn zum zweiten Mal an.

«Und sonst haben Sie nichts vergessen?»

Sie hatte kurz geschnittene, blonde Haare und eine Lücke zwischen den Schneidezähnen. Er wusste nicht, warum, aber das stürzte ihn in Verlegenheit, und deshalb fiel ihm einfach keine Antwort ein.

★

Der graue Schlauch hatte kein Mundstück und hinterließ auf dem Wagenpolster breite Ränder. Das Saugen verursachte ein gurgelndes Geräusch, und plötzlich stellte er sich vor, wie der Staubsauger mit jeder Spur, die er tilgte, auch ein Stück Wirklichkeit wegnahm.

Er machte einen weiteren Versuch, sich zu erinnern, aber das gelang ihm nicht, nicht einmal wenn er die Augen zusammenkniff, sah er ein anderes Bild als ein Auge, das mit einem ovalen Weiher verschwamm, auf dem einige Enten sich ruhelos in etwas bewegten, was ihn an eine brechende Pupille erinnerte.

Er wusste nicht, wie lange er mit geschlossenen Augen dagestanden hatte, als er plötzlich das sichere Gefühl hatte, beobachtet zu werden. Er riss die Augen auf, wobei er noch immer das Bild des Weihers vor sich sah. Für einen Moment schaute er zu seiner Verwirrung in eine glasige Pupille, die zurückstarrte, als hätte die Kraft seiner Gedanken sie an die graue Zementmauer projiziert.

Dann ging ihm plötzlich auf, dass es sich bei dem runden Glasauge an der gegenüberliegenden Wand um die Linse einer Überwachungskamera handelte, und nun stellte sich das eisige Gefühl im Magen wieder ein.

Jemand sah ihn. Vielleicht die Frau; vielleicht hatte sie sogar erraten, was er hier wegzuwaschen versuchte.

Er bemühte sich zu erinnern, wie er sich verhalten hatte, aber das war ebenso unmöglich, wie noch zu wissen, was am Vortag im Wald wirklich passiert war. Er kam sich vor, als teile er sich auf seltsame Weise zwischen zwei Wirklichkeiten, und wenn er versuchte, die eine auszuwischen, dann verschwand er auch aus der anderen.

Die Kälte in seinem Bauch saugte alles Blut aus seinem Kopf. Das Denken fiel ihm schwer, aber ihm war plötzlich klar, dass er keine Wahl hatte. Er musste sich Klarheit verschaffen, alles andere konnte warten.

Er hängte den grauen Elefantenrüssel zurück, die Marke war noch nicht aufgebraucht, und der Schlauch saugte noch immer Luft in sich hinein, aber ihm war das egal. Das Gefühl, von etwas anderem gelenkt zu werden als von seinem Willen, überkam ihn ein weiteres Mal. Er kam sich vor wie zum gedankenlosen Handeln programmiert. Oder genauer gesagt, seine Angst schien ihm keine andere Möglichkeit zu lassen.

Er versuchte, nicht zum Auge an der Wand hinüberzusehen, als er sich hinter das Lenkrad setzte und den Wagen anließ. Doch erst als er die Straße erreicht hatte und auf der anderen Seite den Hang hinunterfuhr, fühlte er sich nach und nach wieder normal.

Aber was war eigentlich normal? Die Abzweigung tauchte auf wie eine Kerbe im Waldrand; als er abbog, sah er sofort, dass seit dem Vortag niemand mehr hier gewesen war. Der

Schnee lag unberührt vor ihm, und die Tannen standen dunkel und starr da und drängten sich immer dichter zusammen, je weiter der Weg sich verengte.

Auch den nächsten Weg zu finden war kein Problem. Bisher waren seine Wirklichkeiten noch nicht voneinander getrennt. Die Geographie war in seiner Einbildung dieselbe wie in der Realität. Er ließ den Wagen am Ende des Forstweges stehen und trat auf die kleine Lichtung hinaus. Diese war nur wenige Meter breit, doch jemand, der noch nie dort gewesen war, konnte nichts von dem schwarzen See wissen, der sich hinter der flachen Steinkuppe am Ende des offenen Geländes verbarg.

Er bog um die dicht stehenden Tannen, die den Weg zum Wasser versteckten. Jetzt befand er sich in der Wirklichkeit. Gelbe, verwelkte Grashalme ragten wie eine brüchige Barriere vor ihm auf. Als er diese Sperre durchbrach, knisterten sie wie vertrocknetes Papier, und er kniff angesichts der weiten Eisöde auf dem anderen Ufer die Augen zusammen, obwohl die frühe Dämmerung die Umrisse der drüben stehenden Bäume bereits verwischte.

Er blieb einen Moment stehen, um sich zu orientieren, doch ein kleiner dunkler Fleck in der weißen Weite sagte ihm alles, was er wissen musste. Eine eigentümliche Mischung aus Angst und Eile überkam ihn. Dieses Gefühl wuchs, als er durch den Neuschnee lief, aber etwas zwang ihn weiter, obwohl etwas anderes ihn zurückhalten wollte.

Als er nur noch einige Schritte von der dunklen Stelle entfernt war, blieb er stehen, um Atem zu holen; er erkannte die Form des Loches, das er gehackt hatte, und begriff, dass es erst nach dem Schneefall zugefroren war. Das neue Eis war schwarz wie das Wasser des Sees, doch an einem Rand leuchtete etwas Weißes, und noch ehe er sich vorgebeugt und nachgesehen hatte, wusste er, was es war. Danach übergab er sich.

Ihr Gesicht war in dem durchscheinenden Eis festgefroren

und schimmerte ihm entgegen wie eine groteske Ikone. Die Augen waren halb aus ihren Höhlen gequollen und schauten unnatürlich vergrößert ins Nichts. Die Lippen hatten sich zu einem Wolfsgrinsen mit gebleckten scharfen Zähnen geöffnet, und um die eingesunkenen Wangen schwebten die weißen Haare wie ein gefrorener Heiligenschein.

Er blieb stehen und wusste nicht, wie viele Minuten verstrichen, vielleicht waren es ja Stunden. Dann senkte sich die Dunkelheit, und plötzlich hatte er es eilig. Er fühlte in seinen Taschen nach. Dort fand er zwar nur das Schlüsselbund, aber das war gut genug. Er zwang sich niederzuknien und zerkratzte das blanke Eis, bis das Gesicht durch die weißen Risse nicht mehr zu sehen war. Dann sammelte er sein Erbrochenes zu einem großen Schneeball, den er mitnahm, damit die Vögel keine Aufmerksamkeit auf das jetzt unsichtbare Eisloch lenken konnten. Mit langsamen Schritten folgte er seinen Fußspuren, die als gerade Linie in die Richtung führten, aus der er gekommen war.

Er dachte an die Axt und begriff, dass diese sich von den Kleidern gelöst haben musste, sodass der Leichnam nach oben getrieben war. Aber diesmal wollte er ganz sorgfältig vorgehen und keine weiteren Fehler machen.

Als er sich des Balls aus Erbrochenem entledigt hatte, brach er einen kräftigen Tannenzweig ab und verwischte damit seine Spuren. Bei dem gespenstischen Grab blieb er stehen und überzeugte sich ein letztes Mal davon, dass er das neue Eis ebenso weiß zerkratzt hatte wie das alte drum herum und dass von der Toten nichts mehr zu sehen war. Dann ging er langsam rückwärts zum Ufer zurück und verwischte seine Spuren. Dabei musste er sich bücken; das war anstrengend, und er musste mehrere Ruhepausen einlegen.

Er setzte seinen Krebsgang auch über die kleine Lichtung hinweg fort, bis er sein Auto erreicht hatte. An den Reifenspuren konnte er nicht viel ändern, aber solange niemand das Eisloch entdeckte, brauchte er sich keine Sorgen zu machen, bald würden sie entweder verschneit oder weggetaut sein. Er stieg ins Auto und wischte seine letzten Fußabdrücke weg, dann warf er den Tannenzweig in den Schnee.

Eine seltsame Ruhe erfüllte ihn; die Anstrengung schien all seine Unruhe vertrieben zu haben. Aber vielleicht war es ja auch die Bestätigung, dass das, was in seinen Gedanken herumspukte, auch wirklich geschehen war.

Jetzt stand nur noch eines aus. Die Frau in der Raststätte hatte ihn angelächelt, und er wusste noch genau, wie sie ihn gefragt hatte, ob er nichts vergessen habe.

Und da hatte er begriffen, was sie damit andeuten wollte. Nur war er zu dem Zeitpunkt verwirrt gewesen, jetzt aber war er wieder klar im Kopf. Jetzt wusste er, was sie gemeint hatte.

★

Er ließ den Wagen an und legte im Schnee eine Rallyedrehung hin. Die Reifen hinterließen einen deutlichen Kreis, aber das spielte keine Rolle; es sah nur aus, als sei jemand bis zum Ende des Weges gefahren und habe dann in der Erkenntnis kehrtgemacht, dass es hier nicht weiterging.

Es war dunkel, genau wie beim ersten Mal, aber er fuhr trotzdem schnell. Er konnte nur hoffen, dass die Frau noch immer da war, er hatte keine Ahnung, welcher Dienstplan in einer Tankstelle mit Imbiss gelten mochte.

Er hielt genau hinter der Einfahrt und legte den Weg zum Hauptgebäude zu Fuß zurück. Dort trat er in den Schatten, um nicht gesehen zu werden, und schaute zum hell erleuchteten Tresen hinüber. Sofort sah er ihre blonden Haare, aber sie war mit einem Kunden beschäftigt, und er beschloss zu warten, bis sie wieder allein war.

Er ging zurück und setzte sich ins Auto. Es konnte dauern, aber er hatte es nicht eilig: jetzt nicht mehr.

Er kniff die Augen zusammen und sah das Auge nicht mehr. Er sah das Lächeln der Frau und den Mund, der die Frage formte, ob er nichts vergessen habe, wieder und wieder.

Er wusste nicht, wie lange er schon hier saß. Er dachte an die Freiheit, um die es doch im Grunde immer ging. Er dachte an die anderen, die es auf ihn abgesehen hatten.

Das hatte er gehört und verstanden, und er hatte nicht vor, auch nur das Geringste zu vergessen.

★

Als er die Augen öffnete, sah er sie. Sie ging über den verschneiten Rasen, und ihre hellen, kurz geschnittenen Haare glänzten im Schein der Lampen.

Er hatte Glück, sie kam in seine Richtung und steuerte den kaum sichtbaren Fußweg an, der sich an der einen Seite des Hangs hinunterschlängelte. Er blieb bewegungslos sitzen und wartete, bis sie von der Dunkelheit verschluckt worden war, dann stieg er aus dem Wagen. Er wusste, was er zu tun hatte.

Er nahm den Hammer aus dem Handschuhfach und folgte ihr in die Schatten.

★ ★ ★

Karen Fastrup Wintersonnenwende
Aus dem Dänischen von
Gabriele Haefs

Marie hatte die Geschichte schon gehört, ehe sie eingezogen waren. Edith und Ruth hatten allerlei Bruchstücke gebracht, und als Marie sich im Haus an den Umzugskartons zu schaffen machte, setzte sie sich, um die ganze Geschichte zu erfahren. Die Geschichte von Willum draußen im Wald.

Marie hockte vor dem Wohnzimmerregal vor einem Karton. Sie nahm die Bücher heraus, blies darauf, sodass der Staub aufstob, und öffnete eins nach dem anderen. Dann roch sie daran. Ovids Metamorphosen dufteten fast nach frisch gehacktem Holz, während das kleine rote Hamsun-Buch muffig roch, wie Wäsche, die zu lange in einem feuchten Kleiderschrank gelegen hat.

Sie hörte Fahrräder, die draußen durch den Knies fuhren, und erhob sich, um zu sehen, wer da kam. Es waren Mads und Kirstine. Mads fuhr zu schnell, und sein Rad wäre draußen im Schlamm fast umgekippt. Marie rückte Laus Gewehr gerade. Er hatte es im Windfang aufgehängt. Genau dort, wo Willums gehangen hatte.

Dann wurde die Tür aufgerissen, und Mads kam hereingestürzt. Seine struppigen blonden Haare waren unter der umgedrehten Schirmmütze fast versteckt.

«Hallo, Mutter», sagte er und ließ seine Tasche auf den Boden fallen. «Wir haben Hunger.»

«Hallo, Marie», sagte Kirstine.

Ihre langen dunklen Haare fielen in nassen Bahnen über ihre Schultern.

«Seid ihr nass geworden?», fragte Marie.

Mads war schon in die Küche gelaufen. Er stand vor dem offenen Kühlschrank und suchte sich etwas zu essen.

«Nur hungrig», rief er.

Kirstine lächelte.

«Hat er immer schon solchen Hunger gehabt?», fragte sie.

«Damit hat er erst mit zwölf Jahren angefangen.»

★

Die Wolken schoben sich zusammen, und ehe die Dunkelheit den Wald ganz und gar umschlingen könnte, würde es schneien. Es war schon viel Schnee gefallen, wie glitzernder Puder bedeckte er den ganzen Waldboden. Er lastete auf den Tannen und legte sich als weiße Glasur auf die Buchenzweige.

Weiter hinten am Waldweg lag das Forsthaus. Vor dem Haus zogen die Wiesen sich als weiße Flächen dahin, nur von Holunder- und Weißdornbüschen durchbrochen, die die Flurgrenzen aufzeigten. Unten an einem Hang lag unter einem Eisschild ein See. Das Wasser funkelte schwarz in einer offenen Rinne mitten auf dem See.

Das Strohdach war vom Schnee bedeckt, und unter der Dachtraufe hingen Eiszapfen. Sie reichten bis zu den Fenstern, die dermaßen von Eisblumen überwuchert waren, dass man fast nicht ins Wohnzimmer hineinschauen konnte, man ahnte nur das Licht, das sich durch die Eiskristalle an der Fensterscheibe drängte.

In der Küche hatte Ena den Teig für die Weihnachtsbäckerei angerührt. Sie zog das Tuch vom Teigtrog und warf es über den Brennholzkasten, dann verteilte sie mit geübten Händen den Teig auf dem Tisch. Sie knetete die Luft heraus und teilte ihn in kleine und große Kugeln. Manche wurden platt gepresst, andere zu Würsten gerollt, die sie flechten und als Beine für den Weihnachtsbock nehmen konnte. Als sie fünf ansehnliche Böcke geformt hatte, streute sie Mehl auf das Backblech und hob den größten Bock darauf.

Willum war noch nicht aus dem Wald zurückgekommen.

★

Marie schob die Tastatur fort und ließ sich im Sessel zurücksinken. Ihr Nacken tat weh. Und ihre Schultern. Sie erhob sich und ging ins Badezimmer. Hier knöpfte sie ihre Hose auf und setzte sich auf die Toilette, schaffte es aber doch nicht zu pissen. Um die Sache in Gang zu bringen, streckte sie die Hand über das Waschbecken aus und drehte den Wasserhahn auf. Dabei stieß sie die Büchse mit dem Rasierschaum und den Rasierer um. Sie fluchte und ärgerte sich noch einmal darüber, dass Mads und Lau sich nicht darauf einigen konnten, was sie benutzen wollten, Rasierapparat oder Nassrasierer. Lau nahm den Rasierapparat, weil das leichter war. Mads zog Nassrasur vor, das fand er männlicher.

Als Marie aufgeräumt hatte, setzte sie sich wieder an ihren Computer.

★

Ena hob den Deckel ab, und der Geruch von Huhn und Suppenkräutern schlug ihr entgegen. Der Dampf legte sich wie eine feuchte Haut über ihr Gesicht.

Als sie hörte, wie Schnee von Stiefeln geschlagen wurde, richtete sie sich eilig auf und horchte. Sie kratzte ein Loch in die Eisblumen auf der Fensterscheibe und starrte hinaus in die Dunkelheit. Aber sie sah zwischen den Eiskristallen nur einen flüchtigen Eindruck ihrer selbst.

Also war Willum noch immer draußen.

★

Der Regen schlug gegen die Scheiben. Es regnete schon seit fünf Tagen, und der Boden war zu einer einzigen Schlammpfütze geworden. Sie fuhren mit ihren großen Grabmaschinen hin und her, und die Reifen zerpflügten den Weg. Ein Gelände im Norden des Moores Sortemosen sollte umgebrochen werden. Lau war hingegangen. Obwohl es ihn ärgerte, wenn so viel Wald auf einmal gefällt wurde. Der Wald jammere, behauptete er.

★

Ena ging ins Wohnzimmer und legte noch ein Birkenscheit ins Feuer. Der Tisch war gedeckt. Für sie und Willum. Und das Wohnzimmer war geschmückt mit Äpfeln an einer Schnur, mit mit Nelken besteckten Apfelsinen, mit aufgehängten Kringeln und Tüten aus dickem buntem Papier.

Noch immer konnte sie Willum nicht hören. Sie hörte nur den Wind, der vom Wald her zum Haus hinüberwehte. Und als es acht Uhr geworden, als die Hühnersuppe gekocht und alle Weihnachtsböcke fertig waren, aß Ena.

★

Mads und Kirstine hatten Lasagne gemacht. Marie hatte Brot gebacken. Sie saßen alle vier in der Küche. Die Kerze, die als Adventskalender eingeteilt war, brannte. Sie hatten drei Tage lang vergessen, sie anzuzünden.

«Dieser Regen», sagte Mads und schaute aus dem Fenster.

Er rutschte auf seinem Stuhl hin und her. Sein Körper war fast ausgewachsen und hatte Ähnlichkeit mit dem von Lau. Nur war er viel rastloser.

Kirstine lächelte über diese Unruhe. Ihr Körper war fast wie der einer Schlafenden.

«Ja», sagte sie kurz danach. «Zu Weihnachten sollte es nicht regnen.»

Lau streichelte ihre Haare. Marie lächelte ihn an. Sie hatten nie ein Mädchen bekommen, und Marie wusste, dass Kirstine für Lau wie eine Tochter war.

«Mutter, warum vergeudest du so viel Zeit mit diesem Willum?», fragte Mads.

Lau lachte.

«Mutter ist insgeheim besessen von dem alten Förster», sagte er.

Auch Marie lachte.

«Aber Lau ist doch auch Förster», sagte Kirstine.

«Von ihm bin ich ja auch besessen», sagte Marie. «Aber sie haben auch Ähnlichkeit miteinander, Lau und Willum.»

Lau schaute auf

«Beide sind vom Wald besessen», sagte Marie.

«Ich dachte, du seist hier die Besessene», sagte Lau.

★

Am nächsten Tag tauchte Willum auf. Unrasiert und mit vom Wind zerzausten Haaren. Er hängte den Fasan, den er an einer Schnur über der Schulter getragen hatte, an den Haken unter dem Giebel. Er schlug sich am Stein vor der Tür den Schnee von den Stiefeln, während Äsop bellend seine Beine umsprang.

Willum stellte Jagdtasche und Gewehr im Windfang ab und setzte sich auf den Hocker, der in die Ecke hinter der Tür geklemmt war. Ena fiel vor ihm auf die Knie, um ihm die Lederstiefel auszuziehen. Er lehnte an der Wand und betrachtete ihre Bewegungen und ihr von der Anstrengung gerötetes Gesicht. Enas Hände waren breit und stark, aber die Stiefel waren nass und klebten an Willums Waden. Er beugte sich vor und ließ seine Finger unter ihr Kinn gleiten, dann schob er ihre Hände beiseite und befreite sich selber von den Stiefeln.

Ena machte für Willum Wasser heiß, damit er sich den Wald abwaschen konnte. Er zog sich aus und legte seine Kleidung auf den Küchenboden. Ena hob das Kleiderbündel auf und goss das kochend heiße Wasser in die Waschschüssel. Als der Eimer leer war, ging sie nach draußen, um mehr zu holen. Willum beugte sich in den Dampf über der Schüssel, zog die Wasserpartikel tief in seine Lunge und spürte, wie die Wärme sich in seinem Körper ausbreitete. Während er die Unterarme mit Schaum vom Seifenblock einrieb, ließ Ena draußen den Eimer in den Brunnen hinab. Als er voll war und sie ihn wieder hochgezogen hatte, bückte sie sich durch die Luke über den Brunnen, um ihn herauszunehmen. Willum sah sie an. Ihre Hüften wurden breiter, wenn sie sich vornüberbeugte. Ena nahm den Eimer vom Haken. Ihre Wangen glühten. Sie sah Willum an. Durch das Fenster. Er beugte sich über das heiße Wasser und wusch sich das Gesicht.

★

Ruth stellte ihre Puch Maxi mit dem grünen Milchkasten auf dem Gepäckträger ab und klopfte an. Marie fluchte und bat sie herein.

Ruth hatte Brüste, die sich bewegen konnten. Obwohl sie aus jeder Brust den Gegenwert von zwei Pfund Butter hatte entfernen lassen, waren sie doch immer noch so groß, dass ihr Gewicht ihren Nacken verspannte.

Ruth erzählte, wie das Haus früher ausgesehen hatte. Mit der kleinen Küche, in der der Backofen in den Schornstein eingebaut gewesen war, dem kleinen Windfang und dem Nebenhaus, in dem die Förster früher Schweine und Ziegen untergebracht hatten. Jetzt gab es dort nur noch Fahrräder.

Ab und zu schloss sie die Augen und hob die Brauen, als versuche sie, damit ihre Augenlider hochzuziehen. In den langen Pausen, die sie in ihrem Wortschwall einlegte, vor allem dann, wenn er auf einen Höhepunkt zuging, zog sie mit einem Ruck die eine Brust hoch.

Sie erzählte von Willum, der im Wald unterwegs gewesen war. Und von Ena und von Linka. Inzwischen kochte Marie Kaffee.

«Warum war er so viel im Wald?», fragte sie.

Ruth hob ihre eine Brust.

«Na ja, das ist eben eine Geschichte», sagte sie.

★

Willum ging durch den Wald. Der Geruch von Wurzeln und Moos war verschwunden, jetzt, wo der Schnee alles umhüllte, und der Frost setzte sich bei jedem Atemzug in seiner Nase fest und klebte seine Nasenlöcher zusammen. Die Wolken, die viele Tage hindurch den Himmel verdeckt hatten, waren fortgezogen, und an ihrer Stelle erhob sich der Himmel frostblau über ihm.

Äsop blieb stehen und witterte. Willum kniete neben dem Hund nieder.

«Was witterst du da, Äsop?», flüsterte er ins Ohr des Hundes.

Äsop fiepte.

«Rehe?», flüsterte Willum und stand auf.

Er verließ den Wildwechsel und ging durch das Unterholz weiter, wobei Äsops angespannter Körper sein Bein streifte. Starre Brombeerranken streckten sich über den Boden, packten das Fell des Hundes und zerkratzten die Stiefel des Mannes. Nach einem Windstoß ließ eine Tanne ihre Schneehaut auf sie herabrieseln.

Plötzlich hielt Äsop inne. Willum sah sich um. Auf dem Hügelkamm vor ihnen stand eine Hirschkuh. Mann und Hund bewegten sich lautlos vorwärts. Als sie endlich auf Schussweite herangekommen waren, strich Willum Äsop ganz leicht über den Rücken, und das Tier stand still. Willum legte das Gewehr an die Wange, zielte und schoss.

Als sie die Hirschkuh erreichten, lag sie still im Schnee. Das Blut sickerte aus dem Einschussloch in ihrem Hals. Es strömte über das Fell, das dunkel und klebrig wurde, und tropfte dann in den Schnee, der die rote Farbe aufsaugte wie Baumwollstoff in einer Färberwanne.

Willum zog sein Messer aus der Scheide und schnitt die Bauchhöhle so weit auf, dass er einen Arm hineinstecken konnte. Dann nahm er abwechselnd das Messer und die bloße Hand, um das Herz aus dem dampfenden Tier zu reißen. Das Herz glitzerte in seiner Hand, als er es vor Äsop in den Schnee gleiten ließ, und Äsop fiepte aufgeregt, streckte sich aus, legte beide Pfoten auf den roten Muskel und riss Fleischfetzen heraus, die er dann in ruckhaften Bewegungen hinunterschlang. Willum band derweil ein Seil um Vorder- und Hinterläufe und warf sich das Tier über die Schultern.

Gefolgt von Äsop und mit dem schweren Tier auf Schultern und Nacken, stieg er dann den Hang hinunter. Bald fand er einen Wildwechsel, dem er durch den dichten Wald folgen konnte. Nachdem sie einige Zeit durch den Wald gegangen waren, wo es so still war, als gingen sie unter Wasser, knurrte Äsop leise, und eine Schnepfe jagte verängstigt aus ihrem Schlupfwinkel unter einer Tanne hervor.

«Äsop!», rief Willum.

Sofort hielt der Hund inne.

«Wir haben genug!»

Als Willum bald darauf den Weg erreichte, hörte er auf dem gefrorenen Boden die dumpfen Schläge von Pferdehufen. Und bereits nach kurzer Zeit galoppierte ein Pferd, schweißglänzend und mit irren Augen, an ihm vorbei. Sein weißer Atem ragte wie zwei Kegel aus seinen Nüstern.

Sein Sattel war leer.

Äsop bellte. Willum ging weiter über den Weg in Richtung Forsthaus. In die Richtung, aus der das Pferd gekommen war. Als er ein Stück weit gegangen war, sah er eine Frau. Sie hinkte. Ihre Kleidung war schwarz und zerfetzt, ihre Haare hingen in dunklen Bahnen über ihre Brust und Schultern.

Äsop zitterte.

«Ruhig», flüsterte Willum.

Die Frau blieb stehen. Willlum aber ging weiter auf sie zu, mit der Hirschkuh über dem Nacken und dem neben ihm herspringenden Äsop.

«War das Ihr Pferd?», fragte er.

Die Frau nickte.

«Haben Sie sich verletzt?»

«Am Fuß», sagte sie.

Willum kniete nieder. Noch immer mit der Hirschkuh auf den Schultern. Und hob den Saum ihres Reitkleides. Die Frau wich zurück. Willum schaute verärgert zu ihr hoch.

«Lassen Sie mich Ihren Fuß sehen», sagte er.

Die Frau stellte den Fuß vor ihm auf den Boden. Willum bewegte ihn hin und her und drückte darauf herum wie auf einer von Äsops Pfoten. Sie stöhnte auf.

«Kommen Sie mit», sagte Willum und erhob sich unter seiner Last.

Er ging weiter über den Weg, der zum Forsthaus führte, und Äsop folgte ihm. Die Frau aber blieb stehen. Willum sagte nichts mehr. Und langsam wuchs die Entfernung zwischen ihnen.

Doch als er das Haus fast erreicht hatte, setzte die Frau sich humpelnd in Bewegung.

Willum hängte die Hirschkuh neben den Fasan an den Jagdhaken, setzte sich auf den Hocker im Windfang und wartete auf Ena. Als die ihn von dem einen Stiefel befreit hatte, wurde an die Tür geklopft.

Die Frau stammte aus einer Landfahrerfamilie. Sie hieß Linka. Und ihre Kleidung stank nach Feuchtigkeit und Tieren. Ena half ihr beim Ausziehen, um sie zu waschen. Linka lag derweil hinten im Wohnzimmer in Willums Alkoven. Willum hatte sich den Fuß angesehen, und Ena hatte ihn mit langen Streifen aus Baumwollstoff umwickelt. Auf Willums Anweisung hin.

Der Gestank hing nicht nur in der Kleidung. Also machte Ena noch mehr Wasser heiß und seifte Linka ein. Willum wanderte derweil im Wohnzimmer hin und her.

Als die Tür sich öffnete und die Frauen eintraten, blieb er stehen. Linkas Haare glänzten schwarz und nass. Ena hatte ihr eines ihrer eigenen Leinenkleider gegeben. Es spannte über Brust und Hüften.

Willum ging hinaus und holte den Fasan. Ena rupfte ihn und briet ihn dann. Aber sie wollte nicht in der Stube essen. Sie konnte eine Landfahrerin zwar waschen, aber nicht mit ihr zusammen essen.

Willum schaute sie an.

«Ihre Arme waren mit dem Blut von krepierten Pferden besudelt», rief Ena.

Willum sah sie an.

«Und sie tanzen nachts. Vor dem Feuer!»

«Dann iss in der Küche, Ena», sagte Willum.

Er schob Linka einen Stuhl hin, damit die ihren Fuß darauf ausruhen konnte, und setzte sich ihr gegenüber. Ihre Haare waren jetzt trocken und ein wenig heller. Ihre Lippen waren breit, ihr Mund schwer.

Willum und Linka verzehrten den gebratenen Fasan und tranken Bier aus der Tonne, die Ena und Willum im Keller stehen hatten. Linkas Wangen färbten sich, Willums Augen brannten. Wie bei einem Tier, dachte Ena, als sie vorüberging, um den Alkoven für die Nacht bereitzumachen. Sie legte für Linka Decken vor die Feuerstätte, ehe sie die Tür zur Küche hinter sich zuzog und dann weiter in die dahinter liegende Kammer ging.

Willum zog Linka aus. Stück für Stück. Ihre Brüste wogten schwer, als er ihr Mieder aufhakte.

Er wickelte ihre schwarzen Haare um seinen Unterarm, als sie auf den Decken vor dem Feuer auf ihm ritt. Vorsichtig zog er den Arm zurück, und sie warf den Kopf in den Nacken, und er konnte das Blut unter ihrer Haut pochen sehen.

Später schlang sie die Beine um seinen Hals und zog ihn

über sich. Sie presste ihren Unterleib gegen seinen und schob zwei Finger hinter seine Zähne. Ihre Augen waren offen, und sie hielt seinen Blick mit ihrem fest, bis ihr Körper erbebte, worauf Willum ihre Oberarme packte und sich mit seinem ganzen Gewicht über sie legte.

★

«Ist er nie zurückgekehrt?», fragte Marie im Lebensmittelladen.

«Die Meinungen darüber, wie alles geendet ist, gehen auseinander», sagte Edith.

«Wie das?», fragte Marie.

Edith wickelte Eier und Milch ein.

«Die einen sagen, er sei im Wald geblieben. Und habe Bocksbeine bekommen.»

«Bocksbeine?»

«Ja», sagte Edith. «Da siehst du's. Es herrscht sehr große Unklarheit.»

Marie nickte und steckte ihre Waren in eine Tüte.

Der alte Volvo-Kastenwagen stand auf dem Parkplatz vor dem Laden. Die Motorsäge lag hinten, zusammen mit zwei zersägten Birkenklötzen. Marie stieg ein und stellte die Tüte neben sich auf den Sitz. Beim dritten Versuch sprang der Wagen an, und sie fuhr hinaus auf die Straße. Hinter dem Wasserwerk verließ sie die asphaltierte Straße und folgte dem Kiesweg durch den Wald.

Johnnys niedriges Haus lag gleich zu Anfang auf der linken Seite. Er reparierte Autos und kaufte Autowracks auf, um Reserveteile zu bekommen. Jetzt standen an die dreißig oder vierzig verrostete, reifenlose Wagen vor seinem Haus. Das Fenster oben im Giebel war im letzten Winter zerbrochen und noch immer nur mit einem großen Müllsack abgedichtet. Unter dem Dach war eine riesige Satellitenschüssel angebracht. Das Wohnzimmerfenster war zum Teil davon verdeckt.

Der Wagen geriet im fetten Schlamm vor dem Haus ins Schlingern, und Johnnys Retriever bellte und rannte los, bis die Kette ihn zurückkriss und ihn dazu zwang, sich auf die Hinterbeine zu stellen. Marie konnte den Wagen wieder in den Griff bekommen und fuhr weiter durch den Wald.

★

Der nächste Tag war der Heilige Abend, und als der Tisch mit Schweinebraten, Blutwurst und Wildkeule und Enas Weihnachtsböcken gedeckt war, hörten sie jemanden an der Tür.

Es war ein Mann, sicher zwanzig Jahre älter als Willum. Er war hoch gewachsen und trug einen kuttenartigen Mantel mit einer weiten Kapuze, die seine rötlichen Haare bedeckte. Abgesehen von einem Wanderstab, den er mit einer Hand umklammerte, hatte er nichts bei sich.

«Es ist kalt heute Abend», sagte er.

Willum schwieg. «Ob ihr wohl für eine einzige Nacht einen Wandersmann beherbergen könntet?» Willum nickte langsam und öffnete die Tür ganz, damit der Mann an ihm vorbei ins Haus gehen konnte. Ena nahm ihm den Mantel ab und hängte ihn vor die Feuerstätte, damit die Eisklumpen unten am Saum auftauen konnten.

Willum bot dem Mann den Stuhl neben Ena an. Er selbst setzte sich den beiden gegenüber. Neben Linka. Ena zerbrach die Weihnachtsböcke und reichte allen ein Stück. Sie warf auch Äsop, der neben dem Feuer lag, eins zu. Der hatte das Gebäck sofort verschlungen.

Willum schnitt Scheiben von der Hirschkeule, und Linka zerteilte den Schweinebraten. Sie aßen und tranken. Ena holte derweil eine Kanne Bier nach der anderen. Ihre Wangen röteten sich immer mehr, und ihre Röte wanderte zu ihrem Hals und zu ihren Brüsten weiter. Willums Blick folgte dieser Farbzeichnung und glitt mit ihr zusammen in den Spalt zwischen den Brüsten, deren oberster Schatten über dem Ausschnitt zu ahnen war. Sein Geschlecht bewegte sich, und ihre Augen leuchteten – nur nicht dann, wenn sie Linka ansah, die sich lässig auf ihrem Stuhl zurücksinken ließ und eine Hand auf dem Tisch liegen hatte. Neben Willums.

«Ena ist heute Abend schön», sagte Willum plötzlich. «Auf Enas Schönheit!»

Der Wandersmann griff zu seinem Bierkrug und prostete Willum zu. Linka berührte ihr Glas nicht. Sie saß nur schwer auf ihrem Stuhl.

«Du stößt nicht mit an, Linka», sagte Willum herausfordernd.

Linka starrte ihn an.

«Ich stoße nicht auf alles und jedes an», sagte sie ruhig.

Ena machte sich an ihrem Rock zu schaffen, und Willum rutschte unruhig hin und her. Sein Gesicht glühte.

«Stoß auf Ena an, Linka», sagte er mit schriller Stimme.

«Lasst uns auf Linka anstoßen», rief der Wandersmann. «Lasst uns mit Linka auf Weihnachten trinken!»

Sie lächelte.

Plötzlich packte Willum den Schal, der um ihre Schultern gelegen hatte, und warf ihn ins Feuer. Der Wandersmann sprang auf und zog den Schal mit dem Schürhaken aus dem Feuer, doch der Schal war nicht mehr zu retten, und er ließ ihn auf die Steine vor dem Feuer fallen.

Alle schwiegen. Willums Wangen aber färbten sich noch tiefer rot, und seine Blicke irrten durch das Zimmer.

«Was sollte das denn, Willum?», fragte Linka mit ruhiger Stimme.

Willum sah sie an und griff nach ihren Händen.

«Verzeih mir», sagte er. «Das war entsetzlich kindisch von mir.»

Linka zog ihre Hände zurück. Willum schlug die Augen nieder. Sein Gesicht sah gequält aus.

«Denken wir nicht mehr daran», sagte der Wandersmann und lachte. «Spielen wir Weihnachtsbock.»

Willum schaute ihn dankbar an und sprang auf.

«Ich bin der Bock», rief er fröhlich.

«Dann raus mit dir», sagte der Wandersmann und versteckte sich in der Ecke hinter der Truhe. Ena kroch zu ihm in die Nische.

«Sind dir auf dem Weg durch den Wald die Unterirdischen begegnet?», flüsterte sie ängstlich. Der Mann lächelte sie an. «Das wollte ich dich schon den ganzen Abend fragen, aber Willum will nicht, dass ich über solche Dinge rede.»

«Heute Abend war alles ruhig», sagte der Mann.

«Und was ist mit dem Weihnachtsaufzug?»

Er schüttelte den Kopf.

«Nein, aber hier gibt es ja auch nicht viel zu holen», flüsterte er. «Die halten sich sicher mehr an die großen Höfe.»

Plötzlich wurde die Tür aufgerissen, und Willum stand im Zimmer, er hatte sich ein Ziegenfell über die Schultern geworfen. Er brüllte und jagte die anderen durch den Raum, bis er Linka eingefangen hatte und sich über sie hermachte. Sie konnte sich losreißen und auf den Schoß des Wandersmannes setzen, der beschützend einen Arm um sie legte. Willum machte ein enttäuschtes Gesicht. Er ließ das Ziegenfell fallen, setzte sich auf seinen Stuhl und schenkte Bier nach.

Linka dagegen fuhr mit ihrem Finger durch die roten Locken des Mannes, während Willum ihn fragte, wo er herkam und wer er sei.

«Ich bin weit gegangen», sagte der Mann.

«Und wohin bist du unterwegs?»

«Zu Willum Zachariassen, dem Förster des Drejbækwaldes.»

«Dann hast du dein Ziel erreicht», sagte Willum.

Der Mann nickte.

«Und was willst du von mir?»

«Dir das hier geben», sagte der Mann und nahm eine Kette von seinem Hals. Er reichte sie Willum, und der nahm sie zögernd entgegen.

An der Kette hing ein Medaillon, und Willum nahm es und legte es auf seine Handfläche.

Der Wandersmann nickte.

«Mach es auf», sagte er.

Willum öffnete das Medaillon. Eine Frau starrte ihn durch das zerkratzte Papier an. Auf ihrem Schoß saß ein Kind, hinter ihr stand ein Mann.

«Das ist deine Mutter», sagte der Wanderer. «Sie hat mich gebeten, es dir nach ihrem Tod zu überreichen.»

Willum streichelte mit seinen Fingern über das Medaillon. «Und dieses Kind bin ich?», fragte Willum und schaute den Mann gespannt an.

Der nickte.

«Und der Mann?», fragte Willum zögernd.

Der Wandersmann nickte noch einmal.

★

Lau kam ins Wohnzimmer. Er roch nach Wald. Marie saß am Computer.

«Bist du das, Lau?», fragte sie.

Marie schaltete den Computer aus und erhob sich.

«Geht es noch immer um Willum?», fragte er.

«Ich habe jetzt fast die ganze Geschichte», sagte sie.

«Bist du in ihn verliebt?»

Marie lachte.

«Ich habe doch meinen eigenen Förster», sagte sie und zauste seine grauen Haare.

Er war schon mit fünfunddreißig ergraut.

Lau nickte.

«Ich gehe ins Bad», sagte er und ging zum Badezimmer, das neben der Waschküche lag.

Seine Stiefel standen draußen in der Waschküche. Von Schlamm verklebt. Marie ging hinter ihm her. Er ließ seine Kleidung zu Boden fallen und trat ins Duschkabinett. Der Dampf ließ das Glas milchig beschlagen, und Marie konnte nur noch seine Umrisse sehen. Sie setzte sich auf den Klodeckel. Der Dampf drang in ihre Lunge ein und erschwerte das Atmen. Sie sprang auf und wischte im beschlagenen Spiegel eine kreisrunde Stelle glatt. Marie betrachtete ihr Spiegelbild. Sie beugte den Kopf ein wenig vor, um die grauen Haare zu sehen, die sich seit neuestem durchdrängten. Ansonsten war sie aschblond.

«Der Drejbækhof fällt zu viel von seinem Wald», sagte Lau aus dem Dampf heraus.

Marie betrachtete ihren Mund.

«Damit stirbt der Wald in gewisser Weise. Das Moos trocknet aus. Und die Pilze und der Farn und der Sauerampfer. Es geht nicht nur um die Bäume.»

Sie fuhr sich mit einem Finger über die Unterlippe. Mein Mund hat Ähnlichkeit mit Linkas, dachte sie. Er ist breit wie ihrer.

Eine heiße Welle spülte durch ihren Schoß. Sie hatte Lust.

«Ich muss sie dazu bringen, damit aufzuhören», sagte er.

«Es ist doch nicht dein Wald!»

«Doch!»

«Du bist doch nur für den Teil zuständig, der zum Staatsforst gehört.»

«Dem Wald geht es besser, wenn ich mich darum kümmere, egal, ob er dem Drejbækhof oder dem Staat gehört», sagte er und kam unter der Dusche hervor.

Auf seiner Brust und seinem Bauch wuchsen dichte

schwarze Haare. Wie ein Kreuz über seinem Geschlecht, das unter seinem Blick zum Leben erwachte. Lau kam auf sie zu und packte ihre Schultern.

«Pan», sagte sie und lachte. «Du hütest den Wald wie ein zweiter Pan.»

«Komm her», sagte er und zog sie an sich.

Sie befreite sich aus seinem Zugriff, bückte sich, hob seine Kleidung auf und verließ das Badezimmer.

★

Nachts machten sie für Linka und den Wanderer ein Bett, an gegenüberliegenden Seiten der Stube. Willum hatte Linka mit in den Alkoven nehmen wollen, aber sie war müde und wollte schlafen. Auch Willum war müde. Er hatte viel getrunken und konnte sich kaum noch wach halten. Doch ehe er einschlief, hörte er, wie Linka tief seufzte und wie der Wandersmann schwer und zitternd Atem holte.

Willum sprang aus dem Bett und stürzte aus der Stube. Er zog sich eilig an, nahm das Gewehr vom Haken und hängte sich die Jagdtasche über die Schulter. Dann rief er Äsop, der sofort neben ihm hersprang.

Unter dem schwarzen Himmelsgewölbe konnte er wieder atmen. Zwei Raben saßen auf der Linde vor dem Haus und schrien. Willum lief eilig über den Weg. Der Schnee knirschte unter seinen Stiefeln, und Äsop bellte verwundert. Sie waren nicht oft in Winternächten unterwegs.

Beim Sortemosen bog Willum vom Weg ab und ging in den Wald. Tief im Tannenwald im Norden des Moores warf er Gewehr und Tasche zu Boden und hob sein Gesicht zum Mond.

★

Die Haustür wurde geöffnet. Marie schaute auf die Uhr.

«Bist du's, Mads?»

Sie hatten ihn erst viel später erwartet.

«Hallo, Mutter», rief er, dann rannte er die Treppe hoch. Immer drei Stufen auf einmal.

Marie stellte sich vor, wie sie von Lau zu Laus Vater ging. Wie sie Hände spürte, die Laus so ähnlich und die doch so anders waren. Ihr schauderte. Sie rieb sich die Augen so heftig, dass es wehtat. Und als sie sie wieder öffnete, konnte sie nicht mehr klar sehen.

Der Unterschied wäre nicht viel größer als der zwischen Lau und Mads. Marie wurde es schlecht.

Plötzlich kam jemand die Treppe heruntergestürzt. Es war Mads. Er riss die Wohnzimmertür auf.

«Neeeiinn!», schrie er.

Er war bleich, und sie hätte sein Gesicht fast nicht erkannt.

Marie sprang auf. Ihr Stuhl kippte um.

«Mads», flüsterte sie.

Das war das Einzige, was sie konnte. Flüstern.

«Neeeeinn!», schrie er noch einmal.

Mit einer Stimme, die Marie bei ihrem Sohn niemals für möglich gehalten hätte.

Sie lief zu ihm hin, aber er stieß sie weg und rannte aus dem Haus.

Marie bebte am ganzen Leib.

«Lau?», rief sie und lief im Haus hin und her.

Alles war still.

«Lau?», rief sie.

Sie riss die Badezimmertür auf, dann die Tür zur Waschküche.

Sie rannte die Treppe hoch. Das Licht aus Mads' Zimmer strömte auf den Gang.

«Lau!»

Sie blieb still sehen.

«Bist du da, Lau?»

Marie ging in das Zimmer.

Lau saß auf dem Bett. Sein Glied stand halb steif zwischen seinen Oberschenkeln. Seine Haare waren noch immer nass von der Dusche, sein Bademantel lag auf dem Boden. Er wiegte seinen Kopf zwischen seinen Händen immer wieder hin und her. Kirstine bückte sich nach ihrer Unterhose, die auf dem Boden lag. Die Hose hatte sich zu einem kleinen Bündel verschlungen. Sie schlug mit dem Bündel in die Luft, um es zu öffnen. Die Knöpfe an ihrem Hemd steckten allesamt in den falschen Löchern.

Marie wich zurück. Langsam. Dann drehte sie sich um und stürzte davon. Die Treppe hinunter, aus dem Haus, zum Volvo. Der wollte nicht anspringen. Sie riss den Choke heraus, worauf der Motor fast abgesoffen wäre. Aber endlich ging es dann doch, und sie setzte auf den Weg zurück. Viel zu schnell, weshalb sie fast mit dem Massey Ferguson des Drejbækhofes kollidiert wäre. Sie riss an der Gangschaltung, und der Wagen machte einen Sprung nach vorn.

★

Zwei Tage vergingen, und noch immer hatten sie Mads nicht gefunden.

Marie schlug Lau ins Gesicht. Er stand bewegungslos vor ihr und senkte den Kopf. Sie schlug ihm auf die Brust. Einen Schlag nach dem anderen. Bis sie vor ihm auf dem Boden in sich zusammensackte.

Er bückte sich, um sie aufzuheben, aber sie stieß ihn weg.

«Mads!», schrie sie.

★

Als fünf Tage vergangen waren und Maries Gesicht geschwollen und von Tränen verschmutzt war, wusste sie, dass sie Mads nur finden könnte, wenn sie das Ende von Willums Geschichte in Erfahrung brächte.

Sie setzte sich ins Auto und fuhr zu Ruth hinüber.

«Ich muss den Schluss wissen», sagte sie.

Ruth sah sie an.

«Es ist nicht immer gut, alles zu wissen», sagte sie.

«Ich muss das Ende wissen, Ruth», sagte Marie.

Schließlich nickte Ruth.

«Ich weiß es nicht», sagte sie.

Marie seufzte und ließ den Kopf auf den Tisch sinken.

«Aber ich weiß, wer ihn dir erzählen kann.»

Marie richtete sich auf.

«Die Schmiede-Asta kennt sie.»

«Die Schmiede-Asta?», fragte Marie.

«Sie ist die Einzige hier, die sie kennt», sagte Ruth.

«Wo wohnt sie?»

«Sie ist vor vielen Jahren fortgezogen. Jetzt lebt sie bei Tjem in der Heide. Sie ist sehr alt.»

Marie nickte.

«Und sie sucht sich genau aus, wem sie ihre Geschichte erzählt. Sie braucht immer einen guten Grund.»

Marie stand auf.

★

Nachmittags verließ sie Astas Haus. Das Wetter war umgeschlagen.

Es regnete nicht mehr, und die wenigen Wolken, die noch zu sehen waren, jagten über den Himmel. Vielleicht würde es bald frieren.

Marie war es schlecht. Ihre Haut war eiskalt, doch trotzdem ließen ihre schweißnassen Handflächen das Lenkrad feucht werden.

Sie kannte jetzt das Ende.

Linka und der Wandersmann waren im Haus geblieben, Willum im Wald.

Er lebte wie die Tiere, die er erlegte, und baute sich eine schlichte Hütte aus Zweigen und Moos, die er unter dem Schnee hervorgegraben hatte. Äsop schlief neben ihm, bis der

Hund eines Tages tot im Wald aufgefunden wurde. Getötet durch einen Kopfschuss.

Marie fuhr schneller und schneller. Es war jetzt dunkel, und die Temperatur war sicher unter null gesunken. Die Straße war glatt. Sie bog in den Drejbækwald ab. Der Wagen geriet in der Kurve vor Johnnys Haus ins Schlingern. Alles hing jetzt davon ab, ob sie rechtzeitig eintraf.

«Mads darf nicht sterben.»

«Mads darf nicht sterben», sagte sie immer wieder mit monotoner Stimme.

Wieder und wieder.

Ab und zu war Willum tief im Wald gesichtet worden. Eingehüllt in Wildfelle und mit so starken und geschmeidigen Bewegungen wie ein Kronhirsch. Als der Sommer kam, näherte er sich dem Haus, und als Ena und Linka ihn einige Male im Dickicht hinter dem Nebenhaus gesehen hatten, begab der Wandersmann sich in den Wald hinaus.

Als er zurückkehrte, trug er Willums Leiche in den Armen. Er schwankte unter dem Gewicht. Ena und Linka stürzten herbei. Sie halfen, Willum ins Haus zu bringen. Und ihn auf den Wohnzimmertisch zu legen.

«Das wollte ich nicht», sagte der Mann. «Er hat mich angegriffen, und dabei hat sich ein Schuss aus meinem Gewehr gelöst.»

Er senkte den Kopf. «Er hätte mich umgebracht.»

«Und jetzt hast du ihn umgebracht», sagte Linka.

Vor dem Försterhaus konnte sie in der Dunkelheit eine Gestalt ahnen. Es war ein Mann. Er kam aus dem Wald. Mit dem Gewehr in der einen Hand. Er schwankte weiter. Wie ein Schlafwandler. Marie bremste und öffnete die Tür. Der Motor ging im Leerlauf weiter.

Er war noch immer ein Stück von ihr entfernt. Und stand außerhalb des Scheinwerferlichts. Marie ging auf ihn zu.

«Hast du ihn umgebracht, Lau?»

Er sank ins Licht hinein. Auf die Knie. Mit dem Gewehr, das seine eine Hand umklammerte.

Marie blieb abrupt stehen.

Die struppigen, blonden Haare klebten an seiner Stirn.

Liza Marklund Der Holzdieb

Aus dem Schwedischen von
Susanne Dahmann

Die dunkle Frau glitt wie ein Schatten zwischen den Bäumen hindurch, lautlos, atemlos, wachsam. Das Mondlicht durchflutete den Wald bläulich und kalt und verriet jede Bewegung. Sie sah sich vorsichtig um, während sie weitereilte, sie fror. Bis zur Wärme war es noch weit.

Als sie zur Lichtung kam, blieb sie hinter einem Baum stehen. Alles war still. Die Schornsteine wiesen kalt und stumm in den Nachthimmel. Kein Rauch stieg zu den Sternen auf. Es muss verdammt kalt sein für den Alten, dachte sie. Sie konzentrierte sich lange auf das Küchenfenster, sah den Mond in dem unregelmäßigen, handgearbeiteten Glas schimmern. Keine Bewegung.

Also fasste sie einen Entschluss, holte den Sack hervor und ging ruhig zum Schuppen hinüber.

★

Der alte Mann erwachte von der Kälte. Sie war durch die Decke gekrochen und in seine Lungen hinein, feucht und schwer. Langsam spürte er den Schmerz zum Gehirn vordringen, stöhnte, hustete gepresst. Danach atmete er schwer und tief ein paar Mal durch, lag still auf dem Küchensofa und horchte auf die Uhr. Das Licht der Sterne draußen vor dem Fenster zersplitterte die Dunkelheit in unzählige grauschwarze, manchmal fast blaue Nuancen. Er hob den Kopf und schaute angestrengt zur Holzkiste hinüber, die Kacheln über dem Eisenherd leuchteten auf.

«Schwarzer», sagte er.

Die Katze löste sich aus den Schatten vor dem Herd, machte zwei weite Sätze über den Küchenfußboden und landete auf dem Brustkorb des Mannes. Er lachte.

«Du wirst immer dicker, du Kater.»

Das Tier vollführte ein paar Runden auf der Decke und legte sich dann mit der Nase in der Halsgrube des Mannes zurecht. Er spürte, wie die Wärme des kleinen Körpers durch die Decke strömte und den Schmerz in der Brust linderte. So lagen sie eine Weile, der Alte und die Katze.

Die Blase drückte, bald würde er aufstehen müssen.

Da raschelte es hinten bei der Holzkiste, und die Katze jagte hoch. Mit einem riesigen Satz war das Tier auf dem Boden und raste hinter der Maus her. Die Teppiche fuhren durcheinander, der Alte lag mucksmäuschenstill und verfolgte die Jagd mit konzentriertem Gehör. Dann kam das erschrockene Piepsen von Schmerz und Tod, das triumphierende Jaulen der Katze und schließlich das Knacken von brechenden Mäuseknochen. Er gluckste zufrieden.

«Gut gemacht, Schwarzer.»

Dann gab es keinen Aufschub mehr. Er nahm die Decke beiseite, schob vorsichtig die Beine über die Kante und stützte sich dabei mit der rechten Hand ab. Er stieg direkt in seine Hosen, die lange Unterhose und die Wollsocken hatte er im Bett schon angehabt. Mit einem kräftigen Ruck stieß er sich ab und kam auf die Beine, der Rücken schmerzte. Jetzt musste er sich beeilen. Er stolperte zur Veranda, zog sich den Helly-Hansen-Pullover über, die Kappe auf und die Stiefel an und ging auf die Treppe hinaus.

Es war eiskalt, der Raureif hatte die Stufen glatt gemacht. Er rutschte fast auf dem steinernen Mühlrad aus, das als letzte Treppenstufe diente. Mit der rechten Hand an der Fassade abgestützt, schob er sich um die Ecke und ließ den Urin in einem schrägen Strahl Richtung Wald ab. Er schloss die

Augen und genoss die Erleichterung. Nachdem er abge-schüttelt und ihn wieder reingestopft hatte, nahm er ein paar tiefe Atemzüge und ließ den Blick über die Landschaft schweifen. Nach Norden hin stand der Wald dicht, doch nach Osten öffnete er sich zu dem Sumpf hin, wo einmal das Sägewerk gestanden hatte. Der Mond und die Sterne ließen den Frost aufblitzen, er konnte das Licht und die Farben er-kennen.

Dann drang die Kälte wieder in seine Lungen ein, und er musste husten. Er wandte den Blick von der Landschaft ab und begab sich zurück ins Haus. Jetzt machte er die Lampe auf der Veranda an und die Leuchtstoffröhre in der Küchen-ecke, die plötzliche Helligkeit ließ ihn blinzeln. Die Katze saß hinten bei der Speisekammer und leckte sich das Maul, ein paar Haarbüschel und Knochenreste lagen um den Schlacht-platz herum.

Der Alte ging zum Spülbecken hinüber und griff nach dem Wasserschöpfer. Er nahm einen Schluck, und die Katze sprang ebenfalls hinauf und schlabberte aus dem Eimer.

«Das tut gut», sagte der Alte und schmatzte.

Nun war es Zeit, Holz zu holen.

Der Gedanke daran verursachte ihm Bauchschmerzen.

Zunächst zündete er den Herd mit den Scheiten an, die er gestern Abend hereingeholt hatte, das Eisen des Herddeckels war kalt unter seinen Händen. Als er das Streichholz anzün-dete, merkte er, wie er zitterte. Er wusste, was jetzt anstand. Mühsam erhob er sich und nahm den Korb und die Taschen-lampe.

Die linke Hand gerade ausgestreckt, um das Gleichgewicht nicht zu verlieren, humpelte er zum Holzschuppen hinüber, die Taschenlampe rollte im Korb hin und her. Auf der anderen Seite des Grabens blieb er stehen und machte die Lampe an, richtete den Lichtstrahl auf den Boden. Er blinzelte angestrengt. Verdammte Augen. Selbst wenn es da noch Spuren im Raureif gab, vermochte er sie nicht zu erkennen.

Als er den Haken umlegte und die Tür öffnete, wusste er sofort Bescheid. Er konnte nicht beschreiben, warum, vielleicht war es der Geruch eines anderen Menschen, der noch in der Luft hing, vielleicht war da die Ahnung einer höheren Temperatur, aber er war sicher. Hier war vor ganz kurzer Zeit jemand gewesen.

Er ließ den Lichtkegel über die Reihen von Holz gleiten, die gewissenhaft gesägten, gehackten, getrockneten, gestapelten, sortierten und geordneten Scheite, alle exakt gleich lang, damit sie in den Küchenherd passten, in unterschiedlicher Dicke gehackt, die man brauchte, um schnell ein Feuer anzünden und es dann am Brennen halten zu können. Erle, Espe, Birke, Fichte und Kiefer, er hatte unterschiedliche Stapel für die verschiedenen Holzarten und Kisten mit Birkenrinde und Borke.

Als der Lichtkegel das Birkenholz erreichte, zuckte er zusammen. Heute Nacht hatte es also die Birke erwischt. Er stolperte zum Holzstoß hinüber und strich mit der Hand über die Scheite, ja, es stimmte. Was die Augen nicht sehen konnten, wussten seine Hände, hier fehlten Kloben. Wut und Jähzorn krampften sich in seinem Unterleib zusammen, er stöhnte laut, ballte die Faust so stark, dass sich seine Nägel in die Handfläche bohrten und der Schmerz seine Gefühle überdeckte. Sein Holz! Die Birke, mit der er im Frühjahr so verdammt viel Arbeit gehabt hatte. Teile des Stammes, den er vom Windbruch hinten am Gorgsjö hergeschleppt hatte. Es war ein stattlicher Baum gewesen, direkt am Ufer, mit rauschenden Blättern und vielen dicken Ästen. Er hatte sie alle genutzt, den Baum in Stücke gesägt und bis hin zu den allerkleinsten Bestandteilen verarbeitet. Sein ganzer Frühling lag in diesen Holzstücken. Er seufzte schwer, Tränen liefen ihm aus den Augen. Teufel nochmal! Der Teufel hole den verdammten Menschen, der sein Holz stahl! Der Teufel hole den elenden Holzdieb!

Er sank auf den Hackklotz und weinte.

★

Annika Bengtzon küsste ihre Großmutter aufs Haar.

«Ich werde nicht lange fort sein.»

Großmutter lächelte und strich ihr über die Wange.

Annika hängte sich ihre Tasche über die Schulter und nahm die Plastiktüte in die Hand. Draußen auf der Treppe blieb sie stehen, blinzelte in das helle Winterlicht und atmete einige Male tief ein. Der Hosjö unterhalb von Lyckebo war gefroren. Wenn sich die Kälte hielt, würde sie später in den Weihnachtstagen noch Schlittschuh laufen können.

Der Raureif knirschte unter ihren Füßen, als sie zur Wegkreuzung ging, an ihrem Leihwagen aus Stockhohn vorbei. Der alte Gustav wohnte in dem Gebiet jenseits der Straße, auf einem kleinen Hof bei der Sägerei, der Lillsjötorp hieß. Solange sie denken konnte, hatte sie ihn am Weihnachtstag besucht. Schon als sie noch ein Kind war, hatte er uralt gewirkt.

Annika ging schnell und zielstrebig den Waldweg entlang, der ihr wohl vertraut war. Sie war in diesen södermanländischen Wäldern um Hälleforsnäs aufgewachsen, bis zu diesem Herbst hatte sie ihr ganzes Leben lang hier gelebt. Seit ungefähr zwei Monaten arbeitete sie in Nachtschicht beim *Abendblatt* in Stockholm. Die Ereignisse des Herbstes (siehe «Studio 6») hatten dazu geführt, dass sie mehrere Monate lang nicht zu Hause gewesen war. In ihrem Leben war eine Leere entstanden, die nur durch ganz feste Traditionen, wie zum Beispiel Weihnachten auf dem Hof von Großmutter am Ufer des Hosjö, ausgefüllt werden konnte.

★

Der kleine Hof Lillsjötorp funkelte wie ein Juwel im Dunkel des Waldes, der Frost glitzerte auf der Fassade, alles wirkte geradezu betörend pittoresk. Weiß und Falunrot, Sprossenfenster, doppelte Holzplanken, die blaue Tür, bemooste Apfelbäume. Doch je näher Annika kam, desto deutlicher wurde der Verfall. Das Grundstück war von Lupinen überwuchert, die schwarzen Samenkapseln standen rund ums Haus wie verrottete Ausrufezeichen auf Stängeln. Die seltsamen Spuren im Schnee rührten von dem hinkenden Gang und der schlechten Hüfte des alten Gustav her, eine führte zum Pinkelplatz um die Ecke, eine zum Plumpsklo, und die am meisten ausgetretene natürlich zum Holzschuppen und dem dazugehörigen Boden. Die Fassade musste dringend abgeschliffen und gestrichen werden. Der Kitt war teilweise aus den Fenstern gefallen, und es schien, als habe Gustav die schadhaften Stellen mit Zement ausgebessert. Zum Wald hin türmte sich ein Berg von Konservendosen und leeren Branntweinflaschen auf.

Annika seufzte und klopfte an. Es geschah nichts. Sie klopfte fester.

«Onkel Gustav!»

Eine rabenschwarze Katze kam aus dem Wald gelaufen, sprang auf die Treppe und strich ihr um die Beine.

«Hallo, Schwarzer, ist Herrchen nicht zu Hause?»

Sie drückte die Klinke herunter, die Tür war nicht verschlossen.

«Hallo …!»

Sie betrat die Veranda, blinzelte ins Dunkel und starrte direkt in einen doppelten Gewehrlauf. Ihr Schrei dröhnte ihr selbst in den Ohren und ließ den Gewehrlauf zurückzucken.

«Um Himmels willen, Gustav, was machst du denn?»

Der alte Mann ließ die Schrotflinte sinken und glotzte sie verwirrt an. Er war schmutzig und unrasiert, sie konnte die Ausdünstungen seines Körpers aus einem Meter Entfernung riechen. Seine Haare waren fettig, der Blick wirr. Das Gesicht wirkte ein wenig geschwollen.

«Aber lieber Gustav, was ist denn bloß los?»

Das Herz schlug ihr laut in der Brust, sie hatte sich richtig erschrocken. Die Katze schlich an ihnen vorbei in die Küche, Annika zog die Außentür zu. Die Veranda lag wieder im Dunkeln, und sie sah die Silhouette des alten Mannes gegen die Türöffnung zur Küche.

«Marias Annika …?», fragte er und ließ das Gewehr noch ein wenig tiefer sinken.

«Ja, allerdings!», antwortete sie und klang ärgerlicher, als sie beabsichtigt hatte. «Warum um Himmels willen stehst du denn hier mit der Büchse im Anschlag auf der Veranda?»

Der Alte drehte sich abrupt um und humpelte in die Küche, Annika folgte ihm mit ihrer Tasche und der Tüte mit Essen. Drinnen war es drückend warm, jene Art Hitze, die von einem glühend heißen alten Eisenherd ausgeht. Die Katze hatte sich auf dem gekachelten Streifen zwischen Herd und Wand zusammengerollt, und Annika fragte sich, wie sie es schaffte, nicht gegrillt zu werden. Der Mann setzte sich auf einen Holzstuhl am Küchentisch und legte die Büchse übers Knie.

Annika stellte die Tasche und die Tüte mit dem Weihnachtsessen vor das ausgezogene Küchensofa – Gustav hatte sein Bett heute nicht gemacht. Resolut ging sie hinüber und nahm dem Mann das Gewehr weg. Er protestierte nicht. Sie klappte die Waffe auseinander, aber sie war nicht geladen. Mit einem Seufzer schob sie sie unter das Sofa.

«Komm, Gustav», sagte sie und setzte sich auf einen Stuhl ihm gegenüber, «jetzt erzähl mal, was hier vorgeht.»

Der Alte fing an zu weinen. Seine Schultern sanken zitternd herab, er verbarg das Gesicht in den Händen.

«Aber mein Guter», sagte Annika und klopfte ihm unbeholfen auf den Arm, «bester Onkel Gustav, jetzt sag doch, was passiert ist!»

«Der Holzdieb», sagte der Alte leise, «es ist der Holzdieb.» Er schnäuzte sich und wischte den Rotz an der Hose ab.

«Heißt das, jemand stiehlt dein Holz?», fragte Annika.

Er nickte. Annika schaute den kleinen Mann an. Gustav war ein alter Waldarbeiter. Sein ganzes Erwachsenenleben hatte er auf diesem alten Hof verbracht, zunächst mit seiner Mutter und nach ihrem Tod dann allein. Es gab Elektrizität und kaltes Wasser, das er in einem Wassereimer auf dem Spültisch aufbewahrte und mit der Katze teilte.

Gustav bekam eine kleine Rente, und darüber hinaus durfte er sich am Windbruch im Gutswald, in dem der Hof stand, bedienen. Sein ganzes Leben galt diesen Bäumen. Der Holzschuppen beinhaltete für ihn einen Schatz an Erinnerungen, Gedanken, Natur und Arbeit. Sie dachte an all die Sommer, in denen sie Gustav mit dem Holz geholfen hatte. Er hatte ihr gezeigt, wie man die Scheite hoch auf dem linken Arm stapelte, mit dem rechten Arm die Balance hielt und so einen großen Berg auftürmte. Schon im Alter von sieben Jahren hatte sie gelernt, wie man große Kloben mit einem einzigen Schlag zerhackte, und einen kleinen Hackklotz neben Gustavs großem gehabt.

Während der Kaffeepause, wenn jeder der beiden auf seinem Holzstapel saß, hatte Gustav von den erstaunlichen Dingen erzählt, die die Bäume gesehen hatten. Er hatte ihr die Jahresringe gezeigt und den Baum mit unterschiedlichen historischen Ereignissen, sowohl globalen als auch lokalen, charakterisiert.

«Schau mal, als er so groß war wie ein Weihnachtsbaum, haben die Bolschewisten in Russland die Macht übernommen. Diese Birke hier war nur ein kleiner Strauch, als sich die armen Bauernkinder oben in Löfberga zu Tode husteten. Hier wurde ich geboren, da wurdest du geboren. Der Baum hat alles gesehen, weiß alles, war immer dabei, jajaja.»

«Sollen wir rübergehen und in den Holzschuppen schauen?», fragte Annika.

Sie bemerkte, dass Gustav sehr schlecht gehen konnte.

«Drei Wochen ist es her», brummte der Alte. «Ich habe es sofort gemerkt. Erst war es die Fichte vom Weißen Berg, dann die Kiefer von der anderen Seite des Sägewerks. Diesmal ist es die Birke vom Gorgsjö.»

Er legte den Haken um und stieß die Tür auf. Drinnen lagen die Holzscheite bis zum Dach aufgestapelt, Lage auf Lage, unglaublich viel Holz. Für Annika und alle anderen Menschen auf der Welt waren das einfach nur irgendwelche Holzkloben.

«Hier», sagte Gustav und schlug mit der Hand auf einen der Stapel, «die Birke. Die hat der Holzdieb heute Nacht geholt.»

Annika sah sich um. Vor dem Holzschuppen gab es viele Spuren, sowohl von Menschen als auch von Tieren.

«Hast du heute Nacht etwas gesehen oder gehört? Ein Auto? Ein Motorrad?», fragte sie.

Der Alte schüttelte den Kopf. Er konnte nur schlecht sehen, aber mit seinem Gehör war alles in Ordnung. Annika schaute sich den Boden genau an.

«Hier sind auch keine Fahrradspuren. Der Holzdieb muss zu Fuß gekommen sein. Du weißt ja wohl, was das heißt, oder, Gustav?»

Der Mann antwortete nicht.

«Niemand schafft es, Holz weiter als ein paar hundert Meter zu schleppen», sagte Annika. «Also muss es jemand aus Hedberga unten gewesen sein.»

Beide schauten den Waldweg entlang, der zum Dorf hinunterführte.

★

Nachdem Annika den alten Gustav mit Schinken, Stockfisch und geräuchertem Lachs allein gelassen und ihm recht schöne Weihnachten gewünscht hatte – trotz des Holzdiebes –, nahm sie den Weg zwischen den Bäumen hindurch. Leichte Schneeflocken fielen zu Boden, unendlich langsam, als hielten sie in der Luft immer wieder inne. Annika fing einige mit der Zunge auf.

Nach ein paar Minuten erreichte sie die ersten Holzhäuser von Hedberga. Das Dorf war eine uralte Ansammlung von Holzbalken, die sich vor dem Hintergrund des großen Waldes zusammenkauerten. Nur die ein oder andere Parabolantenne durchbrach die gepflegte Postkartenidylle.

Sie ging langsam den Weg entlang und schaute die weihnachtlich geschmückten Häuser an. Die elektrischen Kerzenbögen sandten einen warmen Lichtschein aus den Fenstern. Zu jedem Menschen in diesem Dorf stand sie in irgendeiner Verbindung.

Dort in dem größten Haus wohnten Åke und Inga Karlsson, er war in der Mittelstufe ihr Lehrer gewesen.

Auf dem benachbarten Hof wohnten Asta und Folke Nykander und ihr Sohn Petter, der etwas zurückgeblieben war. Petter war ein paar Jahre älter als Annika, als Kind hatte sie sich vor ihm gefürchtet.

Weiter hinten sah man die Gebäude des Hofes von Hjalmar Petterson, dem Pastor der Freikirche, der dort mit seiner scheinheiligen Frau Elsa wohnte. Hjalmar hatte Annikas Mutter nach ihrer Scheidung einmal öffentlich verdammt.

Auf dem Bauernhof hinten am Waldrand wohnten Karin und Anders Bergström mit ihren drei Kindern. Karin und sie waren Klassenkameradinnen gewesen. Anders galt im Ort als faul. Er schafft es nicht einmal, sich ein Kondom überzuziehen, dachte Annika bei sich, als sie an den auf dem Hof verstreuten Spielsachen vorbeiging.

Ingela Jönsson, die «Spermatopf» genannt wurde, weil sie so leicht herumzukriegen war, wohnte in einer kleinen Kate, die sie von ihrer Mutter geerbt hatte. Diese sah still, dunkel und unbewohnt aus.

Annika schaute abschätzig zu der Hütte hinüber – ihr Freund hatte sie mit Spermatopf betrogen.

Um die Ecke wohnte der Bauer Axelsson mit seinen fünf Kindern, die alle immer nach Kuhstall rochen. Annika hatte als Schülerin manchmal auf sie aufgepasst.

Einer von diesen Leuten hat das Holz des alten Gustav gestohlen, dachte Annika.

Mit einem Seufzer bog sie nach Lyckebo ab.

Die Christmette in der Kirche von Floda begann um sechs Uhr. Annika und Großmutter waren schon zwanzig Minuten früher da. Axelssons trampelten mit fast allen Kindern herein, da saßen der hochfahrende Hjalmar und seine Elsa ebenso wie Asta und Folke Nykander, aber ihr Sohn fehlte. Åke und Inga Karlsson kamen kurz nach dem Läuten, Åke sah stockbesoffen aus.

Die große Kirche strahlte Frieden aus in der Winternacht. Annika schloss die Augen und lauschte dem Eingangslied. Brich an, du schönes Morgenlicht, von den södermanländischen Bauern aus rauen Kehlen vorgetragen. Die klassischen Weihnachtstexte flogen an ihr vorbei, ein Kind ist uns geboren, ein Sohn gegeben, es begab sich aber zu der Zeit, dass ein Gebot von dem Kaiser Augustus ausging, dass alle Welt geschätzet würde.

Sie döste ein und wurde mit einem Schlag geweckt, als die Glocken wieder zu läuten begannen und der Gottesdienst vorbei war. Etwas verwirrt ließ sie sich zusammen mit Großmutter zum Eingang schieben. Sie setzten sich ins Auto und fuhren den Schotterweg zurück nach Lyckebo. Im Laufe des Abends hatte es aufgehört zu schneien, und die Landschaft war in eine dicke Lage Watte gehüllt. Sie kamen an Granhed vorbei und hatten Hedberga oben zur Linken liegen, als Annika plötzlich zusammenzuckte.

«Hast du das gesehen?», fragte sie.

«Was?», fragte Großmutter, die in der Wärme des Autos eingenickt war.

«Da stand jemand im Wald.»

«Niemals», sagte Großmutter, «das war sicher ein Reh.»

«Mit Kapuze?», fragte Annika skeptisch.

Den Rest des Weges schwiegen sie, doch als Annika der alten Frau wieder ins Haus geholfen hatte, sagte sie:

«Ich drehe noch eine Runde.»

«Um diese Uhrzeit?»

«Ich möchte nur nochmal nach Gustav sehen», sagte Annika und nahm eine große Taschenlampe aus ihrer Tasche. Draußen auf der Treppe schob sie prüfend den Lichtschalter vor, ja, sie funktionierte. Der Mond leuchtete wie ein kreisrunder Scheinwerfer über dem Wald, man brauchte keine Lampe. Sie ging schnell zwischen den Bäumen hindurch und dachte an einen Herbst, in dem sie hier handtellergroße Pfifferlinge gepflückt hatte. Jetzt bedeckte der Schnee den Boden, sie stolperte über ein paar Äste.

Der Holzdieb musste aus Hedberga kommen, deshalb nahm sie den Umweg über das Dorf.

Sie musste nicht lange suchen.

Die Spuren waren ganz deutlich, sie leuchteten bläulich in dem kreideweißen Neuschnee. Sie waren recht groß, schlängelten sich ein wenig durch den Wald, doch führten sie allmählich direkt zum Holzschuppen des alten Gustav. Annika folgte ihnen die ganze Strecke entlang, und erst als sie zehn, zwanzig Meter von dem Haus entfernt war, wurde ihr klar: Die Spuren verliefen nur in eine Richtung. Der Holzdieb war immer noch da drin. Ihre Gedanken flogen hin und her. Wenn es nun der riesige und zurückgebliebene Petter war, der konnte sie zusammenschlagen, oder vielleicht Anders Bergström, der faule Mann von Karin.

Annika schlich die letzten Meter zur Tür und hatte ein Gefühl, als würde sie den Boden gar nicht berühren. Sie zog die Tür auf, jemand stand da drin, groß und dunkel, schwarz gekleidet, und fuhr herum. Annika schob den Schalter vor und leuchtete der Person direkt ins Gesicht.

«Du», sagte Annika.

Es war Ingela Jönsson, Spermatopf. Die Frau warf die Arme hoch, um sich vor dem Lichtstrahl zu schützen.

«Nimm die Lampe weg!», schrie sie.

Annika ging in den Schuppen hinein, ohne den Lichtkegel vom Gesicht der Frau abzuwenden.

«Was machst du denn hier, verdammt nochmal?», sagte Annika, und ihre Stimme zitterte vor Anspannung und Zorn. «Wie kann man nur einen alten Mann bestehlen, der kaum mehr laufen kann? Ist dir klar, wie er für dieses Holz geschuftet hat?»

Sie trat einen Schritt näher an die Holzdiebin heran. Im nächsten Moment flog ihr die Lampe aus der Hand, ein schwerer Schlag in den Magen presste ihr die Luft mit einem Gurgeln aus dem Hals. Sie stolperte in einen Stapel Fichtenholz, fiel hin und landete unsanft auf dem Hintern.

Die Frau beeilte sich, zur Tür zu kommen, stieß sie mit einem Schlag auf und wollte in den Wald rennen. Im selben Moment donnerte der Knall über die Lichtung, rollte, blieb zwischen den Stämmen hängen, und dann wurde der Türrahmen neben Annika von tausend Bleikörnern zersplittert. Sie schrie, Ingela Jönsson jammerte und fiel rückwärts wieder in den Holzschuppen zurück.

«Der verdammte Alte schießt auf uns», jaulte sie.

Der nächste Schuss traf die Tür, das Holz wurde zerfetzt. Annika schrie wieder auf und kroch auf allen vieren zu dem

Stapel Birkenholz. Sie zwängte sich zwischen zwei Stapel, zog die Knie unters Kinn und machte sich so klein wie möglich.

Die Stille nach den Schüssen war ebenso ohrenbetäubend wie die Schüsse selbst. Nach einer Weile wurde Annika ihre eigene panische Atmung bewusst, und die unregelmäßigen Schluchzer und das Stöhnen von Ingela Jönsson.

«Bist du ... getroffen worden?», fragte Annika.

Die Frau wimmerte irgendwo im Dunkeln, gleich neben ihr.

«Ich glaube, ja», sagte Ingela. «Im Gesicht.»

Annika strich sich mit zitternden Händen das Haar aus der Stirn. Die Mütze hatte sie verloren.

«Ich muss mit ihm reden», sagte sie.

Sie erhob sich vorsichtig in der Dunkelheit und stieß sich den Kopf an einem herausragenden Holzkloben. Die zerschossene Tür war wieder zugefallen, und im Schuppen war es dunkel. Sie tastete sich mit den Händen bis zur Tür vor.

«Gustav», rief sie durch die Türöffnung in den Wintermorgen hinaus, «Gustav, ich bin's, Annika. Maria Hällströms Annika. Ich bin hier drin mit dem Holzdieb. Können wir miteinander reden?»

Sie wartete still auf eine Antwort. Nichts kam.

«Gustav!», rief sie, noch etwas lauter. «Ich bin's, Annika. Ich komme jetzt raus.»

Keine Antwort.

«Nun geh schon, ehe ich verblute», meckerte Spermatopf.

Annika holte tief Atem und stieß die Tür auf. Die Schüsse kamen unmittelbar hintereinander, die zerschossenen Holzstücke tanzten in der Luft. Annika stolperte rückwärts und fiel auf die Holzdiebin.

«Au verdammt, du fette Kuh», sagte Ingela Jönsson.

«Halt die Schnauze, du alte Hure», kreischte Annika.

Die Stille kehrte nach dem anhaltenden Dröhnen des

Schusses langsam zurück. Ingela boxte Annika von ihrem Schoß herunter.

«Schäm dich», sagte Ingela Jönsson weinerlich, «wie kann man nur einen anderen Menschen Hure nennen. Oder Spermatopf. Ich weiß, dass ihr das sagt. Hast du dir schon mal überlegt, wie widerlich das ist?»

Annika atmete schwer, mit offenem Mund.

«In meinen Augen bist du ein Luder. Du hast versucht, mir meinen Freund wegzunehmen.»

Ingela Jönsson kroch nach hinten zu einem anderen Holzstapel.

«Ich habe Sven geliebt», sagte sie, «und er hat mich geliebt. Wenn du nicht gewesen wärst, wären wir jetzt verlobt.»

«Blödsinn», sagte Annika.

Die Holzdiebin begann zu weinen. Annika saß schweigend da und hörte ihr eine Zeit lang zu. Es fing an, richtig kalt zu werden, ihre Finger wurden langsam taub.

«Ich blute», schniefte Spermatopf. «Ich bin im Gesicht getroffen.»

Im selben Moment spürte Annika das kalte Metall ihrer Taschenlampe unter der einen Hand. Sie betätigte den Schalter mit steifen Fingern. Sie funktionierte noch.

«Lass mich mal sehen», sagte sie und leuchtete der anderen Frau ins Gesicht.

Ingela Jönsson kniff die Augen zusammen. Sie blutete wirklich aus einer Wunde an der linken Wange. Annika beugte sich etwas tiefer.

«Bin ich angeschossen?»

Annika drückte ein wenig auf die Wunde, die Frau zuckte zusammen.

«Nein», sagte Annika, «aber du hast einen großen Splitter unter dem Auge. Warte mal, ich ziehe ihn raus ...»

«Aua!»

Mit einem schnellen Ruck hatte Annika das Holzstück-
chen entfernt und hielt es jetzt triumphierend in den Lichtkegel der Taschenlampe. Ingela drückte ihre Hand auf die
Wunde.

«Ich werde Wundstarrkrampf bekommen», sagte sie.

«Du wirst ganz sicher überleben», sagte Annika.

«Wenn der alte Bock uns nicht beide erschießt.»

Annika tastete in der Dunkelheit herum und fand, wonach
sie gesucht hatte: einen langen Stock, den sie benutzte, um
die kaputte Tür damit aufzustoßen. Sekunden später knallte
der Schuss. Die Frauen kauerten sich zusammen und vergru-
ben die Köpfe zwischen den Armen.

«Wir werden hier wohl noch eine Weile sitzen bleiben müssen», meinte Annika.

★

Das Tageslicht bahnte sich langsam einen Weg zwischen die
Holzstapel.

Annika und Ingela hatten es sich mit dem Rücken an jeweils einem Holzstapel bequem gemacht. In unregelmäßigen
Abständen stießen sie an die Reste der Tür, jedes Mal donnerte ein Schuss. Einige Bretter in der Schuppenwand fingen an
nachzugeben.

«Warum?», fragte Annika.

Ingela antwortete nicht.

«Wie kann man nur einen alten Mann bestehlen?», fragte
Annika etwas lauter und schaute die Frau vor dem Holzstapel
gegenüber an.

«Ich habe gefroren», sagte Ingela und drehte den Kopf weg.

Annika blinzelte.

«Aha», sagte sie, «und die Lösung war, Holz zu stehlen,
oder was?»

«Das wirst du nie begreifen», sagte Ingela hitzig, «du hast
es ja immer so verdammt gut gehabt.»

Annika lachte laut und grob, und der alte Gustav antwortete mit zwei weiteren Schüssen.

«Ja, lach du nur», sagte Ingela leise, nachdem sich das
Dröhnen gelegt hatte, «du hattest ja alles, hast den besten Job
gekriegt, den besten Typen und konntest noch nach Stockholm ziehen.»

Annika schluckte schwer.

«Du hast ja keine Ahnung», erwiderte sie. «Du weißt ja
überhaupt nichts davon, wie es mir ging.»

Ingela Jönsson antwortete nicht. Sie saßen lange schweigend da.

Annikas Füße waren vor Kälte gefühllos.

«Sie haben den Strom abgestellt», sagte Ingela schließlich,
«und das Telefon. Ich bin aus der Kasse rausgeflogen, habe
keinen Pfennig mehr.»

«Und? Hast du mal in Erwägung gezogen, arbeiten zu gehen?», fragte Annika ironisch.

«Jetzt sei mal nicht so superschlau», sagte Ingela. «Was
glaubst denn du, was es in Hedberga für Jobs gibt?»

«Ja, verdammt, dann musst du halt wegziehen», erwiderte
Annika.

«Und wo soll ich wohnen? Mein Haus steht schließlich hier!»

«Dann verkauf es.»

«Für die alte Holzhütte krieg ich doch nichts mehr.»

Annika stöhnte.

«Dann bleib eben da hocken und jammere. Du willst ja,
dass es dir schlecht geht.»

Ingela stieß die Tür auf, zwei Schüsse krachten.

«Alter Scheißkerl!», kreischte sie.

Gustav lud neu und schoss noch zweimal.

«Hast du nie gearbeitet?», fragte Annika.

Ingela seufzte und spielte zerstreut mit den Sägespänen auf
dem Boden.

«Doch», sagte sie, «bei der Hauspflege in Hälleforsnäs. Aber das war vor den Kürzungen. Vor drei Jahren bin ich weg-rationalisiert worden.»

«Schon mal daran gedacht, woanders wieder anzufangen?»

«Dazu brauche ich ein Auto, und das ist zu teuer.»

«Wo wir gerade von Autos reden», meinte Annika, «hörst du, was ich höre?»

Das Geräusch eines Volvo-Motors breitete sich zwischen den Bäumen aus, wurde abwechselnd lauter und leiser.

«Meinst du, der könnte auf dem Weg hierher sein?», fragte Ingela.

Annika lauschte noch ein wenig länger.

«Sieht so aus», sagte sie. «Er wird gleich hier sein.»

Die Frauen krochen zur Ecke des Schuppens, und jede spähte durch eine Ritze in der Wand.

Ein blauweißer Kombi wurde hinter den Ästen sichtbar.

«Ein Polizeiauto!», flüsterte Annika.

«Ja!», wisperte Spermatopf.

Das Auto blieb vor der Eingangstreppe des Hauses stehen. Ein Mann und eine Frau in der Uniform der Streifenpolizei stiegen aus.

«Das sind Hansson und Pettersson aus Katrineholm», sag-te Annika leise. «Ich bin schon mal mit ihnen unterwegs ge-wesen, als ich eine Reportage gemacht habe.»

Annika sah, wie die Polizisten langsam auf das Haus zugin-gen, und hörte, wie die Frau mit lauter Stimme «Frohe Weih-nachten» sagte und darauf: «Wie geht's denn so?»

Dann hörte sie Gustav eine Antwort murmeln.

Schnell eilte sie zu der zerschossenen Tür und schaute vor-sichtig hinaus. Sie sah, wie der Polizist auf den alten Mann zuging und ihm die Büchse aus der Hand nahm. Schnell stieß sie die Tür auf und trat ins Licht hinaus. Ingela Jönsson kam brüllend und schreiend hinter ihr hergerast.

«Der ist ja nicht ganz dicht, der verdammte Kerl, er wollte uns erschießen!»

Die Polizisten schauten erstaunt zum Holzschuppen. Der alte Gustav versuchte, das Gewehr zurückzuerobern, und fing auch an zu kreischen.

«Verdammte Holzdiebe, Ausbunde der Teufels! Blei im Arsch sollt ihr haben, verdammte Bande …»

Die Polizisten umfassten den alten Mann mit festem Griff und trugen ihn auf den Rücksitz des Polizeiautos. Der Alte protestierte den ganzen Weg über laut, während Ingela hysterisch kreischte, wie blutrünstig und mordlüstern er sei. Annika merkte, wie ihr die Luft ausging, plötzlich wurde ihr vor Kälte und Erschöpfung schwindelig.

«Ich gehe jetzt rein», sagte sie.

Die Küche war ausgekühlt, wahrscheinlich waren die Wände schlecht isoliert. Annika schob ein Paket schmaler Holzscheite in den Herd, stopfte etwas Rinde darunter und zündete sie an. Schon bald brannte ein Feuer. Schnell zog sie sich einen Stuhl heran und setzte sich an den Herd. Langsam tauten ihre Glieder auf, sie legte Holz nach. Hansson, die Polizistin, kam in die Küche.

«Meine Güte, Bengtzon», sagte sie und nahm sich auch einen Stuhl, «was ist denn hier los gewesen?»

Annika seufzte.

«Ingela Jönsson stiehlt schon seit geraumer Zeit von Gustavs Holz, er drehte durch und fing an, auf den Holzschuppen zu schießen.»

«Wir haben einen Anruf von unten aus Hedberga bekommen, dass hier im Wald wie verrückt geschossen würde», sagte die Polizistin. Sie beugte sich vor und schaute Annika mit durchdringendem Blick an.

«Glauben Sie, dass er geschossen hat, um zu treffen?»

Annika erwiderte den Blick.

«Ganz sicher nicht», sagte sie. «Wenn er uns hätte schaden wollen, dann hätte er nur die Tür öffnen und uns erschießen müssen. Er wollte nur drohen.»

Hansson seufzte, lehnte sich zurück und legte die Handflächen auf den Küchentisch.

«Was für ein verdammter Mist», sagte sie. «Fräulein Jönsson da draußen schreit von Mordversuch und Terror.»

«Die wird sich auch wieder beruhigen», meinte Annika und legte Holz nach.

Die Polizistin sah sich in der Küche um.

«Wohnt der Alte hier?», fragte sie ungläubig.

«Allerdings», erwiderte Annika. «Er schläft auf dem Küchensofa und feuert wie verrückt den Herd an.»

«Was für ein Elend», sagte Hansson voller Abscheu. «Schauen Sie mal, die Mäusekötel auf dem Fußboden. Er hat auch nicht gerade frisch gerochen.»

«Gustav hält sich sehr sauber», widersprach Annika. «Einmal in der Woche badet er in einem großen Zuber, hier vor dem Herd. Die Sache mit dem Holzdieb hat ihn nur ganz schön mitgenommen, müssen Sie wissen.»

Die Polizistin erhob sich.

«Ich gehe jetzt und rufe die Sozialstation an», sagte sie.

Ingela und die Katze kamen herein, als die Beamtin hinausging. Schwarzer hüpfte auf Annikas Schoß, drehte ein paar Runden und legte sich dann mit der Schwanzspitze unterm Kinn hin. Die beiden Frauen saßen schweigend nebeneinander, wärmten sich, ließen den Adrenalinspiegel sinken.

«Er ist ja nicht ganz richtig im Kopf, oder?», sagte die Frau.

Annika antwortete nicht, sie streichelte die Katze, die auf ihrem Schoß eingeschlafen war.

«Na ja, jetzt muss er auf jeden Fall weg», fuhr die Holzdiebin zufrieden fort. «Und es ist die Frage, ob er jemals wieder rauskommt. Der alte Sack stirbt sowieso bald.»

«Eins sage ich dir», sagte Annika, «Gustav ist der einzige Mensch, der jemals so etwas wie ein Großvater für mich war. Ich liebe ihn.»

Erst nachdem sie das gesagt hatte, erkannte sie, dass es die Wahrheit war.

Ingela biss die Zähne zusammen, ohne zu antworten, ein paar Minuten saß sie still da.

«Ich habe einen Typen kennen gelernt», sagte sie dann.

Annika hob die Augenbrauen.

«Und?»

Spermatopf schaute zu Boden.

«Er mag mich. Er weiß nichts von dem ... ja, dem Wort da. Kommt aus Eskilstuna, lebt da in einer Wohnung. Er findet Hedberga ganz toll und mein Haus total charmant. Vor allem den offenen Kamin ...»

Das Holz knackte, Birkenholz.

«Ist es seinetwegen?», fragte Annika.

Ingela antwortete nicht.

«Dass du gestohlen hast?»

Die Frau schloss die Augen.

«Vielleicht», sagte sie. «Wir lieben uns immer vor dem offenen Feuer. Anfangs habe ich Holz gekauft, aber wer kann sich das schon leisten, fünfundvierzig Kronen pro Sack? Dann haben sie den Strom abgestellt, und ich hatte keine andere Wahl.»

Annika spürte die Wut wieder in sich aufsteigen.

«Und du hast nicht daran gedacht, deinen Radius mal ein wenig zu erweitern?»

Die Frau zuckte mit den Schultern.

«Ich dachte, dem Alten würde es nichts ausmachen. Er hat doch so viel Holz, und außerdem sieht er ja so schlecht. Ich dachte, er würde nichts merken. Und Holz ist ganz schön schwer! Ich hätte es ja nicht unendlich weit tragen können, ich musste es von jemandem aus der Nähe nehmen.»

Annika antwortete nicht und dachte abschätzig an Spermatopf und ihren offenen Kamin, in dem als Kulisse fürs Vögeln Gustavs Holz brannte.

Dann hörte man plötzlich schwere Schritte auf der Treppe.

«Hallo, allerseits!», sagte eine derbe Stimme von draußen.

«Marja!», rief Ingela und stand auf.

Eine kräftige Frau in Wollumhang und Mütze füllte die Türöffnung zur Küche fast aus, hinter ihr konnte man die Polizistin sehen.

«Aber hallo, Ingela», sagte die Dicke, «lange nicht gesehen. Wie geht's dir?»

Die Frauen begrüßten einander herzlich.

«Marja war früher die Leiterin der Hauspflege in Hälleforsnäs», erklärte Ingela, als Annika der Frau die Hand geschüttelt hatte.

«Ich weiß, wir kennen uns», sagte Annika.

Marja, die inzwischen der Sozialstation vorstand, sah sich in der Küche um.

«Aha», sagte sie, «so also sieht es bei dem aus. Jaja, jaja …»

«Er heißt Gustav», sagte Annika.

«Jaja, ich weiß», sagte Marja und ging und öffnete die Speisekammer.

«Ich wusste nicht, dass es hier oben noch Leute gibt, die nach wie vor so leben.»

Sie beugte sich herab und studierte die Reste einer halb gefressenen Maus.

«Hm», sagte sie, «so kann das nicht weitergehen.»

«Das ist auch meine Meinung», sagte Hansson.

Marja öffnete den Geschirrschrank und hielt ein Glas prüfend gegen das Licht.

«Wir sollten ihm einen Heimplatz besorgen», meinte sie.

Annika spürte, wie sie wütend wurde.

«Jetzt aber mal langsam», unterbrach sie das Gespräch. «Haben Sie schon mit Gustav gesprochen? Er ist sein ganzes Leben lang hier prima klargekommen, aber jetzt wird er einfach etwas alt. Wäre es nicht besser, wenn er hier draußen ab und zu ein wenig Hilfe bekäme?»

Marja breitete die Hände abwehrend aus und lächelte leicht.

«Jeder hat das Recht auf ein menschenwürdiges Leben», sagte sie.

«Richtig. Gustav braucht Unterstützung und Fürsorge.»

«Alle haben das Recht auf einen angemessenen Lebensstandard. Das hier ist kein annehmbares Umfeld.»

«Und es ist also an Ihnen, das zu beurteilen, auf Gustavs Kosten?», fragte Annika ruhig.

Die Frau sah Annika eine Weile aus klugen Augen an.

«Ab und zu ein wenig Hilfe», wiederholte sie nachdenklich. «Ja, das ist natürlich eine Möglichkeit. Man könnte es damit erst einmal versuchen. Es muss natürlich jemand aus der Umgebung sein, jemand, der jeden Tag kommen und nach Gustav sehen kann. Wenn wir eine solche Person finden könnten, die Erfahrung hat und gleich in der Nähe wohnt …»

Im selben Moment kam Petterson, der Polizist, ins Haus, hinter ihm der alte Mann.

«Hauen Sie mit dem verrückten Schießwütigen ab!», kreischte Ingela Jönsson.

Gustav erstarrte in der Tür, als er die Frau in seiner Küche stehen sah.

«Schmeißen Sie den Holzdieb raus!», brüllte er. «Ich will keine verdammten Holzdiebe in meinem Haus!»

«Schluss jetzt!», rief Annika wütend. «Hört auf! Jetzt gebraucht mal euren Verstand!»

Es wurde totenstill in der Küche, fünf Paar Augen starrten sie an, man konnte nur das Birkenholz im Ofen knacken und die Uhr ticken hören.

«Es ist Weihnachten», sagte sie. «Es ist mir scheißegal, ob ihr an Gott glaubt, aber ihr solltet das als ein Zeichen nehmen. Wenn ihr ein bisschen Klugheit und Toleranz beweist, dann werdet ihr klarkommen, wenn nicht, dann sieht es für euch beide schlecht aus.»

«Was soll das heißen?», fragte Spermatopf dümmlich.

«Ihr zwei seid die Lösung eurer Probleme», sagte Annika.

Schnell drängte sie sich an Ingela Jönsson und dem alten Gustav vorbei. An der Außentür blieb sie stehen und begegnete ihren erstaunten Blicken.

«Jetzt seid ihr dran», sagte sie, schloss die Tür und ging in den Schnee hinaus.

★★★

Arto Paasilinna
Unterwegs als Weihnachtsmann
Aus dem Finnischen von
Angela Plöger

Wer ist der international bekannteste Finne? Zu dieser Jahreszeit ist die Antwort klar. Es nicht Väinämöinen, nicht Sibelius und auch nicht Mannerheim. Es ist der Weihnachtsmann.

Manchmal wird der finnische Ursprung des Weihnachtsmannes infrage gestellt. Es wird behauptet, der Weihnachtsmann sei Schwede, und manche halten ihn für einen Isländer, wenn nicht gar für einen Grönländer. Sogar im fernen Japan sind einheimische Weihnachtsmänner gesehen worden, aber wir können uns sicherlich darauf einigen, dass der Weihnachtsmann aus Finnland stammt und die anderen, als Weihnachtsmann verkleidet, ihn nur nachahmen.

Die Frage ist genauso unmöglich wie der Gedanke, Lenin oder Stalin wären vielleicht keine Russen gewesen. Na ja, Stalin war ja Georgier, und Lenin stammte wohl aus dem fernen Simbirsk, aber zu ihren Lebzeiten hat niemand ihren bewegenden Patriotismus infrage gestellt. Ideologisch sind Lenin, Stalin und der Weihnachtsmann insofern Drillinge, als alle drei für die Güterverteilung ohne Entschädigung eintreten, der Weihnachtsmann jedoch sogar an die Reichen Geschenke verteilt und an sie eigentlich sogar mehr als an die Armen. Bei den Methoden gibt es freilich gravierende Unterschiede. Die rote Farbe haben alle drei gemein, freilich mit dem Unterschied, dass in der Sowjetunion die roten Fahnen flatterten und in Finnland zur Winterszeit die roten Zipfelmützen des Weihnachtsmannes und der Weihnachtswichtel. Lenin und Stalin sind tot, aber der Weihnachtsmann lebt.

Ich selbst habe im Lauf meines Lebens mehrmals den Weihnachtsmann gemimt, zuletzt vor zwei Tagen bei einer Betriebsweihnachtsfeier im Café Bemböle in Espoo. Das Gebäude ist eine Poststation aus dem 18. Jahrhundert, die aus einem unerklärlichen Grund der Abrisswut der Bauunternehmer entgangen ist und immer noch ein Café beherbergt. Zusammen mit einem Freund wurde ich also zur Weihnachtsfeier eines kleinen Unternehmens als Weihnachtsmann gebeten. Als Geschenke hatte man Romane von mir gekauft, in die ich dann den Namen eines jeden Empfängers schrieb. Wir aßen Schinken und sangen Weihnachtslieder, und die Stimmung war genauso rührend, wie sie nur zur Weihnachtszeit in einer alten Poststation sein kann. Im Verlauf des Abends wurden wir so ausgelassen, dass wir auch einige Weihnachtslieder der Sternensinger grölten. Das ist eine uralte Tradition aus Oulu, wo die Schuljungen von Haus zu Haus gehen, die Legende vom Jesuskind darstellen und in der Jackentasche die notwendigen Geldmittel sammeln. Ich war Herodes.

Das finnische Ministerium für Handel und Industrie hat sich selbst übertroffen, indem es seinen offiziellen Standpunkt zum Weihnachtsmann publizierte. Ein Beamter, oder vielleicht sogar eine ganze Gruppe von Beamten, hat sich an die Arbeit von Literaten und Geschichtsforschern gemacht, sich in die Welt der Mythologien und Märchen vertieft, und das Ergebnis ist ein prächtiges Buch mit dem Titel *Abc-Buch des Weihnachtsmannes*, das etwas prosaisch in der Mappe Untersuchungen und Berichte der Publikationsreihe des Ministeriums für Handel und Industrie unter der Nummer 19/1998 registriert ist.

Als Schriftsteller mag man gegenüber solchen Abc-Bü-

chern, die als Beamtenarbeit entstanden sind, Vorbehalte hegen, zumal wenn sie eine so fiktive Gestalt wie den Weihnachtsmann zum Thema haben. Man fragt sich, ob dort im
Ministerium wohl der richtige Sachverstand für diese eher
geistigen Gebiete vorhanden ist und ob sich dort genügend
von der Sensibilität findet, die das Thema erfordert.

Als ich aber das erwähnte Abc-Buch las, konnte ich nur
dankbar feststellen, dass es im Ministerium ausreichend lite-
rarische Begabung gibt. Ich kann mir ausmalen, wie der oder
die gewissenhafte Beamtin genau zur festgesetzten Uhrzeit
am Arbeitsplatz erschien, die Straßenkleider ablegte, sie sorgfältig auf den Bügel hängte, einen Blick auf die reinliche At-
mosphäre des Arbeitszimmers warf und sich dann vor den
Bildschirm des Computers setzte. Sodann rieb er oder sie sich
die Hände und tippte den Text ein: «Der Weihnachtsmann ist
ein Märchenwesen, von dem es keine eindeutige Definition
gibt, dagegen eine ganze Reihe verschiedener Geschichten
und Auffassungen …»

Seinen Namen hat dieser Staatsschriftsteller – welch falsche Bescheidenheit! – nicht unter sein Werk gesetzt, viel-
mehr hält er fest: «Die Untersuchung wurde unter Leitung
der Verwaltungseinheit des Ministeriums erstellt, die für den
EU-Binnenmarkt verantwortlich ist.»

Jetzt hat also der Weihnachtsmann die Billigung der finnischen Staatsmacht und nebenbei auch die der Europäischen
Union gefunden, und was das Beste ist: Das Ganze erfolgte
auf offizieller, professioneller Ebene. Ich sage das ohne den
leisesten Neid, hatte man das doch längst erwartet und erhofft.

Ich selbst bin in meiner Jugend in den 1960er Jahren auf
stümperhaftem Laienniveau in Rovaniemi als kommerzieller
Weihnachtsmann tätig gewesen. Dieses traurige Ereignis fiel
mir wieder ein, als ein Rundfunkredakteur aus Lappland mich

anrief und nach einer frappierenden Geschichte für sein Weihnachtsprogramm fragte.

Hier kann ich dieselbe Story erzählen. Ich war zu jener Zeit Schüler an der Volkshochschule Lappland, einem Internat. Die anderen Schüler reisten zum Weihnachtsfest in ihre Heimatdörfer, ich aber blieb in der verödeten Lehranstalt, um die Aufgaben eines Weihnachtsmannes wahrzunehmen. Ich hatte eine Anzeige in die Zeitung gesetzt, dass ein garantiert abstinenter Weihnachtsmann, noch dazu in echter Lapplandtracht, am Heiligen Abend für Familienbesuche zu engagieren sei.

Die Anzeige war teuer, aber trotzdem kamen nur drei Aufträge. Die erledigte ich dann am Heiligen Abend: In dem einen Haus traf ich auf verwöhnte, brüllende Gören, denen ich glücklicherweise unverletzt entkam, im zweiten wurde ich gezwungen, Fusel zu trinken, im dritten bekam ich einen verschrumpelten Apfel zum Lohn. Die vierte Adresse stibitzte ich in meiner Verbitterung einem Kollegen, der mir betrunken entgegenkam und die Adresse, nach der er mich fragte, nie und nimmer gefunden hätte.

Ohne Geld und hungrig irrte ich durch die Korridore der leeren Schule und wartete darauf, dass die Köchin aus dem Urlaub zurückkehrte und es ordentliches Essen gäbe. Die Weihnachtsmannmaske zerriss ich in Stücke und spülte sie in der Toilette herunter.

Maria Küchen Weihnachtsgeschichte
Aus dem Schwedischen von
Gabriele Haefs

Schon als er sich morgens einloggte, fielen ihm seltsame Dinge auf dem Bildschirm auf – falsche Übergänge, Geflimmer. Ein Virus? Ein heraufziehender Zusammenbruch? Jedenfalls nicht sein Problem. Um Ärger im IT-System sollte sich sein Arbeitgeber kümmern, ihm konnte das egal sein, er war nur ein einfacher Handlanger, aber ein Handlanger mit vielen Aufgaben. Er hatte keine Zeit für Computerzicken.

Gereizt klickte er mit der Maus und gab mehrere sinnlose Befehle, als könne das helfen, aber dann verschwand das seltsame Geflimmer tatsächlich. Alles war wie sonst auch. Vermutlich hatte er sich alles nur eingebildet. Vielleicht stimmte etwas mit seinen Augen nicht. Er sollte wohl besser einen Termin beim Optiker vereinbaren.

In der letzten Zeit hatte er außerdem schlecht geschlafen, gelbe Flecken tanzten vor seinen Augen. Jede Nacht schreckte er aus seinen Träumen hoch; wovon er geträumt hatte, wusste er nachher nie ganz genau, aber jedenfalls war es unangenehm gewesen. Seltsam, er träumte doch sonst nie.

«Jönsson! Hast du dich für die Weihnachtsfeier angemeldet? Heute ist die letzte Gelegenheit, vergiss das nicht. Du willst doch sicher hin?»

Fredrik Lind steckte seine Visage mit wie üblich akkurat gekämmter Frisur in sein Arbeitszimmer. Lind hatte die Unsitte, die sicher von seiner noch nicht lange zurückliegenden Militärzeit stammte, alle im Büro für Stadtplanung mit dem Nachnamen anzureden. Unglücklicherweise war das ansteckend. Lind sah besorgt aus, fand Jönsson. Als fürchtete er, Jönsson könne sich einsam fühlen.

Lind warf gern mit Phrasen wie «der soziale Aspekt», «soziale Kompetenz» und anderen Zusammensetzungen um sich, in denen das Wort «sozial» vorkam. Vermutlich hatte er zu viele Bücher über Harmonie am Arbeitsplatz gelesen. Eifrig hatte er die Rolle des kleinen Unterhaltungschefs der Abteilung übernommen. Das führte im Frühling zu obligatorischen Bocciarunden im Park, im Herbst zu Bierabenden und eben auch zur betrieblichen Weihnachtsfeier.

Anmeldungen wurden auf Lisas Liste im Pausenraum vorgenommen, Lind hatte einen Tisch im besten Restaurant der Stadt bestellt, und alle zahlten für sich. Die Gemeinde war für Extravaganzen wie Weihnachtsfeiern nicht mehr zu haben. Unmittelbar vor den Feiertagen bekamen die Angestellten ein Geschenk in Form einer Elchswurst oder einiger handgegossener Kerzen, das war alles, na ja, Jönsson war das egal. Er sah keinen Grund, warum öffentliche Gelder in Kneipen vergeudet werden sollten, ihm erschien das im Gegenteil als Zeichen von Korruption.

Draußen schneite es. Große, weiche Schneeflocken klebten an der Fensterscheibe, schmolzen dann sofort und liefen als düstere Bäche nach unten. Immer wieder ertappte er sich an diesem Morgen dabei, unkonzentriert zu sein. Seine Gedanken schweiften von den dringenden Aufgaben des Tages ab, sein Blick folgte dem Flug der Schneeflocken vom trüben grauweißen Himmel, die gelben Flecken tanzten.

War es das, was er träumte?

Woher kam dieses Unbekannte, das ihm so zusetzte?

Jetzt flimmerte der Bildschirm wieder. Er mochte seinen Augen nicht mehr trauen. Die Buchstaben im Computer pulsierten. Sie zogen sich zu kaum sichtbaren Punkten zusammen, schwollen danach zu bunten, flammenden Sonnen an, füllten den ganzen Schirm, schrumpften, schwollen, schrumpften ...

Das war doch einfach nicht richtig so!

Wirklich nicht!

Verdammt!

«Lind!», brüllte er. «Hast du auch Probleme mit deinem Computer?»

Lind, der noch immer in der Türöffnung stand, da seine Frage nach dem Weihnachtsfest nicht beantwortet worden war, fuhr zusammen. Verdammt, war der Typ nervös. Sollte vielleicht etwas dagegen unternehmen. Healing, Massage, Gesprächstherapie, da gab es doch wirklich jede Menge Möglichkeiten. Jönsson schnaubte, atmete tief durch und starrte seinen Kollegen an.

«Mein Computer funktioniert tadellos», brachte Lind heraus. «Du kommst also nicht zur Weihnachtsfeier?»

Jönsson gab keine Antwort. Sein Schirm war soeben schwarz geworden.

★

Man kann es für ein wenig seelenlos oder sogar schlicht und ergreifend traurig halten, wenn jemand sich für Müllabfuhr engagiert. Jönsson sieht das weniger negativ. Er leidet mit den kleinen Menschen, die keine andere Wahl haben, als sich mit den niedrigsten Funktionen der Gesellschaft abzugeben. Er sorgt sich um ihre Körper, ihre Rücken. Ihre Arbeitsbedingungen müssen erträglich gestaltet werden. Jönsson ist nicht wie dieser Grünschnabel Lind, er ist alt genug, um sich an eine Zeit erinnern zu können, in der «Solidarität» ein Ehrenname war. Sein grauer Pferdeschwanz hängt über seinem Nacken, und er trägt die gleichen Hemden wie vor dreißig Jahren, Handwerkerhemden mit Stehkragen, er würde lieber kündigen, als einen Schlips umzubinden. Das hat er seiner Chefin erst kürzlich erklärt, als diese vor einer Besprechung mit ir-

gendwelchen Bonzen eine förmliche Kleiderordnung vor-
schlug. Wirtschaftsleute aus Stockholm wurden erwartet, sie
wollten die Abteilung besuchen, um Druck auszuüben.

Ja, so heißt das natürlich nicht, es heißt «Lobbyarbeit»,
aber Jönsson lässt sich nicht an der Nase herumführen. Er
sieht die Dinge so, wie sie sind.

Die Stadt schrumpft. Die Bevölkerung reißt aus. Eine Fir-
mengründung am Ort, ein nagelneues Unternehmen könnte
den Trend umkehren, also her mit dem Schlips und vielleicht
weg mit den Regeln für die Abfallbeseitigung.

Nichts da.

Nicht mit ihm.

Er ist unmöglich. Aber sein Computer ist noch immer tot.

Nein, das stimmt nicht.

Jetzt sind sie wieder da, die pulsierenden Buchstaben in
den schrillen Farben, die nichts mit seinem Programm zu tun
haben, *sie stammen aus derselben Quelle wie meine Träume*,
fährt es ihm durch den Kopf, und ihm bricht der kalte
Schweiß aus.

Ein Buchstabe ist jetzt zu sehen.

Ein intensiv leuchtender Punkt, eine berstende Nova –

D
E
I
N

K
I
N
D

★

«Deine Weihnachtsfeier ist mir doch scheißegal», brüllte Jönsson. «Lass mich in Ruhe!»

Erschrocken wich Lind zurück, die Tür zum Arbeitszimmer wurde zugeschlagen, und Jönsson presste die Hände an die Schläfen, um seinen Kopf am Bersten zu hindern.

Er hatte doch kein Kind, verdammt nochmal!

Jetzt war der Bildschirm wieder normal, als habe es diesen seltsamen Zwischenfall nicht gegeben.

Optiker reichte nicht. Es musste schon ein Augenarzt sein. Er schlug das Telefonbuch auf und blätterte fieberhaft in den Gelben Seiten, Ärzte, Ärzte.

Sicher, es kam bestimmt vom Alter. Jetzt war es so weit. Veränderungen in Linse und Glaskörper aufgrund des fortschreitenden Alters. Und dabei war er immer so stolz auf seine perfekte Sehfähigkeit gewesen. Ärzte. Augenärzte. Gab es denn in diesem verdammten Kaff nicht einen einzigen Augenspezialisten?

Und wenn es jetzt etwas Ernstes war? Grüner Star? Wieder brach ihm der kalte Schweiß aus. Niemals würde er sofort einen Termin bei einem Spezialisten bekommen, ging ihm auf. Er musste sich an seine Hausärztin wenden. Diese Hausärztin war im vergangenen Jahr dreimal umgezogen, und Jönsson konnte sich an die aktuelle Adresse nicht erinnern, wahrscheinlich lag die neue Praxis am anderen Ende der Stadt. Na ja. Die Stadt war ja nicht so groß. In einer guten Viertelstunde konnte man von einem Ende der Innenstadt zum anderen spazieren. Unterwegs kam man an den üblichen Geschäften vorbei: einer Konditorei, vier Pizzerien, einem Bioladen, einer H&M-Filiale, der Einkaufspassage Veilchen, der Apotheke, dem Busbahnhof und einem Postamt, das bald stillgelegt werden sollte. Die schwedischen Postämter wurden in raschem Tempo geschlossen, sie rentierten sich nicht.

Ab und zu hatte er den Eindruck, dass ganz Schweden stillgelegt werden sollte, aber das lag vermutlich daran, dass er in einer schrumpfenden Gemeinde lebte.

Er dachte nach. Er hatte jetzt keine Zeit, sich auf Arztsuche zu begeben. Nicht während der Arbeit. War in der Datei, die er eben geöffnet hatte, wohl etwas verloren gegangen? Nein, nichts. Er arbeitete an einer Mahnung an eine Hausverwaltung, deren Abfallkeller nicht den Normen entsprach. Dieser lag an einem Hof, der nur über mehrere Treppen zu erreichen war, es gab keine Zufahrtsrampen, die Müllarbeiter mussten Säcke schleppen wie in alten Zeiten. Das Haus war wunderschön gelegen, mitten in der Stadt und am Flussufer, es stand unter Denkmalschutz, war über hundert Jahre alt und wurde von privilegierten Menschen bewohnt. Er hatte sich für einen Strafbescheid von zweihunderttausend Kronen entschieden.

Als er diese Summe gerade in das Formular eintippen wollte, ging die Teufelei wieder los:

D
E
I
N

K
I
N
D

I
S
T

I
N

G

E

F

A

H

R

★

«Ich hab verdammt nochmal kein Kind, hab ich doch gesagt!»

Er läuft durch den dichter werdenden Schnee und sagt es ganz laut, ohne darauf zu achten, dass die Vorübergehenden ihn anstarren wie einen Verrückten. Die Schneeflocken bleiben in seinen Haaren und auf seinem Mantel haften. Der Straßenmatsch dringt in seine Halbschuhe.

Vor der Konditorei bleibt er stehen.

Er hat noch nie einen Fuß hineingesetzt – Kuchen und überteuerter Kaffee reizen ihn nicht –, doch jetzt starrt er durch die beschlagenen Fenster auf Zimtbrötchen, Saffranbrote, weihnachtlich dekorierte Pfefferkuchenherzen und üppige Prinzessinnentorten und sieht ein, dass er Trost braucht.

Seine Chefin hat ihn nach Hause geschickt. Er kam mit wildem Blick in ihr Büro gestürzt und störte sie in einem vertraulichen Gespräch mit Lind, mit Lind, der zurückgelehnt auf ihrem hellblauen Besuchersessel saß und sie immer wieder mit Vornamen anredete, übertrieben deutlich, wie in einem Hollywoodfilm:

«Maria, ich finde wirklich, dass … was diese Besucher aus Stockholm angeht, Maria … es wäre doch so schön, Maria, wenn auch du zur Weihnachtsfeier kämst …»

Beide fuhren zusammen, als sie Jönsson erblickten. Lind zog sich nervös am Schlips, die Chefin rückte ihre Brille gerade.

«Es geht dir nicht gut», stellte sie fest. «Du bist ja totenblass.»

«Ich bin das nicht, sondern mein verdammter Computer.»

«Computerprobleme? Okay, das wird sich dann jemand ansehen. Aber du, Jönsson, nimm dir doch für heute einfach frei, ja? Du hast in letzter Zeit hart gearbeitet. Du solltest dich ausschlafen. Bleib einfach mal ein Weilchen zu Hause. Es reicht, wenn du am Freitag wieder zur Arbeit kommst.»

«Aber …»

Sie brachte ihn mit einer Handbewegung zum Schweigen, eine freundliche Geste, wie für einen Hund.

Ja, er braucht wirklich Trost.

Er geht in die Konditorei und bestellt sich einen fetten Kopenhagener und einen Becher von diesem blöden *caffè latte*, wie ihn derzeit alle Welt trinkt.

Er achtet nicht einmal auf den Preis, so schlimm steht es um ihn, soll es doch kosten, was es will.

★

Beim Einschlafen erinnert er sich noch immer an ihre Brüste – wie sie sich unter seinen Händen gewölbt haben, ihre Weichheit, ihre festen Warzen, den pulsierenden Atem, ihren Herzschlag. Sie hatte immer solche Lust, konnte sich nicht beherrschen, wand sich unter ihm, schob sich ihm ungeduldig entgegen, es ist jetzt lange her. Fünfzehn Jahre sind vergangen. Aber er hat nicht vergessen.

Seither hat er andere Frauen gehabt, er hatte sogar eine längere Beziehung, die vielleicht zu einer Ehe hätte führen können, wenn die Frau nicht dermaßen unmögliche Forderungen gestellt hätte. Frauen verlangen so verdammt viel. Sie wollen Haus und Boot und Kinder und Hund. Sie wollen samstags im Stau vor dem Einkaufszentrum stehen und im Urlaub mit der Fähre nach Deutschland reisen, sie wollen ein stromlinienförmiges, bürgerliches Leben führen, und das käme für ihn nie infrage. Wenn es nicht verboten wäre, würde er noch immer ab und zu einen Joint rauchen, und er hat nicht vor, sich die Haare schneiden zu lassen, er hat seine Jazzplatten und seinen samstäglichen Whisky, das reicht. Er braucht keinen verdammten Volvo, der ihn zu einem verdammten Einkaufszentrum bringt, während seine verdammten Rotzgören auf dem Rücksitz herumquengeln. Es muss natürlich ein erstklassiger Maltwhisky sein, denkt er, als er die Kuchengabel in den duftenden Vanilleguss bohrt und sich, hilflos nach all den Jahren, seufzend an ihren Körper erinnert.

Sie wollte genauso leben wie er. Das war natürlich gut so, brachte aber auch ein Problem mit sich: Sie wollte um keinen Preis sesshaft werden. Sie hatten eine kurze gemeinsame Zeit, dann machte sie sich auf eine lange Reise nach Indien und ließ nie wieder von sich hören.

Fünfzehn Jahre.

Eine lange Zeit.

Aus seinem Becher steigt Dampf auf. Die Kleine hinter dem Tresen hat den weißen *caffè latte*-Schaum mit Zimt bestreut, gierig zieht er diesen Duft ein, es riecht gut. Nach Weihnachten. Reisbrei mit Zimt und Milch in Mamas Küche, ein kleiner Junge ohne eine einzige Sorge auf der Welt …

O verdammt, jetzt fängt er an zu weinen! Was ist denn los mit ihm? Die Chefin hat Recht, er braucht Ruhe, er ist erschöpft, vom Stress im Büro und in seinen unruhigen Nächten, dem Schlafmangel, D-E-I-N K-I-N-D I-S-T I-N G-E-F-A-H-R …

Die pulsierenden Buchstaben in seinem Traum, immer wieder, Nacht für Nacht, *intensiv leuchtende Punkte, berstende Sonnen* …

Ich werde verrückt, denkt er sachlich.

Ich bin einfach nicht mehr klar bei Verstand.

Und das ist absolut keine Schande.

Sondern kann wirklich allen passieren!

Im Grunde werden ja gerade die interessantesten Menschen wahnsinnig, die besonders verletzlichen und zarten

Seelen, nicht dass er sich jemals als verletzliche und zarte Seele betrachtet hätte, aber ab und zu muss man sein Selbstbild
eben verändern.

★

Die Dienst habende Ärztin beim psychiatrischen Notdienst
war einfach total inkompetent. Das ist ja bekannt, nur die mie-
sesten Medizinstudenten werfen sich dann auf die Psychia-
trie. Sie fragte, ob er Stimmen höre, ob er sich verfolgt fühle,
ob ihm der Kontakt zu seinem Körper fehle. Dann sagte sie,
psychisch sei mit ihm alles in Ordnung, er sei vielleicht ein
wenig ausgebrannt, sie schrieb ihn krank und schickte ihn mit
einem Rezept für ein mildes Schlafmittel nach Hause.

Wütend machte er im Schneegestöber einen langen Spaziergang, vom Krankenhaus zur Apotheke und dann nach
Hause, ohne sich darum zu kümmern, dass er fror, so spärlich
bekleidet, wie er war. Es dämmerte und wurde zusehends
kälter. Gegen Ende seiner Wanderung fegte der Wind die
Schneewolken vom Himmel und gab den Blick frei auf einen
glasklaren Vollmond. Die Sterne funkelten wie Frauenaugen,
wie ihre Augen, nein, wie ihre Zähne zwischen den feuchten
roten Lippen ...

Er blieb stocksteif stehen.

Sein Blut pochte.

Ich brauche Sex, dachte er.

Ein Mann, der barhäuptig und ohne Handschuhe durch
die Winterkälte geht und der innerlich überhitzt ist von erotischen Phantasien um eine Frau, mit der er fünfzehn Jahre zuvor eine flüchtige Affäre hatte, braucht Sex. Sofort.

Aber mit wem?

Es gab keine.

Er hatte, seit es mit der Hochzeit dann doch nicht geklappt
hatte, die Frauen ein für alle Mal aufgegeben. Seltsam, er
hatte ihr doch alles geboten – Gleichberechtigung, gerechten

219

Putzplan, Sex ohne Sexismus, aber geklappt hatte es trotzdem nicht. Sie hatte einfach nicht akzeptieren wollen, dass er kein machohafter Spießer war und auch niemals werden könnte. Die Frauen faselten so viel von gleichen Bedingungen für die Geschlechter, aber im Grunde wollten sie Männer, die Möbel tischlerten und Karriere machten, während sie sich selbst in schwachsinnige Frauenzeitschriften versenkten. Die Trennung war schließlich aus dem überaus albernen Grund erfolgt, dass er ein Ultimatum gestellt hatte: keine Frauenzeitschriften in ihrem gemeinsamen Heim! Keine Hochglanzblätter mit Klatsch und Diätanleitungen. War das denn so viel verlangt?

Hatte er wirklich versucht, sie zu tyrannisieren, wie sie behauptet hatte?

Er meinte, nicht.

★

Er steht noch immer an derselben Stelle.

Seine Ohrläppchen frieren.

Die Tränen brennen in seinen Augen, aber diesmal will er ihnen nicht freien Lauf lassen! Verdammt, jetzt kann er vor Weihnachten den Strafbescheid an die Hausverwaltung nicht mehr losschicken.

Er schafft überhaupt nichts mehr.

Er ist träge und langsam geworden.

Müllbeseitigung.

Müllbeseitigung ist wichtig.

Aber würde sie ihm da zustimmen?

Die Frau, die verschwunden ist?

Die Frau, die sicher später an den Stränden von Goa noch viele Männer geliebt hat.

Die ihn vermutlich inzwischen vergessen hat.

Auch egal.

★

Mit dem Schlaf kam das Fieber.

Er hatte das verschriebene Mittel und einen Whisky genommen, und das hatte ihn eindösen lassen, aber jetzt erwacht er mit hämmernden Schläfen und einem ekelhaften Geschmack im Mund. Der Mond scheint auf sein Kissen. Das weiße Licht ist sanft und stark zugleich, es legt alles bloß. Er setzt sich im Bett auf, sein Hals tut so weh, dass er kaum schlucken kann.

Natürlich ist mit seinen Augen alles in Ordnung.

Die blicken so scharf wie damals, als er jung war. Er sieht alles klar.

Das Fieber lässt ihn zittern, reißt an seinem Körper. Der flammende Text leuchtet an seiner Schlafzimmerwand wie die selbstverständlichste Sache auf der Welt: DEIN KIND IST IN GEFAHR.

Ihre Brust, ihr weit offenes Geschlecht, alles, was sie damals von ihm wollte.

Etwas geht vor sich.

Besser, er sieht sofort ein, dass er es nicht mit der normalen, rationalen Welt zu tun hat und dass er keine Kontrolle darüber hat.

★

Heute Nachmittag gehen sie zur Weihnachtsfeier, allesamt, denkt er.

Dieser freche Arsch Lind, die Chefin Maria, die angeblich etwas mit Lind hat, obwohl sie doch zwanzig Jahre älter ist, und alle anderen Idioten.

Alle sind Idioten.

Wann hat er angefangen, so zu denken? Alle in der Stadt – na ja, nicht die Schwachen und Hilflosen, nicht die Penner und Wermutbrüder, sondern die anderen – für Idioten zu halten?

Der Morgen ist klar und kalt. Der Schnee sieht aus wie mit funkelndem Zucker bestreute Schlagsahne. Das Sonnenlicht fällt mit seinen bleichen Messern durch die Zweige, die Messerklingen sind dünn und biegsam wie gehärteter Stahl, und es ist jetzt einfach schweinekalt. Das Thermometer zeigt siebzehn Grad unter null. Er sitzt am Küchentisch und sehnt sich nach geschäumter Milch zum Kaffee wie in der Konditorei.

Man sollte sich so eine blöde Espressomaschine anschaffen, komplett mit Kaffeemühle und einem Hahn, aus dem geschäumte Milch kommt, es wäre natürlich der pure Wahnsinn, aber er könnte es sich leisten. Er braucht doch nur an sich selbst zu denken.

Natürlich kaufen sich nur Idioten zu Weihnachten luxuriöse italienische Kaffeemaschinen, aber vielleicht ist er ja auch kein geringerer Idiot als andere.

Dieser Gedanke lindert seine Symptome. Er hört auf zu husten und zu rotzen und blättert leicht zerstreut in der Morgenzeitung, leider ohne eine Annonce für eine Espressomaschine zu finden. Zu Weihnachten schenkt man in diesem Jahr offenbar DVD-Player. Oder elegante Uhren. Oder Goldschmuck. Oder …

Er versucht, sich auf eine Gehässigkeit über die verdammte Konsumgesellschaft zu konzentrieren, aber er ist noch immer krank. Morgens hatte er neununddreißig Grad Fieber, und sein Kopf scheint mit Holzwolle ausgestopft zu sein. Und nachts war er nicht ganz bei sich, hatte Visionen.

Jetzt wartet er auf etwas.

Worauf, weiß er nicht.

★

«Habt ihr das von Jönsson gehört? Er ist Vater geworden!»

Fredrik Lind stürmte mit wehendem Schlips und gesträubten Haaren in den Pausenraum. Die anderen starrten ihn verwirrt an, sie hatten noch rote Augen vom Vorabend – es war eine gelungene Weihnachtsfeier mit viel Schnaps und großen Vertraulichkeiten gewesen. Jetzt mussten sie den Vormittag überstehen, ohne sich allzu nützlich machen zu müssen. Draußen schien die Sonne. Es war ein Tag für einen stärkenden Skiausflug und danach ein oder zwei die Form wiederherstellende Biere in der Sauna, aber doch kein Tag für Büroarbeit.

«Vater? Was redest du denn da? Das ist doch überhaupt nicht möglich!»

«Nicht? Dann seht euch doch dieses Fax an! ‹Ich komme erst mal noch nicht zurück. Nehme für unbestimmte Zeit Urlaub, da könnt ihr sagen, was ihr wollt. Bin Vater geworden. Jönsson›.»

Lind schwenkte das Fax unter der Nase der Kollegen. Das erste Staunen wich bald einem immer stärker werdenden, ungläubigen Gemurmel. Hatte dieses Fossil denn wirklich eine so junge Frau, die noch Kinder bekommen konnte? Himmel, der musste doch über fünfzig sein. Und warum hatte er nichts gesagt? Neun Monate ohne einen Mucks? Das konnte niemand glauben. Nur die Chefin behielt die Fassung:

«Möglich ist alles», sagte sie gelassen. «Warum sollte nicht auch jemand wie Jönsson Geheimnisse haben können? Das haben andere doch auch.»

Sie wechselte einen langen Blick mit Fredrik Lind. An diesem Tag strahlte sie auf fast unanständige Weise. Ihre Haare waren fülliger und geschmeidiger als sonst, ihr Blick leuchtete klarer, und ihre Brüste wölbten sich unter ihrer Bluse auf eine ganz ungewohnte Weise. Trotzdem hatte sie an ihrem Äußeren nichts geändert: kein Make-up, kein Friseurbesuch, kein Push-up-BH.

Geheimnisse …

★

Fünfzehn Jahre ohne ein Wort.

Er weiß noch immer nicht, was er sagen soll.

Seit sie aufgetaucht ist, hat er kaum ein vernünftiges Wort über die Lippen gebracht.

Vielleicht sollte er wütend reagieren. Das wäre natürlich das richtige Verhalten. Sie hat ihn erniedrigt, ihn hinters Licht geführt, ihm das vorenthalten, was zu wissen sein Recht gewesen wäre, aber das spielt keine Rolle. Um Prestige sollen andere sich sorgen. Prestige war für ihn nie wichtig.

Er fühlt sich plötzlich viel jünger.

Er ist jetzt ganz gesund. Geheilt.

Es wäre nicht richtig zu behaupten, sie habe sich nicht verändert. Ihr Gesicht ist müde und grau, ihre Haare sind stumpf geworden und ausgedünnt. Ihr Busen unter dem offenen Bademantel hat keine wirkliche Ähnlichkeit mit den Brüsten seiner Erinnerung. Das macht nichts. Sie ist, wie sie ist.

«Du wirst es nicht glauben», sagt sie, «aber ich arbeite jetzt in einer Bank.»

«In einer Bank? Du wolltest doch mit deinen Freunden in Uttar Pradesh einen Aschram eröffnen?»

«Trottel, die waren allesamt nur Trottel. Aber du weißt ja, ich war erst fünfundzwanzig. Damals habe ich den Leuten alles geglaubt.»

Sie schaut ihn an. Ihr Blick hat sich nicht verändert, er ist glasgrün, flaschengrün.

Ich liebe dich, liebe dich, liebe dich. Liebe dich …

«Ich habe alles geglaubt, was irgendwer mir erzählt hat», sagt sie noch einmal. «Du weißt schon, ich liebe dich und solchen Blödsinn. Du hast eine Menge geredet, aber auch meine Briefe hast du nie beantwortet, ich war dir doch egal. WIR waren dir egal.»

Er hat noch immer ihren Geschmack im Mund, er spürt noch immer ihre Haut unter seinen Händen. Und noch immer hat er das Gefühl zu träumen.

Sie stand vor seiner Tür.

Einfach so.

Die Klingel ging, und da stand sie.

Er träumte von ihr, hatte Fieber, und sie kam.

Wirklich.

Aus Fleisch und Blut.

Aber er hat das Gefühl zu träumen.

★

Ein Sohn.

Sein Sohn.

Ein Vierzehnjähriger in einem Stockholmer Krankenhaus, nach einem Autounfall im Koma.

DEIN KIND IST IN GEFAHR …

«Bist du sicher, dass ich nicht spinne?», fragt er. «Ich meine, bist du wirklich hier? Das ist nicht einfach nur eine Halluzination? Ich meine, dass du gekommen bist? Und dass dein Sohn … unser Sohn …»

«Wir waren dir egal!», schreit sie. «Und jetzt willst du mir was von Halluzinationen erzählen! Ich kann auch wieder gehen, wenn dir das lieber ist. Ich hau sofort ab, hol dich doch der Teufel! Aber ich dachte, wo er zwischen Leben und Tod schwebt, solltest du es ja doch erfahren – und ich fand, so was sagt man nicht am Telefon, und deshalb habe ich ihn verlassen, um herzufahren und mit dir zu reden, und jetzt reißt du Witze über Halluzinationen!»

Sie bricht nicht schluchzend zusammen, wirft sich nicht als unter Tränen bebendes Häuflein Elend auf den Tisch, wie man es doch erwarten könnte, nein, dazu ist sie zu stark. Dazu war sie immer schon zu stark. Jetzt schneidet ihr grüner Blick durch seine Unruhe, es kann keinen Zweifel geben, sie ist wirklich da, er ist gesund, großer Gott. Er hat es ja sogar schriftlich, erst vor zwei Tagen war er beim psychiatrischen Notdienst, und dort wurde ihm versichert, dass er ganz gesund sei.

«Ich war vierzehn Jahre mit ihm allein», sagt sie ruhig. «Du kannst dir nicht vorstellen, was das bedeutet. Wenn du wenigstens auf meine Briefe geantwortet hättest …»

«Was soll dieses verdammte Gefasel über die Briefe. Ich habe keine Briefe bekommen.»

Schweigen legt sich wie Schnee über das Zimmer. Es sickert in sie beide ein. Ihre Augen weiten sich, wie vorhin, unter ihm, sie war unter ihm so weit offen wie vor fünfzehn Jahren, *die Türklingel ging, und da stand sie, er träumte von ihr, er hatte Fieber, und sie kam. Wirklich. Aus Fleisch und Blut.*

Sie betrat mit Tränen in den Augen seine Wohnung, und sie gingen ins Bett. Sofort. Und jetzt:

«Ich habe dir Briefe aus Indien geschickt», flüstert sie. «Als mir aufging, wie es um mich stand.»

«Aus Indien, hm? Die habe ich nie bekommen.»

«Und dann bin ich irgendwann nach Hause gefahren, und er wurde geboren, und inzwischen hatte ich entschieden, dass ich allein zurechtkommen würde.»

«Und in all den Jahren hast du dir das nie anders überlegt? Du hättest, mhm, mir doch noch einen Brief schicken können.»

«Du, ich bin keine, die sich die Dinge anders überlegt, das weißt du. Und ich wollte nicht. Eigentlich wollte ich nicht …»

«Du wolltest mich nicht in die Sache hineinziehen, nein. Aber jetzt machst du mir Vorwürfe. Ich habe nichts von mir hören lassen und mich nicht um euch gekümmert und bla bla bla. Du …»

Sie legt ihre Hand auf seine, und ihre Hand ist leicht und kühl:

«Wir haben keine Zeit für diesen Unsinn», sagt sie. «Wir müssen fahren.»

★

Siebzig Kilometer bis Stockholm, kein Schnee auf der Autobahn, die ist geräumt, freigefahren, der Verkehr fließt einigermaßen, bald werden sie dort sein. Sie fährt schweigend weiter, und er mustert ihr Profil, die gerade Nase, die hohe Stirn, *ich liebe dich, liebe dich, liebe dich. Liebe dich.*

Gedankenfetzen wirbeln durch sein Bewusstsein, aber er kann sie nicht zu einem klaren Muster zusammensetzen. Alles, was ihm gestohlen worden ist. Die Ausmaße dessen, was sie getan hat. Die Folgen ihrer schweigsamen Jahre. *Ich hasse dich …*

«Es gibt eine Wirklichkeit hinter der sichtbaren», sagt sie plötzlich. «Es gibt Dinge, die du mit deinen rationalen Erklärungen nicht erfassen kannst, aber das willst du ja nicht glauben.»

«Nein, das glaube ich nicht. Und du, du arbeitest in einer Bank.»

Sie dreht den Kopf ein wenig und lächelt ihn an.

«Ja», sagt sie. «Ja, ich arbeite in einer Bank. Und du kümmerst dich um Abfallbeseitigung.»

Und unser Kind ist in Gefahr, will er hinzufügen, aber die pulsierenden Buchstaben sind ihm entglitten. Die Warnung ist verklungen.

Alles ist ruhig.

Über das andere weiß man nichts, *Fetzen, Liebe, Hass,* aber mit dem Jungen wird alles gut gehen.

★★★

Kim Småge Das Weingeheimnis
Aus dem Norwegischen von
Gabriele Haefs

*Wein befreit den Menschen von der kühlen Denktätigkeit und
offenbart seine innere Wärme und sein wahres Wesen.*

(frei nach Dionysos)

Vor etlichen Jahren gehörte ich einer Jury an, die den besten
Roman im Genre Krimi und Spannung auswählen sollte. Die
Manuskripte strömten herein, und als das letzte gelesen war,
hatte ich den Eindruck gewonnen, dass Tafelfreuden und
Mord zusammengehören. Nicht notwendigerweise weil Essen
und Wein den Tod brächten. Aber zu all diesen eleganten
Morden gesellten sich unweigerlich Speis und Trank. Vor allem Trank. Und kein beliebiger Trank! Helden und Schurken
tranken keine Buttermilch und keine Vollmilch, weder Limonade noch Cola oder Wasser. Helden und Schurken tranken
Wein. Aber sie kippten sich den Wein nicht hinter die Binde,
um davon in Stimmung zu kommen. Wenn sie ihre Sorgen er-
tränken wollten, dann griffen sie zu Bourbon, Whisky und
Wodka, und zwar an einem Tresen mit einem Barmann, der
sie verstand – Runde um Runde – und ihnen ins wartende
Taxi half, wenn der Abend ein Ende nahm, die Beine nicht
mehr gehorchten, die Aussprache stockte und der Held ins
Bett gesteckt werden musste. *Wein* dagegen spielte in den
Manuskripten eine ganz andere Rolle. Er diente dem Genuss.

Ich fühlte mich von diesen Szenen total provoziert. Von diesen endlosen Mahlzeiten mit allerlei Weinsorten, die gekostet
und geschmeckt und gegurgelt und kommentiert werden

mussten. Ich kam mir vor wie im Kurs «The Noble Art of Wine Tasting».

Was ich als Mädel aus dem Ostend von zu Hause an Wissen über Rotwein mitbekommen hatte, war folgende Aussage: «Huch, saurer Rotwein!» Weißwein wurde nie erwähnt. An einem Sommerabend, als die Frauen strickend auf den Bänken saßen und die Männer sich mit Schach die Zeit vertrieben, hatte ein Steward, der im Haus wohnte, eine Flasche Weißwein spendiert. Ich glaube, die Beschenkten wollten doch lieber Kaffee trinken. In meiner Umgebung hatten diese langhalsigen grünen oder blanken Weinflaschen einfach keine Tradition. Sie gehörten in eine andere Welt.

Ich bitte alle Weinkenner, mir zu vergeben, aber ich trinke wirklich gern Wein – vor allem Rotwein. Und ich esse gern Räucherlachs. Und es ist nicht mein Problem, dass die Kellner erbleichen und «Verzeihung?» fragen, wenn ich gut temperierten Rotwein und gut geräucherten Lachs bestelle.

★

Da saß ich nun also, mit Tausenden von Manuskriptseiten, auf denen es neben Morden und deren Aufklärung vor allem um Essen und Trinken ging.

Ich versuchte, neutral zu sein, professionell, und keinen Autor zu nominieren, nur weil Held oder Schurke Grütze, Hering und Knäckebrot aß und Sauermilch trank.

★

Ich versuchte, meinen Kopf auf null zu schalten. Es lagen doch recht viele Jahre zwischen meiner Jugend und «Rotwein schmeckt sauer» und meiner jetzigen Situation. Wirklich viele Jahre. Aber als ich zurückspulte und mich bemühte, WEIN zu denken, wurde ich ein wenig verlegen. Denn Rotwein für mich als Erwachsene bedeutete brennende Kerzen, eine Flasche beliebigen Weins, ein Zimmer mit Sofa und eine aufkeimende Liebschaft. Ziemlich banal also. Ich kann mich jedenfalls nicht daran erinnern, dass wir am Korken geschnuppert oder den Wein in eine Karaffe dekantiert oder ihn in den passenden Gläsern serviert hatten. Wir tranken vor allem aus für Studenten typischen Senfgläsern.

Aber ich bin nun einmal ein neugieriges Wesen, und mein Entschluss stand fest: Ich wollte den Weinkennern (sprich den Manuskriptverfassern) ihr Wissen über die verschiedenen Weinsorten entreißen.

Die Dame im Weinladen fand mein Vorhaben lustig. Ich erzählte von seriösen Weinproben, und sie versah mich mit Weinen von den preislichen Leichtgewichtsklassen bis zu den wirklichen Schwergewichten. Letztere rissen ein tiefes Loch in meine Brieftasche.

Ich transportierte die Weinflaschen durch die vereisten Straßen stehend, nicht liegend. Denn so verhält sich eine echte Önologin trotz der Rutschgefahr. Liegender Transport zerstört irgendetwas. Ich hatte mir von Bekannten die vorschriftsmäßigen Trinkgefäße ausgeliehen, so echte, nach innen gebogene Weingläser. Beim Dekantieren war ich mir nicht mehr so sicher. Die einen sagten, der Wein müsse dekantiert werden, die anderen, das sei nur Unsinn. Aber alle stimmten überein, was das Lüften betraf. Mindestens dreißig Minuten musste der Wein gelüftet werden. Bei Zimmertemperatur. Und damit ist keine normale Wohnzimmertemperatur gemeint, die liegt viel zu hoch. Zimmertemperatur in der Weinsprache bedeutet für Rotwein achtzehn Grad. Und versuchen Sie bloß nicht, die Flasche am Heizkörper oder unter dem Heißwasserhahn anzuwärmen, das wäre ein Sakrileg. Ich beging kein Sakrileg. Ich hielt mich an die Vorgabe der Manuskripte; ich kaufte den Wein zwei Tage vor der Probe und ließ ihn in Ruhe liegen und vor sich hin temperieren.

Vor mir auf dem Tisch stand die ganze Flaschenbatterie aufgereiht. Ein schöner Anblick. Ich duschte jeden Morgen mit unparfümierter Seife, ich benutzte keinerlei Spray, das Geruch oder Geschmack beeinträchtigen könnte, wenn der MOMENT DES KOSTENS gekommen war. Ich verzichtete am Vorabend des großen Tages sogar auf meine Abendzigaretten.

★

Das Problem war, dass das Ganze vormittags stattfinden sollte. Denn vor zwölf sind die Geruchs- und Geschmacksnerven besonders aufnahmefähig. Schöner wäre es eigentlich, dabei zu mehreren zu sein. So könnte man auch ein präziseres Resultat erzielen. Ich rief also Freunde und Bekannte an. Einer arbeitete in der Schule – hatte Unterricht; eine arbeitete bei der Gemeinde – hatte Besprechung; einer arbeitete im Kindergarten – große Verantwortung; eine arbeitete in einer Zeitungsredaktion – hatte Deadline. Niemand konnte sich an einem Mittwochvormittag vor Weihnachten einer Weinprobe widmen. Ich musste mich also auf mich selbst verlassen.

★

Alles ging gut. Ich stand früh auf. Ließ meine Katze nach draußen in den Schnee, ging gleich nach Ladenöffnungszeit zum Bäcker und kaufte Weißbrot. Und Mineralwasser. Wichtige Zutaten zu der Seance, die nun folgen sollte.

Alles war unter Kontrolle. Ich ging mit Andacht und Neugier zu Werk. Ich sehnte mich danach, zur Eingeweihten zu werden. Etwas von dem Prozess zu begreifen, den rote und blaue Trauben durchlaufen müssen, ehe sie in Flaschen landen und in Gläsern serviert werden.

★

Ich ging überaus sorgfältig vor. Hielt das Glas am Stiel, nahm den Wein in den Mund. Zuerst den billigen Wein. Spuckte aus nach Weinkennerinnenmanier. Kaute ein Stück Weißbrot.

Machte mit einem tureren Wein weiter. Mehr Weißbrot. Einen Schluck Mineralwasser. Nächster Wein. Ich schnupperte und gurgelte, kostete und schmatzte, notierte: «Dieser Wein hat meine Zähne ausgetrocknet, dieses Miststück. Zu viel Gerbsäure.» Und spuckte aus. Versuchte, das LICHT zu sehen. Aber ich sah weder LICHT noch Nationalität, Bodenbeschaffenheit, Hanglage, Traubensorte, die Ahnen der Winzer bis zurück zu Karl dem Großen, Jahrgang oder …

Es schmeckte nach Wein. Ganz einfach. Nach Rotwein. Die exaltierten Darstellungen in den Manuskripten trafen nicht zu, sie stimmten nicht. Mir erzählte der Wein rein gar nichts über die Geschichte der Winzer, über gute und schlechte Jahre, über mit Fuß- oder Maschinenarbeit gekelterte Trauben und alles andere, was ich doch erfahren, entlarven, erfassen wollte.

Am Ende vergaß ich, die Kostproben auszuspucken. Stellte fest, dass eine Erkenntnis ewig wahr bleibt: Wein bedeutet Rausch. Wein bedeutet brennende Kerzen, Umarmungen und eine aufkeimende Liebschaft. Oder Gemütlichkeit unter Freundinnen, die nach und nach samt ihren Problemen unter dem Sessel landen.

Ich saß am helllichten Vormittag mutterseelenallein da und spielte inmitten von Weihnachtsstress die Weinkennerin. Und das war ein Fehler. Kann mir denn irgendwer verdenken – so teuer, wie meine Weinprobe war –, dass ich nicht nur schnupperte und mit den Weintropfen gurgelte, dass ich sie nicht nur auf meiner Zunge herumrollen und im Mund Purzelbäume schlagen ließ? Sondern dass ich, statt auszuspucken, hinunterschluckte? Das tat ich nämlich. Schluckte hinunter. Schluck für Schluck. Weil es so schrecklich traurig war an diesem verschneiten Morgen, so ganz allein zu sein. Fast zum Heulen.

★

Ich war, als ich wieder zu mir kam, von meinen Notizen absolut begeistert. Auf dem großen weißen Bogen standen Wörter wie: «Herausfordernd, reich, harmonisch, hart, robust, behaglich, füllig, durchschnittlich, fein, rund, samtweich, volltönend, klein, kurz». Ist es da noch ein Wunder, dass ich, als ich kurz vor den Abendnachrichten erwachte, auf der Suche nach einem Mitmenschen, auf den all diese Adjektive zutrafen, auf dem Boden herumkroch? Ich konnte keinen finden. Ich fand nur einen Tisch mit halb vollen Weinflaschen und verdreckten Kristallgläsern mit Lippenstiftflecken auf einer fleckigen Damastdecke. Woraufhin ich aufgab. Ich goss alle Weinreste, teure wie billige, in einen großen Topf. Gab Zimt und Zucker, Kardamom und Pfeffer dazu und machte GLÜHWEIN. Meinen eigenen, über alle Rezepte erhabenen Glühwein. Ich rief alle Freunde an. Und dann gab es heißen Weihnachtspunsch!

★ ★ ★

Anna Jansson Der Ring

Aus dem Schwedischen von
Gabriele Haefs

Als er den Bierdosenring unter der dünnen Eisschicht auf der Pfütze glitzern sieht, weiß er, dass er den Herrscherring vor sich hat. Im magischen Licht der Straßenlaterne offenbart sich ihm das Geheimnis, so, wie es sich offenbarte, als Elrond noch über sein Tal herrschte und Gandalf den Beinamen «der Graue» trug. Er hat schon auf so etwas gewartet, hat es tief in seinem Knabenherzen geahnt. Und dann passiert es wirklich. Fredrik Bengtsson wird heute, am Dienstag, dem 10. Dezember, zum Träger des Rings ernannt, das sagt er laut vor sich hin. Irgendwo am Rand seines Bewusstseins hört er die Schulglocke zum zweiten Mal zur Stunde mahnen. Der Schulhof ist leer. Der Ring sieht trügerisch anspruchslos aus, wie er da eingeschlossen in seiner Schatztruhe aus Eis liegt, aber dennoch wird er die Welt bald verändern.

Neben dem Fahrradständer liegt ein spitzer Stock. Fredrik hat noch immer Schmerzen, seit Torsten ihn damit von hinten angegriffen und dabei so laut «Jetzt scheißt du dich voll» geschrien hat, dass die Mädchen es hören konnten. Dieses Schwert ist die Waffe, die er jetzt braucht. Als Befreier des Rings. Mit zwei heftigen Stößen steht ihm die unermessliche Macht zur Verfügung. Fredrik nimmt den Ring in seine Hand und schiebt ihn sich im Namen Gandalfs, der Elfen und der brummigen Zwerge auf den Finger. Es ist kein sonderlich merkwürdiges Gefühl, anfangs nicht. Aber dann, als er am Fahrradständer entlang auf Torstens scharfes neues Rad mit Handbremse, zwanzig Gängen und doppelter Federung schaut, da passiert in ihm etwas. Seine Zähne werden spitzer, und seine Augen schrumpfen zu kleinen glühenden Flammen. Aus seinen Händen wachsen grobe schwarze Haare hervor, seine Fingernägel krümmen sich zu Krallen. Und dann begeht der Träger des Rings eine Tat, zu der Fredrik Bengtsson aus der Klasse 1 A sich niemals erkühnen würde: Er stiehlt ein Fahrrad.

Den Hang hinunter geht es viel zu schnell. Die Straße ist die pure Eisbahn. Die Laternen jagen in gefährlichem Tempo vorbei. Fredrik schiebt die Füße auf den Boden, um zu bremsen, dann drückt er voller Panik auf die Handbremse und stürzt. Seine Handschuhe sorgen dafür, dass er sich die Hände nicht am Asphalt aufschrammen kann, aber sein Knie trägt eine Wunde davon. Das Fahrradblech beult ein, der Lack wird zerkratzt. Ohne den Ring würde er jetzt sicher vor Schmerz und Angst weinen, aber jetzt ist alles anders. Der Träger des Rings schaut vorwärts. Ihn locken die Waldwege. In den bereiften Baumkronen ist ein Flüstern zu hören. Ein märchenhaftes Raunen. Er besteigt sein Stahlross und begibt sich in das Labyrinth zwischen den schwarzen Baumstämmen. Zuerst kann er nur mit Mühe sehen, doch bald haben seine Augen sich an die Finsternis gewöhnt. Am erstarrten Bachlauf liegen einige kleine graue Hütten mit Grasdächern. Hinten, zur Wiese hin, gibt es einen Grashügel mit einer kleinen Tür aus morschem Holz. So sehen die Wohnstätten der Hobbits aus. Jetzt ist Vorsicht angesagt. Fredrik versteckt sich hinter dem Komposthaufen und zieht das Fahrrad hinter sich her. Zwischen den Tannen fallen Schatten. Es gibt schwarze Ritter. Man muss vorsichtig sein. Doch als Fredrik gerade den Ring abstreift und in die Hosentasche steckt, sieht er, wie die Tür im Hügel geöffnet wird und wie eine schwarze Gestalt im Wald verschwindet. Ein Gesicht, aber für den Moment weiß er nicht, wo er es schon einmal gesehen hat. Gut oder böse?

Freund oder Feind? Er wartete eine Ewigkeit aus fröstelnden Sekunden. Die Morgensonne sickert lautlos durch die Zweige und verschlingt die Schatten. Gestützt vom Fahrrad, kämpft er sich weiter, um einen Blick in den Erdkeller zu werfen. Die Tür ist angelehnt. Es riecht kalt und feucht und künstlich süß. Die Wände sind brüchig, und die Kälte klebt am Körper fest. Fredrik tastet sich weiter und stößt gegen etwas, das auf dem Boden liegt. Etwas, das Ähnlichkeit mit einem Sack Kartoffeln hat und doch keiner sein kann. Er sucht in seiner Hosentasche nach dem Feuerzeug, das er morgens aus der Jacke seines großen Bruders entwendet hat. Mit der kleinen Flamme in der Hand beugt er sich vor und blickt in ein gelbbleiches Gesicht mit glasigem Blick. Im klaffenden Mund sieht er einen zahnlosen Oberkiefer. Die Zähne sind heruntergefallen und haben sich quer gelegt. Wie hypnotisiert bleibt Fredrik zwei Sekunden lang unbeweglich stehen, dann stürzt er zurück ins Licht. Jagt durch den Wald, während seine Gedanken wie verängstigte Vögel durcheinander wirbeln.

«Du kommst schon wieder zu spät, Fredrik Bengtsson.»

Die Lehrerin hat diese energische Falte zwischen den Augenbrauen. Die ganze Klasse richtet ihre Aufmerksamkeit auf die Tür. Vorwurfsvolle Blicke begleiten ihn an seinen Platz.

«Ich musste zur Toilette.»

«Scheiß dich voll», faucht Torsten aus seiner Ecke beim Bücherregal.

★

Kriminalkommissarin Maria Wern sieht zu, wie der schmächtige Frauenkörper in einen schwarzen Plastiksack gepackt wird. Der Techniker zieht den Reißverschluss hoch und erhebt sich mühsam, eine Hand ins Kreuz gelegt. Seit geraumer Zeit hat niemand mehr etwas gesagt. Die Stille im Wald, die schwarzen Zweige der kahlen Bäume, die sich vor dem weißen Schnee abzeichnen, lassen die Umgebung an einen Friedhof erinnern. Einen natürlichen Ort für Vergänglichkeit und doch wieder nicht. Der Eindruck wird gestört durch den rotbraunen Flecken auf der Zementplatte und durch das Kinderfahrrad, das achtlos hingeworfen vor der Tür zum Erdkeller liegt.

«Hier ist eine Frau, die mit dir reden will, Wern.»

Polizeiassistent Ek zeigt auf einen weißen Saab, der auf dem Kiesweg bis zur Absperrung vorgefahren ist. «Sie heißt Sara Skoglund, ihr habt vorhin telefoniert.» Maria holt tief Luft, versucht, die Bilder zu verjagen und zur Ruhe zu kommen, ehe sie zu der verstörten alten Dame ins Auto steigt.

«Kann sie gestürzt sein und sich dabei tödlich verletzt haben? Ich habe die Wunde in ihrem Hinterkopf gesehen», sagt die Frau kaum hörbar und zupft sich am Kinn, bis rote Spuren zu sehen sind.

«Es ist noch zu früh, um darüber etwas sagen zu können», erwidert Maria gelassen. Saras Augen hinter ihrer starken Brille sehen unnatürlich groß aus. Sie scheinen zu wachsen und ineinander überzugehen, wenn sie an den schrecklichen Anblick denkt, den sie über sich ergehen lassen musste. Maria legt den Arm um die andere, bis deren Schluchzen verstummt ist. Danach reicht sie ihr eine Packung Papiertaschentücher. «Erzählen Sie mir, was Sie wissen.»

«Ellen Borg», Sara zeigt auf die Tote, «hat im selben Haus gewohnt wie ich. Montags haben wir zusammen Bridge gespielt. Gestern Abend hat sie mich gefragt, ob ich sie hierher fahren könnte. Eigentlich fahre ich nicht gern im Winter, schon gar nicht, wenn es dunkel ist. Aber ich gab dann doch klein bei. Sie wollte sofort herkommen und hier übernachten. Fragen Sie mich nicht, warum. Das hat sie jetzt seit einigen Monaten hier gemacht. Jeden Montag nach dem Bridge hat sie mich gefragt. Wir haben dann verabredet, dass ich sie heute Nachmittag abholen sollte. Um zwei, aber ich habe mich ein wenig verspätet. Ellen hat hier draußen kein Telefon, deshalb konnte ich ihr nicht Bescheid sagen.»

«Und wie spät kann es gewesen sein, als Sie hergekommen sind?»

«Sicher fast drei. Die Tür war unverschlossen, deshalb ging ich hinein. Ich rief ihren Namen … aber es kam keine Antwort. Sie legt den Schlüssel immer unter den Krug auf der Treppe, wenn sie ins Dorf geht. Aber diesmal steckte er in der Haustür. Und dann sah ich das Fahrrad vor dem Kartoffelkeller liegen. Das fand ich seltsam, deshalb ging ich hin. Und dort …»

Das Gesicht der Frau zieht sich verzweifelt zusammen, und Maria lässt ihr Zeit, sich zu beruhigen, ehe sie die Vernehmung fortsetzt.

★

Die Nacht kommt. Fredrik liegt im Bett und lauscht auf die langsam verklingenden Geräusche. Der Fernseher wird ausgeschaltet, aber für eine Weile ist noch die Anlage im Zimmer seines großen Bruders Leo zu hören. Die E-Gitarre zerfetzt die Tapeten, wehmütig und schön. Leo ist verliebt. Deshalb hört er sich Rockballaden mit steinharten Bassläufen an. Love hurts, sagt er, lässt sich aufs Bett fallen und starrt die Decke an, während Fredrik zu begreifen versucht, was denn so wehtut. Das Beste wäre natürlich, wenn sie alles zusammen machen könnten, wie damals, als sie Windpocken hatten. Es war schön, als Leo die Geschichte des Ringes vorgelesen hat. Es ist sehr einsam in Fredriks Zimmer, vor allem im Dunkeln und wenn Mama nicht zu Hause ist. Aber Leo will mit seinem Leid allein sein. Das hat er vorhin deutlich gezeigt, als er dem kleinen Bruder eine leere Coladose an den Kopf geworfen hat. Im

Fenster leuchtet der Adventsstern. Als kleiner Trost in dieser unheimlichen Welt, und bald kommt das Lucia-Fest in der Schule. Fredrik muss dafür ein Gedicht auswendig lernen. Er übt und übt, bis die Wörter durch sein Gehirn tanzen.

Meine Kerze brennt für Lucia,
denn jetzt ist Weihnachten nah,
und ich entzünde alle Lichter
in der Krone in ihrem Haar.

Unter dem Bett lauern Dackel, schwarze schleimige Geister von toten Dackeln. Wenn Fredrik die Beine über die Bettkante hängen lässt, werden sie ihn beißen und mit dem Tod anstecken. Deshalb rennt er durch den Wald, ohne innezuhalten. Sie schnappen nach seinen Hosenbeinen. Er tritt um sich, um sich von ihnen zu befreien. Rennt auf das schwarze kalte Wasser des Flusses hinaus und springt über die Eisschollen stromabwärts. Doch dann sieht er das Gesicht unter dem Eis. Die grauen Haare rahmen es ein wie ein staubiger Heiligenschein, und die Augen starren ihn vorwurfsvoll und tückisch aus dem gelben Gesicht an. Fredrik schreit auf, doch der Schrei bleibt in seiner Lunge stecken. Am anderen Ufer, wo Rettung zu finden wäre, steht Torsten mit dem ruinierten Fahrrad in der Hand. Das alles ist entsetzlicher, als irgendwer es ertragen könnte. Fredrik gibt den Kampf auf, er lässt sich versinken und wird vom eiskalten Wasser zum Teich getragen. Er friert so schrecklich, dass er erwacht …

«Leo! Aufwachen, Leo!»

«Was ist denn los?»

«Die Dackel haben in mein Bett gepinkelt und ich friere!»

★

Maria Wern sitzt in sich zusammengesunken vor dem Fenster in ihrem Arbeitszimmer. Sie schaut hinaus ins Schneegestöber, ohne etwas zu sehen, tief in Gedanken versunken. Was wollte Ellen Borg in den Montagsnächten in ihrer Waldhütte? Die Hütte weist keinerlei modernen Komfort auf. Um sich eine Tasse Kaffee zu kochen, musste sie zuerst ein Loch ins Eis schlagen, dann Wasser ins Haus schleppen und im Holzofen ein Feuer entfachen. Die Bettwäsche war feucht und klamm, der Boden eiskalt. Im Sommer mag das ja seinen Reiz haben, aber im Winter? Weiter kommt sie mit ihren Überlegungen nicht, denn nun hört sie aus der Sprechanlage Eks Stimme.

«Besuch für dich.»

Ein hoch gewachsener, magerer Mann in schwarzem Mantel stellt sich als Ludvig Borg vor. Er hat schüttere Haare mit einem Mittelscheitel, und die Augen, die durch eine Nickelbrille lugen, sind tief dunkelblau. Arvidsson und Ek haben ihm am vergangenen Abend die traurige Nachricht mitgeteilt. Überraschenderweise fanden sie Borg in der Wohnung seiner Mutter. Er war auf der Durchreise und besaß einen Schlüssel. Maria bietet ihm einen Stuhl an und holt zwei Becher Kaffee. Milch und Zucker will Ludvig nicht. Trotz seines Wollmantels scheint er zu frieren.

«Sie ist ermordet worden?» sind seine ersten Worte, nachdem er sich gesammelt hat.

«Ja, daran kann es keinen Zweifel mehr geben. Sie wurde von hinten mit einem stumpfen Gegenstand niedergeschlagen.»

«Kann das ein Einbrecher gewesen sein?»

«Vielleicht. Wissen Sie denn, ob es in der Hütte irgendwelche Wertgegenstände gab?»

«Das kann ich mir kaum vorstellen. Meine Mutter war keine vermögende Frau. Sie hatte ihre Rente. Aber das ist nicht viel bei einer, die ihr Leben lang bei der Post gearbeitet hat. Das Geld hat wohl gerade noch für die Grundsteuer gereicht, als die vor zwei Jahren verdoppelt wurde. Sie wollte die Hütte absolut nicht verkaufen, sie hat sogar mit dem Gedanken gespielt, ihre Einzimmerwohnung in der Stadt aufzugeben. Ich weiß nicht, wie sie das Problem schließlich gelöst hat.»

«Ja, das weiß ich noch. Damals habe ich über die neuen Steuersätze in der Zeitung gelesen. Es ist die pure Diskriminierung. Viele alte Leute mussten deshalb verkaufen. Wohnt da draußen jetzt noch jemand, oder werden diese Hütten nur in den Ferien genutzt?»

«Das sind jetzt Ferienhäuser. Im Moment können es sich nur wohlhabende Leute leisten, in Bäckalund zu wohnen. Als Letzte ist die Frau des Dorfkaufmanns ausgezogen. Ich glaube nicht, dass sie verkauft hat, sie vermietet jetzt, nachdem sie ins Heim gezogen ist. Ich glaube, im Sommer wohnt dort eine Krankenschwester. Im Winter steht das Haus leer.»

«Der Sohn weiß also nicht, ob Ellen eventuell Millionärin war?»

Kriminalkommissar Hartman blickt Maria Wern fragend an.

«Sieht nicht so aus, es sei denn, er ist ein überaus guter Schauspieler. Sie kann natürlich in der Lotterie gewonnen und es geheim gehalten haben. Vielleicht sollten wir uns bei der Lottozentrale erkundigen. Keine der Damen, mit denen sie montags Bridge spielt, glaubt, dass sie Geld hatte. Sie spielen um einen Einsatz von fünf Kronen. Sara sagt, dass sie sich mehr als zwanzig Kronen im Monat nicht leisten kann. Und Ellen hat noch am Montag Ähnliches zum Ausdruck gebracht.»

«Wissen wir etwas über das Kinderfahrrad?», fragt Hartman und macht sich in seinem Block eine Notiz.

«Das ist gestohlen gemeldet worden. Gehört einem kleinen Wicht aus dem ersten Schuljahr. Er heißt Torsten und ist stocksauer, weil er sein Fahrrad nicht sofort zurückhaben kann. Und sein Vater ist ganz auf seiner Seite. Warum sollen ehrliche Steuerzahler darunter leiden, dass wir einen Mord aufklären müssen?»

«So kann man das auch ausdrücken», sagt Hartman mit bitterem Lachen.

★

«Den, der mein Fahrrad geklaut hat, bring ich um», sagt Torsten langsam und lässt seinen Blick über die versammelten Lucia-Sänger wandern.

Sie stehen in ihren knöchellangen Kitteln auf dem Schulhof und halten ihre Papiersterne fest, damit sie ihnen nicht weggeweht werden. Torstens gemeine kleine Augen starren ein Kind nach dem anderen an, und dabei verzieht er seine Unterlippe zu einer drohenden Grimasse. Fredrik spürt, wie sein Magen sich zusammenkrampft, obwohl er versucht, nicht zuzuhören. Beim Frühstück hat er keinen Bissen hinuntergebracht, er konnte nur ein wenig Wasser trinken. In seinem Magen haust ein Untier, das sich weigert, Menschennahrung anzunehmen.

«Der, der mein Fahrrad geklaut hat, kriegt von meinem Vater so viel Prügel, dass er zwei Wochen lang nicht mehr gehen kann.»

Fredrik versucht, an das Gedicht zu denken, das er in der Aula aufsagen soll, wenn er die Lichterkrone der Lucia anzündet. Aber es ist verschwunden. Einfach weg. Er weiß nicht mehr, wie es anfängt. Er hat ein schwarzes Loch dort, wo seine Gedanken sein sollten, und das Untier wälzt sich ungeduldig in seinem Magen.

«Ich hab Fingerabdrücke nehmen lassen!», sagt Torsten und hebt einen Daumen. «Mir entkommt keiner!» Dann kommt die Lehrerin mit der Lucia und ihren Dienerinnen. Es ist so weit. Die Mädchen flattern in ihren weißen Kitteln dahin, und der Flitter, den sie sich um Haare und Taille gewunden haben, funkelt im Mondlicht. Sie bewegen sich mit einer neuen Würde. Ida sieht aus wie eine Elfenkönigin, mit ihren wogenden offenen Haaren. Die sind bestimmt sehr weich. Fredrik würde die langen blonden Haare gern berühren, aber das wagt er nicht. In ihrer Krone aus Preiselbeerzweigen trägt sie brennende Kerzen. Das rote Seidenband um ihre Taille symbolisiert, dass Lucia mit dem Schwert getötet wurde, weil sie ihre Mitgift an die Armen verteilen wollte. Lucia war eine Heilige. Die Lehrerin wird mit einem Eimer Wasser ganz vorn sitzen. Im vergangenen Jahr hat die Lucia eine Weihnachtsgirlande angesteckt.

Die Partyleuchter brennen am Eingang der Aula. Es duftet nach Glühwein, Saffranbrot und weichen Kleidern. Die Aula ist voll besetzt mit Eltern und Kindern. Aber Fredriks Mama konnte nicht kommen. Sie hat schon wieder Nachtschicht. Die Lucia führt den Zug an, gefolgt von den Jungen mit ihren weißen Papiersternen und schließlich den Dienerinnen. Fredrik hält seinen Stock mit dem Stern ganz hoch und singt, obwohl seine Stimme vor lauter Nervosität fast versagt. Er singt von der winterlichen Dunkelheit hier auf Erden, vom Warten auf das Licht, von Lucia und dem Weihnachtsmann. Und dann wird es hell. Jetzt soll er sein Gedicht aufsagen. Die Lehrerin nickt. Die Dunkelheit draußen im Saal ist von funkelnden schwarzen Augen erfüllt. Fredrik macht den Mund auf, aber es kommt kein Ton heraus. Sein Kopf ist einfach leer. Torsten stößt ihn mit dem Sternenstab an und grinst. Bohrt ihm den Stock zwischen die Rippen und dreht ihn. Die Lehrerin versucht ihm vorzusagen. Aber er versteht kein Wort. Fredrik steht wie erstarrt da. Er muss ganz schrecklich aufs Klo. Das merkt er jetzt. Torstens Stern hat seine Achselhöhle erreicht. Es ist mäuschenstill im Saal, und alle hören das Plätschern, das auf dem harten Parkettboden der Bühne widerhallt.

★

In der Morgendämmerung wird Maria Wern von zweistimmigem Lucia-Gesang geweckt. Krister sucht schon nach seiner Brille, wickelt die Decke um seinen nackten Körper und öffnet die Wohnungstür.

Emil und Linda laufen in die Diele und hören andächtig Kristers Schülern zu, die nach einer feuchtfröhlichen Nacht mehr oder weniger hereingetorkelt kommen. Maria setzt ihnen Kaffee vor. Die meisten scheinen den nach der durchwachten Nacht gut gebrauchen zu können. Ein junger Mann, der zu tief ins Glas geschaut hat, erbricht sich auf der Treppe, zwei Mädchen schlafen hinter verschlossener Tür auf der Toilette ein, ein drittes hat sich in seinen dünnen Pumps die Zehen erfroren.

«Hat es überhaupt Sinn, am 13. Dezember Unterricht abzuhalten?», fragt Maria in der Küche ihren Mann, nachdem der Lucia-Zug sie verlassen hat, um unter den Lehrern weitere Opfer zu suchen.

«Irgendjemand muss sich doch um sie kümmern. In der Lucia-Nacht passiert so viel, was dann Seelsorge und Verarbeitung bei Tageslicht verlangt. Konflikte, die an die Oberfläche kommen, unglückliche Liebe, Schlägereien und Suff. Wie bei deinem Job. Ihr habt doch sicher heute auch allerlei zu tun», sagt Krister und fährt Maria über die Wange.

«Sicher.»

Maria hilft den Kindern beim Anziehen und räumt im Wohnzimmer auf. Sie türmt die vergessenen Habseligkeiten aufeinander, eine Strickjacke, einen Hausschuh, eine Tüte Kartoffelchips und jede Menge Mandarinenschalen. Emil ist heute Pfefferkuchenmann, und Linda ist Lucia. In der Tagesstätte dürfen alle Mädchen Lucia sein. Die Krone ist ein wenig zu groß geraten. Wenn sie sie in den Nacken schiebt, sieht sie eher aus wie ein Hirsch oder ein Elch denn wie eine Königin des Lichts. Emil hat eine Taschenlampe mit Batteriebetrieb. Wenn er die in seine Wange steckt, lässt sie seine Haut rot aufleuchten. Linda versucht, das mit ihrer Lichterkrone nachzumachen, stopft sich eine Kerze in den Hals und kotzt auf ihren weißen, frisch gebügelten Kittel. In aller Eile und unter wildem Protest wird sie als Wichtel zurechtgemacht. Maria teilt die Blumen für das Personal auf, füllt die Waschmaschine, füttert die Katzen und schaltet die Spülmaschine ein, ehe sie hinaus in die Dunkelheit geht.

Es gefällt ihr, eine halbe Stunde Autofahrt zur Arbeit zu haben. Eine Zeit, in der sie ihren eigenen Gedanken nachhängen und sich umstellen kann, ehe neue Herausforderungen an sie herangetragen werden. Maria schaltet die Anlage ein und füllt die Stille mit Andrea Bocellis Version des «Ave Maria». Sie denkt an das Kinderfahrrad, das vor dem Erdkeller lag. Gibt es irgendwo in Bäckalund ein Kind, das ein entsetzliches Erlebnis mit sich herumschleppt? Einen kleinen Jungen oder vielleicht auch ein Mädchen, das etwas Grauenhaftes gesehen oder vielleicht sogar begangen hat? Es wäre das Beste, behutsam und in kleinen Gruppen mit den Kindern zu sprechen. Eine Durchwahlnummer zu hinterlassen, falls jemand unter dem Siegel der Verschwiegenheit etwas berichten kann. Das Fahrrad ist gestohlen worden, allein das kann für ein Kind schon zum Problem werden. Wie ermutigt man einen kleinen Dieb zum Reden? Die Sache kann aber auch noch viel schlimmer sein. Maria will diesen Gedanken abschütteln, aber ganz gelingt ihr das nicht. Ellen Borg war eine schmächtige Frau von eins vierundfünfzig. Es bedurfte keiner großen Kraft, um sie ums Leben zu bringen. Ein gut gezielter Schlag gegen den Hinterkopf, und es war aus mit ihr. Großer Gott, mach, dass kein Kind es getan hat, denkt Maria.

Kriminalkommissar Hartman reicht die Schüssel mit Lucia-Plätzchen und Pfeffernüssen herum. Es ist eine ziemlich ruhige Nacht gewesen. Keine Verkehrsunfälle. Ein Mann, der im Suff im Bett geraucht hat und mit Brandwunden ins Krankenhaus gebracht werden musste. Zwei Jugendliche wurden in die Ausnüchterungszelle gesteckt. Die Eltern sind bereits informiert. Bei Goldschmied Bredström wurde eine Fensterscheibe eingeschlagen, gestohlen wurde jedoch nichts. Im Großen und Ganzen eine ruhige Lucia-Nacht.

«Du wolltest wissen, ob Ellen Borg irgendeinen Lottogewinn gemacht hat», sagt Ek, als er den Besprechungsraum betritt.

«Ja, wie sieht es aus? Weißt du etwas?», fragt Maria und kann ihren Eifer nur mit Mühe verbergen.

«Ein Gewinn lässt sich nicht nachweisen, weder dort noch beim Bingo oder auf der Rennbahn. Das Geld auf ihrem Konto wurde nach und nach eingezahlt. Und niemals in größeren Beträgen als 20 000. Das spricht gegen einen Lotteriegewinn. Trotzdem handelt es sich um eine Form von zusätzlichem Einkommen. Und sogar um ein ziemlich stattliches. Ich kann mir nicht vorstellen, dass man mit Strohflechten oder Stricken solche Mengen Geld verdienen kann.»

Ek lässt sich so energisch auf das Sofa des Besprechungsraumes fallen, dass Maria fast die Kaffeetasse aus der Hand gefallen wäre. Er sieht ziemlich erschöpft aus. Sicher war die Nacht für ihn in privater Hinsicht anstrengend.

«Wie sieht es in Ellen Borgs Wohnung aus?», fragt Maria und stellt die Tasse in sicherer Entfernung von Ek ab.

«Sauber und ordentlich. Grauenhafte Mengen von Ziergegenständen. Bestickte Sofakissen, du weißt schon. Das einzig Interessante ist ein Fernrohr. Das steht in ihrem Schlafzimmer und ist auf das Schlafzimmerfenster der gegenüberliegenden Wohnung gerichtet. Sicher wusste sie so gut wie alles über ihre Nachbarn.»

«Sind die technischen Untersuchungen in Bäckalund beendet?», fragt Maria.

«Ja.» Hartman hält die Thermoskanne in der Hand. «Wolltest du hinfahren?»

«Ja, nachher. Wir haben im Moment nicht genug Leute im Dienst, und deshalb können wir uns die Schule erst morgen vornehmen.»

Der Waldweg ist schwarz und düster. Der Schnee, der während dieser Nacht in wildem Gestöber gefallen ist, wurde von den Baumkronen aufgefangen, und der Boden zwischen den Bäumen ist nur stellenweise weiß. Diese Kontraste wirken geheimnisvoll. Zwei Elstern streiten sich gleich bei der Absperrung um einen halb verfaulten Apfel. Blutrot vor Weiß und Schwarz. Maria steigt aus dem Auto, hält sich die Hand über die Augen und schaut nach Osten in die aufgehende Sonne. Warum hat Ellen Borg im Oktober plötzlich diese montäglichen Fahrten in die Hütte aufgenommen, wenn das früher nie ihre Gewohnheit war? Hat sie dort jemanden getroffen? Sara Skoglund zufolge hatte Ellen nicht viele Bekannte, aber hier draußen war sie doch geboren worden und aufgewachsen. Vielleicht kannte sie hier Leute, von denen ihre Freundinnen in der Stadt nichts wussten. Sie war ein wenig eigen, hat Sara gesagt. Mit ihrer Schwiegertochter vertrug sie sich überhaupt nicht. Ludvig kommt immer nur allein zu Besuch. Was mag es für ein Gefühl sein, ein Berufsleben bei der Post zu beenden, wo man über die meisten fast alles wusste, um dann als Rentnerin zu leben? In einer Einzimmerwohnung in der Stadt zu sitzen, mit einer Tageszeitung und einem begrenzten Bekanntenkreis?

Maria will gerade über die Absperrung steigen, als sie hinter den Vorhängen des Nachbarhauses eine Bewegung wahrnimmt. Dieses Haus, das weiß sie von Ludvig, hat früher den Dorfladen beherbergt, es ist ein etwas größeres Holzhaus mit

Veranda. Am Torpfosten lehnt ein Damenfahrrad. Ein altmodisches Rad mit hohen Rädern, einer Plastikhaube über den Speichen und einem vorn angebrachten Fahrradkorb. Maria geht zu dem Haus hinüber und klopft. Draußen ist es kalt. Ihr Atem schwebt wie Rauch vor ihrem Mund. Maria stößt ihn in kleinen Rauchsignalen aus, während sie darauf wartet, dass geöffnet wird. Im Schnee auf der Treppe sind Fußspuren zu sehen. Schritte, die ins Haus gegangen sind und nicht wieder herausgekommen. Maria klopft noch einmal, und die Tür wird von einer hübschen blonden Frau von vielleicht fünfundzwanzig Jahren geöffnet. Wärme umfängt sie. Maria hört, wie das Feuer im Holzofen knistert.

«Maria Wern, von der Kriminalpolizei. Darf ich ein paar Fragen stellen?»

«Lovisa Gren, Schulschwester.» Die Frau streckt die Hand zu einem festen Händedruck aus. «Es ist kalt draußen, kommen Sie doch herein. Ich kann mir ja schon denken, dass es um das Schlimme geht, was Tante Ellen passiert ist.»

«Richtig.»

Maria geht ins Haus und wischt sich den Schnee von den Schuhen. Sie setzen sich an den Küchentisch vor den Herd. Ein Zinnbecher mit getrockneten Vogelbeeren schmückt den naturhellen Ausklapptisch. An der Wand gegenüber hängt ein blau eingefasster Wandbehang. Sorgfältig gestickte Buchstaben bilden den Text: «Steter Tropfen höhlt den Stein.»

«Wann haben Sie Frau Borg zuletzt gesehen?»

Lovisa stützt den Kopf auf die Hände und denkt nach.

«Eigentlich weiß ich das gar nicht. Es war wohl im Sommer. Ja, in der Mittsommernacht.»

«Und wann waren Sie zuletzt hier draußen?»

«Anfang Juli. Dann bin ich ins Ausland gereist. Hier hat es ja nur geregnet.»

«Sind Sie die Einzige, die diese Hütte hier benutzt?»

«Ja, da bin ich mir ganz sicher. Ich habe sie für das ganze Jahr gemietet. Aber ich wohne nur im Sommer hier.»

Maria öffnet ihre Jacke und lässt die Wärme an ihren Körper heran. Ihre Hände sind rot gefroren. Es tut gut, sie zum Feuer hin auszustrecken.

«Wie würden Sie Ellen Borg beschreiben? Wie war sie?», fragt Maria.

«Mit mir hat sie vor allem über Krankheiten gesprochen. Sie hatte Gallenprobleme, Gelenkrheumatismus und wurde schwerhörig. Und das gab doch eine Menge Gesprächsstoff her. Ich habe mir manchmal gewünscht, ich hätte ihr nie erzählt, dass ich Schulschwester bin.»

«Ja, das kann ich mir denken. Und jetzt sind Sie hergekommen …»

«Ja, ich habe in der Zeitung über den Mord gelesen und wollte mich davon überzeugen, dass hier niemand eingebrochen war.»

«Und alles ist unverändert?»

Maria schaut sich mit freundlicher Miene um. Sie lässt ihren Blick über das Zimmer mit dem noch ungemachten Bett wandern.

«Ja. Ich habe heute Nacht hier geschlafen», sagt Lovisa und scheint sich entschuldigen zu wollen. «Hatte keine Zeit, das Bett zu beziehen.»

«Das war mutig. Sind Sie jemals Ellens Sohn begegnet?»

«Ludvig. Der war im Frühling hier. Er hat immer für Ellen die Kartoffeln gesetzt. Sie konnte solche Arbeiten schon längst nicht mehr verrichten, aber neue Kartoffeln zu Mittsommer, die wollte sie doch haben.»

«Wie finden Sie ihn?»

«Weiß nicht.»

«Jetzt sagen Sie es schon», bittet Maria. «Den Unterton habe ich ja doch gehört.»

«Er ist ja wohl ein bisschen eitel», lacht Lovisa. «Teuerstes Auto, Sie wissen schon. Will unbedingt zeigen, dass er es zu etwas gebracht hat. Er ist so eine Art Finanzgenie.»

Ellen Borgs Hütte atmet Ordnung und Sauberkeit, Symmetrie und Perfektion bis ins kleinste Detail. Die Einmachgläser mit ihren handgeschriebenen Etiketten stehen in Reih und Glied. Die Handtücher unter dem bestickten Paradetuch weisen Bügelfalten auf. Die gemauerte Haube über dem offenen Kamin ist absolut kreideweiß, als sei der Kamin nie benutzt worden. Überall herrscht Ordnung, mit einer Ausnahme. Auf dem Küchentisch liegt ein Fernglas, achtlos hingeworfen auf die Tischdecke. Warum? Was hat sie sich angesehen? Niemand hat behauptet, Ellen habe sich für Ornithologie interessiert. Hat sie im Sommer ihre Nachbarn beobachtet? Vielleicht, aber was kann es hier mitten im Winter zu sehen gegeben haben? Maria hebt das Fernglas auf und überprüft die Einstellung. Vom Küchenfenster aus kann sie bis zur Straße blicken. Nicht schlecht. Da Ellens Hütte ganz hinten liegt, hat sie damit vom Küchenfenster aus den ganzen Weiler im Blick. Maria dreht eine Runde durch das Haus und kehrt dann zum offenen Kamin im Wohnzimmer zurück. Sollten bei dieser Kälte nicht alle Wärmequellen in Betrieb genommen werden? Alles weist doch darauf hin, dass Ellen in diesem Zimmer übernachtet hat. Das Bett ist sorgfältig gemacht und von einer Tagesdecke bedeckt. Maria folgt einem Impuls und schiebt eine Hand in den Kamin. Betastet die Ziegelsteine. Einer sitzt locker. Sie kann ihn herausziehen. Sie nimmt ihn mit und geht ans Fenster. Mit Bindfaden ist ein dünnes schwarzes Notizbuch daran befestigt.

★

Fredrik versteckt seine schwarzen Kleider unter der Badewanne, leise, leise, um Mama nicht zu wecken, die im Nebenzimmer schläft. Seine Wangen glühen noch immer, weil er sich so schämt. Vielleicht ist er jetzt fürs Leben gezeichnet. Wie soll er jetzt noch zur Schule gehen? Kann man sich zu Hause unterrichten lassen, weil man in die Hose gepisst hat? Das müsste doch möglich sein. Ein Junge aus der 3 hat zu Hause Unterricht bekommen, nachdem er sich das Bein gebrochen hatte. Sich zu bepinkeln ist noch viel schlimmer. In dieser Erkenntnis liegt eine tiefe Einsamkeit. Fredrik steckt die Hand in die Tasche seiner trockenen Hose, er spürt den kalten Ring unter seinen Fingerspitzen. Eigentlich befindet er sich hier doch in einer Notlage. Deshalb streift er ihn über den Finger. Das Böse stellt sich nicht sofort ein. Er spürt kaum, wie es herbeischleicht, als er überlegt, was er jetzt machen soll. Seine Gedanken wandern in eine verbotene Richtung, ziehen ihn durch die verschlossene Tür von Leos Zimmer. Er steht eine Weile im aufdringlichen Geruch von Deodorant da und betrachtet das neue Plakat an der Wand. Es zeigt ein Mädchen im Stringtanga, das auf einem Motorrad sitzt. Fredrik findet das Bild blöd. Das Mädchen sieht aus wie ein Riesenbaby mit einer zu kleinen Windel. Sie schaut ihn über ihre Schulter aus halb geschlossenen Augen an und reißt den Mund auf, als habe ihr eben jemand den Schnuller gestohlen. Das andere Plakat ist vielleicht noch schriller. We are only here for the beer, steht darauf. Das bedeutet, wir sind alle Kinder mit Segelohren. Das hat Leo gesagt. Ein Junge in der Klasse hat Segelohren. Wenn er seine Taschenlampe dahinter hält, sind sie leuchtend rot. Das ist Klasse.

Die verbotenste Stelle ist die Nachttischschublade. Neugierige Finger haben dort Ballons gefunden. Und es gab schrecklichen Ärger, als Fredrik die im Herbst beim Familientreffen aufgeblasen hat. Jetzt liegen dort nur das Jahrbuch der Schule und anderer Unsinn herum. Fredrik zieht ihn hervor und blättert zerstreut. Leo ist schon in der Oberstufe. Die

Mädchen in seiner Klasse sehen uralt aus. Auf die nächste Seite hat Leo ein Herz um ein Mädchengesicht gezeichnet. Fredrik lässt das Jahrbuch fallen und hält sich die Augen zu. So etwas Schreckliches hat er schon lange nicht mehr gesehen. Love hurts.

Leos Mobiltelefon liegt auf dem Aquarium. Es hat eine Hülle mit Tigerstreifen. Fredrik greift nach dem Telefon, wiegt es in seiner Hand und kommt sich fast ein wenig erwachsen vor. Hello, this is Bengtsson speaking, Fredrik Bengtsson. Im Telefonbuch sind Mädchennamen zu finden. Fredrik drückt aus purem Jux auf einen, und plötzlich hört er eine Stimme. Er kommt sich vor wie in einem Horrorfilm. Sie kann ihn nicht sehen. Er ist böse. Böse Männer keuchen ins Telefon, um den Mädchen Angst zu machen. Das weiß er aus dem Fernsehen.

«Hallo, ist da jemand?» Sie scheint sich wirklich zu fürchten.

Fredrik atmet heftig und erschrickt über seine eigene Gemeinheit. Aber es macht auch Spaß, andere zu quälen, es ist wie eine Rache. Es schmeckt nach mehr. Als das erste Mädchen wütend aufgelegt hat, macht er mit dem nächsten weiter, und dann mit dem nächsten, bis nur noch die Telefonnummer seiner Oma übrig ist. Dann hört er auf und legt das Telefon zurück auf das Aquarium, ohne auch nur hinzusehen. Dort, wo er Glas vermutet hatte, ist gar nichts, und das Telefon sinkt langsam zu Boden, wie ein Tigerhai auf Jagd. Es sieht böse aus. Zugleich wird an der Wohnungstür geschellt.

★

Mama und die Lehrerin sind in die Küche gegangen und haben die Tür geschlossen. Fredrik schaut auf die Uhr. Es ist zehn. Mama hat nach der Nachtschicht zwei Stunden geschlafen. Das ist nicht gut. Das weiß er aus Erfahrung. Er legt ein Ohr an die Tür und horcht. Mamas Stimme ist nur sehr leise zu hören. Sie redet mit ihrer Nachtstimme, einer weichen, flüsternden Stimme, die im Krankenhaus benutzt wird. Die Lehrerin dagegen spricht laut und deutlich. Probleme und Sorgen, davon redet sie. Dann sagt sie krank und Schulschwester. Mehr braucht Fredrik nicht zu hören. Was soll er bei der Schulschwester? Man bekommt Spritzen, oder sie zählen die Hodenknubbel durch. Beides ist schrecklich. Es ist unvorstellbar, was man mit Kindern machen darf, man darf sie aufstellen und ihre Knubbel zählen. Das sollten sie sich mal mit den Opas im Parlament erlauben, sie nach dem Alphabet aufstellen und dann ... na, das würde aber in den Zeitungen stehen. Genau wie ein Mord. Fredrik will nicht an die tote Tante denken. Oder an das Fahrrad. Oder daran, wer aus dem Erdkeller gekommen ist. Das Untier in seinem Magen rührt sich wieder. Es will mit solchen Gedanken nichts zu tun haben. Die Übelkeit steigt so rasch in Fredrik hoch, dass er nicht mehr rechtzeitig auf die Toilette kommt. Er kotzt auf den hellblauen Läufer in der Diele. Aber es kommt nur ein wenig saures gelbes Wasser heraus. Jetzt wird die Küchentür geöffnet. Hier kann er nicht bleiben. Rasch nimmt er seine Jacke und steigt in seine Stiefel.

«Fredrik. Freeeeedrik!», hört er Mamas Stimme auf der Treppe.

Aber er dreht nicht um. Seine Füße berühren den Asphalt fast nicht, als er in den Wald fliegt. Als er die Dunkelheit erreicht hat, nimmt er den Ring ab. Es ist kalt. Seine Handschuhe hat er vergessen und seine Mütze auch. Es wäre leichter, über den Waldweg zu gehen. Aber da kann man entdeckt werden. Es ist besser, im Schutz der Bäume zu bleiben. Seine Füße in den dünnen Gummistiefeln tun in der Kälte weh. Aus einem Schornstein in dem alten Weiler raucht es, aber es ist kein Mensch zu sehen. Die Sehnsucht nach Wärme wird unerträglich. Fredrik rennt auf das kleine Haus mit der Veranda zu. Die Tür ist verschlossen. Aber hier draußen schließen die Leute ihre Türen nicht richtig ab, sie zeigen damit nur an, ob jemand zu Hause ist oder nicht. Der Schlüssel liegt im Vogelbeerstrauch vor der Treppe. Die Wärme schlägt ihm entgegen, als er leise in die Diele schlüpft. Eine Zeit lang bleibt er mit dem Rücken zur Wand stehen und horcht. Dann gleitet er ins Zimmer. Auf einem Stuhl liegt ein aufgerollter Schlafsack. Den nimmt Fredrik und macht sich auf dem Boden unter dem Bett ein kleines Nest. Wickelt sich wie ein verletztes Tier um den Schmerz in seinem Bauch, liegt ganz still da, bis er wieder normal atmen kann.

★

Kriminalkommissarin Maria Wern bindet sich ihre langen blonden Haare zu einem Pferdeschwanz und steigt ins Auto. Hartman sitzt schon hinter dem Lenkrad.

«Wie machen wir jetzt weiter?», fragt er und schaut in den Rückspiegel. Die Bäckalundschule schrumpft, als der Wagen anfährt, und verschwindet hinter den Bäumen.

«Wir haben noch zwei von den fehlenden Schülern auf unserer Liste. Die Brüder Bengtsson. Einen Gymnasiasten und einen Erstklässler aus derselben Klasse wie der berüchtigte Torsten. Der große Bruder ist wegen einer Erkältung zu Hause, der kleine ist vom Lucia-Umzug weggerannt. Hat sich den Magen verdorben, glaubt seine Lehrerin. Weißt du den Weg zum Lingonstig?»

«Ja, du, ich habe heute Morgen mit den Technikern gesprochen. Wir haben entsetzlich wenig Spuren. Auf dem Fahrrad sind nur die Fingerabdrücke von Torsten und seinem Vater. Wir haben keine Mordwaffe. Der Boden vor dem Erdkeller ist gefroren. Geschneit hat es erst am 10. Dezember nachmittags. Wir haben nur Sara Skoglunds Fußspuren gefunden, und die stimmen mit ihrer Aussage überein. Der Tod muss um kurz nach acht Uhr morgens eingetreten sein.»

«Ludvig erbt doch alles, oder? Ellen Borg hat kein anderes Testament gemacht?», fragt Maria.

Hartman nimmt die Mütze ab und kratzt sich am Kopf. Seine grauweißen Haare leben unter der Kopfbedeckung ihr eigenes Leben, lockig und widerspenstig, wie sie sind. Es wird auch nicht besser, wenn er versucht, sie mit Wasser zu kämmen.

«Nein, er bekommt alles. Was ist mit dem Notizbuch, das du gefunden hast? Was steht darin?»

«Zahlen, nur Zahlen. Es kann sich vielleicht um Tage, Stunden und Minuten handeln. Keine Zahl ist höher als 31. Und dann gibt es noch irgendwelche Symbole. Die sehen fast aus wie Beschimpfungen in Comics, wenn du verstehst, was ich meine. Weiß der Teufel, was das bedeuten kann.»

«Gibt es denn auch Eintragungen für den 9. Dezember?»

«Ich glaube schon. In einigen Stunden wird eine ausführliche Analyse vorliegen. Du, Hartman, eins macht mir Gedanken. Ein kleines Detail, das nicht stimmt. Es kann bedeutungslos sein. Aber ich würde gern eine Sache noch einmal überprüfen, nachdem wir mit den Brüdern Bengtsson gesprochen haben.»

★

Im Traum lacht die Elfenkönigin, und Fredrik wird in Wärme und Licht ihrer Krone eingehüllt. Ihre Haare sind weich und glatt, und sie lacht ihn an. Sie hält ihre weißen Hände aneinander und lässt ihn Brunnenwasser trinken. Gierig trinkt er das glucksende Wasser, trinkt so schnell, dass seine Brust vor Kälte wehtut. Dann schaut er in ihr Gesicht, und es ist wie ein Spiegel. Dort gibt es alles und nichts auf einmal. Mama! Geliebte Mama, hilf mir! Er will ihr schon um den Hals fallen, als ihr Gesicht die verzerrten Züge der Toten annimmt. Ihre Augenhöhlen klaffen leer und schwarz. Ihre Zähne baumeln über ihrem Kinn. Sie bewegt sich, winkt ihm zu und streckt die Arme nach ihm aus. Greift mit wachsgelben Händen nach ihm, und er jagt barfuß über den gefrorenen Boden. Die Stimme verfolgt ihn, wird zu funkelnden Blasen über seinem Kopf und schlägt in Weinen um. Er steht hinter dem Komposthaufen und sieht, wie die Tür des Erdkellers geöffnet wird. Der schwarze Umhang weht im Wind. Die hellen Haare fliegen um das Gesicht. Der Ring macht ihn unsichtbar, der Ring gibt ihm den Mut, zu sehen und sich zu erinnern. Das ist die Frau mit den Spritzen. Das ist Lovisa, die Schulschwester, die sich umschaut und in den Wald läuft.

Fredrik wird von Leos Stimme geweckt. Zuerst glaubt er, zu Hause in seinem eigenen Bett zu liegen, aber der Geruch stimmt nicht. Es riecht nach Feuchtigkeit, nach Mäusekot und Schimmel und etwas Unbekanntem und Kaltem. Ehe er seinem Bruder antwortet, schaut er sich um. Sieht zwei Paar Füße, die ganz dicht beieinander stehen.

«Du darfst mich nicht anrufen. Das haben wir abgemacht», sagt sie wütend und bewegt den rechten Fuß.

«Ich habe nicht angerufen», erwidert Leo überrascht.

«Ach nein? Und wer hat in den Hörer gekeucht, als das Display deine Nummer gezeigt hat?», faucht die Frau.

«Ich weiß nicht. Ich hatte das Telefon heute nicht bei mir. Hatte es zu Hause vergessen. Ich hab den ganzen Tag in der Garage am Auto herumgebastelt. Aber wenn Fredrik auf meinem Zimmer war ...»

«Wir können uns hier nicht mehr treffen. Das musst du einsehen», sagt die Frauenstimme.

«Ich kann nicht ohne dich sein. Ich liebe dich, Lovisa», flötet Leo mit einer Stimme, die Fredrik noch nie gehört hat.

Die kleinen Füße weichen zurück. Die großen folgen.

«Du bist geil auf mich. Das legt sich. Geh weg und vergiss mich.»

«Das kann ich nicht.»

«Das musst du. Eine Schulschwester darf kein Verhältnis mit einem Schüler haben.»

«Du hast gesagt, dass du mich liebst», sagt Leo verzweifelt.

«Das war vielleicht so, aber das ist jetzt vorbei. Ellen Borg hat uns gesehen. Und immer, wenn wir uns getroffen haben, hat sie das in einem kleinen schwarzen Buch vermerkt. Sie wollte Geld für ihr Schweigen.»

«Aber jetzt ist sie doch tot.»

«Genau. Und wenn du auch nur mit einem einzigen Menschen über unsere Beziehung sprichst, dann sage ich, dass du es warst. Dass du sie umgebracht hast. Ich habe an einem sicheren Ort einen Hammer mit deinen Fingerabdrücken und Ellens Blut. Ich kann jederzeit zur Polizei gehen. Und danach wird dir niemand ein Wort glauben.»

«Das kannst du nicht. Ich hatte ja keine Ahnung … woher hast du meine Fingerabdrücke?»

«Du hast mir doch geholfen, den Wandbehang anzubringen.»

«Wie konntest du sie … einfach umbringen?»

«Du ahnst überhaupt nicht, was ich alles kann.»

Leos Füße bewegen sich über den Boden. Das Türenknallen lässt das Haus erzittern. Fredrik versucht, ganz still zu sein, aber das Schluchzen in seinem Hals schlägt in ein Würgen um. Eine Hand packt seine Haare und zieht ihn unter dem Bett hervor, während das Geräusch von Leos Auto in der Ferne verklingt. Sie packt ihn im Nacken wie ein Katzenjunges. Über Lovisas Lippen strömen Wörter, die er im Rauschen des wilden Wasserfalles, der sich durch seinen Kopf ergießt, nicht verstehen kann. Willenlos folgt er ihr, lässt er sich durch die Luke im Boden in die feuchtkalte Finsternis des Kellers führen. Er hört, wie der Schlüssel zur Speisekammer umgedreht wird. Und dann gibt es nur noch Dunkelheit. Und Kälte. Und Schweigen.

★

Kriminalkommissarin Maria Wern klopft zum zweiten Mal an die Tür und wartet. Hartman tritt einen Schritt zurück und schlingt die Arme um den Leib. Aus dem Schornstein der grauen Hütte mit der Veranda steigt Rauch.

«Was wollen Sie denn schon wieder?», fragt Lovisa, als sie die Tür öffnet. Ihre Wangen glühen.

«Kommen wir ungelegen?»

«Und wie.»

Lovisa geht vor ihnen her. Ihre Bewegungen sind nervös und kantig, das fällt Maria auf. Sie setzten sich an den Küchentisch. Lovisa beißt sich in die Unterlippe. Maria schweigt.

«Was wollen Sie?», fragt Lovisa mit schriller Stimme.

«Haben Sie diese Vogelbeeren gepflückt?»

«Ja, das habe ich. Was haben die mit der Sache zu tun? Was wollen Sie?»

«Sie haben gesagt, Sie seien seit Anfang Juli nicht mehr hier gewesen. Stimmt das?» Lovisa starrt den Tisch an und fährt sich mit den Händen über die Oberschenkel. Dann schaut sie Maria in die Augen.

«Kann sein, dass ich im Oktober kurz hereingeschaut habe. Das weiß ich nicht mehr so genau.»

Maria verstummt. Auch Hartman schweigt. Lovisa schlägt die Augen nieder.

«Sonst noch was?», fragt sie mit angestrengtem Lächeln.

«Im Moment nicht. Aber wir kommen vielleicht noch einmal zurück.»

Langsam erhebt Maria sich. Wirft einen Blick aus dem Fenster auf die bereiften Bäume. Ein halb zerpickter Apfel liegt im Schnee, die Elstern haben ihn aufgegeben. Lange Eiszapfen hängen vom Dach. Sie dreht sich um und nickt Hartman zu, der ihr in die Diele folgt. Lovisa bleibt sitzen. Plötzlich fährt sie zusammen. Unter ihnen hören sie ein Kratzen. Und eine schwache Stimme, die nach Mama ruft.

★

«Vielleicht fällt dir das Reden ja leichter, wenn du den Ring ansteckst und unsichtbar wirst», sagt Maria Wern und schaltet das Tonbandgerät ein.

«Aber wenn ich dann weglaufe?»

«Ich verlass mich auf dich», sagt Maria, und ihre Augen sind freundlich und sehr ernst.

«Ich glaube, ich will ihn nicht mehr», sagt Fredrik. «Ich schenk ihn dir.»

Quellenverzeichnis

Die spannendsten
Weihnachtsgeschichten
aus Skandinavien

Inhalt

Arne Dahl

Das dritte Auge

«Die Zeit», schreibt er und lässt seinen Stift sinken.

Dann lacht er ein gurgelndes Greisenlachen und schließt das von feuchten Flecken übersäte Notizbuch.

Die Zeit ist etwas anderes.

Behutsam streicht er über das große umgekehrte L, das in den Umschlag eingestanzt ist.

Notizbuch Γ

Wieder lacht er. Er schlägt das Notizbuch auf. In zittrigen, müden Buchstaben schreibt er:

Eine schwere Abgasglocke hatte sich an diesem Vormittag im Dezember über Ciudad de México gestülpt.

Dann stockt der Stift. Und der Mann versinkt in Gedanken.

Eine schwere Abgasglocke hatte sich an diesem Vormittag im Dezember über Ciudad de México gestülpt.

Soeben hatte die Weihnachtswoche begonnen. Der 12. Dezember – mit der Wallfahrt zur Basilica de Guadaloupe und der Heiligen Jungfrau *La Virgen Morena, la Morenita* – war relativ ruhig verlaufen, trotz des Ansturms Tausender und

Abertausender von Pilgern. Diese Wallfahrt gab den Start-schuss für die mexikanische Weihnachtswoche, und Ciudad de México, dieses gewaltige Durcheinander von Stadt, fei-erte seine täglichen *Fiestas,* die neun *Posadas,* die die neun Schwangerschaftsmonate der Jungfrau Maria symbolisieren.

Es war eine muntere Zeit in der Stadt. Doch jetzt hatte die schwere Abgasglocke sich über alles gesenkt und die Stim-mung gedämpft. Auf den Straßen waren weniger Menschen als sonst zu sehen. Die Klugen blieben im Haus. Und die Rei-chen blieben in ihren Autos.

Für das eigentliche Ereignis gab es nur fünf Zeugen.

Manuel Morales, dreiundfünfzig Jahre alt und Beamter im niederen Dienst in einer dem Landwirtschaftsministe-rium angeschlossenen Behörde, hatte soeben einen großen schwarzen Fleck auf einer Banane entdeckt und wollte den Straßenhändler auf diesen Makel aufmerksam machen, als er dicht hinter sich hörte, wie ein Auto heftig Gas gab. Als ge-wiefter Innenstadtbewohner dieses chaotischen Gewimmels, das Ciudad de México ausmachte, drehte er sich eher gelas-sen als geschockt zur Straße um, sah vor einem Wagen einen Mantel flattern, hörte den unangenehmen und unverkenn-baren Aufprall und sah, wie das Auto um die nächstgelegene Straßenecke verschwand. Auf der Straße lag eine gekrümmte Gestalt, in ihren riesigen, schmutzig grauen Mantel gehüllt wie in ein Leichentuch, und aus den gebrochenen Händen kullerte ein kleiner Gegenstand. Obwohl Morales in nächs-ter Nähe gestanden hatte, erreichte er das Unfallopfer erst als Vierter. Die Obstreste, die später im rechten Nasenloch des Toten gefunden wurden, ließen sich auf die halb verfaul-te Banane zurückführen, die Manuel Morales in der Hand gehalten hatte und die ihm dann auf das Gesicht der Leiche gefallen war.

Morales' Zeugenaussage wurde ziemlich rasch abgehakt. Er konnte nicht einmal die Automarke nennen.

Ebenfalls in nächster Nähe, wenn auch nicht ganz so dicht wie Morales, hatte sich Rodrigo Lara aufgehalten, achtzehn Jahre alt, Zeitungsbote, der mit seinem Moped drei Blocks entlang dicht hinter dem Auto gefahren war, ehe dieses geradezu irrwitzig Gas gegeben hatte. Er hatte den Überfahrenen erst wahrgenommen, als der zu ebendiesem geworden war, denn das Auto hatte sein gesamtes Blickfeld verdeckt (worauf Kommissar Reyes säuerlich, aber gleichgültig gefragt hatte, wie dicht er eigentlich aufgefahren war). Rodrigo glaubte, sich an das unangenehme Geräusch des Aufpralls erinnern zu können, und fast hätte er den Toten ein zweites Mal überfahren. Er hatte sich als Erster über den Mann gebeugt, allerdings nicht tief, da er noch immer auf seinem Moped gesessen hatte. Rodrigo Lara war der, der das Auto am sichersten identifizieren konnte, sowohl was die Marke als auch was die Farbe anging – es war ein hellblauer Ford Sierra –, aber die Autonummer hatte er sich nicht merken können. Hätte Rodrigo nicht geglaubt, zwei Menschen im Auto gesehen zu haben, dann wäre sicher auch seine Aussage ziemlich rasch abgehakt worden.

Die Dritte in Tatortnähe war Mercedes Pola, eine Krankenschwester, die schon im Alter von vierunddreißig zur Stationsleiterin in der größten Klinik für Brandverletzungen avanciert war, die es in der Stadt überhaupt gab. Sie hatte auf derselben Straßenseite gestanden wie Manuel Morales, hatte aber nicht frische Bananen auf Makel hin untersucht, sondern sich in die Auslagen eines Schuhgeschäftes vertieft. Zwischen den Schuhen hatte sie auf der anderen Straßenseite einen Mann gesehen, weißhaarig und weißbärtig, mit einem flatternden grauen Mantel. Seltsamerweise hatte sie das Gefühl gehabt, dass er sie ansah. Sie erstarrte angesichts dieses Blickes. Er war erfüllt von lauterem Entsetzen, sie hatte diesen Blick bei ihrer Arbeit schon oft gesehen. Der Mann hatte über die Straße hinweggestarrt. Mercedes Pola hatte sich gerade noch rechtzeitig umgedreht, um zu sehen, wie der Greis auf die Straße gestürzt war, sie hatte das plötzliche Beschleunigen des Autos gehört und den Unfall sozusagen von einem Logenplatz aus miterlebt. Sie hatte den Toten als Zweite erreicht. Sein unförmiger Leib war von dem grauen Mantel ganz und gar bedeckt gewesen. Mercedes hob ihn ein Stück hoch und warf einen prüfenden Blick auf das Gesicht des alten Mannes. Sein Unterkiefer war zerschmettert, sein Blick war jedoch noch immer der, den sie im Schaufenster gesehen hatte, ein Blick des puren Entsetzens.

«Es war so, als sei gar nichts passiert, wenn Sie verstehen, was ich meine.»

Kommissar Alberto Reyes musterte schweigend die schöne Frau auf der anderen Seite des Tisches und riss mit den Zähnen ein Stück lockerer Nagelhaut von seinem Finger, sodass es anfing zu bluten. Das versteckte er vor der Krankenschwester.

«Ist das eine fachliche Betrachtung?», fragte er und presste den Daumen auf den Ringfingernagel. Mercedes Pola schnitt eine kleine Grimasse und drehte den Spieß um.

«Ist es üblich, dass ein Kommissar sich um einen einfachen Fall von Fahrerflucht kümmert?»

Er lächelte und stellte weiter seine Standardfragen, auf die sie mit Standardantworten reagierte. Als sie ging, kramte sie in ihrer Handtasche herum und reichte ihm schweigend ein Pflaster. Verwirrt wickelte er es um seinen blutenden Ringfinger.

Auf derselben Straßenseite wie das Opfer hatte der Straßenkehrer Roberto Rodriguez gestanden. Er hatte soeben den Teil der Straße gefegt, auf dem der Greis dann aufgetaucht war, barfuß unter seinem viel zu großen Mantel.

«Der Weihnachtsmann als Exhibitionist», lachte Rodriguez.

«Sie haben nicht gesehen, woher er gekommen ist?», fragte Reyes.

«Vielleicht aus dem Laden, ich weiß es nicht. Plötzlich stand er einfach da. Dann entdeckte er etwas auf der anderen Straßenseite und stürzte los. Aber das Auto hätte anhalten können, verstehen Sie? Es war genug Platz zum Bremsen, und einer von den Leuten im Auto hat auf ihn gezeigt, da bin ich mir sicher, und zwar der, der auf dem Beifahrersitz saß.»

«Gezeigt? Um den Fahrer zu warnen?»

«Weiß nicht. Ich hab nur den Zeigefinger gesehen.»

«Und dann ist also das hier passiert», Reyes las schweigend das vor ihm auf dem Tisch liegende Protokoll. «Dieses ‹Seltsame›, ‹extraordinário›, wie Sie es den Kollegen gegenüber beschrieben haben?»

«Ich kann das nicht erklären. Ich hatte das Gefühl, dass er sah, was passieren würde. Dass er es vor seinem inneren Auge sah. Ich kann das nicht anders ausdrücken. Er schaute nicht das Auto an, sondern geradeaus, auf die andere Straßenseite, und doch … ja, vielleicht bilde ich mir das alles ja nur ein.»

Reyes überlegte eine Weile. Dann sagte er:

«Was liegt denn da für ein Laden?»

«Auf der anderen Straßenseite?»

«Nein, ich dachte an dieselbe Seite, die, wo der Alte aufgetaucht ist. Aber das ist eine gute Idee, was für Läden liegen denn auf der gegenüberliegenden Seite?»

«Auf der Seite, von der er kam, liegt ein Fischladen, und auf der anderen, glaube ich, eine Bäckerei, zuerst ein Gemüse- und Obststand, dann die Bäckerei und dann ein Schuh-geschäft, ja, so ist das. Aber vielleicht liegt noch ein anderes dazwischen ...»

Am weitesten von der Unfallstätte entfernt, jedenfalls, was die fünf zuverlässigen Zeuginnen und Zeugen anging, hatte Señora Mediana Régules sich aufgehalten. Sie war mit ihrem Auto in die Gegenrichtung gefahren. Ihr war zuerst der Wagen aufgefallen, auch wenn der noch ziemlich weit entfernt gewesen war, da dahinter der halbe Kopf des Mopedfahrers hervorlugte.

«Jetzt nicht überholen, dachte ich, bloß kein wahnsinniges Überholmanöver!»

Reyes schaute in seinen Unterlagen nach.

«Sie, Sie haben ja offenbar von früher her Erfahrungen mit Mopeds, Señora ...»

«Sicher. Ja. Deshalb ist das Auto mir ja aufgefallen. Zwei Männer saßen vorn. Ein Straßenkehrer wirbelte auf der anderen Straßenseite eine kleine Staubwolke auf, und daraus schien der alte Mann aufzutauchen, auch wenn er noch ein Stück weiter entfernt war. Ich konnte sehen, wie er auf die Straße hinausging, und ich dachte, dass ich jetzt vorsichtig sein müsste. Moped und Opa auf einmal. Ich nehme also an, dass ich mich ziemlich konzentriert habe.»

«Und?»

«Zuerst kommt der Alte barfuß auf die Straße gewankt, dann ist da der Mann neben dem Fahrer, der auf ihn zeigt, dann gibt der Fahrer Gas. Und dann habe ich gesehen, wie er gefallen ist.»

«Wurde er also überfahren?»

«Danach.»

«Danach?»

«Zuerst stürzte er, dann wurde er überfahren. Aber es fehlte nur wenig, nur ungeheuer wenig. Vielleicht könnte man sagen, dass er in dem Moment fiel, in dem er überfahren wurde.»

«Könnten Sie das genauer erklären?»

Mediana Régules zuckte mit den Schultern.

«Er hatte wohl das Auto gehört und wollte sich beeilen, was weiß ich.»

«Er stürzte also, als der Wagen ihn überfahren hat?»

«Ja, das glaube ich. Dann bin ich an den Straßenrand gefahren und zu ihm gelaufen. Der Mopedfahrer beugte sich schon über ihn, und die Krankenschwester legte ihm das Ohr auf die Brust und schüttelte den Kopf. Es war schrecklich, ich muss immer daran denken. Seine Augen … die starrten … als wären sie noch am Leben. Ich glaube, dass es der Krankenschwester auch so ging, denn sie legte ganz schnell den Mantel zurück über sein Gesicht.»

«Sofort?»

«Ja. Ich konnte nur ganz kurz hinsehen.»

«Sie waren also die, Moment, die dritte Person, die dazukam?»

«Ja. Aber dann kam der Alte, einfach so, auch er muss die Augen gesehen haben, denn ihm fiel ein Stück Banane ins Gesicht des Toten.»

«Ein Stück Banane?»

«Ja, und dann hat die Krankenschwester das Gesicht wieder mit dem Mantel zugedeckt. Und dann kam der Straßenkehrer, genau, und sagte, er habe die Polizei verständigt. Und das war alles.»

«Und Sie können sich also nicht an den Wagen oder die Männer im Wagen erinnern?»

Inzwischen war es Nachmittag geworden. Alberto Reyes starrte träge aus dem Fenster des Wolkenkratzers und sah, dass die Abgasglocke noch immer über der größten und hoffnungslosesten Stadt der Welt hing. Tagsüber waren an die fünfzig Fälle von Fahrerflucht gemeldet worden, darunter bisher zwölf mit tödlichem Ausgang. Er war einer der verdientesten Polizisten der Truppe, und er musste in Gedanken einfach Mercedes Polas Frage wiederholen: «Ist es üblich, dass ein Kommissar sich um einen einfachen Fall von Fahrerflucht kümmert?»

Fünf Stunden waren seit dem Unfall vergangen. Ein alter Penner, der vermutlich jeden Moment hätte sterben können, war von ein paar Trotteln überfahren worden. Und das in einer Stadt, wo die Leute geradezu Schlange zu stehen schienen, um sich ermorden zu lassen, und wo die Kinder nicht zur Schule gehen durften, weil die Luft zu stark verschmutzt war. War es wirklich vertretbar, dass er seine Zeit mit diesem Fall vergeudete? Und das nur aufgrund einer überaus vagen Ahnung?

Aber er hatte immer schon von seinen Ahnungen gelebt.

Er wählte die Nummer des Pathologen.

«Federico», sagte Reyes, als er den Gerichtsmediziner an der Strippe hatte. «Wie geht's?»

«Du und deine Ahnungen!»

«Soll heißen …»

«Richtig, da hat etwas nicht gestimmt. Die Todesursache.»

«Er war also schon tot?»

«Ja. Das Herz.»

«Weitersuchen. Irgendwas stimmt da nicht.»

«Noch immer nicht.»

«Such einfach weiter. Ich melde mich in ein paar Minuten noch mal.»

«Wie du willst.»

Reyes erhob sich mit den Zeugenaussagen in der Hand. Er trat ans Aussichtsfenster und starrte hinaus auf die Stadt.

Die Dunstglocke hatte sich nicht verschoben. Er glaubte fast, sie unter dem klaren blauen Himmel zittern zu sehen. Er schüttelte den Kopf und überflog seine Papiere. Falsch, falsch, falsch. Und zugleich unproblematisch, selbstverständlich. Auch wenn sie ihn absichtlich umgenietet hatten, dann war es doch nur ein Mord unter vielen anderen. Zu Tode erschrocken. Das galt zweifellos auch als Mord. Nichts änderte sich dadurch. Doch der Kommissar suchte in einer anderen Richtung. Er runzelte die Stirn. Er wählte noch einmal die Nummer des Pathologen.

«Hier ist Alberto», sagte er.

«Drei Minuten und zwölf Sekunden», erwiderte der Obduzent. «Ich habe in seiner Nase Bananenreste gefunden. Halb verfault.»

«Konzentrier dich lieber auf die Augen.»

«Die Augen?»

«Nein, tu lieber gar nichts. Ich komm gleich runter.»

Federico hob sein Messer. Ein kleines Skalpell.

«Warum liegt die Pathologie immer im Keller?», fragte Kommissar Alberto Reyes eher sich selbst als den Mediziner.

«Mit Ausnahme der Henker sind wir wohl der Teil der Öffentlichkeit, der am wenigsten öffentlich ist», sagte Federico und fuhr mit seinem Chirurgenhandschuh über den weißen Bart des Alten. Der zerschmetterte Unterkiefer war befestigt worden und sah fast unversehrt aus. Den restlichen Körper bedeckte ein grünes Laken. Nur der Kopf ragte heraus, ein runzliges, gewissermaßen zerknautschtes Gesicht, umgeben von üppigen weißen Haaren und einem gelbweißen Rauschebart. Der Weihnachtsmann als Exhibitionist. Reyes lächelte, und Federico sah, dass er lächelte.

«Ja, wirklich komisch», sagte er wütend.

Sie musterten die Leiche eine Zeit lang. Es gab nichts mehr, was den Eingriff gerechtfertigt hätte. Die Augen waren geschlossen. Ein schnöder Penner. Der übliche Gestank.

«Ich hoffe, du weißt, was du tust», sagte der Obduzent. «Lies die Abschnitte noch mal vor.»

Reyes blätterte in seinen Unterlagen.

«Zuerst hat die Krankenschwester gesagt: ‹Er schien mich anzustarren, durch das Schaufenster›, und dann ‹ein Blick erfüllt von Entsetzen›. Mal sehen. Dann kam Rodriguez, der Straßenkehrer: ‹Er schien zu sehen, was passieren würde. Er schien es vor seinem inneren Auge zu sehen.› Und dann Señora Régules: ‹Es war schrecklich, ich muss immer daran denken. Seine Augen … die starrten … als wären sie noch am Leben.›»

Federico zuckte mit den Schultern.

«Reicht ja wohl kaum für einen solchen Eingriff …»

«Mach schon. Im Zweifelsfall kostet das mich den Kopf, nicht dich.»

Der Gerichtsmediziner senkte das Obduktionsskalpell über das tote Gesicht.

«Ich stelle mir vor, dass ich das einmal im Kino gesehen habe», sagte er und hob das Augenlid. Eine tiefschwarze Iris schien sie anzusehen. Federico zuckte kurz zusammen, dann führte er einen Querschnitt durch. Er erweiterte den Einschnitt. Ein wenig klare Flüssigkeit sickerte heraus.

«Hier ist nichts», sagte er gelassen.

«Versuch's beim anderen», sagte Reyes, ebenso gelassen.

Der Obduzent führte beim anderen Auge einen ähnlichen Schnitt durch. Dann machte er ein verdutztes Gesicht und legte das Skalpell weg.

«Große Linse», sagte er und griff nach einer Pinzette. Vorsichtig zog er etwas aus dem Augapfel, legte es in eine kleine Metallschale und spülte es mit Kochsalzlösung ab.

«Dios mío», rief er und fuhr zurück.

Reyes trat näher und musterte das Objekt, das ihn musterte.

Ein kleineres Auge. In dem anderen.

Er hob es und starrte in die schwarze Iris.

Wie ein Vogelauge.

Er atmete schwer. Federico trat wieder neben ihn. Auch Federico atmete schwer.

«Infierno», stöhnte er.

«Vermutlich», sagte Reyes. «Leg es für mich in eine Flasche.»

«Ich glaube nicht, dass du wichtiges Beweismaterial entfernen solltest ...»

«Mit Flüssigkeit, bitte.»

Reyes fuhr mit dem Bus zum Tatort. Das machte er immer, wenn er nachdenken musste. Für einen kurzen Moment, wie ein Auge unmittelbar, ehe der Blick sich fixiert, streiften seine Gedanken die Feiern in der Stadt. Weihnachten in Ciudad de México. Eine unerhört christliche Zeit, mit Wallfahrten zur Basilica de Guadaloupe und zur Heiligen Jungfrau *la Morenita*, mit diesen ewigen *Fiestas*, mit den neun *Posadas* zwischen dem 16. und dem 24. Dezember zur Erinnerung an die neun Monate der Schwangerschaft Mariens. Reyes dachte an den Unterschied zu Allerseelen etwa sechs Wochen zuvor, dem *Dia de los Muertos*, diesem heidnischen Tag, der sich unter der christlichen Oberfläche verbarg. Diesem paradoxen Feiertag, an dem die Lebenskraft sich in Knochenresten und Schädeln der Toten sammelte.

Diese paradoxe Stadt, dachte er, ehe er seine Gedanken sammeln konnte.

In seiner Aktentasche, der er nun die Zeugenaussagen entnahm, lag auch die Flasche mit dem kleinen Auge. Flüchtig sah er zu, wie es darin herumschwappte.

Ahnungen, Ahnungen. Noch immer gab es etwas, das er übersehen hatte. Und eine andere Ahnung, die ihm sagte, dass die Zeit drängte. Er ging die Zeugenaussagen der Reihe nach durch. Erst die von Manuel Morales, die er fast sofort verworfen hatte. Gab es dort doch etwas zu holen? Er las sie aufmerksam, überaus aufmerksam. Halb verfaulte Banane, wild flatternder Mantel. Dann kam dem Kommissar eine kleine Eingebung, und er wechselte über auf Señora Régules' Worte: «Und dann kam der Straßenkehrer, genau, und sagte, er habe die Polizei verständigt.» So schnell? Und was war dann passiert? Er musste noch einmal mit Roberto Rodriguez sprechen. Er überprüfte Manuel Morales' Aussage bis ins Detail. Der Mantel flatterte vor dem Auto. Unangenehmer Aufprall. Aufprall … abermals ließ Reyes Morales' Bericht sinken und widmete sich nun der Aussage von Rodrigo Lara. Der Aufprall. «Ein überaus unangenehmer Aufprall.» Unangenehm, dachte Reyes, desagradable. Gab es im heutigen Ciudad de México achtzehnjährige Zeitungsboten, die sich so ausdrückten? Er wandte sich wieder Morales' Wortwahl zu. «Ein wirklich unangenehmer Aufprall.» Genauso. Identisch. Der Moped fahrende Analphabet drückte sich genauso aus wie der wortgewandte Beamte. Hätten beide *ut nihil non iisdem verbis redderetur auditum* geäußert, dann wäre das zwar noch erstaunlicher gewesen, dachte Reyes, aber identische Formulierungen kommen seltener vor, als man annehmen sollte, sogar ganz einfache. Hatte Lara Morales einfach sagen hören, «ein wirklich unangenehmer Aufprall», oder war es doch ein Zufall, oder war hier abermals eine Ahnung angesagt?

Eine von Reyes' berühmten Ahnungen.

Sollte er sicherheitshalber auf die Wache zurückgehen? Aber was könnte ihm an der Unfallstätte schon passieren?

Er ließ die Ahnung bis auf weiteres ruhen und machte sich wieder an Morales' Aussage. «Ich sah einen Mantel vor oder neben dem schneller fahrenden Auto aufflattern. In diesem Moment hörte ich den Aufprall und sah den Wagen um die nächste Straßenecke verschwinden. Ein wirklich unangenehmer Aufprall. Auf der Straße lag ein völlig verkrümmter Körper, eine Gestalt, die in ihre eigene riesige, schmutzige Kleidung wie in ein Leichentuch gehüllt war.» Reyes schüttelte den Kopf. Zwar hatte er einen überaus beredten kleinen Herrn in Erinnerung, aber die Perle, «ein völlig verdrehter Sack aus Gewebe, ein Geschöpf, das sozusagen bereits in seine eigene riesige, schmutzige Kleidung eingehüllt», war ihm im vormittäglichen Chaos auf der Wache entgangen. Eine Miniaturgroteske nicht ohne Schönheitswert. In der Tat.

Eine neue Eingebung, ein neuer Abstecher. Vielleicht war es die Schönheit, der Gedanke an Schönheit oder einfach das Wort Schönheit, das ihn zur Krankenschwester brachte. Er betrachtete die dunklen Fäden, die sich bereits aus dem Pflaster um seinen Ringfinger lösten. Schönheit. Es war etwas, das sie gesagt hatte, schien ihm, und er blätterte in seinen Unterlagen. Der Blick des toten alten Mannes. Hier. «Aber sein Blick war genau derselbe, den ich im Schaufenster gesehen hatte, dasselbe reine, lautere Entsetzen. Es war, als sei nichts passiert, wenn Sie verstehen, was ich meine.» Er hatte das Gefühl, dass er ständig abschweifte. Er ließ seinen Blick schweifen.

Es war, als sei nichts passiert.

Er wandte sich abermals Morales zu. Es müsste doch möglich sein, von Anfang bis Ende zu lesen, ohne sich dauernd selbst zu unterbrechen. Aber Reyes wusste sehr gut, dass hier nicht die Rede von Unterbrechungen sein konnte. Im Gegenteil. Er wiederholte einige Worte, um die letzte Informationssequenz der Aussage zu erreichen, wie er das nannte: «... in ihren eigenen riesigen, schmutzigen Mantel gehüllt wie in ein Leichentuch, und aus einer der gebrochenen Hände kullerte ein kleiner Gegenstand.» Abermals schüttelte Reyes den Kopf. Keine weiteren Fragen. Er konnte nicht glauben, dass es stimmte. Nicht genug, dass ihm Morales' eigentümlicher Sprachgebrauch entgangen war, was wohl an sich von geringerer Bedeutung war, und außerdem Laras identische Wiederholung von Morales' Worten: Zu allem Überfluss hatte er die weiteren Fragen nach diesem kullernden Gegenstand nicht gestellt. Jetzt saß er im Bus und verfluchte seine verhörsmäßige Unzulänglichkeit. Reine Inkompetenz. Er kochte. Aber dann kam ihm ein anderer Gedanke.

Es musste noch einen Zeugen geben. Und dieser Zeuge hatte zweifellos die beste Position von allen gehabt.

Er kehrte zum Beginn von Morales' Aussage zurück. Die Banane. Der Obstverkäufer. O Herrgott, was für ein Tag. Spitzenleistung.

Er sah den Bericht durch, den die Streife über den Tatort verfasst hatte. Nicht ein Wort über einen gefundenen Gegenstand, und kein Wort über den Obstverkäufer. Und, das ging ihm in derselben Sekunde auf, das Auto von Señora Régules war auch nicht untersucht worden.

In diesem Moment bog der Bus in die fragliche Straße ein. Reyes sah weit vorne rechts den Obststand. Er konnte noch immer warten, abwarten, sich in sein Büro setzen und nachdenken und danach mit einem ganzen Stab von Ermittlern zurückkehren. Die Ahnungen ließen ihn zwischen Vorsicht und Neugier schwanken. Einige Sekunden lang kämpften beide Möglichkeiten miteinander.

Er stieg aus dem Bus. Der Obststand war verlassen. Er würde später wiederkommen müssen. In der Straße herrschte jetzt lebhafter Verkehr. Es war Stoßzeit. Er stand vor dem Obststand, ungefähr dort, wo Manuel Morales gestanden haben musste, und schaute zur anderen Straßenseite hinüber. Er fixierte die Stelle, an der der alte Mann überfahren worden war. Nicht eine Spur war noch von dem Unfall zu sehen. Es war eine normale, stark befahrene Querstraße. Er gelangte unversehrt auf die andere Seite. Er ging über den Bürgersteig, zuerst in die eine Richtung, dann in die andere, ohne Ergebnis. Vor einem Laden mit heruntergelassenem Holzrollo gab es einen mit einem Gitter versehenen Gully. Er schaute hinein. Dunkel. Vor dem Laden stand ein Besen, und er stemmte das Gitter mit dem Stiel auf. Die Vorüberkommenden musterten ihn müde, und er zeigte seinen Dienstausweis, um sich mögliche Fragen zu ersparen.

Zwei Meter tief im Gully war der Boden. Er zwängte sich durch das Loch und hoffte, ohne Gegenmaßnahmen ergreifen zu können, dass ihm der Besuch von unvorsichtigen Fußgängern mit Beinbruch erspart bleiben würde. Unten war alles trocken. Der Dezember war ein trockener Monat, es hatte lange nicht mehr geregnet. Ein leerer kleiner Absatz über leeren Abwässerkanälen. Er zog seine Taschenlampe aus der Brusttasche und ließ den kleinen Lichtstrahl sorgfältig über den Absatz wandern. Nichts. Absolut leer. Dann sah er ein kleines fleischiges Etwas, das zur Hälfte eingetrocknet und mit dem Zementboden verwachsen war. Er hob es auf und roch daran. Dann kniete er sich hin und beschnupperte den Boden. Ein schwacher, aber deutlicher Geruch.

Er zog sich nicht ohne Mühe aus dem Gully und legte das Gitter wieder auf seinen Platz. Neben dem Besen, den er vor dem scheinbar geschlossenen Laden wieder an die Wand gelehnt hatte, stand eine kleine Leiter. Er griff nach der Klinke der Ladentür. Offen. Er ging hinein und wurde umfangen von heißem, schwerem, betäubendem Fischgestank. Der Laden war winzig klein, voll gestopft mit Kisten und Kartons und mit Fisch, Fisch, Fisch. Hinter dem Tresen tauchte ein alter Mann auf.

«Wir haben heute schöne Austern», sagte er heiser. «Und der Thunfisch ist ganz frisch.»

Ein riesiger Thunfisch lag in schmelzendem Eis hinter dem Glastresen. Die Austern lagen in einer Holzkiste, hinter dem Alten waren noch weitere Holzkisten aufgestapelt.

«Bewahren Sie die Austern über Nacht im Gully auf?», fragte Reyes und zeigte seinen Dienstausweis. Der Alte wich zurück. Reyes fügte gelassen hinzu:

«Keine Sorge, mir geht es nicht um Ihre Lagerorte, egal, wie ungesetzlich die sein mögen.»

«Der wird jetzt doch nicht benutzt», sagte der Alte ängstlich. «Und ich störe ja niemanden. Wenn der Regen kommt, kann ich ihn sowieso nicht mehr benutzen.»

«Wann haben Sie heute die Kisten herausgenommen?»

«Ich hole sie immer gegen Mittag.»

«Sind es die da hinter Ihnen?»

«Ja.»

«Und die hier hinter dem Tresen? Sind das alle?»

«Ja, abends gehen die Geschäfte hier am besten.»

«Ich muss sie mir mal ansehen.»

In dem kleinen Laden gab es keinen weiteren Raum, und deshalb musste Reyes mitten auf dem Boden stehen und die fünfzehn Kästen mit den nicht ganz taufrischen Austern durchsehen. Die Frauen des Viertels tauchten eine nach der anderen auf und musterten ihn mit immer übellaunigeren Blicken. Nach einer guten Stunde Scheißarbeit glaubte er, fast schon zur Attraktion geworden zu sein. Die ersten elf Kisten erbrachten kein Ergebnis. Jetzt war er mit der zwölften beschäftigt. Zuerst sah er die Kiste durch, dann die Austern selbst, auch wenn das vielleicht unnötig war, aber er durfte jetzt nichts dem Zufall überlassen. Er öffnete eine Auster nach der anderen. Er schob das Messer zwischen die bisweilen ganz und bisweilen halb geschlossenen Schalenhälften. In der zwölften Kiste waren jetzt noch fünf, und seine Hoffnungslosigkeit wuchs. Er schob das Messer in eine halb offene Auster, hob das glibberige Fleisch heraus und schaute hinein.

Wie eine Perle, dachte er.

Wie eine Perle lag es da, grausig und sandig, aber unversehrt.

Wie eine Perle lag das kleine, kleine Auge mitten in der Auster und starrte ihn an.

Zuerst sah es aus wie das eines kleinen Vogels, aber bei genauerem Hinsehen kam es ihm vor wie eine Miniaturversion eines Menschenauges, kleiner als das, das sie aus dem Auge des weißbärtigen alten Mannes gefischt hatten, aber mit der gleichen fast schwarzen Iris.

Er spülte das Auge ab, nahm die Flasche aus der Aktentasche und ließ das kleine Auge neben das große gleiten. Er bedankte sich beim Fischhändler und ging wieder hinaus auf die Straße. Der Obststand war jetzt geöffnet. Eine junge Frau stand auf der rechten Seite. Er überquerte die Straße und sah sich die Bananen an.

«Waren Sie auch heute Morgen hier?», fragte er die junge Frau. «Als das Unglück passiert ist?»

«Nein, das war der Besitzer.»

«Hat er davon erzählt?»

«Ich habe ihn noch nicht gesehen. Er ist nachmittags nie hier.»

«Wo ist er denn dann?»

«Dann beschäftigt er sich mit seinem eigentlichen Beruf. Aber davon kann er wohl nicht leben.»

«Ist er Dichter?»

«Tätowierer.»

«Und wo ist er jetzt?»

«Nur ein paar Schritte weiter. In dem Laden zwischen Bäckerei und Schuhgeschäft. Von der Straße her ist er fast nicht zu sehen.»

Reyes bedankte sich und ging die Straße entlang. Aus der Bäckerei quoll der Duft von frischem Gebäck, und gleich darauf war sein Blickfeld von Damenschuhen erfüllt. Er trat zwei Schritte zurück und sah eine kleine unscheinbare Tür zwischen Bäckerei und Schuhgeschäft. Er ging hinein. Das Ladenlokal war in Dunkelheit gehüllt.

Hinter dem winzigen Tresen stand ein Mann, um dessen Arme sich Tätowierungen wanden. Er musterte Reyes, ohne eine Miene zu verziehen.

«Sie wünschen?», fragte er.

Reyes folgte einer Eingebung.

«Eine Tätowierung», sagte er und ging zur linken Wand, wo das Angebot zu sehen war. Die Wand war tapeziert mit Bildern von allerlei Vorlagen. Schlangen wanden sich um behaarte Herzen, Quetzalcoatl verlor in wildem Tanz mit Quaholom Federn, Einhörner bohrten ihr Horn in zerfetzte Minotauren, Sterne barsten und wurden in schwarze Löcher gesogen. Batman kopulierte mit der Jungfrau Maria, Kruzifixe durchstachen das Himmelsgewölbe und stießen dabei Raketenstufen ab, Orpheus stieg singend aus Dantes Hölle. Nebelwesen wurden geboren und starben, Hunde öffneten ihre Brust, Ahasver tastete sich an den Wänden entlang, Walrösser spielten neben Senkminen, Huitzilopochtli wurde voll bewaffnet aus

Coatlicues Bauch geboren, Athena trat in voller Montur aus dem gespaltenen Schädel des Zeus hervor, Herzen kollidierten und platzten. Mythologie und Sagen vermischten sich, Volkskultur mit Hochkultur, Katholisches mit Indianischem, Kriegerisches mit Friedlichem, Leben mit Tod.

Überrascht betrachtete Reyes dieses reiche Gewimmel. Der magere Mann trat neben ihn und fragte:

«Woran hatten Sie denn gedacht?»

Reyes gab keine Antwort, und der Mann steckte seinen überreich tätowierten Arm aus und zeigte auf ein sitzendes Skelett, das die Knie angezogen hatte und die Arme darum schlang. Auf dem Kopf trug diese Gestalt eine Art Mitra. Und ihre Augen waren wie große Halbkugeln, die versuchten, sich aus dem Totengesicht hinauszudrängen.

«Das hier vielleicht», sagte der Magere. «Mictlantecuhtli, der Totengott der Tolteken. Er herrschte über das Reich der Toten, und zu Beginn aller Zeiten gab er Quetzalcoatl die magischen Knochen, aus denen die Menschen erschaffen wurden. Bei den Tolteken hat der Totengott die Menschen erschaffen. Könnte das etwas sein?»

Reyes begegnete dem Blick des Tätowierten und dachte, dass er noch Zeit hätte, um mit der gesamten Truppe zurückzukehren. Vorsicht kämpfte eine Zeit lang gegen die übermächtige Neugier, zog den Kürzeren, und Reyes sagte:

«Ich will ein Auge.»

Der Mann musterte ihn eine Zeit lang.

«Haben Sie eine Vorlage bei sich?»

«Ja», sagte Reyes und holte tief Luft.

«Wie viele?», fragte der Mann ganz und gar ausdruckslos.

«Zwei.»

Der Mann ließ seinen Blick einige Sekunden lang über den Kommissar wandern, dann sagte er:

«Sind Sie Reyes?»

Das Netz der Ahnungen senkte sich über Reyes. Die aller-letzte Chance. Nein. Nein, ich bin nicht Reyes. Ich möchte mich nur tätowieren lassen. Ich gehe jetzt. Ich komme später wieder.

«Ja. Ich bin Reyes.»

Was nutzt eine Ahnung, wenn sie nicht zugleich in einer Handlung resultiert?

Der Mann zeigte einladend auf einen Perlenvorhang hinter dem Tresen.

«Bitte sehr», sagte er.

Reyes durchquerte den Vorhang. Die Perlen klirrten gegen-einander.

Er verschwand in einer pulsierenden Flutwelle aus Ster-nen.

Er kehrte in derselben Flutwelle zurück, nur umgekehrt, wie bei einem rückwärts ablaufenden Film. Er lag auf einem Tisch. Seine Hände waren am Tisch festgebunden. Auf einem kleinen Tablett vor seinen Augen stand seine mit Flüssigkeit gefüllte Flasche mit den beiden kleinen Augäpfeln, einer klei-ner als der andere, beide kleiner als normal. Sie musterten ihn mit asymmetrischem Blick.

Um den Tisch herum standen sechs Personen. Ganz hin-ten der Mann mit den Tätowierungen. Er schwieg. Der Mann neben ihm ergriff als Erster das Wort.

«Dass Sie das wirklich selber wollten», sagte Manuel Mo-rales. «Das hätte ich nicht von Ihnen erwartet. So viel Phan-tasie schienen Sie heute Morgen gar nicht zu haben.»

«Eigentlich brauchten wir Sie nur, um das dritte Auge aus-findig zu machen», sagte Rodrigo Lara. «Den besten Polizis-ten der Stadt.»

«Ihre andere Funktion haben Sie selbst entwickelt», sagte

Mercedes Pola. «Sie haben sie selbst gesucht und selbst gefunden. Wir brauchten nur so lange zu warten.»

«Sie sind begabter, als wir das jemals ahnen konnten», sagte Roberto Rodriguez. «Sie sind direkt hergekommen. Wie bestellt, das zweite Auge, das dritte und dann Sie. In einem Paket.»

«Er war einfach zu alt geworden», sagte Mediana Régules. «Als er endlich auftauchte und beschlossen hatte, den Schritt zu wagen, den zweiten Schritt, war er schon zu alt. Aber jetzt können wir eine jüngere Versuchsperson beobachten.»

Der Mann mit den Tätowierungen wies kurz auf ihren Kreis.

«Also», sagte er überaus gelassen. «Haben Sie etwas dagegen, wenn wir jetzt anfangen? Es ist schon spät.»

Er griff nach einer kleinen Tasche, öffnete sie und glitt am Tisch entlang zu Reyes' Kopf weiter. Als er ihn erreicht hatte, zog er ein kleines Präzisionsskalpell hervor und hielt es ins bleiche Licht.

«Warten!», schrie Reyes. «Die Polizei ist unterwegs. Sie werden jeden Moment hier sein.»

Alle am Tisch lächelten belustigt.

«Aber Herr Kommissar», sagte Mercedes Pola dann, «Sie wissen doch, dass wir Sie wegen Ihrer Ahnungen ausgesucht haben und weil Sie immer allein arbeiten.»

Reyes gab auf. Es war zu Ende. Er kämpfte nicht mehr gegen das Netz seiner Ahnungen. Er war in die Falle gegangen.

«Lassen Sie mich nur noch die Fäden zusammenknüpfen», sagte er. «Es gab keinen hellblauen Ford Sierra, keinen zeigenden und keinen Gas gebenden Mann?»

Der Tätowierte hob das Skalpell und sagte ruhig:

«Wie Sie sehr gut wissen, Herr Kommissar, liegt Ihre eigentliche Frage auf einem ganz anderen Niveau.»

Er beugte sich über Reyes, seine Augen quollen aus seinem mageren Gesicht, wie Halbkugeln, die aus ihren Höhlen herauswollten.

An einem frühen Morgen im Dezember, als eine schwere Abgasglocke sich über Ciudad de México gestülpt hatte, wurde der Leichnam von Kommissar Alberto Reyes in einer Gasse in den südlichen Vororten gefunden. Die Todesursache konnte ziemlich schnell festgestellt werden. Er war an einem Herzinfarkt gestorben.

Da keinerlei Anzeichen für ein Verbrechen vorlagen, wurde auch keine Ermittlung eingeleitet. Unter seinen Hinterlassenschaften, die aus Mangel an Erben sodann vernichtet wurden, befanden sich zwei Notizbücher. Niemand las darin mehr als die letzten Sätze.

Das erste Notizbuch, das mit einem A gekennzeichnet war, endete mit den Worten: Seine Augen quollen aus seinem mageren Gesicht, wie Halbkugeln, die aus ihren Höhlen herauswollten.

Das zweite Notizbuch, das mit einem B versehen war, endete mit den Worten: Er hatte sein Leben wohl in ihrem Sinne beendet. Seltsamerweise hatte Reyes diese Eintragungen mit Daten versehen, die auf den Tag folgten, an dem er gefunden worden war. Man nahm an, er habe in einem Zustand geistiger Umnachtung geschrieben und wie Hölderlin oder Nietzsche absichtlich ein falsches Datum angegeben. Man nahm außerdem an, dass er sein Leben in deren Sinne beendet hatte.

Anna Jansson

Single zu Weihnachten

Es war eine kalte Luzianacht. Am Morgen würden die Nachrichten der schwedischen Bevölkerung von Prügeleien, betrunkenen Jugendlichen und erfrorenen Obdachlosen berichten. Die Zahlen wurden jedes Jahr aktualisiert, die Geschehnisse dagegen blieben traditionsgemäß dieselben.

Das Mondlicht fiel durch das Fenster ins Zimmer. Eva Lindgren saß vor ihrem Fernseher und sah zu, wie die schwedische Luzia mit brennenden Kerzen gekrönt wurde. Der Chorgesang ließ sie wehmütig werden, weckte Erinnerungen an andere und glücklichere Weihnachtsfeste. Sie wärmte ihre Hände an einer Tasse voll heißem Punsch. Die Kälte in ihrem Körper kam von innen und wurzelte in einem starken Gefühl der Einsamkeit. Und doch hatte sie selbst Lars den Vorschlag gemacht, eine Zeit lang getrennt zu leben, um ihrer Beziehung eine neue Perspektive zu geben. Eine Scheidung sei nicht notwendig, nicht ohne längere Bedenkzeit jedenfalls. Neunzehn gemeinsame Jahre in guten und in schlechten Zeiten sind auch eine Leistung. Sie selbst hatte gesagt, sie brauchten eine Auszeit. Er hatte nicht protestiert, hatte sie nicht umarmt, er hatte sie auch nicht gebeten zu bleiben. Vielleicht hatte sie geglaubt, nachdem Emilie in eine Wohngemeinschaft gezogen war, würden sie einander näher kommen, würden zu neuer Lust finden. Die Jahre des Kampfes um ein erträgliches Leben für ihre autistische Tochter hatten ihre Beziehung zweifellos stark beeinträchtigt. Lars hatte sich in seine Arbeit geflüchtet. Je belastender der Alltag zu Hause wurde, desto mehr arbeitete er. Eine ganz natürliche männliche Reaktion, hatte der Therapeut gesagt. Der Mann unterstütze seine Familie, indem er für ihren Unterhalt sorge. Ist dieser gefährdet, arbeite er noch härter. Auf diese Weise zeige der Mann, dass seine Familie ihm wichtig sei. Es führe oft zu bitteren Enttäuschungen, wenn man dieses Phänomen nicht verstehe und nicht darüber sprechen könne.

Eva biss in ein Pfefferkuchenherz und kniff die Augen zusammen. O ja, sie war enttäuscht. Sie allein hatte darum gekämpft, dass die Krankheit ihrer Tochter diagnostiziert und ihr durch persönliche Betreuung die Chance auf ein sinnvolles Leben gegeben worden war. Sie hatte gegen die verbreitete Meinung angekämpft, dass die Behinderung der Tochter auf die Gefühlskälte der Mutter zurückzuführen sei. Ein Vorurteil, das sich verbissen hielt, ganz ohne wissenschaftliche Verankerung, aber dennoch ungeheuer kränkend. Ihre eigene Arbeit als Diätassistentin hatte an zweite Stelle treten müssen, während ihr Mann Karriere gemacht, eine Firma gegründet hatte und immer seltener zu Hause war. Ob er mit ihr zweite Flitterwochen machen möchte, hatte sie ihn gleich am ersten Abend nach Emilies Auszug gefragt. Eine Antwort war ausgeblieben. Als es dann Zeit zum Schlafengehen gewesen war, hatte er im Wohnzimmer herumgetrödelt. Hatte ein Glas und dann noch eins getrunken und war schließlich auf dem Sofa eingeschlafen. Sie hatte sich so töricht gefühlt in ihrem neuen schwarzen Spitzennachthemd, so abgewiesen, als sie ins Bett geschlüpft war und auf jemanden gewartet hatte, der gar nicht mehr kommen würde. War da eine andere? Das hatte er abgestritten, aber sie hatte verschiedene Anzeichen dafür entdeckt. Ein fremder Duft an seiner Kleidung. Telefongespräche, die er im Nebenzimmer führen wollte. Und er achtete seit neuestem so sehr auf sein Äußeres, ihr Lars. Eva wünschte, sie hätte ihrem Aussehen ähnlich viel Zeit widmen können. Bei einem Treffen mit ihrer Nachbarin hatte sie nur zwei Gläser Wein gebraucht, um sich alle Sorgen vom Leib zu reden.

«Vielleicht ist er impotent», hatte Sabine gesagt. «Rauchende Männer über fünfzig haben oft Potenzprobleme, das hab ich gelesen. Er sollte sich das Rauchen abgewöhnen.»

«Das finde ich ja schon lange, aber ich glaube, das ist nicht das Problem. Er findet mich alt und hässlich. Verbraucht. Verfallsdatum schon längst überschritten.»

Nachdem sie das Problem aus allen möglichen Blickwinkeln beleuchtet hatten, kam Sabine mit einem originellen Vorschlag.

«Mach es wie ich, schaff dir übers Internet einen Liebhaber an.» Über Evas verblüfften Gesichtsausdruck hatte Sabine herzhaft lachen müssen.

«Hast du einen Internetliebhaber?» Eva hatte das gegen ihren Willen fast ein wenig spannend gefunden.

«Mehrere. Im Moment sind es fünf. Wenn ich Lust habe, treffe ich mich manchmal mit einem. Wenn er langweilig, ungeschickt oder schlecht gelaunt ist, wird er ausgetauscht. Wer Bilder von sich paarenden Hamstern schickt, wird sofort abgesägt. Im Internet ist die Chance, einen netten Typen zu finden, viel größer als in einer Kneipe. Da wirst du doch vor allem nach deinem Aussehen beurteilt. Im Netz hingegen kannst du deinen ganzen Charme aufwenden, all deine Phantasie und Intelligenz. In der Kneipe kann man nicht mal ein sinnvolles Gespräch führen. Die Musik ist zu laut, und das ganze Stimmengewirr führt dazu, dass man sich nur in abgehackten

Sätzen unterhält. Und wer will schon auf sein Aussehen und auf unverständliche Halbsätze reduziert werden? Außerdem besteht immer das Risiko, dass man einen tollen Mann mit nach Hause nimmt, der sich dann als Volltrottel entpuppt. Beim Chatten bleiben uns solche Hasardspiele erspart.»

«Und was ist, wenn er lügt?», hatte Eva eingeworfen.

«Das ist ja gerade das Spannende! Man weiß nie genau, woran man ist. Vor allem darf man das Ganze nicht zu ernst nehmen. Ich persönlich sage immer die Wahrheit. Hat man sich zu sehr in Lügen verstrickt, kann es schwierig werden, wenn man sich wirklich trifft.» Sabine hatte ihr gezeigt, wie so ein Chat funktionierte. Es war ein inspirierender Abend gewesen.

Eva stand vom Sofa auf und zündete den Adventsleuchter auf der Fensterbank an. Hier saß sie nun in ihrer tristen kleinen Einzimmerwohnung. Weihnachten stand vor der Tür. Die Einsamkeit hallte förmlich zwischen den Wänden wider. Sie wählte Lars' Telefonnummer. Wie schon am Vorabend war er nicht zu Hause. Eva schaltete den Computer ein. Es wäre schön, mit jemandem reden zu können. Sabine war auch nicht zu Hause, als Eva bei ihr anrief. Warum sollte sie also nicht für ein Weilchen mit einer unbekannten Person chatten, die wie sie selbst nachts keinen Schlaf fand? Sie konnte ja schließlich anonym bleiben.

«Was machst du denn so?», fragte der Screenname Bruno.

«Ich bin Diätassistentin», antwortete Eva wahrheitsgemäß. «Mein Mann hat mich satt gehabt, nachdem er zwanzig Jahre lang Diätnahrung vorkosten musste. Eine Woche Diät für Nierenkranke, in der nächsten für Leute mit Laktoseintoleranz, eine Woche glutenfrei und zwei Wochen ohne Salz. Am Ende wurde Lars allergisch gegen alles, vor allem gegen mich.»

«Warum hast du diesen Beruf gewählt? Die damit ver-

bundenen Risiken hättest du doch vorausahnen können :-)»,
schrieb Bruno.

«Das hat bestimmt mit Nabelschau zu tun, wie so vieles
andere. Ich bin allergisch gegen Fische, Krustentiere, Jod,
Nüsse, Erdbeeren und grüne Äpfel. Als ich zuletzt eine Erdnuss gegessen habe, dachte ich wirklich, mein letztes Stünd-
lein hätte geschlagen. Ich wurde mit dem Notarztwagen ins
Krankenhaus geschafft. Der Arzt hat mir Cortisontabletten
und Adrenalinspritzen verschrieben, die ich immer dabeiha-
be. Das nächste Mal kann es nicht mehr so schlimm werden.»
Als sie einander eine gute Nacht wünschten und Eva den
Wecker stellen wollte, fiel ihr zu ihrer Verblüffung auf, dass
sie gerade mehrere Stunden miteinander gesprochen hatten.
Meldest du dich morgen, hatte er gefragt, und sie hatte ohne
nachzudenken mit Ja geantwortet.

Die Nacht war so warm, dass Eva nicht einschlafen konnte. Sie hatte schon lange nicht mehr so vertraut mit einem
Mann gesprochen. Irgendwie hatte ihr die Anonymität der
Situation ganz neuen Mut gegeben. Ein Thema hatte zum
anderen geführt. Im Nachhinein konnte sie nur darüber staunen, wie sie ihm von den zweiten Flitterwochen erzählt hatte,
zu denen es nicht mehr gekommen war. Weshalb fährst du
nicht ohne ihn, wenn dich die winterliche Dunkelheit depri-
miert, hatte er gefragt. Und sie hatte wahrheitsgemäß und ein
wenig unbedacht geantwortet, dass sie am kommenden Freitag mit einer Freundin nach Las Palmas fliegen würde. Was
spielt es schon für eine Rolle, ob ich ihm das erzähle, hatte
sie sich gesagt. Er kannte ja nicht einmal ihren richtigen Namen. Außerdem hatte er ganz normal auf sie gewirkt. Er war
seit einem Jahr Witwer, Oboist bei einem Kammerorchester
und arbeitete seit zwanzig Jahren bei der Polizei. Das klang
irgendwie beruhigend.

Den Tag der Abreise begannen sie mit einem Frühstück im Radisson Hotel am Flughafen Arlanda. Von der Terrasse aus beobachteten sie das Schneegestöber. In wenigen Stunden würden sie in ihrer Wohnung in Las Palmas sitzen und unter strahlender Sonne an ihrem Martini Bianco nippen. Da sie das Frühstück im Hotel selbst bezahlen mussten, steckte Eva sich zehn winzige Kaviartuben und einen Apfel in die Jackentasche, als sie das Restaurant verließen. Sparst du was, hast du was, pflegte sie zu sagen.

«Was bist du für eine fürsorgliche Ernährerin», höhnte Sabine. Beim Einchecken standen sie hinter einem dunkelhaarigen Mann im Trenchcoat. Eva musste sich beherrschen, ihn nicht unentwegt anzustarren. Er sah aus, als käme er gerade vom Filmset, war durchtrainiert, selbstsicher, exklusiv angezogen und wirkte ungeheuer männlich. Sabine war unterdessen mit einem bärtigen Mann mit Kameraausrüstung ins Gespräch gekommen. Sie luden ihre Taschen auf das Transportband, zeigten ihre Pässe vor. Mit leichtem Unbehagen ging Eva durch den Metalldetektor. Das Alarmgeheul ließ die Beamten mit strengem Gesichtsausdruck an sie herantreten. Evas stockte der Atem.

«Haben Sie irgendetwas aus Metall bei sich?»

«Ich glaube nicht.» Der Metalldetektor peilte die rechte Jackentasche an, und Evà schoss die Röte ins Gesicht. Sie legte zuerst zwei Kaviartuben auf das Transportband, dann zwei weitere und schließlich die übrigen sechs. Der Beamte blickte sie misstrauisch an. Blitzlicht flammte auf, kurz darauf zog das Gesicht des bärtigen Fotografen in einem unwirklichen Nebel an ihr vorbei. Der Mann im Trenchcoat drehte sich um. Sah, was er sehen musste. Sabine konnte sich kaum noch aufrecht halten vor Lachen, während Eva vor Scham im Boden versank. Schnell sah sie zu, dass sie zum Ausgang kam.

Im Flugzeug saßen sie peinlicherweise genau neben dem Mann im Trenchcoat. Er stellte sich vor als Mikael Ström, Unternehmensberater, und lud die Damen zu einem Whisky ein.

«Der Wein, den sie hier an Bord servieren, ist ungenießbar. Der Weißwein ist purer Essig und der Rotwein eiskalt.»

«Ich wärme ihn immer zwischen meinen Schenkeln an», erklärte Sabine ohne einen Funken Scham, und Eva hätte am liebsten so getan, als sei diese Frau ihr ganz und gar unbekannt. Sie lehnte den Whisky ab, zog ein Buch hervor und begann zu lesen, aber sie hatte Schwierigkeiten, sich zu konzentrieren. Mikaels körperliche Nähe und der aufregende Duft seines Rasierwassers machten sie auf eine angenehme Weise nervös. Nach den vielen Jahren in einer alles verzehrenden Mutterrolle war es ungewohnt, sich plötzlich zu einem Mann hingezogen zu fühlen. Wie sollte sie mit diesen jugendlichen Gefühlen umgehen, wo sie doch den Körper einer Frau mittleren Alters wie eine Fußfessel mit sich herumschleppte? Eva kam sich vor wie eine runzlige, verschrumpelte Saatkartoffel, die, nachdem sie Leben gegeben hat, völlig unnütz geworden ist. Mit Würde zu altern bedeutet, über solche Albernheiten wie Attraktivität und Verliebtheit erhaben zu sein, beschloss sie. Mikael versuchte, mit ihr ins Gespräch zu kommen, aber Eva antwortete einsilbig und schroff. Als endlich das Essen serviert wurde, rutschte ihr das Tablett, das sie ihm reichen sollte, aus den Händen, und das gesamte Mahl ergoss sich über Mikaels helle Hose.

«Das tut mir schrecklich Leid. Ich …» Sie griff zur Serviette, um die Soße abzuwischen, hielt dann aber inne, errötete und reichte sie ihm. «Ich kann Ihnen die Reinigung bezahlen … oder eine neue Hose. Es ist mir furchtbar unangenehm.»

«Das macht doch gar nichts. Aber wenn Sie mich wirklich

unbedingt auf irgendeine Weise entschädigen wollen, dann wünsche ich mir heute ein Abendessen in Ihrer Gesellschaft.» Sie sagte zu, biss sich auf die Lippen und bereute ihre übereilte Antwort.

«Ich wollte wirklich nicht mit ihm zum Abendessen», verteidigte Eva sich, als Sabine sich leicht beleidigt die Haare hinter die Ohren strich und an ihrem Martini nippte. Die Aussicht vom Balkon über das Meer war unbeschreiblich schön. Der Abend war jung. Der Fotograf hob die Hand zum Gruß, er las auf dem Nachbarbalkon ein Buch über die Geschichte der Fotokunst. «Es ist doch selbstverständlich, Sabine, dass du heute Abend mitkommst. Er hat doch gesagt, dass du auch willkommen bist.»

«Als fünftes Rad am Wagen? Nein, danke. Ich bleibe auf dem Zimmer und packe so lange meinen Koffer aus. Ich kann doch ein Brot mit Kaviar essen. Davon haben wir ja schließlich genug.»

«Jetzt komm schon. Ich weiß doch gar nicht, worüber ich mit ihm reden soll. Wir brauchen ja nicht so lange zu bleiben.» Eva merkte, dass sie gereizter klang als geplant. In dieser Situation waren sie nicht zum ersten Mal. Sabine fuhr so leicht die Stacheln aus, wenn sie sich ausgeschlossen fühlte. Eva konnte niemals mehrere Bekannte gleichzeitig einladen, sie konnte Sabine auch nicht erzählen, was sie mit anderen Freundinnen unternommen hatte, ohne dass Sabine beleidigt war. Eva hatte versucht, ihre Eifersucht einfach zu ignorieren, aber oft führten solche Situationen zu einem Streit, nach dem sie sich meist für längere Zeit aus dem Weg gingen. Erst wenn Eva sich mehrmals entschuldigt hatte, vergab Sabine ihr. «Ich gehe jetzt.»

Der Spaziergang am Strand tat ihr gut. Die sanfte Dämmerung, die zärtlich den Sand liebkosenden Wellen, die Musik und die lockenden Lichter der Restaurants bewirkten, dass sie sich endlich doch auf das Essen mit Mikael freute. In der Luft lag etwas Sinnliches, ein Gefühl von Sehnsucht. Er hätte nicht um ihre Gesellschaft bitten müssen, wenn er sie nicht wirklich wiedersehen wollte. Woher kam ihre plötzliche Verlegenheit? Warum konnte sie nicht einfach mal dankend annehmen, was das Leben ihr bot? Sie wurde ja normalerweise nicht gerade mit Komplimenten überschüttet, mit Sorgen dafür umso mehr. Nach zwei Gläsern Martini war ihre Verlegenheit verflogen, geblieben war die Sehnsucht danach, zu begehren und begehrt zu werden.

In einer engen Gasse sah sie kurz, wie der Fotograf wild gestikulierend versuchte, zwei Männern in Uniform, vermutlich Polizisten, etwas zu erklären. Wahrscheinlich hatte er verbotenerweise etwas fotografiert, war angetrunken oder hatte sich störend verhalten. Sie hoffte jedenfalls, dass die Polizei den Bärtigen und seine Fotografiererei sorgsam überwachte.

Mikael stand schon vor dem Restaurant und studierte die Speisekarte. Sein weißes Hemd leuchtete im Schein der Laterne. Seine dunklen Haare waren an den Schläfen grau meliert. Aus der Nähe konnte sie feststellen, dass er zwei kleine Narben im Gesicht hatte, eine unter dem Auge, die andere auf der Wange. Sie schaute ihm tief in die Augen und ließ sich von der Situation berauschen. Zur Begrüßung umarmte er sie und küsste sie auf südländische Art auf beide Wangen. Sie wurden zu einem Tisch geführt, dicht am Wasser. Er bestellte Tapas, Grillspieße und Rotwein, nachdem er ihr Einverständnis eingeholt hatte. Ihr Gespräch floss dahin, völlig ungezwungen. Er erzählte von seiner Arbeit, von seiner Schulzeit in einem französischen Internat und seinen Zukunftsplänen. Seit seine Frau bei einem Autounfall ums Leben gekommen war, hatte er nur noch für seine Arbeit gelebt, jetzt aber fühlte er sich einsam. Eva mahnte sich, die Situation nüchtern zu beurteilen. Dass er eine Frau suchte, mit der er sein Leben teilen könnte, war ja nicht unbedingt als Einladung an sie zu verstehen.

«Eine wie du», sagte er und legte seine Hand auf ihre, vorsichtig, fast ohne ihre Finger zu berühren. Sie ließ es geschehen. Wie sehr hatte sich ihre Haut nach einer solchen Berührung gesehnt! Langsam streichelte er ihre Finger, während er weitersprach. Seine Hand wanderte behutsam an ihrem Arm hoch und auf der Innenseite langsam wieder herunter. Eva spürte, wie ein wunderbarer Schauder ihren Körper durchfuhr. Er legte ihr die Finger unter das Kinn, und als er ihr von seinen Reisen und von der Musik, die er liebte, erzählte, ließ sie sich ganz von seinem von fernen Ländern sprechenden Blick gefangen nehmen. Sein Mund näherte sich vorsichtig ihrer Wange, und er sprach so leise, dass sie sich vorbeugen musste, um hören zu können, was er sagte. Seine Lippen streiften ihr Ohrläppchen. Meinte er wirklich sie?

Plötzlich wurde ihre Stimmung von einem lauten Geräusch am Nachbartisch gestört: Der Fotograf hatte sich dort niedergelassen und bestellte laut und in schlechtem Englisch ein Gericht, das offensichtlich nicht auf der Speisekarte stand. Leicht benommen ging Eva zur Toilette. Da das Schloss nicht richtig funktionierte, hielt sie die Tür von innen zu. Was für ein seltsamer Mensch dieser Fotograf doch war! Als er mit der Polizei gesprochen hatte, hatte sein Spanisch sich zumindest in ihren Ohren einwandfrei angehört, während er hier im Restaurant auf Englisch radebrechte. Musik und Stimmengewirr im Restaurant waren lauter geworden. Eva fühlte sich leicht beschwipst, als sie auf ihren hochhackigen Schuhen zu Mikael zurückging. An ihrem Tisch saßen nun auch der Fotograf und Sabine, aber Mikael beteiligte sich nicht an ihrer Unterhaltung. Er hatte sich dem Meer zugewandt und schien ganz in Gedanken versunken zu sein.

Ein Blick auf ihren Teller verriet Eva, dass sie den Grillspieß und die Kartoffeln in der pikanten Soße kaum angerührt hatte. Mikael zwinkerte ihr verstohlen zu, und sie spürte, wie eine wohlige Wärme ihren Körper durchströmte. Sie lächelte ihn viel sagend an. Sie nahm einen Bissen von ihrem Grillteller und spürte ein prickelndes Gefühl am Gaumen und auf der Zungenspitze. Hilfe suchend schaute sie zu Sabine, doch die hatte sich abgewandt. Als ihre Lippen anschwollen, stieß sie einen verzweifelten Schrei aus. Sabines Gesicht war jetzt dicht an ihrem.

«Meine Medikamente! Du musst meine Medikamente holen! Im Nécessaire im Badezimmer!»

Eva spülte sich den Mund mit Wein aus und spuckte ein kleines Stück von einer Erdnuss in die Serviette. Das war es also gewesen. Sie versuchte, ruhig zu bleiben, aber das Atmen fiel ihr immer schwerer. Sie brauchte dringend einen Arzt, aber niemand achtete auf sie. Es dauerte eine Ewigkeit, bis Sabine endlich zurück war.

«Ich war oben in der Wohnung. Deine Medikamente sind nirgendwo zu finden. Ich habe dein ganzes Gepäck durchsucht. Bist du sicher, dass du sie eingepackt hast?» Sabines Stimme klang schrill.

«Ja», hauchte Eva schwach. Sie fühlte sich so elend, dass sie keinen klaren Gedanken mehr fassen konnte. Das Licht verschwand vor ihren Augen und kehrte nur sporadisch zurück, während ihre Kehle sich langsam und unerbittlich zusammenschnürte. Der Druck auf ihrer Brust ließ sie keuchend die Tischkante umklammern, bis sie auf den harten Boden fiel und die Finsternis sie einhüllte. Dann wurde alles ruhig und hell. Die Stimmen, die sie zurückholen wollten, empfand sie als Störung. Sie wollte nur noch von dem weißen Licht umgeben sein.

Ein Rauschen legte sich wie eine Schutzhaut über ihr Bewusstsein, ein ruhiger konstanter Laut, bis sie langsam wieder sehen konnte und die undeutlichen Gesichter wahrnahm, die über ihrem Kopf schwebten. Ihr Herz schlug unregelmäßig, ihr Puls raste, und der Druck gegen ihre Schläfen wurde fast unerträglich. Sabines Stimme.

«Eva, Eva, kannst du mich hören?»

Später an diesem Abend, nachdem sie sich von den anderen getrennt hatten, saß Sabine in eine Decke gehüllt an Evas Bett.

«Wie geht es dir jetzt?» Ihre Stimme klang sanft und schuldbewusst.

«Ist schon okay.» Eva stützte sich auf einen Ellbogen und schaute sich nachdenklich um.

«Ich bin sicher, dass ich meine Medikamente mitgenommen habe. Ganz sicher.»

«Wenn der Wirt nicht selbst Allergiker gewesen wäre und dir seine Medizin gebracht hätte, hätte es böse enden können.» Sabine fuhr Eva zitternd über die Haare.

«Ich muss mich noch bei ihm bedanken», sagte Eva.

«Jetzt musst du dich erst mal ausruhen. Ich kümmere mich schon um dich. Du und ich gegen den Rest der Welt. Eigentlich brauchtest du einen Vorkoster, damit du nicht noch eines Tages vergiftet wirst. Traust du dir morgen den Ausflug zum Markt zu, was meinst du?»

Auch Mikael saß im Bus nach Las Palmas. Seine braunen Augen suchten ihren Blick. Eva merkte, dass es ihr schwer fiel, bei helllichtem Tag seine Aufmerksamkeit zu ertragen. Die Spuren an ihren Kleidern hatten gezeigt, dass sie sich gestern Abend erbrochen hatte, ehe sie ohnmächtig geworden war. Wie peinlich ihr das war! Sabine saß auf der Kante ihres Sitzes und bemühte sich um ein Gespräch mit dem Fotografen, der durch die Fensterscheibe vorbeiziehende Zitronen- und Olivenhaine ablichtete.

«Ist es nicht schwer, auf diese Weise gute Bilder zu bekommen? Welche Belichtungszeit wählst du?», fragte sie. Er antwortete erst, als sie ihre Frage wiederholt hatte.

«Nicht mit der richtigen Lichtempfindlichkeit. Ich habe am Zoom einen Vibrationseliminator, mit dem ich die Belichtungszeit um zwanzig Prozent reduzieren kann.»

«Vibrationseliminator? Willst du mich auf den Arm nehmen?»

«Könnte schon sein.» Der Rest des Gesprächs wurde von den Ermahnungen der Reiseleitung, auf Brieftaschen und Handtaschen aufzupassen, übertönt.

Der Markt war ein Erlebnis aus Düften und Farben. Obststände mit Orangen und Zitronen, Melonen und Trauben reihten sich an Tische mit Schuhen und Taschen. Von Gemüse bis hin zu Spitzenunterröcken war hier für jeden etwas dabei. Die Marktschreier priesen lauthals ihre Ware an. In dem Getümmel von Frauen mit langen schwarzen Kleidern und Kopftüchern, Bettlern und ausgelassenen Kindern schlenderten Eva und Sabine von Stand zu Stand. Tüten wurden gefüllt und wechselten dann den Besitzer. Mikael und Tobias Eriksson, der Fotograf, blieben in ihrer Nähe und kommentierten die Einkäufe. Eva hob ein Herrenhemd hoch. Vielleicht war es eine Sache der Gewohnheit. Wenn man im Urlaub viel für sich selbst gekauft hat, war es strategisch sinnvoll, dem Partner als Erstes ein Mitbringsel zu präsentieren: «Schau mal, Liebling, was ich für dich gekauft habe.» Reine Gewohnheit.

«Hast du an Lars gedacht?» Eva drehte sich um. Mikael musterte sie mit ernster Miene. An Lars? Am Vorabend war sie zwar beschwipst gewesen, aber sie wusste dennoch ganz genau, dass sie den Namen ihres Mannes nicht erwähnt hatte. In einer so prekären Situation hätte sie ihn niemals über die Lippen gebracht. ‹Mein Mann›, hatte sie gesagt, ‹er›, aber niemals ‹Lars›. Bei ihrem nächsten Gedanken wurde ihr fast schwindlig. Bruno? Konnte er das sein? Er hatte von einer verstorbenen Ehefrau erzählt. Vielleicht war das mit der Polizei gelogen gewesen, vielleicht hatte er sich ein wenig älter gemacht. Plötzlich musste sie lachen. Sabine blickte Eva fordernd an.

«Was ist los? Nun erzähl schon, was ist so komisch?» Eva aber schüttelte den Kopf. Das hier wollte sie für sich behalten.

Als sie in Las Palmas auf den Bus warteten, drückte Mikael ihr einen Zettel in die Hand. «Komm um Mitternacht an den Strand. Ich warte sehnsüchtig auf dich.» Wie langsam die Zeit doch vergehen kann, wenn man auf eine Umarmung wartet, auf körperliche Nähe, die man so viele Jahre vermisst hatte. Sabine ärgerte sich beim Abendessen darüber, dass Eva ihr nicht richtig zuhörte. Nach zwei offensichtlichen Patzern verbrachten sie den Rest des Essens schweigend. Beim Kaffee wurden sie wieder gesprächiger, und Sabine ließ sich über den Fotografen aus. «Männer können mit ihren dicken Bäuchen ungeniert in der Sonne liegen, während wir unser Geld dafür ausgeben, um Fettröllchen und andere Peinlichkeiten zu tarnen, ist das vielleicht gerecht?»

Doch Eva war mit ihren Gedanken schon längst wieder bei der bevorstehenden Nacht und nahm Sabines Meckern nur als Gebrabbel im Hintergrund wahr.

«Du hörst mir ja überhaupt nicht zu. Ich finde dein Verhalten in diesem Urlaub egoistisch. Ich war immer für dich da, wenn du traurig und verzweifelt warst. Ich hab die ganze Nacht bei dir gesessen, als du weinen musstest, weil Lars trotz Emilies Krankheit nicht nach Hause kam. Ich habe dir stundenlang zugehört, als der Mann vom Sozialamt dich mit seinem hobbypsychologischen Gebrabbel beleidigt hatte. Gestern hab ich deine Kotze weggewischt. Existiere ich für dich überhaupt?» Sabines Augen glichen schwarzen Flammen. «Dann geh doch zu ihm! Mach das, aber mit mir brauchst du nicht mehr zu rechnen.»

Was sollte Eva nun noch sagen? Sie wusste, was sie Sabine zu verdanken hatte, aber sie war nicht ihr Eigentum.

Noch immer aufgewühlt von Sabines Ausbruch, setzte Eva sich auf eine Mauer am Straßenrand, ließ die Füße baumeln und schaute auf das weite Meer hinaus. Die Sache mit ihren Medikamenten ließ ihr keine Ruhe. Sie waren das Letzte, was sie überprüft hatte, ehe sie ihr Handgepäck geschlossen hatte. Sie hatte sie sogar im Flugzeug in ihrer Tasche gesehen, als sie ihr Buch herausgeholt hatte. Auf einmal kam ihr ein böser Verdacht, den sie am liebsten sofort wieder verdrängt hätte. Sabine? War es möglich, dass Sabine und Lars ein Verhältnis hatten? Mehr als einmal waren beide nicht zu Hause gewesen, als Eva versucht hatte, sie anzurufen. Lars' Firma lief nicht besonders gut, in der letzten Zeit hatte er von mangelnder Liquidität gesprochen, eine Million aus der Lebensversicherung könne seine Probleme lösen. Jetzt, wo Emilie in ihrer Wohngemeinschaft gut untergebracht war, brauchte er doch keine lebendige Ehefrau mehr. Eva schlug die Hand vor den Mund, um nicht laut aufzuschreien. Der Duft einer anderen Frau. Unbekannt, aber doch nicht ungewohnt. Und außerdem: Wer außer Sabine wusste, dass sie gegen Erdnüsse allergisch war?

Mikael kam ihr entgegen, und auf einmal fühlte sie sich völlig sicher. Solange er in der Nähe war, konnte ihr nichts passieren. Jede Bewegung seines Körpers strahlte Geborgenheit und Stärke aus. Er zog sie an sich und küsste sie vorsichtig. Sie gingen zum Strand hinunter, legten ihre Kleider ab und wateten hinaus ins Meer, nackt wie Kinder. Eva schämte sich ihres Körpers nicht, als er silbrig glänzend durch das Wasser glitt. Zusammen schwammen sie in der vom Mondlicht gezeichneten Straße, er führte sie küssend in die Weite des Meeres, bis ihre Füße den Grund nicht mehr erreichten. Plötzlich verstärkte sich sein Griff um ihren Nacken, tauchte sie so heftig unter Wasser, dass sie nicht um Hilfe rufen konnte. Das war doch wohl ein Scherz! Er sollte sofort aufhören! Aber Mikael drückte ihren Kopf mit eisernem Griff nur noch tiefer, bis sie keine Luft mehr bekam und Wasser schluckte. Sie zappelte und strampelte mit aller Gewalt. Gegen die Kraft seiner Hände kam sie nicht an. Ein scharfes Geräusch füllte ihren Kopf. Ihre Lunge schrie nach Sauerstoff. Seltsame Bilder jagten durch ihr Gehirn, während das Blut ihre Ohren zu sprengen drohte, die Augen aus ihrem Kopf pressen wollte. Luft! Sie brauchte Luft! Plötzlich lockerte sein Griff sich. Ein starker Arm zog sie aus dem Wasser. Vor ihr tauchte ein Gesicht mit eng aneinander stehenden Augen und triefnassem Bart auf. Ein Mund, der Dinge sagte, die sie zunächst kaum verstehen konnte. Der Fotograf? Und ein Stück weiter bewaffnete Polizisten, die Mikael fest im Griff hielten.

Als Eva später in einem fremden Zimmer unter einer Decke kauernd erwachte, erfasste sie erst das Ausmaß ihrer Lage. Tobias Eriksson reichte ihr einen Becher starken Kaffee und ein trockenes Handtuch.

«Mikael Ström, wie er sich im Moment nennt, ist ein bezahlter Killer. Er war als Söldner im ehemaligen Jugoslawien tätig, weiß genau, wie er vorzugehen hat, und handelt völlig gefühlskalt. Auch in Zeiten des Friedens gibt es Menschen, die bereit sind, ihn gut für seine Dienste zu bezahlen. Wir haben ihn schon seit längerer Zeit im Auge. Dein Mann hat ihm vor vierzehn Tagen einen Vorschuss bezahlt, damit er dich aus dem Weg schafft. Im Flugzeug hat er dir die Medikamente aus der Tasche gestohlen. Lars hatte ihm diesen Tipp gegeben. Ich habe ihre Verhandlungen im Internet verfolgen können. Sicherheitshalber habe ich dann auch dich im Auge behalten. Ein Anruf von der Polizei bei der Telefongesellschaft genügt, um einen Code zu knacken. Single zu Weihnachten, kommt dir das bekannt vor? Meine Aufgabe ist es, mich im Internet über kriminelle Aktivitäten zu informieren. Du kannst mich Bruno nennen.»

Åke Edwardson

Eiszeit

Jetzt konnte nichts Schlimmeres mehr kommen. Unwillkürlich musste ich denken, dass alles, was danach käme, nur besser sein konnte. Nicht besser, nein ... vielleicht heller? Nein, auch das nicht. Mir fiel das passende Wort nicht ein. Es gab einfach keines. Es war, als wolle man die verschiedenen Vorstufen der Hölle graduell unterscheiden.

Die Frau lag im Graben hinter dem Müllcontainer, der am südlichen Ende des Parkplatzes stand. Wir konnten nicht sagen, ob die Tat auch dort verübt worden war oder ob sie hierher gebracht worden war, nachdem man sie ermordet hatte.

Ihren Kopf fanden wir nicht.

Es waren auch noch ein paar andere Dinge ... mit ihrem Körper gemacht worden.

Sie trug keine Kleider. Neben der Leiche lag eine Handtasche. Ich kam als Erster dort an. Als ich mich über die Tasche beugte, verspürte ich einen Geruch, den ich nicht einordnen konnte. Kam er mir bekannt vor? Vielleicht. Doch er währte nur eine Zehntelsekunde, dann war er fort und kehrte nicht zurück. Ich sah mich um, konnte aber nichts entdecken, was die Quelle für diesen Geruch sein mochte. Und da hatte ich den Geruch auch schon vergessen.

Die Frau war seit zwei bis drei Stunden tot. Unser Gerichtsmediziner war sich da sicher, und wir glaubten ihm. Sie sei um die dreißig, sagte er. Vielleicht etwas jünger.

«Was meinen Sie, Berger?», meinte Kommissar Munter, mein Chef, auf der Rückfahrt.

Ich versuchte, bei der Eisglätte so vorsichtig wie möglich zu fahren. Es war der achte Januar. Es war Schnee gefallen, der durch die Kälte gefroren war, und die Räumfahrzeuge hatten ihn nicht in den Griff bekommen, was jedoch absolut normal war. In Schweden war man auf Schneefall einfach nicht eingerichtet. Der Schnee hätte ebenso gut über Südspanien niederrieseln können. Die Verwunderung wäre dieselbe gewesen: Schnee? Hier?

«Scheußlich», antwortete ich.

«Es wird nicht leicht werden, irgendwelche Reifenspuren auszumachen», meinte Munter. Er saß, die Mütze tief ins Gesicht gezogen, neben mir und sah wieder einmal wie der absolute Widerspruch zu seinem Namen aus. Im Mund hatte er eine nicht angezündete Zigarette, an der er ziehen würde, bis sie durchfeuchtet war. Dann würde er sie wegwerfen und sich eine neue zwischen die Lippen stecken. Das war seine Methode, mit dem Rauchen aufzuhören. So ging das nun schon seit lange vor Weihnachten. Auf diese Weise verbrauchte er genauso viele Zigaretten wie vorher, aber immerhin rauchte er nicht.

«Der Schnee ist einfach zu fest gefroren», fuhr er fort. «Wie eine Eisbahn.»

Auf der Gegenfahrbahn war ein gigantischer Sattelschlepper in den Graben gerutscht. Ein Teil der Zugmaschine stand noch auf der Straße, dahinter hatte sich eine kilometerlange Schlange gebildet. Es war Sonntagabend, und die Leute wollten nach dem Hockeyspiel nach Hause, doch jetzt kamen sie nicht weit.

«Das war jetzt wirklich das Furchtbarste, was ich jemals gesehen habe, und dabei dachte ich doch, ich hätte schon alles gesehen», meinte Munter. Damit meinte er die ermordete Frau.

«Das habe ich auch gedacht», erwiderte ich.

«Einen Dreck haben Sie gesehen, Berger», sagte Munter. Seine feuchte und kalte Zigarette wippte im Mund. Im Auto roch es nach nassem Tabak. An den Geruch hatte ich mich schon gewöhnt.

«Ich meine, es war das Schlimmste, was ich je gesehen habe. Bisher.»

Er brummte etwas Unverständliches. In der Stadt brüllten die Räumfahrzeuge wie verrückt gewordene Kühe und schienen völlig orientierungslos herumzufahren. Seit Dreikönig hatte es geschneit, und erst gestern hatte es aufgehört. Natürlich war das eine Herausforderung, aber die Räumarbeiten hätten eigentlich schon weiter fortgeschritten sein müssen.

«Annie Lundberg», sagte mein Chef und bewegte sich auf seinem Sitz. Sein Profil wurde von den Straßenlaternen beleuchtet. «Wir haben ihren Führerschein, der sauber und ordentlich in ihrer unberührten Brieftasche in ihrer geschlossenen Handtasche steckte. Wir haben ein Foto von einem hübschen Mädchen, das am 8.1.1975 geboren ist, aber wir können die Leiche trotzdem nicht identifizieren.»

«Das ist ja heute», sagte ich.

«Was?»

«Sie hat heute Geburtstag», wiederholte ich.

«Hm.»

«Sechsundzwanzig Jahre», fuhr ich fort.

«Da könnte ein Zusammenhang bestehen», sagte Munter. «Wie steht es, Inspektor Berger, glauben Sie, dass da ein Zusammenhang besteht?»

«Ich glaube gar nichts», erwiderte ich.

«Gut so.»

Im Polizeihauptquartier kontrollierten wir als Erstes, ob unser Computerfachmann es geschafft hatte, die Vermisstenmeldungen der letzten Tage durchzugehen. Wir hatten ihn schon vom Fundort aus angerufen.

Das Ergebnis schien fast zu gut, um für die Ermittlungen von Nutzen zu sein: Die sechsundzwanzigjährige Annie Lundberg war offenbar wenige Stunden zuvor von ihrem Freund als vermisst gemeldet worden. Die Daten schienen auf die Tote zu passen, wenngleich wir natürlich nichts über die Haarfarbe sagen konnten.

Alles, was wir jetzt tun mussten, war, den Freund ins Leichenschauhaus kommen zu lassen, um die Leiche zu identifizieren.

«Selbst wenn sie keinen Kopf mehr hat, müsste er doch seine Freundin wiedererkennen können», meinte Munter.

«Da möchte ich aber nicht mit ihm tauschen», sagte ich.

«Sie legen irgendwas an die Stelle, wo der Kopf sein müsste, und decken es ab», sagte Munter.

«Wir müssen aber vorher etwas dazu sagen», gab ich zu bedenken.

«Ja, das müssen wir wohl», stimmte Munter mir zu. «Sonst fragt er sich womöglich, warum ihr Kopf sich plötzlich in einen Fußball verwandelt hat.»

Der Freund entpuppte sich als Freundin. Sogar Munter wirkte erstaunt, obwohl er doch wissen sollte, dass das heutzutage nichts Ungewöhnliches ist. Sie stellte sich als Birgitta Sonesson vor, war ungefähr dreißig Jahre alt, vielleicht etwas jünger, und trug eine dicke blonde Haarmähne.

«Hier entlang bitte», sagte der Gerichtsmediziner.

Sie sah die Leiche an, ich hatte ihr schon vorher von dem Kopf erzählt.

«Das ist nicht Annie», sagte sie fast augenblicklich. «Das ist sie nicht.»

«Sind Sie ganz sicher?», fragte Munter.

«Annie hatte eine Tätowierung … auf dem Bauch», sagte Birgitta Sonesson und wies auf den nackten Körper auf der Stahlpritsche. «Genau da, direkt unter dem Nabel.»

Sie schaute wieder Munter an, dann mich. «Mir gefiel das nicht. Dass sie sich hat tätowieren lassen. Ich habe sie gebeten, es nicht zu tun. Aber sie hat es trotzdem gemacht.» Birgitta Sonesson begann heftig zu weinen, Munter machte eine Kopfbewegung, und der Gerichtsmediziner ging mit ihr hinaus. Sie weint, als läge hier wirklich ihre Geliebte, dachte ich.

«Was stellte die Tätowierung denn dar?», fragte Munter draußen.

«Einen kleinen Vogel», antwortete sie. «Ich glaube, eine Schwalbe.»

Wir saßen in Munters Zimmer. Die Zigarette in seinem Mund wippte auf und ab, als er redete.

«Wir haben eine Vermisste, deren Papiere bei einer Ermordeten abgelegt wurden», sagte Munter. «Und wir haben eine Ermordete ohne Identität.»

Natürlich hatten wir Birgitta Sonessons Angaben überprüft.

«Verdammt», fluchte Munter, «und die Zähne helfen uns auch nicht gerade weiter.»

In der Regel versuchten wir unbekannte Tote über das Gebiss zu identifizieren.

«Also müssen wir alle Vermisstenmeldungen noch einmal durchgehen», sagte Munter.

Wir gingen sie alle durch, einschließlich der neuen, die eben erst reingekommen waren. Zwei oder drei stimmten in etwa mit der Leiche überein, und wieder gingen wir mit vor Angst bebenden Angehörigen ins Leichenschauhaus, doch jedes Mal konnten sie es erleichtert verlassen.

«Irgendeinen Sport muss sie getrieben haben», sagte der Gerichtsmediziner. «Die Muskelmasse vor allem in den Beinen weist darauf hin, dass sie hart trainiert hat, und zwar erst kürzlich.»

«Was hat sie denn trainiert?», fragte Munter.

«Ich würde auf eine leichtathletische Disziplin tippen», meinte der Arzt. «Vielleicht Laufen. Oder Weitsprung. Ich weiß nicht. Vielleicht sollten wir mal mit einem Physiologen reden.»

«Sie haben gesagt, sie hätte kürzlich noch trainiert», bemerkte ich. «Wie kurz vor ihrem Tod?»

«Na ja, es könnte sein, dass sie ab und zu mal eine Trainingsrunde eingelegt hat, aber ich wage zu behaupten, dass sie ihre aktive Karriere bereits hinter sich hatte.»

«Wie lange schon?», fragte Munter. «Kann man so etwas messen?»

«Ja», antwortete der Arzt.

«Dann würden wir vielleicht herausfinden, welchen Sport sie ausgeübt hat», meinte Munter.»

Während wir auf die Ergebnisse der Untersuchungen in der Gerichtsmedizin warteten, nahmen wir mit allen Sportverbänden im ganzen Land Kontakt auf, und zwar nicht nur mit denen für Leichtathletik. Wir baten um die Verzeichnisse aller Aktiven der vergangenen zehn Jahre, was entsetzlich viel Papier ergab. Es gab einfach furchtbar viele Sportarten. Von manchen hatte ich noch nie gehört. Wir sahen ein, dass das zu viel Arbeit war.

«Ich hoffe bei Gott, dass es Leichtathletik ist», meinte Munter. «Das ist ein Sport, der im Rückgang begriffen ist. Da gibt es nicht mehr so viele Aktive.»

«Wenn es überhaupt solch eine Sportart ist», gab ich zu bedenken. «Sie könnte ja auch ganz einfach nur trainiert haben. Krafttraining.»

«Wir sind doch in allen Fitness-Studios der Stadt gewesen», entgegnete Munter.

«Sie könnte doch auch für sich allein trainiert haben», meinte ich. «Vielleicht hat sie das schon immer getan.»

Ein weiteres Problem, das sich uns stellte, war, dass der Körper, der unter dem kalten blauen Licht des Leichenschauhauses lag, besondere Kennzeichen vermissen ließ. Es war ein normaler, gut trainierter Körper. Und ich musste immer wieder denken, wie fürchterlich nichts sagend ein Menschenkörper ohne Kopf war.

Mit einer großen und schrecklichen Ausnahme: Der Mörder hatte ein Stück Haut aus der linken Wade der Frau geschnitten.

«Das war sicher eine Tätowierung», sagte Munter und sah mich an.

«Vielleicht», meinte ich.

Munter hatte seine Zigarette ausgewechselt und die verbrauchte in eine Nierenschale gelegt, die er mit hereingebracht hatte.

«Und wo zum Teufel ist jetzt Annie Lundberg?», fragte er und ließ die nächste Zigarette aus dem Mund direkt in das Schälchen fallen.

Es war einfach nicht zu begreifen, warum Annie Lundbergs Tasche neben der Toten gelegen hatte. Das hatte der Mörder offenbar bezweckt. Warum? Wollte er uns etwas sagen? Etwas über Annie Lundberg? Oder etwas über die unidentifizierte Tote?

Würde Annie Lundberg das nächste Opfer werden?

War sie es bereits?

Wir waren Annies ganzes Leben und ihren ganzen Bekanntenkreis durchgegangen, aber immer noch keinem Sportler begegnet. Außerdem gab es noch frühere Kommilitonen von der Hochschule, die wir aufsuchen mussten. Und dann wussten wir noch gar nichts über Freunde oder … Freundinnen. Birgitta Sonesson hatte gesagt, Annie Lundberg sei bisexuell. Vielleicht hatte sie ja mehrere Partner gehabt. Oder war das ein Vorurteil?

Ihren Eltern war die Bisexualität ihrer Tochter offenbar etwas ganz Neues. Das sagten sie zumindest, als wir gezwungen waren, sie zu fragen.

«Hat das etwas mit ihrem Verschwinden zu tun?» hatte ihr Vater gefragt. Eine sehr gute Frage. Hatte das etwas mit dem Mord an der unbekannten Frau zu tun?

Wir versuchten, in unterschiedliche Richtungen zu denken. Hin und wieder musste ich über den besonderen Charakter dieser Ermittlungen nachgrübeln: Um eine vermisste Person zu finden, musste man ein vermisstes Gesicht finden. Wir hatten einen Namen und hatten doch keinen. Wir hatten einen Namen ohne Körper und einen Körper ohne Namen.

Dann konzentrierten wir uns auf den Inhalt der Tasche, die Annie Lundberg gehört hatte. Birgitta Sonesson hatte sie identifiziert.

In der Tasche hatte ein kleines Adressbuch gelegen, das

auf der Innenseite des Deckels Annie Lundbergs Namen trug. Das Büchlein hatten wir Birgitta Sonesson noch nicht gezeigt und ihr auch noch nichts davon erzählt.

Eine unserer Hypothesen lautete, dass die ermordete Frau unter den Bekannten von Annie Lundberg zu finden sein musste. Gleichzeitig war ich natürlich sehr misstrauisch, weil Annies Tasche am Tatort gelegen hatte. Wies das nicht in eine völlig andere Richtung? Wie dachte der Mörder? Wenn ich das tue, dann denken sie dies, oder denken sie es eher, wenn ich dies tue – ungefähr wie wenn ein Fußballspieler beim Elfmeter einem Torwart gegenübersteht, der weiß, dass der Spieler normalerweise immer in die linke Ecke schießt, und der deshalb davon ausgeht, dass auch der Torwart weiß, dass er, der Spieler, annimmt, dass der Torwart weiß, wie es normalerweise läuft, und sich deshalb auf die rechte Ecke des Tores konzentriert, aber weil er weiß, dass der Torwart weiß, dass er das weiß, landet der Ball vielleicht doch wieder in derselben Ecke, vielleicht aber auch nicht ...

Das war wahrscheinlich viel zu kompliziert gedacht. Vermutlich hatten wir es «nur» mit einem geisteskranken Mörder zu tun, der sich seiner Taten nicht einmal bewusst war.

Und ich konnte nicht sagen, welche der Möglichkeiten die erschreckendere war.

Die Untersuchungen gingen nur schleppend voran.

«Was zum Teufel hat er nur mit ihrem Kopf vor?», hatte Munter mehr als einmal ausgerufen.

Oder mit ihrem Gesicht, hatte ich gedacht. Ging es vielleicht mehr um ihr Gesicht? Bedeutete es dem Mörder etwas? Ist es das, was er nicht ... loslassen will? Ging es darum, eine Identität zu verbergen? Wessen Identität?

Nachts träumte ich schwer. Von Gesichtern, die über weiße und kalte Felder hinwegflogen. Köpfe rollten wie Fußbälle, schwarz und weiß. Es waren keine schönen Träume.

Die Tage vergingen. Es war immer noch kalt, aber es schneite nicht mehr. Am Sonntag machte ich mich auf zum Freizeitgelände am Rande der Stadt, um eine Runde Langlaufen zu gehen. Ich spürte, wie untrainiert mein Körper war, und musste an den muskulösen, aber entstellten Körper auf der Stahlpritsche denken. Dann fuhr ich noch eine Runde und verspürte eine Mischung aus Übelkeit und Blutgeschmack, als ich die Ziellinie erreichte, die ich mir gesteckt hatte.

Dann saß ich lange in der Sauna und dachte über Paarbeziehungen nach. Ich hatte selbst bis vor kurzem mit jemandem zusammengelebt. Doch es hatte nicht funktioniert, zumindest nicht bei mir und der Frau, die ich jetzt zu vergessen suchte. Das Skifahren hatte ein wenig dabei geholfen, nicht aber die Sauna. Da saß man einfach zu still.

Als ich über den Parkplatz zum Auto ging, hörte ich ein Pfeifen und Rufe, die wie Zeitangaben klangen.

Es waren tatsächlich Zeitangaben. Ich ging nach rechts über einen kleinen Hügel und sah jenseits des Walls, der von dem vielen aufgehäuften Schnee noch höher geworden war, die Eislaufbahn liegen, wo die Schlittschuhläufer in ihrer charakteristischen geduckten Haltung ihre Kreise zogen.

Dort unten stand ein Mann mit einer Trillerpfeife und rief Zeiten aus. Fünf Läufer drehten ihre Runden, scheinbar ohne das Tempo zu steigern oder zu vermindern. Es war kein Wettkampf, und auf den niedrigen Holzbänken saßen demnach auch keine Zuschauer. Die Läufer blieben manchmal stehen und besprachen sich mit dem Trainer, ehe sie weiterliefen.

Ich ging näher heran. Eisschnellläufer in ihren Anzügen

hatten für mich eine besondere Faszination, diese vom Trikot quasi bloßgelegte Muskelkraft, vor allem in den Beinen, und das heftige Abstoßen …

Mein Blick blieb an einem der Läufer hängen, der für eine Sekunde angehalten hatte, aber nun weiterfuhr. Bei genauerem Hinsehen erkannte ich, dass im Anzug ein weiblicher Körper steckte.

Ich dachte an die muskulösen Oberschenkel der ermordeten Frau. Ihr Körper, den sie so hart trainiert hatte. Ihre kräftigen Oberschenkelmuskeln. Ich sah die Eisschnellläuferin in großen, kräftigen Bewegungen über das Eis gleiten. Der Trainer rief etwas Unverständliches. Als die Frau das nächste Mal vorbeikam, gab sie ein Zeichen, und der Mann rief wieder etwas. Das Mal danach blieb sie mit kleinen abgehackten Bewegungen auf den grotesk langen Schlittschuhen stehen. Sie führte die Hand zur Kapuze des Anzugs und zog sie ab. Dickes blondes Haar quoll heraus. Sie drehte sich um und sagte wieder etwas zum Trainer. Es war Birgitta Sonesson.

«Hat sie Sie gesehen?», fragte Munter. Wir saßen in meinem Zimmer. Er hatte eigens seinen freien Sonntag unterbrochen, was aber nicht weiter schlimm sei, wie er meinte, denn er habe ohnehin gerade keinen guten Roman zum Lesen. Dann hatte er ein seltsam freudloses Lachen von sich gegeben. Munter hatte als Erwachsener noch nie Belletristik gelesen.

«Ich weiß nicht. Vielleicht. Aber ich glaube nicht, dass sie mich mit der Mütze erkannt hat.»

«Nein», meinte Munter, «nicht einmal ich erkenne Sie.»

«Und was sagen Sie dazu?»

«Eisschnelllauf? Das klingt perfekt. Und als Sportart noch mehr im Rückgang begriffen als Leichtathletik.»

«Perfekt», sagte der Gerichtsmediziner. «Stimmt exakt mit den Muskelgruppen überein.»

«Dann ist es ja gut, dass wir Ihnen das jetzt gesagt haben», frotzelte Munter.

«Wir waren fast so weit», entgegnete der Arzt säuerlich. «Und wir arbeiten schließlich nicht mit Zufällen.»

«Hätten wir auf Sie gewartet, dann hätten wir erst Bescheid bekommen, wenn Schweden das nächste Mal olympisches Gold im Eisschnelllauf holt, mit anderen Worten, nie. Gut dass Berger so aufmerksam war.»

«Deshalb müssen Sie noch lange nicht unverschämt werden, Munter.»

«Jetzt hören Sie mal auf», ermahnte ich die beiden. «Wir benötigen jeden Hinweis, um diesen Fall zu lösen.»

«Und wie geht es jetzt weiter, Inspektor Berger?», fragte Munter, als wir wieder in seinem Zimmer saßen. «Können wir von der Hypothese ausgehen, dass die ermordete Frau Mitglied im Eislaufclub war oder ist?»

«Noch nicht», sagte ich.

«Gut. Und es ist gut, dass wir noch nicht dazu gekommen sind, dort anzufragen.» Munter tauschte seine Zigarette und besah sich gedankenverloren die neue. «Hätten wir es überhaupt je geschafft, uns bis zu einem kleinen beschissenen Eislaufclub am äußersten Rand der Sportwelt durchzuarbeiten?»

«Wir müssen uns fragen, ob Birgitta Sonesson etwas vor uns verbirgt», meinte ich.

«Ja.»

«Wir haben sie bisher nur nach ihrer Freundin gefragt», sagte ich. «Nach der Geliebten, Annie.» Ich sah zu Munter, der die Augen schloss. «Wir haben sie nicht nach möglichen

Verbindungen zwischen Annie und der Ermordeten gefragt, weil es einfach nichts gab, wonach man hätte fragen können.»

«Abgesehen vom Sport», gab Munter zu bedenken.

«Und damit werden wir morgen gleich anfangen», entgegnete ich, «in der zweiten Runde.»

Ehe wir uns wieder bei Birgitta Sonesson meldeten, wollten wir die Namen und Adressen in Annie Lundbergs Adressbuch überprüfen. Doch dabei hatte sich nichts Neues ergeben.

«Also los», meinte Munter, «auf zur zweiten Runde.»

«Nein, Schlittschuhfahren war nichts für Annie», sagte Birgitta Sonesson. «Ich glaube, sie war nicht ein Mal bei einem Training dabei. Das war nicht ihr Sport.»

«Was war denn ihr Sport?», fragte ich.

«Sie ist viel gelaufen», antwortete Birgitta Sonesson. «Und dann hat sie ab und zu Krafttraining gemacht.»

Ich merkte, dass Birgitta Sonesson über Annie in der Vergangenheit sprach, als sei jede Hoffnung vergebens. Ich sah zu Munter, doch er zeigte keine Regung.

«Sie versuchen ja ganz schön, sich in Form zu halten», sagte er stattdessen, «Sie und Ihre Freundin.»

«Natürlich», erwiderte sie.

«Hatte sie Umgang mit Leuten, die dort trainierten?», wollte Munter wissen.

Wir saßen in der gemeinsamen Wohnung von Birgitta Sonesson und Annie Lundberg. Ich sah mich nach weiteren Fotos von Annie um, konnte aber keine entdecken. Vielleicht war der Schmerz für Birgitta Sonesson zu groß. Sie war vielleicht schon überzeugt davon, dass Annie tot war.

Das Wohnzimmer war gemütlich, ich saß auf einem schönen Sofa. Von dort aus konnte ich den Schnee auf den Ästen der Bäume sehen. Es war schon bald Februar, und man hatte den Eindruck, als habe die Kälte noch angezogen. Eine Umdrehung weiter und dann noch eine. Ich sah Birgitta Sonesson vor mir, wie sie Runde um Runde im selben Tempo drehte. Sehr viel Eiszeit. Der Vorteil eines so kleinen Clubs musste sein, dass alle Läufer viele Eiszeiten zur Verfügung hatten und man sich nicht um die Trainingseinheiten streiten musste.

«Hatte sie Umgang mit irgendwelchen Leuten aus dem Club?», fragte Munter erneut.

«Nein», antwortete Birgitta Sonesson.

«Sie kannte also keinen von ihnen?»

«Nicht dass ich wüsste.»

«Seit wann sind Sie denn in dem Club?»

«Seit … seit vier Jahren. Oder vielleicht fünf.»

«Eisschnelllauf ist ja ein etwas ungewöhnlicher Sport», meinte Munter.

«Für mich nicht», erwiderte sie.

«Wir müssen uns einen Überblick über alle Mitglieder des Clubs verschaffen», sagte Munter. «Können Sie uns dabei helfen?»

«Natürlich.» Ich bemerkte, dass sie zögerte. «Darf ich fragen, warum?»

«Haben Sie bemerkt, dass sie von ihrer Freundin in der Vergangenheit gesprochen hat?», fragte ich hinterher.

«Ja», antwortete Munter, «anscheinend hat sie die Hoffnung aufgegeben.»

«Aber zum Training geht sie trotzdem», sagte ich. «So verzweifelt ist sie dann wohl doch nicht.»

«Vielleicht ist es das Einzige, was sie noch aufrecht erhält», sagte Munter. «Für solche Leute ist Training wie eine Droge.

Die Endorphine, wissen Sie? Ohne Training geht alles den Bach runter. Training hat ja mit Trauer nichts zu tun.» Er sah auf. «Ein Heroinabhängiger hört ja auch nicht mit dem Spritzen auf, nur weil seine Tante Emma gestorben ist, oder?»

«Allerdings ist Annie Lundberg für Birgitta Sonesson wohl kaum eine Tante Emma», warf ich ein.

«Sie wissen doch, was ich meine, Berger.»

Ich war mir da nicht so sicher, aber ich ließ das Thema ruhen und wandte mich wieder den Listen zu. Birgitta Sonesson hatte uns ein Verzeichnis aller Clubmitglieder zur Verfügung gestellt.

Es war ein kleiner Club, und wir hatten schon bald alle Aktiven durch. Soweit wir feststellen konnten, hatten sie alle noch ihren Kopf auf den Schultern. Dann arbeiteten wir uns durch die Liste der passiven Mitglieder und stellten fest, dass sie alle noch lebten.

Schließlich suchten wir nach früheren Mitgliedern. Wir mussten viele Telefongespräche führen und hatten sogar einige zusätzliche Leute zur Unterstützung bekommen.

Doch uns begegnete keine Frau, die einmal Mitglied in diesem Club gewesen war und jetzt verschwunden war. Es fehlte niemand.

Langsam hatte ich das Gefühl, als seien wir auf der falschen Fährte, und zwar auf der völlig falschen Fährte. Und als hätte ich uns in gewisser Weise in diese Sackgasse hineinmanövriert, indem ich Birgitta Sonesson beim Schlittschuhlaufen zugesehen hatte. Ich hätte niemals auf dieses verdammte Pfeifen hören sollen, als ich mit meinen Skiern auf der Schulter aus der Trainingsanlage kam.

Wir hatten keinen Mörder, und jetzt fing auch noch das Opfer an, uns zu entweichen. Manchmal war es, als hätte die ermordete Frau niemals existiert, aber ich musste nur in das kalte und einsame Leichenschauhaus gehen, um einen physischen Beweis dafür zu erhalten, dass es sie gab. Es gab ihren Körper. Doch wo war ihr Kopf?

Und noch einmal: Wo war Annie Lundberg?

Wir saßen in meinem Zimmer und sahen aus dem Fenster: Die Kälte kroch über Bäume und Büsche, die Temperatur war noch weiter gesunken. Heute morgen hatte ich kaum das Auto in Gang bekommen.

«Bald ist es wie in Sibirien», meinte Munter. «Wenn man durch so kalte Luft geht, hinterlässt man Abdrücke.»

«Ob die Trainingseinheiten wohl gefilmt werden?», fragte ich.

«Wie?»

«Werden die Trainingseinheiten auf Video aufgenommen?», wiederholte ich. «Gehört das zu den modernen Trainingsmethoden?»

«Keine Ahnung», sagte Munter.

«Ich werde mit dem Geschäftsführer des Clubs sprechen», meinte ich.

«Aber es gibt doch niemanden, nach dem wir suchen könnten», sagte Munter. «Wir sind schließlich alle denkbaren Kandidaten durchgegangen.»

«Trotzdem», sagte ich.

Ich fuhr zur Eislaufanlage hinaus. Es war, als führe man durch Eis, ein kristallklarer Widerstand lag in der Luft. Ich hielt im Rückspiegel nach einem Abdruck meines Autos in der Luft Ausschau.

Mit dem Geschäftsführer des Clubs hatte ich schon gesprochen. Er war ein seriöser Mann, der trotz allem an die Zukunft glaubte.

«Irgendwas müssten wir eigentlich haben», antwortete er auf meine Frage. «Aus dem vergangenen Jahr, glaube ich.»

«Wo sind die Filme?»

«Die habe ich zu Hause», sagte er. «An einem geheimen Ort, wie man so schön sagt. Ich nehme es mit dem Eigentum des Clubs sehr genau. Hier im Büro gab es kürzlich einen Einbruch, und jemand hat herumgewühlt. Ich werde das Gefühl nicht los, als seien die Leute auf der Suche nach den Filmrollen gewesen, ganz seltsam.» Er sah ein wenig empört aus. «Irgendwie muss ich vorher gespürt haben, dass hier jemand einbrechen würde. Gut, dass ich die Filme mit nach Hause genommen hatte.»

Auf meine Anfrage hin arrangierte er sogleich eine Privatvorführung bei sich zu Hause. Die Filmsequenzen von Eisschnellläufern, die immer im Kreis fuhren, waren gut zu erkennen. Unter normalen Umständen wäre das ungefähr so interessant gewesen, wie der Farbe auf einer Wand beim Trocknen zuzusehen, doch ich versuchte Gesichtszüge auszumachen und vor allem die Physiognomie der Körper in den anonymen Anzügen.

Plötzlich sah man ein Gesicht von nahem, ein Lächeln. Das Gesicht sagte etwas zu dem Fotografen, was man aber nicht verstehen konnte.

«Wer hat den Film aufgenommen?», fragte ich.

«Das war unser Trainer.»

Das Gesicht auf dem Bild gehörte einer Frau zwischen fünfundzwanzig und dreißig Jahren, und ich kannte sie nicht. Ich stand auf und merkte, wie mir eine Gänsehaut über den Rücken lief.

«Wer ist das?», fragte ich.

«Das ist Birgitta Sonesson», erwiderte er.

«Wie bitte?»

«Birgitta Sonesson.»

«Birgitta Sonesson?», fragte ich. «Das ist doch nicht Birgitta Sonesson!»

Er sah mich mit einem eigentümlichen Blick an.

«Das kann sie nicht sein», sagte ich. «Ich weiß doch, wer Birgitta Sonesson ist.»

«Ich auch», beharrte er und zeigte auf die Frau.

«Ich habe sie auf dem Eis gesehen», sagte ich. «Und ich habe sie auch vorher schon gesehen.» Jetzt sah ich in das Gesicht der fremden Frau, und dann wieder zu dem Geschäftsführer. Ich erzählte ihm von meinem ersten Besuch, als ich Skilaufen gewesen war.

«An dem Tag war ich nicht hier», sagte er.

«Wenn das hier Birgitta Sonesson ist», sagte ich zögernd und nickte dem Frauengesicht zu, das in die Kamera lächelte, «wer ist dann die Frau, die sich Birgitta Sonesson nennt?»

«Annie Lundberg», sagte Munter.

«Wir haben sie nie den Eltern gegenübergestellt.»

«Mein Gott.»

«Jetzt aber schnell!»

«Warten Sie, Berger! Sie wird nirgendwohin fahren. Und wenn sie es tut, dann werden wir sie finden.» Er wies mit der Zigarette im Mund auf mich. «Sie müssen mir erst Ihre Theorie erklären.»

«Theorie? Reicht nicht das, was auf der Hand liegt?»

«Jetzt lassen Sie mal hören», sagte Munter und ließ die Zigarette zur Abwechslung im Mund kreisen. Das sah ziemlich bescheuert aus, aber für Menschen, die mit dem Rauchen aufhören, ist nichts unnormal oder wird von anderen als unnormal betrachtet.

«Also, sie hat die Freundin und vielleicht auch Geliebte

ermordet», sagte ich. «Das Motiv ist vorerst egal, ebenso wie die Frage, ob sie die Tat allein verübt hat und wie die Sache überhaupt vonstatten ging. Wir gehen mal von dem Mord aus, okay? Annie Lundberg will Birgitta Sonesson ermorden und tut es auch. Dann zerstört sie alle Möglichkeiten zur Identifikation und lässt uns in dem Glauben, dass wahrscheinlich auch irgendjemand Annie Lundberg ermordet hat! Oder wenigstens entführt.»

«Mhm», nickte Munter.

«Annie Lundberg verschwindet von der Erdoberfläche. Jetzt gibt es nur noch Birgitta Sonesson. Die eigentlich ermordet worden ist. Die eigentlich Annie Lundberg ist.» Ich sah zu Munter. «Verstehen Sie?»

«Ich weiß nicht recht», antwortete er.

«Annie Lundberg hat behauptet, sie sei Birgitta Sonesson und hat ausgesagt, bei der Leiche würde es sich nicht um Annie Lundberg handeln», sagte ich. «Das war verdammt geschickt.»

«Wäre es nicht besser gewesen, wenn sie gesagt hätte, dass es Annie sei?», fragte Munter. «So bekloppt, wie wir ihr vorkommen müssen, wären wir darauf wahrscheinlich reingefallen.»

«Wir waren nicht bekloppt», sagte ich. «Wir haben nur nicht klar gesehen. Alles war vollkommen logisch. Ein weiterer Schritt zur Glaubwürdigkeit war, sie nicht als Annie zu identifizieren.»

«Die Tätowierung», sagte Munter.

«Sehen Sie? Sehr geschickt. Und wenn wir sie jetzt hierher zitieren, dann werden wir die Tätowierung auf ihrem eigenen Bauch finden.»

Plötzlich dachte ich daran, wie wir mit Annie Lundberg vor der Leiche von Birgitta Sonesson gestanden hatten. Wir hatten geglaubt, sie stünde vor einem fremden Körper, und doch hatte ich den Eindruck gehabt, dass sie weinte, als würde ihre Geliebte dort liegen.

Und so war es auch gewesen.

«Aber hat sie das allein bewerkstelligt?», fragte Munter.

Ich sah ihn an.

«Ich habe Ihnen etwas vorenthalten», sagte ich. «Und mir selbst auch.»

Er fragte nicht, sondern wartete.

«Als wir die Leiche fanden», sagte ich. «Ich war zuerst dort, und als ich mich vorbeugte, verspürte ich einen bestimmten Geruch. Es währte nur einen ganz kurzen Augenblick, dann war er verschwunden. Nur eine Zehntelsekunde.»

«Und?»

«Heute habe ich ihn wieder gerochen. Draußen bei der Eislaufanlage. Im Auto des Trainers.»

«Des Trainers?»

«Als wir den Trainer neulich verhört haben, hat er nicht viel gesagt, und das haben wir auch akzeptiert, nicht wahr? Es gab ja nicht unbedingt viel zu sagen. Neulich. Aber nachdem ich mir zu Hause bei dem Geschäftsführer die Videos angesehen hatte, bin ich noch einmal zur Anlage zurückgefahren, und gerade als ich hineinging, kam der Trainer heraus. Und als ich wieder herauskam, war er immer noch da. Ich sagte, mein Auto würde nicht anspringen und ob ich vielleicht mit in die Stadt fahren könne.»

«In die Stadt», echote Munter.

«Ich habe den Geruch wiedererkannt», sagte ich.

«Es war wirklich derselbe Geruch?», fragte Munter.

«Ja. Der muss sich in der Leiche festgesetzt haben, während sie in seinem Auto lag. Da gibt es gar keinen Zweifel, Kommissar. Das ist der Geruch.»

«Das hält nicht als Beweis», meinte Munter.

«Das weiß ich. Aber ich bin ganz sicher.»

«Haben Sie etwas zu ihm gesagt?»

«Nein, natürlich nicht. Er ließ mich raus und sagte, er würde noch weiter fahren. Und raten Sie mal, wohin.»

«Zu Annie Lundberg. Die wir als Birgitta Sonesson kennen», sagte Munter.

«Genau.»

«Was war das denn für ein Geruch?», fragte er.

«Von einem Wunderbaum», erwiderte ich. «Diese kleinen grünen Pappbäumchen, die man am Rückspiegel befestigen kann und die dann im ganzen Wagen einen Wohlgeruch verbreiten.»

«Mein Gott», sagte Munter.

«Und dieser Geruch ist anhaltend», sagte ich.

Wir nahmen die Eisschnellläuferin und ihren Trainer sechs mal sechs Stunden ins Verhör, und natürlich lachten sie uns nur ins Gesicht.

Ich begriff, dass das Ganze eine Eifersuchtsgeschichte gewesen war, die furchtbar schiefgegangen war.

In Annie Lundbergs Wohnung entdeckten wir Beweise dafür, dass sie Vorbereitungen dafür getroffen hatte, sich ins Ausland abzusetzen, offenbar für immer und offenbar zusammen mit dem Herrn Trainer.

Den Kopf fanden wir, nachdem wir das Eis der Trainingsanlage aufgehackt hatten. Wir hätten auch warten können, bis es taute, doch ich hatte den Verdacht, dass es einen langen und kalten Winter geben würde.

Jørn Riel

Die Weihnachtsgans

An manchen Tagen fühlt man sich dem Dasein einfach nicht mehr gewachsen. Dann ist das Leben dermaßen prall gefüllt mit Ereignissen und Eindrücken, dass man sich eine Weile aus dem Verkehr ziehen muss, um davon nicht gesprengt zu werden.

Solche Tage erlebte ich während meiner ersten Jahre in Nordostgrönland. Nicht, dass etwas Besonderes passiert wäre, nur folgten die Ereignisse so rasch aufeinander, dass ich eine Art geistige Atemnot erlitt und beinahe fluchtartig das Expeditionshaus verließ: Meine Hündin Angistai hatte vier Welpen geworfen, ich hatte auf dem Dachboden drei nur ein Jahr alte Zeitungen gefunden, Ugge lernte Schach spielen, und im isländischen Rundfunk wurde gleich dreimal «Beautiful, beautiful brown eyes» gespielt. Das war einfach zu viel für einige wenige Tage.

Um mit dieser Fülle von Eindrücken ein wenig allein zu sein, lud ich Angistai und die Welpen auf den Schlitten und fuhr hinüber zur Insel Maria, wo ich einst meine Karriere als Lehrling von Jäger Ugge begonnen hatte. Hier wurde ich in Ruhe gelassen mit meinen Gedanken und meinen Welpen, und gleichzeitig konnte ich zwischen Ruth und Maria einige Eismessungen vornehmen. Außerdem wollte ich an einer Geschichte aus Kanada herumpusseln, aus der dann später meine erste Buchveröffentlichung werden sollte. Dieses Buch bereitete Ugge allerlei Kopfzerbrechen. Als ich ihm ein bisschen davon erzählt hatte, schüttelte er mit ernster Miene den Kopf und meinte, ich sei ja wohl zum *sagdlugtorpok* geworden, zum gewohnheitsmäßigen Lügner. Wörter wie «Schwank» und «Übertreibung» kannte er nicht, für ihn war eine Geschichte entweder durch und durch wahr, oder sie entsprach der Wahrheit, war vom Erzähler aber farbenfroh ausgeschmückt worden.

Es war November, und Dunkelheit hatte sich über Nordgrönland gesenkt. Die Dunkelzeit ist eine herrliche Zeit, wenn man sich erst daran gewöhnt hat. Man macht alles mit umwerfend gutem Gewissen. Isst oft und viel, denn es ist kalt und der Körper braucht gute, fette Nahrung. Man schläft viel, denn es ist ja den ganzen Tag Nacht und es wirkt unsinnig, in finsterer Nacht aufzustehen, bloß weil es Tag ist. Arbeit lädt man sich in kleinstmöglichen Mengen auf, und auch das nur, wenn Lust und Laune es gestatten.

Ich traf also auf Maria ein und ließ mich mit Angistai und ihren Welpen im Expeditionshaus häuslich nieder. Eines Tages, während ich über Pete und seine Freunde am Mount Fynes schrieb, kam mir ein entsetzlicher Gedanke, der mir immer mehr zusetzte. Und je mehr er von der fröhlichen Stimmung fraß, in der ich hier eingetroffen war, umso entsetzlicher kam er mir vor.

Tatsache war nämlich, dass wir in diesem Jahr keine Weihnachtsgans hatten. Dieser Gedanke holte mich zurück in die Wirklichkeit. Der Mount Fynes und Pete verschwanden, die fröhliche Stimmung musste Leere und dem Gefühl von Hilflosigkeit weichen. Denn was war Weihnachten schon ohne Gans! Kein Mensch konnte mitten im schwärzesten Winter eine Gans fangen! Es würde ein Weihnachtsfest mit Herzen in Sahnesoße werden, davon hatten wir drei Dosen für besondere Gelegenheiten, aber Herzen in Sahnesoße sind kein Weihnachtsschmaus. Herzen in Sahnesoße sind etwas für Gäste, etwas, das man Besuchern auftischt, um zu zeigen, dass die Expedition in Überfluss und Luxus lebt. Herzen in Sahnesoße können jeden Eskimo und jeden skandinavischen Jäger dazu bringen, die Augen aufzureißen und sich die Lippen zu lecken, denn gerade Herzen in Sahnesoße gehören zu den köstlichsten und kostbarsten Erfindungen der Zivilisation. Sie schmecken abscheulich!

Ugge nahm diese niederschmetternde Mitteilung mit erschütternder und unvorstellbarer Ruhe auf.

«*Ajorpa*», ach, wie dumm, sagte er einfach, und damit mochte er ja Recht haben, auch wenn es dem Unglück nicht ganz gerecht wurde. Es war erschreckend, aber ihm war es egal, ob es Seehundsfleisch gab oder Gans, denn Seehundsfleisch war ein Geschmack, an den man sich im Laufe der Winter gewöhnt hatte, was Ugges Geschmacksnerven zufolge ja eben das Problem mit der Weihnachtsgans war. Man hatte sozusagen keine Zeit, sich daran zu gewöhnen, denn sofort war sie wieder verschwunden.

An diesem Weihnachtsfest aßen wir also gekochtes Seehundsfleisch. Und deshalb war es gar kein Weihnachten. Ugge versuchte mich damit aufzumuntern, dass er unser Reisegrammophon anwarf. Zur Feier des Tages hatte er die Nadel sorgfältig geschliffen, aber trotzdem hörte Doris Day sich an wie eine heisere Version von Louis Armstrong, was daran lag, dass sie dieselben Lieder mindestens tausend Mal aus sich herausgepresst hatte. Und daran, dass Ugges Handgelenk müde wurde, wenn er die Scheibe herumdrehte – die

Feder des Grammophons hatte nämlich bereits im Frühjahr ihren Geist aufgegeben. Im ersten Jahr hatte ich diese Platte geliebt. Jetzt hasste ich sie, vielleicht, weil wir nur diese eine hatten.

Es wurde ein betrübliches Weihnachtsfest, aber dennoch ein Weihnachtsfest, das ich nie vergessen werde. Ein Weihnachtsfest, das bis Ostern und dann noch länger dauerte.

Im Laufe des Frühjahrs, als die Sonne schon längst zurückgekehrt war, fuhren Ugge und ich nach Norden, um für die Sommerexpedition Depots anzulegen. Es war herrliches Wetter. Still und klar und mit hohem Himmel und einer gerade richtig stechenden Sonne. Die Vögel kehrten jetzt ebenfalls zurück, und immer wieder zogen große Eiderentenschwärme und Scharen von Teisten und Trottellummen über uns dahin, auf ihrem Weg zu den Vogelfelsen. Dann hörten wir plötzlich das charakteristische Schreien von Gänsen. Wir tauschten einen Blick, hielten die Schlitten an und zogen die Schrotgewehre aus ihren Hüllen.

Die Gänse flogen tief und sorglos dahin. Sie breiteten sich lärmend aus, als gehöre ihnen der Luftraum, und sie hielten Kurs über unsere beiden Schlitten hinweg.

Wir schossen gleichzeitig, und zwei Vögel fielen aus dem keilförmigen Schwarm Gänse heraus und landeten mit dumpfem Dröhnen auf dem Eis. Als Ugge eine der Gänse hochhob, sah er mich an und sagte grinsend: «*Jutdlime pivlduarit*», fröhliche Weihnachten.

In aller Eile bauten wir unser Zelt auf und machten uns ans Rupfen der voll ausgewachsenen Vögel. Als sie nackt waren, wurden sie in für unseren großen Kochtopf passende Stücke zerlegt und dann auf der kleinen Gasflamme langsam gebraten.

Ein göttlicher Duft stahl sich unter dem Deckel hervor und brachte uns in eine – etwas verspätete – Weihnachtsstimmung. Wir sangen zwei schöne grönländische Weihnachtslieder und tauschten Geschenke; Ugge bekam mein Jagdmesser und ich seins. Es war mein Vorschlag gewesen, und da Heiligabend war, konnte Ugge ihn nicht ablehnen. Sein Messer war lang und hatte eine dünne scharfe Klinge, meins war ein kleines Schweizer Fabrikat aus einigermaßen rostfreiem Stahl, der nicht wieder geschliffen werden konnte.

Und da saßen wir dann an diesem herrlichen Heiligen Abend im Mai unter der Unendlichkeit des blauen Himmels, während die Sonne uns bis tief unter unsere Isländerpullover wärmte, und wir starrten in den Topf, in dem aufs Schönste gebraten und gesotten wurde. Die Hunde lagen im Kreis um uns herum, witterten eifrig zum Topf hinüber und träumten von dem, was ihnen niemals beschert werden sollte. Keine auch noch so gutmütige Seele hat meines Wissens jemals ihren Schlittenhunden Gänsebraten serviert. Die Hunde schienen zu wissen, dass der Inhalt des Topfes für Vierbeiner unerreichbar war und dass sie sich mit dem himmlischen Duft begnügen müssten.

Aber dann brach einer von ihnen in Warngebell aus. Wir schauten in die Richtung, in die auch er gestarrt hatte, und entdeckten weit draußen auf dem Fjord einen kleinen schwarzen Punkt.

Ugge zog sein Fernglas hervor. «Großer Schlitten mit vielen Hunden und Flagge», teilte er mit.

«O verdammt!» Ich starrte Ugge an. «Das ist die Schlittenpatrouille», und dann schaute ich den Kochtopf an und dachte an die Gänse, die dort unten wollüstig vor sich hin schmurgelten. Gänse hatten um diese Jahreszeit mehr oder weniger Schonzeit, und da ich das Amt des Polizeimeisters

bekleidete, wäre es doch ziemlich peinlich, mit zwei geschütz-
ten und fast fertig gebratenen Gänsen im Topf erwischt zu
werden. Die Weihnachtsstimmung verflog, hektische Aktivi-
tät brach aus.

In aller Eile wurden die Gänse aus dem Kochtopf gefischt,
und während Ugge den Topf mit Schnee füllte und Seehundsfleisch hineinlegte, trug ich die Gänse ins Zelt und stopfte sie
in unsere ausgerollten Schlafsäcke.

Als der fremde Schlitten uns erreichte, starrten wir auf das
kochende Seehundsfleisch und sahen ungastlich aus.

Unser Besucher war ein Sergeant der frisch eingerichteten
Schlittenpatrouille in Daneborg. Ein großer, jovialer Mann,
der uns die Hand reichte, mit jütländischem Akzent sprach
und hungrig in den Kochtopf schaute. Wir aßen und plauder-
ten und tranken ein wenig Schnaps aus der Flasche, die wir
für einen Unglücksfall immer bereithielten. Und das Eintref-
fen dieses Gastes musste doch wirklich als Unglück gelten.
Dann schlug Ugge vor, zu Bett zu gehen. Der Sergeant fragte,
ob wir in unserem Zelt auch Platz für ihn hätten, dann brauche er sein eigenes nicht aufzubauen. Wir hatten ein großes
Zelt, das konnte er ja sehen, in dem Platz genug für drei Männer war.

Und so kam es, dass Ugge und ich jeder mit einer gebratenen Gans ins Bett gingen. Zuerst versuchte ich Hautkon-
takt zu vermeiden, indem ich den Bauch einzog. Aber der
Schlafsack war zu eng, und die Gans passte sich meiner Bewegung an. Der Duft stahl sich aus den Schnürlöchern in
der Schlafsackkapuze, und bald ergab ich mich ein weiteres
Mal der schönen Weihnachtsstimmung, band den Schlafsack auf und tauchte hinab in die Dunkelheit, wo ich mir
ganz leise einen Schenkel der Gans abbrach. Er schmeckte himmlisch, denn die Gans war zwischen den Daunen

heiß und knusprig geblieben. Selig lag ich im Warmen und feierte ganz allein Heiligabend. Ich nagte das Fleisch vom Knochen, leckte den Knochen ab und bediente mich erneut. Und ich dachte an alle meine Lieben in Dänemark und auf Fünen, ich dachte an die zahllosen Gänse, die meine Mutter im Laufe der Zeit mit einer Füllung aus Backpflaumen und Äpfeln serviert hatte. Ich konnte den Geschmack von Back-pflaumen und Äpfeln und Johannisbeergelee wieder leben-dig werden lassen, denn ich war in diesem Moment übervoll von Eindrücken, und ich hatte mich ganz natürlich von der Welt zurückgezogen. Ich schwebte noch immer am Rand der Seligkeit, als mich abermals etwas aus meiner feierlichen Stimmung riss.

«Sagt mal», ertönte die Stimme des Sergeanten, «riecht es hier nicht nach Gänsebraten?»

Erschrocken ließ ich den Flügel fallen und schob den Kopf hinaus ins Licht.

«Gänsebraten?», fragte ich. «Wie meinst du denn das?»

Der hoch gewachsene Jütländer bohrte seinen Blick in meinen. «Gänsebraten, meine ich.»

«Ha, ha», rief ich. «Das hast du bestimmt geträumt!»

«Ich habe noch gar nicht geschlafen», erwiderte er. Und dann setzte er sich auf und lauschte zu Ugges Schlafsack hin-über, von dem aus Knirschen und Grunzen und Schmatzen zu hören waren. Auch Ugge feierte unten in der Dunkelheit Heiligabend.

«Habt ihr Gänse geschossen?», fragte der Mann von der Patrouille.

Und als Ugge in diesem Moment hervorschaute, glänzend vor Gänsefett und mit einem breiten Weihnachtsgrinsen, da musste ich einfach ein Geständnis ablegen.

«Aber die haben doch noch Schonzeit», sagte der Sergeant.

Er griff in seinen Schlittensack und zog ein schwarzes Buch mit Wachstucheinband hervor.

«Wir wissen irgendwie nicht so recht, welcher Monat gerade ist», sagte ich zu unserer Verteidigung. «Der eine Monat folgt einfach auf den anderen, und auf der Insel Ella haben wir keinen Kalender. Was schreibst du da übrigens in dein Buch?»

«Wann ist die geschossen worden?», fragte er streng.

«Tja, äh, na ja, eigentlich gestern», antwortete ich. Ugge nickte zur Bestätigung. «Sehr schöne, große Gänse», präzisierte er.

«Ist davon noch was übrig?», fragte der Sergeant. Er schrieb noch einige Zeilen in sein Logbuch.

Ich öffnete den Schlafsack und schaute hinein. «Noch ziemlich viel», gab ich zu.

«Sie wurden aus einer großen Schar herausgeschossen?», wurde nun gefragt.

«Aus einer riesigen», antwortete ich.

«Und sie flogen ganz tief über euch?»

«Fast hätten sie unsere Anorakkapuzen gestreift.»

Der Sergeant nickte und schrieb weiter. Als er fertig war, klappte er das Buch mit einem Knall zu. «Her mit den Gänsen», befahl er dann.

Wir zogen die Reste aus den Schlafsäcken und legten sie auf den Proviantkasten. Der Sergeant streckte mit glücklichem Gesicht die Hand nach einem Flügel aus, bohrte die Zähne in die krosse Haut und schloss glücklich die Augen. Ugge holte die Schnapsflasche hervor, schenkte ein und wünschte uns allen *jutdlime pivlduarit* – fröhliche Weihnachten eben. Es war Mai, die Sonne schien, es war warm und mitten in der Nacht und Weihnachten in der Rentierbucht.

«Was hast du in dein Buch geschrieben?», fragte ich, als wir den Schnaps geleert hatten.

Der Sergeant wischte sich mit dem Handrücken den Mund ab und lächelte uns munter zu.

«Zwei Kanadagänse am 12. Mai 1954 in der Rentierbucht in Notwehr erschossen», sagte er dann.

Leif Davidsen

Eine Weihnachtskarte aus der Vergangenheit

Magnus Bjerg hielt sich selbst für einen vom Glück begünstig-
ten und privilegierten Menschen. An diesem grauen Novem-
bervormittag, an dem ein überraschender Schneesturm den
Garten in eine dicke Schneedecke hüllte und Autos und Menschen zu heftigen Rutschpartien zwang, war er zwar leicht
erkältet, trank aber zufrieden seinen Tee und schaute sich im
behaglichen Wohn- und Esszimmer um. Anne hatte sich mit
ihrem Sohn Torsten kampfesmutig auf den Weg zur Schule
gemacht, Magnus dagegen wollte sich einen wohlverdienten
freien Tag gönnen. Das Fernsehen kündigte die ganztägige
Übertragung königlicher Feierlichkeiten an, aber die Leute
sollten sich diesen royalen Unfug ansehen, soviel sie wollten,
er wollte einen guten Krimi lesen und sich über sein Glück
und die neue Zukunft seiner Familie freuen. Später würde er
sich dann in den Schnee hinauswagen und etwas Gutes zu
essen und einen teuren Rotwein kaufen und die Bombe erst
hochgehen lassen, wenn sie gemütlich am Tisch saßen: Weihnachten würden sie in diesem Jahr in Boston feiern, wo sie
bei Joe und Sandra wohnen konnten, während sie sich nach
einem Haus umsahen, das sie für die kommenden zwei Jahre
als das ihre betrachten dürften.

Er unterbrach seine Überlegungen. Glück war absolut das
falsche Wort. Hier war nicht die Rede von Glück, sondern von

harter Arbeit. Von langen Stunden im Labor oder am Schreibtisch, vertieft in wissenschaftliche Literatur, oder vor dem
Computer, wo er einen weiteren Artikel verfasste. «Publish or
perish», wie sie over there sagten. Doktor der Biologie wurde man nicht ohne Schweiß, Intelligenz und einen kräftigen
Hosenboden. Er hatte diese Belohnung verdient. Anne hatte
zwei gute Jahre in den USA verdient, ohne die Angst oder
das Gefühl der Unzulänglichkeit, von dem Magnus ahnte,
dass sie es jeden Morgen empfand, wenn sie sich auf den heruntergekommenen Kampfplatz begab, der in Dänemark als
«Grundschule» bezeichnet wurde. Auch Torsten würde dieser
Aufenthalt in den USA gut tun. Er würde einer fünften Klasse
entkommen, in der er sich absolut nicht wohl fühlte. Die eng-
lische Sprache würde ihm in den Schoß fallen. Und vielleicht
– vielleicht würden sie ja für immer dort bleiben können?

Seit fünfzehn Jahren schlug er sich nun schon mit Stipen-
dien und Fonds durch. Jedes zweite Jahr musste er selber für
sein Einkommen sorgen. In den USA dagegen kannte man
den Wert eines guten Forschers. Auch in Dollars und Cents.
Ihm und Anne fehlte es eigentlich an nichts, sie waren es nur
leid, immer gerade so zurechtzukommen. Er wünschte sich
so sehr, einmal mehr als genug zu haben. Er war ein Mensch,
der Veränderung und Ellenbogenfreiheit brauchte. Ein großes
Haus. Ein großes Auto. Ein großes Gehalt. Ein großes Land.
Kurz gesagt, Platz. Er wurde ja auch nicht jünger.

Er musste aufstehen und ein wenig hin und her laufen.
Ein Buch aus dem Regal ziehen, zerstreut darin herumblät-
tern. Der Schnee tanzte draußen im Garten ein wildes Ballett,
der Wind schien sie ständig im Kreis herumzuwirbeln. Oder
vielleicht waren die Flocken gefangen und fanden den Weg
über den Zaun nicht. Magnus kamen plötzlich Zweifel. Vielleicht sollte er doch noch mit seiner Mitteilung warten? Der

Arbeitsvertrag war ja noch nicht unterschrieben, wenn Joes Worte am Telefon auch keinen Zweifel übrig gelassen hatten:

«Der Job gehört dir. Die Fakultät hat gestern Abend alles abgesegnet. Der Rest ist nur noch Formsache. No problems. No snags.»

Er konnte einfach keine Ruhe finden. Er setzte sich wieder an die *Berlingske Tidende*. In der Zeitung wimmelte es nur so von Geschichten über die königliche Familie. Sowohl die Fernsehzeitschriften als auch die seriöse Tagespresse waren inzwischen fast oder ganz zu einer Illustriertenabart geworden. Es würde gut tun, morgens die *New York Times* zu lesen. Und andere Zeitungen, die noch verschiedene Sichtweisen kannten. Statt des Geplauders und Geplappers im dänischen Ententeich. Die Auslandsseiten gaben schon etwas mehr her. Neue Terroranschläge in Russland. Würde es im Irak denn niemals Frieden geben? Neue Meldungen über geheime Archive aus Russland und der DDR. Endlich waren die Codes geknackt worden, mit denen die allergeheimsten Stasi-Unterlagen gelesen werden konnten. Offenbar waren die Codeschlüssel seit dem Fall der Mauer in den USA aufbewahrt worden, doch vor einigen Monaten waren sie von dort den europäischen Verbündeten der USA ausgehändigt worden.

Magnus schenkte sich neuen Tee ein und dachte für einen Moment kurze zwanzig Jahre zurück, denn damals hatte er häufiger mit Russen zu tun gehabt. Er war drei- oder viermal nach Moskau eingeladen und dort überaus zuvorkommend empfangen worden. Und das in mehrfacher Hinsicht, aber na und? Was Anne nicht weiß, macht sie nicht heiß. Vielleicht waren die russischen Labors nicht so sauber und fortschrittlich gewesen wie die dänischen, aber an den Gehirnen hatte niemand etwas aussetzen können. Der Kalte Krieg war ein Dreck gewesen, und Magnus hatte die Kalten Krieger immer verachtet. Nur durch internationale Zusammenarbeit konnte die Forschung weiterkommen und neue Erfolge erzielen, die für die Menschheit von wirklicher Bedeutung waren.

Der Postbote kämpfte sich durch den Schneesturm. Nicht einmal in einer anständigen Wohnsiedlung wie dieser wurden die Straßen noch richtig vom Schnee befreit. Sein Land verfiel, und die Einsparungen trafen die Forschung und die Schulen, die wichtigsten Rohstoffe des Landes. Der Postbote hatte sich seinen Schal um das Gesicht gewickelt, als er den Poststapel in den Briefkasten stopfte. Magnus wartete schon hinter dem Vorhang und ging erst nach draußen, als der Postbote mit seinem gelben Fahrrad weitergestapft war. Die Post bestand vor allem aus Werbung und den ersten Weihnachtskatalogen. Und dann gab es noch einen einzelnen Brief ohne Absender, der ihm irgendwie offiziell vorkam. Das Papier des Briefumschlags war ziemlich dick. Er öffnete ihn. Der Brief stammte vom PET, dem polizeilichen Nachrichtendienst, wie Magnus überrascht feststellte. Er bestand aus einigen wenigen Zeilen. Ob er freundlicherweise in Verbindung mit seiner Reise in die USA auf der Wache vorbeischauen könnte. Unterzeichnet hatte diesen Brief ein gewisser Nils Hovborg, Kriminalkommissar. Mittwoch, elf Uhr vormittags.

Magnus wusste, dass das Hauptquartier des PET in einem ganz anderen Stadtteil lag, aber er ging davon aus, dass diese Geheimtypen dort keine normalen Sterblichen zu sehen wünschten und ihn deshalb zur Wache vorgeladen hatten. Denn «Vorladung» war das Wort, mit dem er diese Aufforderung in Gedanken bezeichnete. Magnus verstand den Brief nicht, und er vergiftete wie eine Schlange das ansonsten so schöne Wochenende. Anne gegenüber erwähnte er ihn nicht, aber der Brief schwebte die ganze Zeit in seinem Hinterkopf herum, ob sie nun aßen, sich entspannten, spazieren gingen oder sich liebten. Anne war glücklich gewesen, als er ihr von den USA erzählt hatte. Sie hatte sich für ihn gefreut, aber sie hatte diesen Plan auch für ein Abenteuer gehalten. Denn, das wusste Anne, er brauchte Veränderung. Sonst würde er nur noch in Panik geraten. Sie sehe die Tendenzen, sagte sie scherzend. Sogar Torsten freute sich über alle Maßen, vor allem bei dem Gedanken daran, dass er auf diese Weise seiner Schule entkommen würde.

Es fiel Magnus deshalb schwer, von dem Brief zu erzählen, den er inzwischen insgeheim die «Weihnachtskarte vom PET» nannte. Er begnügte sich damit, am Montag von seinem Büro aus den Termin zu bestätigen. Nils Hovborg hatte eine sympathische Stimme und erklärte, es sei alles eine reine Formsache. Al-Qaida und der übrige internationale Terrorismus hätten die Amerikaner ungeheuer vorsichtig und genau werden lassen. Nils Hovborg dankte ihm dafür, dass er sich die Zeit nehmen wollte, um diese kleine Formalität aus dem Weg zu räumen.

Am Mittwoch, als er vor der Wache in Kopenhagen parkte, hatte Tauwetter eingesetzt. Er ging durch das große, bedrückende Gebäude und musterte die Säulen, die eine solche Macht trugen. Wie viele seiner Generation hatte er ein gespaltenes Verhältnis zur Ordnungsmacht. In seiner Jugend war nur von Bullerei und Lakaien des Imperialismus die Rede gewesen, aber das war so lange her, dass er es eigentlich vergessen hatte. Heutzutage hatte er mit der Polizei nichts mehr zu tun. Er hätte sich auch nicht mehr als politisch interessiert oder politisch bewusst bezeichnet, wie es in seiner Jugend geheißen hatte. Bei den Wahlen machte er sein Kreuzchen links von der Mitte, aber das wohl auch eher aus Gewohnheit?

Nils Hovborgs Büro war nichts sagend und ein wenig abgenutzt. Auf einem dunklen Schreibtisch befanden sich ein modernes Telefon und ein einzelner grüner Ordner, ansonsten herrschte peinliche Ordnung. Keine Spur von Geheimagentenglamour, von falschen Bärten und dunklen Sonnenbrillen. Auf einem Seitentisch stand lediglich ein ausgeschalteter Computer. Der Kommissar reichte Magnus die Hand und stellte einen jüngeren, dicklichen Mann als Kriminalassistent Gert Madsen vor. Ob Herr Bjerg wohl Platz nehmen wolle? Das tat Herr Bjerg, und dann wartete er ab.

«Möchten Sie rauchen?», fragte Nils Hovborg.

«Nein, danke. Ich habe damit aufgehört, und sagen Sie doch einfach du.»

«Das ist auch klüger so», sagte der Kriminalkommissar. Gert Madsen sagte nichts. So saßen sie dann ein Weilchen da. Durch das Fenster sah Magnus ein Stück grauen Himmel und hörte einen Bus, der bei einer Haltestelle sein Tempo beschleunigte. Aus den vielen Büros und den endlosen Korridoren nahm er ein konstantes Murmeln und Summen wahr.

«Sie wollen also in die USA, wenn ich das richtig verstanden habe», sagte Nils Hovborg. «Wir haben eine Anfrage erhalten, von, wie soll man das nennen, von Kollegen in den USA. Reine Routine.»

«Das begreife ich nicht», sagte Magnus.

«Warst du jemals Mitglied einer kommunistischen Partei?», fragte plötzlich Gert Madsen. Seine Stimme klang seltsam hell und hoch für einen Mann, der, wie Magnus jetzt feststellte, eher muskulös war als dicklich.

«Das ist aber eine seltsame Frage.»

«Für uns ja. Aber nicht für die Amerikaner.»

Magnus lachte kurz, dann schluckte er dieses Lachen hinunter. Es hörte sich verkehrt an. Er schwitzte ein wenig. Die Luft war sehr trocken, und er hatte auch ein seltsam schlechtes Gewissen, wozu nun wirklich keinerlei Grund bestand.

Er sagte:

«Spielt das heutzutage denn überhaupt noch irgendeine Rolle? Der Kommunismus ist tot. Tot und begraben, aber wenn ihr es unbedingt wissen wollt, ich war niemals Mitglied der DKP; allerdings bin ich damals für wenige Jahre bei den Linkssozialisten eingetreten. Das war eine absolut legale dänische Partei, soviel ich weiß. Zufrieden?»

«Was forschen Sie denn eigentlich so?», fragte Nils Hovborg. Er hatte eine sanfte, fast einschläfernde, aber auch überaus angenehme Stimme.

Magnus setzte sich gerade. Er würde sich wohl ein wenig arrogant anhören, aber das hatten sie nicht besser verdient.

«Ich glaube, das ist ein wenig zu kompliziert, um es Laien zu erklären. Ich arbeite über Transmission von …» Er suchte nach den dänischen Entsprechungen der lateinischen Begriffe, «… Schweinepest. Von Tier zu Tier. Von Mensch zu Tier. Ich habe meine Doktorarbeit über die Frage geschrieben, wie Menschen ohne ihr Wissen sozusagen zu Krankheitsträgern werden können. Ich habe bei erkrankten Schweinen gewisse Gene isoliert, die vielleicht zu einem besseren Verständnis der dahinter liegenden biologischen Vorgänge beitragen können. Das alles ist überaus kompliziert.»

«Aber du bist kein Tierarzt, oder?», fragte Gert Madsen.

«Biologe», sagte Magnus. Er konnte Gert Madsen nicht ausstehen und sah keinen Grund, diese Tatsache zu verhehlen.

«Könntest du damit nicht auch hier zu Hause weitermachen?»

Magnus setzte sich abermals gerade:

«Ich gehöre zu den wichtigsten Forschern in meinem Bereich, wenn ich mich so unbescheiden ausdrücken darf. Deshalb hat eins von Harvards angesehensten Instituten mich eingeladen. Es ist für mich persönlich eine große Chance, aber auch ein Triumph für die dänische Forschung.»

«Aber das ist doch hervorragend», sagte Nils Hovborg. «Nur kann das vielleicht auch gefährlich sein?»

«Die Arbeit mit krankheitserregenden Bakterien und Viren ist immer gefährlich. Deshalb arbeiten wir auch isoliert und unter starken Sicherheitsvorkehrungen», sagte Magnus Bjerg. Er fühlte sich gar nicht wohl in seiner Haut und gewissermaßen eingesperrt. Er begriff nicht, was diese Männer von ihm wollten. Vielleicht wollten sie ja wirklich nichts?

«Wenn ich das richtig verstanden habe, dann gibt es also eine internationale Zusammenarbeit», sagte Nils Hovborg.

«Ja, natürlich. Alle Forschung ist international.»

«Machen auch die Russen mit?», fragte Gert Madsen.

«Natürlich. Also wirklich! Was soll das hier eigentlich?»

«Warst du vielleicht schon einmal dort, als das Land noch Sowjetunion hieß?», fragte Gerd Madsen. Er zupfte sich am Ohr. Magnus fand diese Angewohnheit irritierend.

«Ja.»

«Als Forscher? Oder als Tourist?»

«Beides. In den achtziger Jahren war ich mehrere Male auf Einladung des Karlow-Institutes dort. Die beschäftigten sich mit ähnlichen Forschungsvorhaben. Was soll diese Frage?»

«Das war doch ein militärisches Institut, nicht wahr?», fragte Gert Madsen.

«Das war es natürlich nicht. Es war der Akademie der Wissenschaften unterstellt. Ich weiß wirklich nicht, worauf ihr hier eigentlich hinauswollt.»

«Reine Routine», sagte Nils Hovborg. Er stand auf, streckte die Hand aus, und Magnus ergriff sie verwirrt. War das alles? Nils Hovborg fügte hinzu: «Haben Sie vielen Dank dafür, dass Sie sich die Zeit für diesen Besuch genommen haben.

Vielleicht müssen wir demnächst noch einmal mit Ihnen reden.»

«Warum das? Halten Sie mich für einen Spion oder was? Hat die Polizei denn nichts Besseres zu tun?»

«Ich bringe Sie zum Ausgang», sagte Nils Hovborg.

Für den Rest des Tages fühlte Magnus Bjerg sich gar nicht wohl. Er begriff weder dieses Gespräch, noch konnte er sich vorstellen, was die Polizei wohl von ihm wollte. Er begriff nicht, warum er nicht mehr gesagt hatte. Warum er nicht mit fester Stimme gesagt hatte, er lasse es sich nicht gefallen, so einfach einem Verhör ausgesetzt zu werden? Erst gegen Abend fiel ihm ein, dass sie ihn ja eigentlich nichts gefragt hatten, was ihnen nicht auch schon vorher bekannt gewesen war. Er hatte das Gefühl, dass sie alles über ihn wussten, und das war ein überaus unangenehmer Gedanke.

«Vielleicht ist das wirklich nur Routine», sagte Anne, als sie im Bett lagen und hörten, wie der Frost, der sich in der Nacht wieder eingestellt hatte, das Haus leise ächzen ließ. Anne hatte zuerst geschmollt, weil er ihr nichts von dem Brief erzählt hatte, aber jetzt schien sie wieder besänftigt. Sie sagte:

«Die Amis sind doch ein wenig hysterisch, nicht? Und du warst früher doch einmal ziemlich links und antiamerikanisch, nicht wahr? Ziemlich rot. Das war ich doch auch. Deshalb bin ich Lehrerin geworden, um die Kinder beeinflussen zu können. Bei denen lag doch die Zukunft der Revolution. Aber heute spielt das doch keine Rolle mehr. Wir haben alle mal schwachsinnige Entscheidungen getroffen.»

«Ja. Wahrscheinlich hast du Recht. Das ist reine Routine. Sicher ist das so», sagte er.

«Und du hast doch nichts zu verbergen, oder?»

«Nein», antwortete er, aber er lag dann doch noch lange wach in der Dunkelheit und fragte sich, ob nicht alle irgendetwas zu verbergen hatten, etwas, von dem sie vielleicht nicht einmal selbst etwas wussten. Vielleicht hatten alle irgendwo ein Geheimnis versteckt, das sie vergessen hatten, an das andere sich aber erinnerten.

Der Schnee kam und ging, und der November ging in den Dezember über. Der Wind riss an den Tannengirlanden, als er durch Strøget wehte. Die Geschäfte lockten mit Weihnachtsdekorationen, Punsch und Pfefferkuchen, und die Menschen sahen gestresst, fröstelnd und gehetzt aus. Magnus wartete auf den Brief aus den USA, aber der kam nicht. Joe sagte, das sei alles nur Routine, er solle sich keine Sorgen machen und sich weiter auf Weihnachten in Boston freuen. Joe und Sandra würden sich freinehmen, und deshalb seien Schnee, Ski und gute Gespräche und Wein unter Freunden angesagt. Aber es fiel Magnus schwer, ruhig zu sein und sich zu konzentrieren. Er war eigentlich in die Stadt gefahren, um die ersten Weihnachtsgeschenke zu kaufen, aber auch dafür fehlte ihm die rechte Aufmerksamkeit. Deshalb setzte er sich ins Café Norden und bestellte ein Weihnachtsbier. Es war das dritte an diesem Morgen. Er suchte sich einen Tisch in der Ecke und versteckte sein Gesicht hinter der Zeitung *Information*.

Nils Hovborg trug einen weiten Wintermantel. Er hielt ein großes Glas hellbraunen Kaffee in der Hand und setzte sich, ohne um Erlaubnis zu bitten. Magnus legte gereizt seine Zeitung zusammen.

«Das ist ja eine nette Überraschung», sagte der Kriminalkommissar.

«Wirklich?», fragte Magnus.

«Vielleicht nicht, aber ich sehe keinen Grund, diese Sache offizieller werden zu lassen als unbedingt nötig. Ich möchte dir nur ein paar Fragen stellen, wenn ich darf. Nur, um mir ein Bild von der Lage zu machen.»

«Daran kann ich dich nicht hindern, aber ich wünschte, du wärst konkreter.» Jetzt waren sie also doch beim Du angekommen. Magnus kam das natürlicher und zugleich komisch vor. Als wären sie jetzt plötzlich Kollegen oder Bekannte geworden.

Nils Hovborg reichte ihm ein Bild. Es war das Schwarzweißfoto eines Mannes in mittleren Jahren, der einen grauen Anzug trug. Sein Gesicht war ziemlich nichts sagend, aber Magnus hatte den Eindruck, dass das Bild einen Russen zeigte. Vielleicht lag es an den slawischen Zügen? Oder sorgte die schlecht sitzende Kleidung dafür, dass er sich seiner Sache ziemlich sicher war?

«Kennst du ihn?»

«Nein, sollte ich das?»

«Er kennt dich.»

«Das kann doch nicht möglich sein. Höchstens so, wie man einen Nachrichtensprecher im Fernsehen kennt. Vom Sehen her. Kann sein, dass ich ihn schon einmal gesehen habe, aber ich kenne ihn nicht. Ich weiß jedenfalls nicht, wer er ist.»

Nils Hovborg trank vorsichtig seinen Kaffee. Fast kindlich vorsichtig, als fürchte er, sich an dem riesigen Caffè latte zu verbrennen. Er beugte sich ein wenig über den Tisch, als habe er Angst, von fremden Ohren gehört werden zu können, obwohl es sehr laut im Lokal war und niemand sich für ihre Unterhaltung interessierte. Magnus fühlte sich schon wieder nicht wohl in seiner Haut. Er kam sich vor wie auf einer Anklagebank, nur hatte niemand ihm erzählt, worin die Anklage bestand. Es war wie in einem bösen Traum. Man wollte aus diesem Albtraum erwachen, konnte sich aber nicht von den Fesseln befreien, die das Bewusstsein banden. Er schwitzte ein wenig und spürte leider auch die drei Bier.

«Ich weiß nicht, wer er ist.»

«Er heißt Gregor Nikolajew Petrow. Er hat damals im Karlow-Institut gearbeitet.»

«Da sind mir viele Leute begegnet. Der Name sagt mir nichts.»

«Sein wirklicher Arbeitgeber war der GRU, der militärische Nachrichtendienst der UdSSR. Er hatte viel mit dem bakteriologischen und biologischen Kriegsprogramm zu tun. Schreckliche, schreckliche Waffen.»

Nervös trank Magnus einen Schluck Bier. Das Glas war fast leer, aber er wollte nicht aufstehen, um sich ein neues zu holen.

«Damit hatte ich nichts zu tun. Ich habe mich an die Wissenschaftler gehalten.»

«Aber Genosse Petrow war ebenfalls Wissenschaftler. Er ist von der Ausbildung her Biologe, genau wie du. Und am Karlow gab es doch auch Wissenschaftler aus dem Irak, nicht wahr?»

«Jetzt begreife ich wirklich nicht mehr, worauf du hinauswillst. Da waren Leute aus so vielen Ländern. Was soll das Ganze eigentlich?»

«Genosse Petrow hat dich als einen ihrer Informanten genannt.»

Magnus Bjergs Zorn und seine Verblüffung waren echt:

«Ich als Agent? Das ist doch der pure Wahnsinn!»

«Das habe ich nicht gesagt. Ich habe Informant gesagt, was eine Stufe darunter liegt.»

«Warum redet er solchen Unsinn?», regte Magnus sich auf, während Nils Hovborg mit seiner gedämpften, kultivierten Stimme weitersprach:

«Zwei Jahre nach dem Zusammenbruch der Sowjetunion hat er sich aus Moskau abgesetzt. Wie so viele andere hatte er seit Monaten kein Gehalt mehr bekommen. Das war

1993. Jahrelang wusste niemand, wo er sich aufhielt, aber am Ende fanden die Amerikaner ihn dann im Irak. Informationen sind die einzige Währung, in der ein Überläufer und Verräter bezahlen kann. Du warst ein winzig kleiner Name zwischen anderen, etwas größeren Fischen, aber die USA sind, um das mal so zu sagen, im Moment sehr, sehr vorsichtig. Sie haben ein ganzes Ministerium für die Sicherheit der Nation eingerichtet, gegen die die alte Stasi das reinste Waisenkind ist. Und dein Name steht auf einer Liste.»

Magnus schüttelte langsam den Kopf. Er begriff gar nichts mehr und trank den Rest Bier, ehe er sagte:

«Das ist doch aber kein Beweis, wenn irgendein hergelaufener Russe irgendwelche Behauptungen aufstellt.»

Nils Hovborg musterte ihn mit etwas, das Ähnlichkeit mit Mitgefühl hatte.

«Herr Bjerg. Das hier ist kein Gerichtssaal. Ich muss hier nichts beweisen. Du dagegen musst beweisen, dass wirklich nichts gegen dich vorliegt.»

«Das kann ich doch nicht so einfach», sagte Magnus, und seine Stimme klang verzweifelter, als er gewollt hatte; er fühlte sich wie in einem Spinnennetz, aus dem er sich nicht befreien konnte.

Nils Hovborg sprach mit ruhiger Stimme, und Magnus hörte zu, aber die Worte schienen trotzdem durch Watte zu kommen. Magnus Bjerg hatte zwischen 1983 und 1988 in Moskau an einer Reihe von Konferenzen teilgenommen. Es hatte sich um wissenschaftliche Zusammenkünfte gehandelt. In Verbindung mit diesen wissenschaftlichen Konferenzen waren alle überaus gastfreundlich und großzügig bewirtet worden. Und Bjerg hatte vielleicht ebenso großzügig unter dem Einfluss von Kaviar und Wodka von seiner eigenen und von der dänischen Forschung ganz allgemein erzählt. Allerlei Zwischenbilanzen und Hypothesen waren vorgelegt worden, die nicht in den Berichten standen, die dann aber den Russen und ihrem damaligen nahen Verbündeten, dem Irak, zur Verfügung gestellt worden waren.

Magnus schüttelte den Kopf.

«Das ist doch reiner Unsinn», sagte er.

«Petrow hat auch einige Wochenenden auf dem Land erwähnt und behauptet, du habest dich besonders mit einer seiner Assistentinnen angefreundet, mit Ludmilla.»

Zu seinem Entsetzen spürte Magnus, dass er errötete.

«Die war eine ganz normale Laborassistentin.»

«Ludmilla kennen wir. Sie war Agentin beim GRU und hatte neben ihrer Ausbildung als Laborantin an der Universität Leningrad Dänisch studiert.»

«Das wusste ich nicht.»

«Und an Petrow kannst du dich nicht erinnern? Wirklich nicht?» Wieder diese kultivierte Stimme, die so vorwurfsvoll klang, trotz des leichten Konversationstons.

«Vielleicht bin ich ihm begegnet. Aber ich kann mich einfach nicht daran erinnern.»

«Petrow behauptet, dass du auch als Kurier fungiert hast.»

«Was?»

«Du habest zwei Briefe mitgenommen und dann im Westen aufgegeben.»

«Natürlich habe ich ihnen den Gefallen getan, wenn sie mich baten, ihre Privatbriefe mit aus dem Land zu nehmen. Sie lebten doch in einer Diktatur, mit KGB und Polizei und Unterdrückung und Zensur. Das wäre ja noch schöner gewesen!»

«Hast du diese Briefe gelesen?»

«Natürlich nicht. Das waren doch Privatbriefe. Man liest doch nicht die Privatbriefe anderer Leute.»

«Du hättest uns das alles vielleicht erzählen sollen?»

«Warum das?»

«Das wäre vielleicht klüger gewesen.»

Magnus setzte sich gerade:

«Ich hatte nie den Wunsch, etwas mit eurer Welt zu tun zu haben.»

«Überleg es dir», sagte der andere. «Und komm übermorgen auf der Wache vorbei, dann können wir darüber plaudern und einen Strich unter die ganze Angelegenheit ziehen.»

«Ich habe nichts mehr zu sagen. Lasst mich in Ruhe oder erhebt irgendeine Anklage gegen mich.»

«Ich glaube kaum, dass es so weit kommen wird.»

Magnus sagte Anne nichts, als er nach Hause kam. Er wusste nicht, warum, aber er hatte Angst, sich in Widersprüche zu verwickeln, wenn er zu viel zu erklären versuchte. Die Wahrheit war, dass er nicht besonders viele Erinnerungen an seine Aufenthalte in Moskau hatte. Er hatte ein gutes Gedächtnis, wenn es um seine Materie ging, aber in Moskau hatte er zu viel getrunken. Die Russen taten nichts, ohne darauf anzustoßen. Er wusste nicht mehr so recht, worüber sie gesprochen hatten, jedenfalls erinnerte er sich an keine Einzelheiten. Er hatte damals dasselbe gedacht wie heute: Nur Offenheit bringt uns weiter. Und dann war da noch Ludmilla gewesen. Agentin des GRU, was für ein Unsinn. Sie war eine lustige, Dänisch sprechende und richtig tolle junge Frau gewesen, und er hatte sich geschmeichelt gefühlt, als sie ein Auge auf ihn geworfen hatte. Das alles konnte er Anne nicht erzählen, das wusste er, als er da in der Dunkelheit lag und den Regen gegen die Fensterscheiben prasseln hörte. Ihm ging auf, dass etwas, das er nie als etwas anderes gesehen hatte als einige freie Tage mit einem dünnen wissenschaftlichen Programm, irgendwann in den achtziger Jahren, nicht nur seine wissenschaftliche Karriere bedrohte, sondern vielleicht auch seine Ehe.

Er beschloss deshalb, mit einem Anwalt zu sprechen, den er noch von einem gemeinsamen Kolloquium zu Studienzeiten her kannte und mit dem er offen sprechen zu können glaubte. Er hatte nicht das Gefühl, mit Anne offen sprechen zu können. Nicht nur wegen dieser Sache, die er in Gedanken die «Affäre» nannte, sondern auch, weil es ihm peinlich war, zugeben zu müssen, dass er sich an seinen geselligen Umgang in Moskau wirklich kaum erinnern konnte.

Zwei Tage später ging er durch die Innenstadt. Ein leichter Schneeregen fiel, und er war ein wenig angetrunken. Der Alkohol versetzte ihn nicht in bessere Stimmung, sondern machte ihn im Gegenteil noch deprimierter. Ganz Kopenhagen roch nach den fetten Speisen der mittäglichen Weihnachtsfeiern und nach kaltem Schnaps. Die Menschen nuschelten oder sprachen sehr laut, und die wachsende Weihnachtsfreude und die ausgelassene Fröhlichkeit ließen seine Nervenenden noch weiter ausfransen. Eigentlich hatte er sich immer auf und über Weihnachten gefreut, aber jetzt erfüllte der Weihnachtstrubel ihn mit Angst und Überdruss.

Auch bei seinem Anwaltsbesuch war er ein wenig rot im Gesicht. Sie hatten den Tag im Büro mit einem Schnaps oder zweien anfangen lassen, und bald sollten er und die Kollegen sich an das große Fressen machen. Auch in Magnus' Institut gab es eine Weihnachtsfeier, aber er hatte abgesagt, auch wenn er Anne gegenüber behauptet hatte, daran teilnehmen zu wollen. Er begriff nicht, warum er gelogen hatte. Er hatte absolut nichts verbrochen, benahm sich aber trotzdem wie ein Schuldiger.

«Das ist doch Wahnsinn, Ole», sagte Magnus, als er dem Anwalt die ganze Geschichte erzählt hatte. «Das ist viele Jahre her, und die Behauptungen sind ganz und gar haltlos. Kannst du sie nicht stoppen?»

Der Anwalt hob die Arme über den Kopf. Sein Büro war hell und freundlich und spiegelte den Erfolg seiner Kanzlei wider.

«Stoppen hin oder her. Sie haben doch gar nichts getan. Sie haben nur mit dir geredet. Sie haben dich zu nichts gezwungen, und sie haben keine Anklage gegen dich erhoben.»

«Sie belästigen mich. Sie ruinieren meine Karriere, einfach, indem sie einen Verdacht in die Welt setzen.»

«Wenn du keinen Dreck am Stecken hast, hast du nichts zu befürchten.»

«Aber das ist doch gerade das Problem. Ich habe nichts Verbotenes oder Falsches getan, jedenfalls nicht nach meinen Maßstäben. Aber meine Maßstäbe sind nicht dieselben wie ihre.»

«Es war eine harte Zeit. Es war ein kalter Krieg, aber es war ein Krieg, in dem zu sämtlichen Mitteln gegriffen wurde. So wie der Krieg, den wir jetzt führen müssen», sagte der Anwalt und lächelte ein wenig arrogant.

Magnus wurde plötzlich misstrauisch:

«Stehst du auf ihrer Seite, Ole?»

Ole beugte sich über den Tisch und verschränkte die Hände unter seinem Kinn.

«Du warst vielleicht ein wenig naiv und hast zu viel gesagt.»

«Woher hätte ich denn wissen sollen, dass wissenschaftliche Kollegen in Wirklichkeit für KGB und GRU arbeiteten, oder wie zum Teufel die damals alle hießen!»

«Du argumentierst da falsch, Magnus. Du hättest davon ausgehen müssen, dass es der Fall war.»

«Ich fand solche Verdächtigungen aber entsetzlich. Ich meine ... zum Teufel ... wir haben den Kalten Krieg doch gewonnen. Können wir denn jetzt nicht einfach nach Hause gehen?»

«So leicht ist das nicht. Agenten oder Überläufer übertreiben die Bedeutung ihrer Informanten oder ihrer Mitteilungen immer. Ihre eigene Karriere und ihr Fortkommen hängen doch davon ab, dass sie wichtige Gewährsleute rekrutieren können. Bestimmt haben sie dich als wichtige Person mit wesentlichen Informationen dargestellt, die sie sich durch öffentlich zugängliche Publikationen nicht beschaffen konnten. So konnten sie ihre Ausgaben für dich rechtfertigen.»

«Woher weißt du das alles?»

«Während meiner Militärzeit hab ich in dieser Branche ein wenig herumgeschnüffelt. Du warst nie Soldat, was?»

«Kriegsdienstverweigerer.»

«Natürlich», sagte der Anwalt.

Sie schwiegen eine Weile. Sie tranken aus, und der Anwalt schaute auf seine Uhr, weshalb Magnus sagte:

«Du kannst also nichts machen?»

«Da kann man nichts machen. Im Moment jedenfalls nicht.»

«Das ist doch kafkaesk», sagte Magnus und empfand nur Ohnmacht und Verzweiflung.

Der Anwalt sah ihn an:

«Was ist mit deiner Forschung? Wenn wir mit dem Schlimmsten rechnen: Wäre sie militärisch verwertbar gewesen, für biologische Waffen, wie die, die Saddam Hussein gegen den Iran und gegen seine eigenen Kurden eingesetzt hat?»

«Ja, vielleicht. Das habe ich mir nie überlegt.»

«Wissen ist Macht, und die Russen haben gestohlen, was sie konnten und wo sie konnten.»

«Ich wollte mit eurer Welt niemals etwas zu tun haben. Ich

verachte sie. Ich hasse Militär, Gewalt, Krieg, Spione, Lügen und Betrug.»

«Manche würden dich als einen von Lenins nützlichen Idioten bezeichnen.»

«Du bist mir wirklich überhaupt keine Hilfe», sagte Magnus.

Der Anwalt schaute wieder auf seine Uhr und sagte kühl:

«Du hättest damals etwas unternehmen können. Du hättest den PET über deine Kontakte informieren können.»

Magnus sprang auf und sagte wütend:

«Ich wollte damals und will auch heute keinem verdammten Nachrichtenwesen über meine kollegialen Kontakte etwas erzählen.»

Ole breitete die Arme aus.

«Die haben aber über dich erzählt, Magnus. Vielleicht war das, was sie geschrieben haben, gelogen, aber jetzt bist du Teil des Systems. Es ist ein geschlossenes System, das selbst entscheidet, ob du daraus gelöscht wirst oder nicht.»

Abends rief Magnus bei Joe in Boston an. Joe hörte sich anders an, schien Magnus. In seiner Stimme lag eine Distanz, die er deutlich wahrnahm und die nichts mit der enormen Entfernung der transatlantischen Verbindung zu tun hatte. Es gab keine Neuigkeiten, aber die Sache dauerte offenbar noch, es gab also keinen Grund, zu Weihnachten in die USA zu kommen und sich Häuser anzusehen. Denn vielleicht würde es doch nicht die nötigen Mittel zur Finanzierung des Postens geben, oder vielleicht waren es auch nur die Mühlen der Bürokratie, die so langsam mahlten.

Magnus saß da, mit dem Hörer in der Hand und einem Brennen im Magen, als Anne in sein Arbeitszimmer kam und fragte, was denn los sei. Er konnte die Sache einfach nicht mehr für sich behalten und erzählte alles, sogar das mit

Ludmilla. Anne hörte ihm schweigend zu, und in ihrem Gesicht sah er zuerst Mitgefühl, dann aber auch Verachtung. Er konnte ihr ansehen, dass sie ihn für einen Trottel hielt. Dass er plötzlich nackt vor ihr stand. Er stand ohne Maske da, und das, was unter der Maske aufgetaucht war, gefiel ihr überhaupt nicht.

«Ich fahre mit Torsten über Weihnachten zu meiner Mutter», sagte sie und erhob sich.

«Zum Teufel, Anne. Das ist doch so lange her. Ich kann mich fast nicht mehr daran erinnern. Das ist doch gerade das Problem. Ich weiß fast nicht einmal mehr, ob es überhaupt passiert ist.»

«Magnus, was immer passiert ist, es lässt sich nicht ändern. Darauf kommt es auch gar nicht an. Es kommt darauf an, dass du es mir verheimlicht hast. Wie soll ich also wissen, ob du nicht noch andere Dinge verheimlichst oder vergessen hast, wie du behauptest? Ich muss mir überlegen, wie wir jetzt weitermachen sollen. Es kann schon sein, dass wir zusammenbleiben werden, aber so wie bisher wird es nie wieder sein.»

Er ließ sich krankschreiben, als Anne und Torsten nach Jütland gefahren waren. Er saß zu Hause und versuchte sich zu erinnern, aber das gelang ihm nicht. Er sah die Gesichter von Petrow und Ludmilla wie durch einen Nebel vor sich, helle Flächen ohne erkennbare Züge, und er konnte sich nicht an den Inhalt ihrer Gespräche erinnern. Er konnte sich nicht einmal an den Sex erinnern. Jedenfalls nicht richtig. Es schneite wieder, und er saß mit einem Weihnachtsbier da und schaute die großen Flocken an, die sich auf seinen Garten senkten.

Das Telefon schellte. Es war Nils Hovborg.

«Guten Tag, Herr Bjerg. Ich wollte Ihnen nur mitteilen,

dass wir die Untersuchungen eingestellt haben. Sie waren vielleicht ein wenig naiv und haben sich ausnutzen lassen, aber ... na ja ... es ist ja nicht strafbar, ein wenig einfältig zu sein. Also, fröhliche Weihnachten.»

«Leck mich am Arsch!», brüllte Magnus und knallte den Hörer auf die Gabel. Er hätte erleichtert sein müssen, aber sein Magen brannte noch immer. Er konnte sich nicht zusammenreißen, und er begriff nicht, was ihm da widerfahren war. Was mit ihm nicht stimmte. Es war absolut nichts passiert, aber trotzdem war sein Leben verändert. Aber vielleicht würde er jetzt doch diesen Job bekommen, wo die Untersuchungen eingestellt waren, und dann war in Wirklichkeit alles beim Alten. Oder war das vielleicht wieder eine naive Vorstellung? Denn alles war so anders. Die Freude über seine Zukunft war verschwunden, aber der Zukunft musste er sich trotzdem stellen. Wenn er den Job in den USA nicht bekam, würde er sich am Gymnasium bewerben, um ein stabiles Leben führen zu können und die Zeit zu nutzen, um Annes Vertrauen zurückzugewinnen. Im Radio wurde jetzt ein Weihnachtslied gespielt. Stille Nacht, Heilige Nacht, sangen Kinderstimmen. Er hatte alles überstanden, warum war er also so unruhig? Draußen schneite es, und er sehnte sich nach seiner Familie, aber er musste auch immer wieder an seine Besuche in der Sowjetunion denken, und er wünschte, er könnte sich daran erinnern, was damals passiert war. Aber alles lief ihm wie feiner Sand durch die Finger. Er glaubte, einen Erinnerungsfetzen gepackt zu haben, aber er war schon verschwunden, noch ehe er ihm wirklich ins Bewusstsein getreten war.

Er holte sich mehr Bier aus dem Kühlschrank und spielte mit dem Gedanken, Anne bei ihrer Mutter anzurufen. Der Albtraum war zu Ende, und jetzt wollte er mit seiner Familie Weihnachten feiern, wenn die ihm das gestattete. Und obwohl er wusste, dass nichts je wieder ganz so werden könnte wie vorher, so war er doch davon überzeugt, dass ein neuer Anfang möglich wäre. Sein Herz hämmerte wild drauflos, als ihm aufging, dass er immer Angst davor haben würde, dass jemand an seine Tür klopfte und fremde Männer Geheimnisse entlarven wollten, von denen er nicht einmal wusste, dass er sie besaß.

Leena Lehtolainen

Der weiße Prinz

«Ich habe sie nicht vergewaltigt. Sie hat selbst um Sex gebettelt.»

Diese Worte hatte Lasse Jokela bei den Vernehmungen mehrmals wiederholt. Im Gerichtssaal klang er genauso überzeugend. Ich hatte die Ermittlungen in der Vergewaltigungssache geleitet. Im Prinzip war es ein klarer Fall gewesen: Das mutmaßliche Opfer, eine Schriftstellerin namens Ilona Lumijoki, war direkt von dem Hotel, in dem sie laut eigener Aussage vergewaltigt worden war, zur Polizeiwache geeilt. Sie hatte Anzeige erstattet und sich dann einer ärztlichen Untersuchung unterzogen. Von dem Arzt hatte ich gehört, dass sie bei der Untersuchung geweint hatte.

Die ersten Vernehmungen sowohl des Opfers als auch des Tatverdächtigen hatte mein Kollege Koivu durchgeführt. Lumijoki hatte als Täter einen bekannten Schriftstellerkollegen benannt, der auch gleich zum Verhör gebeten wurde. Dabei hatte Lasse Jokela wohl zugegeben, mit Ilona Lumijoki Geschlechtsverkehr gehabt zu haben, eine Vergewaltigung jedoch bestritten. Während des Vorverfahrens hatten wir uns bemüht, den Fall geheim zu halten, als es aber zum Prozess kam, ließ sich der Medienrummel nicht mehr vermeiden. Die Parteien gehörten zu den bekanntesten Schriftstellern Finnlands.

Im Gerichtssaal herrschte Halbdunkel. Es waren nur noch

zwei Wochen bis Weihnachten, aber in Südfinnland war der Schnee bisher ausgeblieben. Ich wünschte mir weiße Weihnachten, das Wetter beeinflusste meine Stimmungen erheblich. Der Richter und die Staatsanwältin, meine Freundin Katri Reponen, wollten die Akte noch vor Weihnachten schließen. Das hofften sicherlich auch die Parteien.

Ilona Lumijoki war seit über zehn Jahren ein Dauerstar der finnischen Literatur. Sie hatte mit einem Roman über Teenagermütter debütiert, der anders als so viele Erstlinge nicht autobiographisch war. Die Themen von Ilonas Büchern waren Mutterschaft und weibliche Sexualität, und bei ihren erotischen Darstellungen nahm sie kein Blatt vor den Mund. Sie kleidete sich sexy, ihr Lachen war heiser, zeugte aber von Lebensfreude. Sie war Mutter von drei Kindern, führte ein gewöhnliches, fast langweiliges Leben, machte regelmäßig Stickwalking und war Elternratsvorsitzende in der Schule ihrer Kinder. In der Öffentlichkeit wurde aus ihr eine Erotik-Queen gemacht, obgleich sie versicherte, dass ihre Romane reine Fiktion waren.

«Könnte es sein, dass die Tussi sich die Vergewaltigung ausgedacht hat, nur um die Aufmerksamkeit der Medien auf sich zu lenken?», fragte mein Kollege Lähde, als wir in der Morgenrunde das Material aus dem Vorverfahren sichteten.

«Das wäre eher dem Mann zuzutrauen!», ereiferte sich Anu. «Lasse Jokela ist ein echt öffentlichkeitsgeiler Typ.»

«Wie hieß noch mal sein Buch?», fragte Lähde, während er die Kulturseiten der Zeitungen überflog.

«Ein Fantasy-Roman, ‹Der weiße Prinz›. Der erste Teil ist im Herbst erschienen, die Fortsetzung folgt nächstes Jahr.» Koivu gähnte beim Sprechen.

«Ein Kinderbuch?» In Lähdes Stimme lag Verachtung. Richtige Männer schrieben nicht für Kinder.

«Eigentlich nicht. Ein bisschen in der Art wie die Narnia-Serie. Der Titelheld, der weiße Prinz, kämpft gegen die schwarze Königin und opfert sich für seine Mitmenschen auf.» Die christlichen Tugenden waren ein fester Bestandteil von Jokelas Phantasien. Anu hatte das Buch gelesen, weil sie sich erhofft hatte, dadurch die Person Lasse Jokela besser verstehen zu können. Auch ich hatte bemerkt, dass Jokela ein beliebter Gast in Talkshows und Zeitungsinterviews war. Er setzte sich für männliche Jugendliche ein, die in einer von Frauen dominierten Welt auf der Strecke blieben. Nach Jokelas Ansicht brauchten sie wenigstens in den Büchern das Vorbild eines starken Mannes.

Lasse Jokela war ein hoch gewachsener, breitschultriger Mann, eigentlich nicht dick, aber füllig. Wenn er wollte, konnte er sehr charmant sein, bei den Vernehmungen und im Gerichtsverfahren hatte er allerdings das Image des Bußfertigen gewählt.

«Ilona war betrunken. Sie hatte schon bei der Matinee zwei Bier getrunken und mindestens noch zwei weitere, bevor wir zu mir aufs Zimmer gingen. Der Vorschlag war von ihr gekommen, und es war mir recht, denn ich fühle mich in verqualmten Räumen generell unwohl. Sie setzte sich gleich auf mein Bett, und ich nahm im Sessel Platz.

Ich will nicht leugnen, dass ich Ilona anziehend fand. Sie kleidete sich bewusst sexy, wahrscheinlich weil sie denkt, das trage zur Vermarktung ihrer Bücher bei. Die Bücherwelt ist heutzutage sehr oberflächlich. Nein, ich habe ihre Texte nicht gelesen, ihre Themen interessieren mich nicht. Vielleicht hat meine Frau sie gelesen.»

Der ganze Gerichtssaal drehte sich nach Erja Jokela um, die auf der Empore saß. Sie wurde rot und schüttelte den Kopf. Jokela sah seine Frau schuldbewusst an. Ich fragte mich, warum die Frau sich das antat, freiwillig der Verhandlung beizuwohnen.

«Als Ilona ihr Bier ausgetrunken hatte, ging sie auf die Toilette. Ich empfand das als eine sehr intime Geste, ist doch die Toilette eines Hotelzimmers nur für dessen Bewohner da. Ich fragte mich, ob Ilona vielleicht vorhatte, über Nacht zu bleiben. Als sie zurückkam, warf sie sich mir in die Arme. Eins führte zum andern. Sie selbst riss sich die Bluse vom Leib und bat mich, sie zu beißen und grob zu behandeln. Ich dachte, sie hat das gern, und versuchte, ihre Wünsche zu erfüllen. Sehen Sie, es ist peinlich, das zuzugeben, aber ich habe kaum Erfahrung mit Frauen. Außer meiner Frau war Ilona die Einzige. Ich stamme aus einer religiös geprägten Familie. Natürlich bereue ich es, mich mit einer fremden Frau eingelassen zu haben, und dieser Skandal und das Polizeiverhör sind die gerechte Strafe für mich. Aber ich habe sie nicht vergewaltigt, ich schwöre bei Gott. Ich weiß nicht, warum Ilona Strafanzeige gestellt hat. Vielleicht hat sie es auf dem Heimweg mit der Angst zu tun bekommen, weil sie nicht wusste, wie sie ihrem Mann die zerrissene Bluse und die Beißspuren erklären sollte.»

Lasse Jokela klang glaubhaft. Die medizinischen Befunde bestätigten zwar, dass ein Geschlechtsakt stattgefunden hatte und dass das Sperma in Lumijokis Vagina von Jokela stammte, aber ihre Verletzungen konnten ebenso gut die Folge einer Vergewaltigung wie von sehr stürmischem Sex sein. Spuren in Ilonas Gesicht deuteten darauf hin, dass man versucht hatte, ihr den Mund zu stopfen. Jokela behauptete, sie habe selbst darum gebeten, erstickt zu werden.

Ilona Lumijokis Bericht klang anders.

«Im September wurde das fünfzigjährige Jubiläum der Gartenstadt Tapiola gefeiert, und die Bibliothek hatte zu einer

Matinee fünf Schriftsteller eingeladen, die so wie ich über Tapiola geschrieben hatten oder so wie Lasse dort geboren sind. Heute wohnt er in Jyväskylä. Nach der Veranstaltung quartierten sich die auswärtigen Schriftsteller im Hotel Tapiola Garden ein. Lasse und Jukka Auvinen beschlossen, auf einen Drink in die Hotelbar zu gehen, und ich schloss mich ihnen an, denn nach Auftritten habe ich immer großen Durst. Wir tranken Bier und unterhielten uns über dies und das. Jukka musste früh am nächsten Morgen zurück nach Stockholm, er ging schon nach dem ersten Bier. Ich wollte noch ein zweites, während Lasse zu Mineralwasser überging. Ich glaube, er trinkt kaum.

Für mich war es interessant, mit Lasse zu plaudern. Ich hatte natürlich den ‹Weißen Prinzen› gelesen – wer hat das nicht? – und wollte ihn fragen, was ihn zu diesem Roman inspiriert hatte. In der Bar war es recht laut geworden, und meine Stimme verträgt das Schreien nicht mehr. Lasse schlug vor, wir könnten uns in seinem Zimmer weiterunterhalten, er würde mir noch ein Bier aus seiner Minibar spendieren. Ich war einverstanden, sah darin nichts Ungewöhnliches. Lasse war ich bis dahin schon zweimal flüchtig begegnet, er wirkte sympathisch. Ich wusste, dass er eine Frau und zwei Kinder hatte, die so alt waren wie meine. So einem Mann konnte ich nicht misstrauen. Ich wollte wissen, ob die Journalisten ihn jemals gefragt hatten, wie er Familie und Schreiben unter einen Hut kriege, so wie es Schriftstellerinnen immer gefragt werden. Wir sprachen über alles, was mit den Themen unserer Bücher zu tun hatte. Mich interessierte am Frauenbild des ‹Weißen Prinzen›, dass die starken Frauen regelmäßig bestraft wurden. Lasse behauptete, das sei ihm nicht bewusst, aber ich glaubte ihm nicht.

Ich trank mein Bier aus und ging auf die Toilette. Ich spürte, dass es Zeit war zu gehen. Ich dankte Lasse für den schönen Abend, zog meinen Mantel an und umarmte ihn. Er aber ließ mich nicht los und küsste mich heftig. Ich fragte ihn, was er vorhabe, und er erklärte mir, ich gehe nirgendwohin, wir seien noch nicht fertig miteinander.

Ich sagte, ich sei nur in sein Zimmer gekommen, um ein Bier zu trinken und mich mit ihm zu unterhalten, aber er drang mit seiner Zunge so heftig in meinen Mund ein, dass ich nicht mehr sprechen konnte. Da bekam ich es mit der Angst zu tun. Lasse ist groß und stattlich, ich würde mich gegen ihn nicht durchsetzen können. Ich schrie und wehrte mich, aber das stachelte ihn nur noch mehr an. Ich konnte nicht glauben, dass mir niemand zu Hilfe kam. Wir waren doch in einem Hotel, unter Menschen. Aber Lasse war schon dabei, mir die Bluse vom Leib zu reißen, und schubste mich brutal aufs Bett. Er kümmerte sich nicht darum, dass ich ihm das verbot, sondern drang unbeeindruckt in mich ein. Das war die schlimmste Erfahrung meines Lebens. Ich hätte nie gedacht, dass mir so etwas passieren könnte.»

«Nach alldem waren Sie jedoch in der Lage, rational zu handeln, Sie nahmen sich ein Taxi zur Polizeiwache und gaben eine Strafanzeige auf. Offenbar standen Sie nicht völlig unter Schock», kommentierte Lasses Anwalt. Ilona sah ihn mit offenem Mund an. Vor Gericht trug sie einen korrekten, dunkelgrauen Hosenanzug, und das schwarze Haar war zu einem Knoten geschlungen. Natürlich hatte ihre Anwältin ihr geraten, möglichst nicht wie eine Verführerin auszusehen.

«Ist es ein belastender Umstand, dass ich so handle, wie jedes Opfer eines Verbrechens es tun sollte? Ich habe auch über Vergewaltigungen geschrieben, und damals habe ich mich mit Polizisten darüber unterhalten, dass die Frauen meistens den Fehler begehen, nach dem Verbrechen nach Hause zu flüch-

ten, um sich zu waschen. Das hätte ich auch gern getan, weiß
Gott! Die ärztliche Untersuchung war wie eine zweite Vergewaltigung.»

Ilona zitterte, als sie zu ihrem Platz zurückkehrte. Nach ihr
waren die Zeugen an der Reihe. «Viele Frauen hegen Phantasien, unterworfen zu werden», sagte ein Sexualwissenschaftler,
den die Verteidigung in den Zeugenstand gerufen hatte. «Nur
sind solche Phantasien nicht mit den Regeln der modernen
Gesellschaft konform, deshalb werden sie tabuisiert. Es ist
normal, wegen seiner sexuellen Bedürfnisse Schuldgefühle zu
haben. Aber es ist unnötig», fügte der bärtige Mann pathe-
tisch hinzu.

Mein eigener Auftritt als Leiterin der Ermittlungen ging
rasch über die Bühne. Katri verlangte nach meiner Meinung
über die Glaubwürdigkeit von Klägerin und Angeklagtem, obwohl sie wusste, dass ich nicht Partei ergreifen durfte.

«Ilona Lumijoki hat bei den Vernehmungen wiederholt
dieselben Worte gebraucht, wenn sie von der Vergewaltigung
berichtete, und nach meiner Erfahrung wandelt ein Zeuge,
der lügt, seinen Bericht häufiger ab als einer, der nicht lügt»,
war alles, was ich sagen konnte.

Vor Gericht standen nur Ilonas und Lasses Aussagen gegen-
einander. Natürlich gab es Zeugen: der Schriftstellerkollege,
nach dessen Aussage Ilona an jenem Abend sowohl mit ihm
als auch mit Lasse geflirtet und in raschem Tempo getrunken
hatte, die Mitarbeiter des Verlags, die über das Geschehene
entsetzt waren und nicht wussten, wem sie glauben sollten,
Lasses Freunde, die seine Rechtschaffenheit bezeugten, und
Ilonas Freunde, die angaben, sie flirte gern, gehe aber nicht
fremd. Zwei Geschichtenerzähler standen sich gegenüber,
zwei professionelle Lügner. Die Beweise stützten beider Aussagen. Gegen Ilona sprach, dass niemand ihr Schreien gehört

hatte. Wir hatten das Hotelpersonal und die Gäste, die wir erreicht hatten, verhört. Das Hotel war relativ leer gewesen, das eine Nachbarzimmer war nicht vergeben worden, und der Gast, der das andere Zimmer bewohnt hatte, war unter falschem Namen aufgetreten: In der Kauppastraße zehn in Tampere wohnte kein Mann namens Jarmo Vähälä, der ein Nichtraucher-Doppelzimmer bezahlt und behauptet hatte, beruflich unterwegs zu sein. Das Hotelpersonal erinnerte sich, dass sich die Begleiterin des Mannes im Hintergrund gehalten hatte.

Die Redakteure der Tageszeitungen stellten eigene Nachforschungen an. Sie versuchten, die geheimnisvollen Gäste des Nachbarzimmers aufzuspüren, und machten frühere Partner Ilonas ausfindig. Der Mann, den Ilona verlassen hatte, als sie ihren Ehemann kennen gelernt hatte, erzählte offen von ihrer Neigung zu derbem Sex. «Sie hatte es gern, gebissen zu werden», verkündete eine Schlagzeile. Der Schulfreund, der ihr die Unschuld genommen hatte, berichtete einer Wochenzeitung, die von Prominentenklatsch lebte, in aller Ausführlichkeit über ihre Entjungferung.

Ilona war nicht in der Lage, auf die Straße zu gehen oder zu schreiben. Ihr Mann erledigte die Einkäufe und brachte die Kinder zu ihren Nachmittagsveranstaltungen. Die Zeitungen waren voller Bilder von Ilona in weit ausgeschnittenen Blusen, mit rot geschminkten Lippen und verführerischem Blick. Ilonas Verleger hatte immer großes Interesse an solchen Bildern gezeigt. Der Fall teilte die Finnen in zwei Lager, und es wurde heiß über die Definition von Vergewaltigung diskutiert. Viele waren der Ansicht, dass Frauen oft ihre Reize zur Schau stellten, ohne sich darüber im Klaren zu sein, was für Konsequenzen dies nach sich ziehen konnte.

Ich war im Gerichtssaal, als das Urteil verkündet wurde.

Lasse Jokela wurde aus Mangel an Beweisen freigesprochen. Seine Miene war triumphierend. Ilona bedeckte sich das Gesicht mit den Händen. Ich bemerkte, dass die Staatsanwältin Katri Reponen erbost war. Sie hatte mit dem Urteil gerechnet, als sie gehört hatte, dass der Vorsitzende in diesem Fall Arto Asikainen sein würde, ein altehrwürdiger Richter, der sich dem Rentenalter näherte und mit seinen Urteilen sehr zurückhaltend war. Leider hatte Katri Recht behalten.

Ich holte Ilona in der Aula des Gerichtsgebäudes ein, als sie gerade versuchte, sich durch die Menge der Journalisten zu kämpfen. Ich fasste sie am Arm und führte sie ins Innere des Gebäudes einen Weg entlang, den Katri mir beschrieben hatte. Vielleicht konnte sie durch eine Hintertür entkommen.

«Wirst du Beschwerde gegen das Urteil einlegen?» Ilona schüttelte den Kopf, ihr Blick war leer.

«Die Kraft habe ich nicht. Alles erneut durchzukauen wäre so, als müsste ich es noch einmal erleben. Dieser Prozess – ich schreie um Hilfe, aber niemand hört mich. Man hat meine Würde verletzt, man durfte mich einfach vergewaltigen, und niemand tut etwas.»

«Es würde mich nicht wundern, wenn die Staatsanwältin Beschwerde einlegt.»

«Egal. Ich will, dass diese Quälerei endlich aufhört. Am liebsten würde ich wegfahren, aber die Kinder müssen in die Schule, und ich will sie nicht allein lassen. Sie geben mir gerade sehr viel Kraft. Was meinst du, wie man sie fertig gemacht hat wegen dieser Geschichte? Das ist das Allerschlimmste.»

Wenn jemand zufrieden war mit dem Skandal, dann Ilonas Verleger. Er hatte eiligst Neuauflagen ihrer Bücher drucken lassen, die sofort auf die Bestsellerlisten sprangen. Auch das veranlasste Zyniker zu der Annahme, dass Ilona die Vergewaltigung inszeniert hatte, um ihre Popularität zu steigern.

«Soll ich dich nach Hause bringen?»

«Ja, bitte. Ich musste vor der Verhandlung Beruhigungsmittel nehmen und trau mich nicht zu fahren.»

Mit dem Fahrstuhl fuhren wir in die Parkhalle hinunter, wo mein Wagen stand. Ich riet Ilona, sich zu ducken, bevor wir die Halle verließen. Wahrscheinlich würde die Meute der Reporter bald ihr Haus belagern. Als wir im Stadtteil Tontunmäki in Ilonas Straße einbogen, war diese voll geparkt mit Autos.

«O nein! Sanni und Aino sind schon aus der Schule gekommen, sie haben bestimmt Angst! Ich habe ihnen gesagt, dass sie Fremden nicht die Tür öffnen dürfen, wenn ihre Eltern nicht zu Hause sind.»

Ich versprach Ilona, sie ins Haus zu begleiten. Ich fuhr direkt auf den Hof, aber die Ankunft meines Polizeiautos versetzte die Reporter noch mehr in Aufregung, sodass ich Schwierigkeiten hatte, mich durch Kameras und Mikrophone hindurchzukämpfen.

«Kann man mir diese lästigen Reporter nicht vom Leibe halten?», fragte Ilona sichtlich angespannt, während sie die Tür aufschloss. «In einer halben Stunde holt mein Mann Taavi vom Fußballtraining ab, dann kommen sie gemeinsam nach Hause. Könnte man die Meute da draußen nicht vorher loswerden? Jukka hat schon genug unter alldem gelitten und wird jetzt unverdient für einen Hahnrei gehalten. Er war mir eine große Stütze, aber irgendwo hat auch er seine Grenzen.»

Natürlich taten die Fotografen und Reporter nur ihre Arbeit, wenn sie zu verhindern versuchten, dass wir ins Haus gelangten. Als wir endlich die Tür hinter uns zugekriegt hatten, brach Ilona in Tränen aus. Zwei Mädchen, die um die zehn Jahre alt sein mochten, kamen in den Flur. Beide fingen beim Anblick ihrer weinenden Mutter an zu zittern.

«Mutti, was ist passiert? Warum sind da draußen so viele Leute?»

Ilona konnte eine Weile nicht antworten, sie breitete nur die Arme aus, und die Mädchen liefen zu ihr. Ich sah auf die Uhr. Tanelis und Iidas Tagesstätte würde in einer halben Stunde schließen, und mein Mann Antti war auf Dienstreise in Vaasa. Vielleicht würde Ilona mit Hilfe ihrer Kinder zurechtkommen. Ich drängelte mich durch die Meute der Reporter hindurch und weigerte mich, das Gerichtsurteil zu kommentieren.

Auf dem Heimweg ging ich noch schnell in die Buchhandlung, wo ich Weihnachtsgeschenke für meine Eltern, die Familien meiner Geschwister und für Anttis Angehörige kaufte. Zum Glück bekam ich alles in einem Geschäft. Als die Kinder eingeschlafen waren, packte ich die Bücher in Geschenkpapier ein und kritzelte auf Englisch unbeholfene Wünsche auf Weihnachtskarten. So hatte ich es schon als Schülerin gemacht. Weihnachten würden wir bei Anttis Mutter in Inkoo verbringen, dort war es immer sehr schön. Die Familie von Ilona Lumijoki hingegen würde in diesem Jahr kein besonders fröhliches Fest haben.

Zwei Tage später sah ich Jokela in der neuesten Talkshow des dritten Programms. Die Sendung hieß «Männerenergie», und es ging darin um typisch männliche Themen: Autos, Sex und Sport. Der Moderator und Jokela hielten es für eine Heldentat des Richters, dass er Jokela vom Vorwurf der Vergewaltigung freigesprochen hatte.

«In solchen Fällen sind Männer völlig ausgeliefert, denn die Frauen können behaupten, was sie wollen. Das Vortäuschen von sexueller Belästigung ist eines der wirksamsten Mittel der Frau, die Karriere eines Mannes zu zerstören. Ich bin natürlich nicht stolz darauf, dass ich meine Frau betrogen habe, aber wir haben uns ausgesprochen wie zwei erwachsene Menschen, die einander lieben. Hoffentlich schafft das Ehepaar Lumijoki dies auch», schwafelte Jokela. Ich konnte mich nicht beherrschen und schleuderte den Abwaschlappen gegen den Fernseher.

Am Samstag vor Heiligabend setzte ein starker Frost ein, das Thermometer erreichte mit minus achtzehn Grad seinen bisherigen Tiefstand. Ich fuhr nach Helsinki, um die letzten Weihnachtsgeschenke zu besorgen. Im Bus war es zum Ersticken heiß, und das Gedränge gab mir einen Vorgeschmack von dem, was mich in der Innenstadt erwarten würde. Schon jetzt schauderte es mich. Mein Handy klingelte, als der Bus Tapiola erreichte.

«Hier Koivu, grüß dich. Im Antreaweg ist eine Leiche gefunden worden. Ein Mann um die vierzig, die Erstversorgungsgruppe vermutet eine Messerstecherei. Die Tatwaffe wird noch gesucht. Der Mann ist offenbar seit vergangener Nacht tot.»

«Ist seine Identität bekannt?»

«Ja. Fahr jetzt nicht in den Straßengraben.»

«Ich bin im Bus. Und?»

«Der Schriftsteller Lasse Jokela. Der Fundort der Leiche ist nur zwei Häuserblocks von Ilona Lumijokis Haus entfernt.»

«Verdammt!» Ich drückte auf den Halteknopf. «Ich steig aus und komme sofort. Hol alle Infos der Spurensicherung ein, wir erörtern dann gemeinsam die Lage. Was hat Jokela in Espoo gemacht?»

«Das wissen wir noch nicht. Die Kollegen aus Jyväskylä benachrichtigen gerade seine Frau, vielleicht kann sie etwas dazu sagen.»

Sollte Ilona es fertig gebracht haben, Selbstjustiz zu üben, oder vielleicht sogar Jukka, ihr Mann? Es konnte kein Zufall sein, dass Jokela nur wenige hundert Meter von ihrem Haus entfernt gestorben war. Ilonas Sohn Taavi war dreizehn, auch ihn konnte man nicht gänzlich außer Betracht lassen. Ich erwischte in Tapiola ein Taxi und fuhr nach Laajalahti. Die Leiche lag am Rand eines Parks, die kriminaltechnische Ermittlung machte gerade die letzten Aufnahmen. Außer Koivu war auch Puupponen eingesprungen, Puustjärvi hielt auf der Wache die Verbindung zu den Kollegen in Jyväskylä.

Lasse Jokelas Leiche war schon halb eingeschneit. Er trug einen halblangen Lammfellmantel und Samthosen, hatte keine Kopfbedeckung. Im Umkreis von einem Meter waren Blutspritzer zu sehen. Der Pathologe würde feststellen müssen, ob die eigentliche Todesursache Blutverlust oder Erfrieren gewesen war. Meine Zehen krallten sich ein, ich hatte nur leichte Winterschuhe für die Stadt an.

«Ich gehe jetzt gleich und rede mit Ilona und ihrer Familie. Ruft mich an, wenn ihr wisst, warum Jokela in Espoo war», sagte ich zu Koivu, der nickte. Ich ging auf dem schneebedeckten Bürgersteig in die Richtung von Ilonas Haus. Für die kleinen Seitenstraßen reichten die Schneepflüge nicht aus; es war schon gut, wenn es heutzutage gelang, die Hauptstraßen passierbar zu machen. Um die Bürgersteige schien sich niemand zu kümmern.

Der Schnee auf dem Hof wirkte unberührt. Durch die Fenster war kein Licht zu sehen. Ich klingelte zweimal. Die Jalousien am Fenster neben der Haustür waren heruntergelassen, ich bemerkte, dass sie sich bewegten. Ich klingelte ein drittes Mal. Eine halbe Minute später öffnete Ilona die Tür.

Sie hatte sich in ein schlurfendes Gespenst verwandelt. Die Kleider hingen an ihr herab, ihr Gang wirkte schleppend, die Augen betrachteten etwas, was sie nicht sehen wollten.

«Hallo, Ilona. Ich muss dir ein paar Fragen stellen.»

«Ist die Sache nicht endlich erledigt? Ich habe doch beschlossen, keine Beschwerde einzulegen.»

«Es geht um etwas anderes. Kann ich reinkommen?»

Ilona antwortete nicht, ging nur zurück in die Küche. Auf dem Tisch stand ein halb ausgetrunkener Becher Kaffee, die Maschine war angeschaltet. Ich schaute mich kurz um. Außer dem Adventskalender an der Kühlschranktür deutete nichts auf das bevorstehende Weihnachtsfest hin. Ilona setzte sich an den Tisch und bedeutete mir, mich ebenfalls zu setzen. Ich kam direkt zur Sache.

«Wo warst du letzte Nacht?»

«Letzte Nacht? Hier zu Hause. Vermutlich. Vielleicht habe ich sogar ein wenig geschlafen.»

«Hast du Zeugen?»

«Nein ... Juha und die Mädchen sind in Salo zum Geburtstag von Jukkas Mutter und liefern dort ihre Weihnachtsgeschenke ab. Ich war nicht in der Lage ... Meine Schwiegermutter würde mir sowieso nicht glauben ...» Ilonas Hände zerpflückten die Küchenpapierrolle, während sie sprach. Mein Handy klingelte.

«Hallo, hier Koivu. Jokela hat gestern wohl einen Auftritt in der Akademischen Buchhandlung in Helsinki gehabt. Er sollte mit dem letzten Zug nach Hause kommen. Seine Frau hatte schon die Polizei in Jyväskylä verständigt.»

«Hatte er vorgehabt, Ilona zu treffen?»

«Jokelas Frau sagt, davon sei nicht die Rede gewesen. Sie wollten die ‹unliebsame Episode›, wie sie sich ausdrückte, vergessen. Sie selbst hat ein Alibi. Eine Freundin aus Kokkola war über Nacht bei ihr zu Besuch. Beide haben vor Sorge kein Auge zugetan.»

«Ist der Tote bestohlen worden?»

Koivu kam nicht dazu zu antworten, weil Ilona, die mit großen Augen meine Repliken angehört hatte, zu schreien begann:

«Ist Jokela tot? O mein Gott!» Ich legte auf, Koivu kam auch ohne mich zurecht. «Fragt ihr *danach*? Glaubt ihr, dass ich ...»

«Die Leiche von Lasse Jokela wurde heute Morgen zwei Häuserblocks entfernt von hier gefunden. Was habt ihr für Messer im Haus?» Ich sah mich in der Küche um. Auf dem Tisch lag ein gewöhnliches Brotmesser von Fiskars. Ich öffnete die Schubladen und fand ein Pilz- und Obstmesser, ein Fischmesser sowie ein Messer mit Sägeschliff zum Schneiden von weichem Brot. Ich würde sie mitnehmen und untersuchen lassen müssen. Da ich zum Einkaufen meinen Spurensicherungskoffer nicht mitgenommen hatte, hatte ich keine Plastikhandschuhe und Griptüten dabei. Die Kriminaltechnik müsste welche mitbringen.

«Hast du gestern Lasse Jokela getroffen?»

«Nein! Ich will den Mann nie mehr sehen. Jetzt sollte ich wohl froh darüber sein, dass er tot ist, aber ... Ja, ich muss natürlich meine Worte gut abwägen. Ist dies ein polizeiliches Verhör?»

«Noch kein offizielles. Wie hat dein Mann das Gerichtsurteil aufgenommen?»

«Jukka? Er war sehr enttäuscht von mir. Aber er hat ein Alibi. Er ist in Salo und hat zuletzt heute Morgen angerufen.»

Von Salo nach Espoo fuhr man nur eine knappe Stunde, Jukka Lumijokis Alibi würde man prüfen müssen. Ilona hatte niemanden, der für sie aussagen könnte. Sie hatte ihren Mann abends gegen neun Uhr angerufen, dann, wie sie sagte, einen ordentlichen Kognak getrunken und eine Diapam genommen und sich schlafen gelegt. Dafür stand nur ihre eigene Aussage.

Als Nächster rief Puupponen an.

«Hör mal, hier am östlichen Ende des Antreawegs hat sich ein blutiges Messer gefunden, die Hunde haben es aufgestöbert. Mit etwas Glück können wir Fingerabdrücke entnehmen. Zwei Leute haben Jokela gestern gesehen, und ein Taxifahrer in Helsinki erinnert sich, dass er einen Mann, auf den die Beschreibung Jokelas zutrifft, gestern Abend gegen halb zehn an einer Bushaltestelle in Laajalahti abgesetzt hat. Die Fahrt hatte am Bahnhof Pasila begonnen. Jokela war leicht angetrunken und allein im Taxi.»

Die Sache kam voran, und das war tröstlich. Ich wollte Ilona nicht festnehmen und vereinbarte ein offizielles Verhör für den nächsten Tag. Dafür würde mein Sonntag draufgehen, den ich für Weihnachtsvorbereitungen eingeplant hatte. Ich hätte zu Hause bleiben können, weil ich nur Bereitschaftsdienst hatte, aber bei Ilonas Verhör wollte ich unbedingt dabei sein. Die Supermärkte waren auch sonntags geöffnet, und so konnte ich noch vor der Arbeit Weihnachtsgeschenke für die Kinder besorgen. Die für Antti würde ich wieder erst in letzter Minute kaufen.

Zu Hause waren Iida und Antti beim Pfefferkuchenbacken, und Taneli störte sie nach besten Kräften. Das Telefon klingelte alle naslang, ständig bekam ich neue Informationen. Die anderen Mitglieder der Familie Lumijoki hatten ein wasserdichtes Alibi. Lasse Jokela hatte gegen sieben die Buchhandlung verlassen und war mit seinem Verleger ins Kosmos essen gegangen. Die Veranstaltung war sehr gut besucht gewesen, denn alle wollten den «Weißen Prinzen» sehen, der wie der Held seines Buches eine niederträchtige Frau aufs Kreuz gelegt hatte. Jokela war böse geworden, als ihn jemand darum bat, Ilona Lumijokis neuestes Buch zu signieren. Sein Zug war kurz vor neun gegangen, der Verleger hatte gesehen, wie der Schriftsteller eingestiegen war.

«Er hat es sich also vor Pasila anders überlegt. Sagen seine Telefonverbindungen irgendetwas aus?»

«Er hat aus dem Kosmos seine Frau angerufen, danach hat er keine Gespräche mehr geführt», wusste Puupponen. «Vielleicht hat ihn im angetrunkenen Zustand die Weihnachtsstimmung überkommen, und er beschloss, Lumijoki um Verzeihung zu bitten.»

«Auch das ist eine Theorie. Wir sehen uns morgen bei der Vernehmung. Um zwei.»

«Ich wollte Weihnachtseinkäufe machen!»

«Damit sollte man nicht bis zur letzten Minute warten.»

«Für meinen Neffen muss ich irgend so ein Computerspiel und für meine Mutter eine CD von Jari Sillanpää besorgen.» Ich ließ Puupponen seinen Kummer über die Geschenke bei mir abladen. Er kam mir auf gesunde Weise alltäglich vor und lenkte mich für kurze Zeit von dem Mord ab. Die Pfefferkuchen dufteten wunderbar, ich schnappte mir einen vom Blech und ging.

Ilona erschien pünktlich zur Vernehmung. Sie sah so aus, als würde ihr das Sandmännchen immer noch keine regelmäßigen Besuche abstatten. Sie hatte sich bemüht, die dunklen Ringe unter den Augen abzudecken, aber das Make-up hatte sich bei den Tränensäcken zusammengeklumpt. Ilona versicherte wieder und wieder, sie habe keine Ahnung gehabt, dass Jokela am Freitagabend in der Nähe ihrer Wohnung war. Ich hatte Koivu gebeten, in der Zwischenzeit zu den Lumijokis zu fahren und die anderen Familienmitglieder nach dem Messerbestand zu fragen. Falls Ilona die Mörderin war, wusste sie, welche Waffe sie benutzt hatte, die anderen nicht. Die

Ergebnisse der Untersuchung der Fingerabdrücke sollten am Montag vorliegen. Zum Abschluss der Vernehmung bat ich auch Ilona um ihre Fingerabdrücke.

«Das ist unglaublich! Funktioniert so das finnische Rechtssystem? Die Vergewaltiger dürfen frei herumlaufen, und aus Unschuldigen werden Mörder gemacht. Ich war der Meinung, ich hätte eine lebhafte Phantasie, aber mit der Realität kann sie es nicht aufnehmen», entrüstete sie sich. Ihre Wut schien mir eine gesündere Reaktion zu sein als ihre Niedergeschlagenheit.

Nach der Vernehmung ging ich mit Puupponen Weihnachtseinkäufe tätigen. Er half mir, für Antti einen neuen Pullover auszusuchen, und ich machte dafür einen passenden Vorschlag zu einem Geschenk für seine Schwester: Jede Frau würde sich mehr über eine luxuriöse Serie von Duschprodukten freuen als über die Bratpfanne, die Puupponen in Erwägung gezogen hatte. Ich wunderte mich über mich selbst. Noch fünf Tage bis Weihnachten, und ich hatte schon alle Geschenke gekauft! Vielleicht lernte der Mensch mit den Jahren wirklich etwas dazu.

Bei der Besprechung am Montagmorgen erörterten wir die Lage. Die Obduktion hatte ergeben, dass Jokelas Tod durch Blutverlust eingetreten war. Das Messer hatte sowohl der Milz als auch der Lunge verheerende Verletzungen zugefügt, und Jokela hätte auch dann nicht gerettet werden können, wenn man ihn sofort ins Krankenhaus gebracht hätte.

«Jetzt lasst uns noch abwarten, ob das Blut an dem Messer, das auf der Straße gefunden wurde, mit Jokelas übereinstimmt. Wenn wir erst die Mordwaffe haben, wird sich der Rest auch noch klären. Dann kriegen wir die Sache vor Weihnachten in trockene Tücher.»

«Und zu Jahresbeginn müssen wir wieder die Fälle von

Gewalt in der Familie untersuchen», bemerkte Puupponen finster. In unserem Beruf konnte man schon mal etwas sarkastisch werden.

«Genau. Puupponen und Puustjärvi, haltet euch bereit. Wenn sich an dem Messer identifizierbare Fingerabdrücke finden, müsst ihr euch auf die Suche begeben. Die anderen machen weiter wie bisher.»

Kaum war ich von der Besprechung wieder in mein Zimmer gekommen, als das Telefon klingelte. Die Dame an der Zentrale fragte, ob sie das Gespräch zu mir oder zu Koivu durchstellen solle. Eine Frau namens Susanna Hakanen wollte mit der Polizistin sprechen, die im Mordfall Lasse Jokela ermittelte. Ich nahm das Gespräch an.

«Hallo, hier spricht Susanna Hakanen aus Kirkkonummi. Ermitteln Sie in dem Mord an dem Schriftsteller ... dem Vergewaltiger?»

«Ich bin zuständig für die Ermittlungen im Todesfall Lasse Jokela. Worum geht es?»

«Es ist so schrecklich! Wir waren dort, aber wir konnten nicht aussagen, weil ... Und jetzt hat die arme Frau ihren Vergewaltiger umgebracht!»

«Was meinen Sie damit?»

«Wir waren dort, ich und Jarmo. Jarmo Itälä, mein Liebhaber. Jarmo hatte einen Betriebsausflug vorgegeben, und ich hatte zu Hause erzählt, dass ich einen Badeurlaub machen würde. In Wirklichkeit waren wir eine Nacht im Hotel Tapiola Garden auf der Flucht vor unseren Familien, aber das darf unter keinen Umständen rauskommen. Ich dachte zuerst, ich muss es der Polizei sagen, aber dann ... Ich dachte, der Mann wird auch ohne uns verurteilt.»

«Waren Sie im Tapiola Garden im Zimmer 302 in der Nacht vom fünften auf den sechsten September?»

«Ja. Jarmo hatte das Zimmer für uns gebucht und einen falschen Namen und eine falsche Adresse angegeben. Wir können es uns nicht leisten, erwischt zu werden! Wir haben beide kleine Kinder und …»

«Es wäre bestimmt das Beste, wenn wir uns persönlich unterhalten könnten. Wann können Sie zur Vernehmung auf die Polizeiwache Espoo kommen?»

«Mein Gott, können wir das nicht am Telefon klären? Ich bin Lehrerin, meine Kinder kommen zur gleichen Zeit aus der Schule wie ich. Ich kann sie nicht allein lassen. Und meinem Mann kann ich unmöglich sagen, dass ich zu einer polizeilichen Vernehmung gehe!»

«Ich würde meinen, dass es zur Zeit der Weihnachtseinkäufe leicht ist, von zu Hause fortzukommen.» Antti war dran, die Kinder von der Tagesstätte abzuholen, ich könnte den Arbeitstag ganz gut etwas verlängern. «Geht halb fünf? Ich könnte auch zu Ihnen nach Hause kommen, aber das wollen Sie vielleicht nicht.» Ich war wütend auf Susanna Hakanen. Warum hatte sie nicht geredet, als alle Parteien noch am Leben waren und das falsche Urteil noch nicht verkündet?

Die Ergebnisse der Laboruntersuchungen kamen am Nachmittag. Es war keine Überraschung, dass das Blut an der Tatwaffe mit dem von Jokela übereinstimmte. Das Resultat der Fingerabdrücke dagegen war eine Enttäuschung. An dem Messer fand sich eine sehr klare Spur, aber sie hatte in keinem Archiv eine Entsprechung, weder im Strafregister noch unter den Daten der Personen, die im Zusammenhang mit diesem Verbrechen gehört worden waren. Die DNA-Analysen würden länger dauern. Die Familie Lumijoki hatte nach eigenen Angaben kein Messer besessen, das der Mordwaffe glich. Trotzdem konnten wir es uns nicht erlauben, Ilona aus dem Kreis der Verdächtigen auszuschließen.

Um Viertel nach vier traf Susanna Hakanen auf der Polizeiwache ein und fragte nach mir. Ich hatte Koivu gebeten, an der Vernehmung teilzunehmen. Hakanen wurde der Raum Nummer zwei zugeteilt, der dürftigste und scheußlichste aller Vernehmungsräume. Sie war eine zierliche Frau, kleiner als ich, und wirkte überhaupt nicht wie eine Abenteurerin, sondern wie eine ganz normale Lehrerin, mit sportlichem Outfit und kurzem dunklem Haar. Ihr Geliebter war ebenfalls Lehrer, sie hatten sich im Frühjahr bei einer Fortbildung für Unterstufenlehrer mit dem Fach Sport kennen gelernt. Es war eine gewöhnliche Liebesgeschichte zwischen zwei Menschen, die Familie hatten, voller Sehnsucht, Lügen und schlechtem Gewissen. Susanna fürchtete die Wut ihres Mannes und ihres Geliebten, aber sie konnte nicht länger schweigen.

«Wir waren kurz davor einzuschlafen, als aus dem Nachbarzimmer Schreie herüberdrangen. Zuerst konnten wir nichts verstehen, aber dann schrie die Frau so laut, dass ich hörte, wie sie verlangte, ein Lasse solle aufhören. Der Mann antwortete, aber die Stimme war so tief, dass ich nicht verstand, was er sagte. Ich stand vom Bett auf, zog mir den Mantel über und ging auf den Korridor hinaus, um zu horchen. Die Frau schrie immer noch ‹hör auf›, aber der Mann sagte ‹verdammt, sei still›, und dann verstummte die Frau. Ich hätte gern den Empfang angerufen, aber Jarmo hatte es mir verboten. Der verdammte Feigling!»

«Warum haben Sie nicht längst ausgesagt?»

«Wegen Jarmo. Er hat gesagt, dass seine Frau sich umbringe, wenn sie erfahre, was er getan hat. Ich weiß, dass Jarmo ein Feigling ist. Und ich bin es auch. Mit einer Teilzeitstelle und zwei kleinen Kindern würde ich es nicht schaffen, die Miete für die Wohnung zu bezahlen. Sie wissen bestimmt, dass gemeinsame Schulden die Menschen mehr verbinden als irgendetwas sonst. Mein Mann hat jetzt immerhin eine feste Arbeit, er ist Zahnarzt.»

Koivu und ich wechselten einen Blick. Wenn der Mensch wollte, fand er immer etwas, womit er sich verteidigen konnte.

«Und ich konnte mir nicht vorstellen, dass der Mann freigesprochen würde. So ein Mistkerl, dem sah doch jeder an, was er für einer war!»

«Wo waren Sie letzten Freitagabend?»

Ich sah, dass meine Frage Koivu überraschte, aber auch Susanna Hakanen war völlig perplex. «Zu Hause. Wir, das heißt die Kinder, meine Freundin Marja und ich haben zusammen Weihnachtsmobiles aus Stroh gebastelt und dabei Glühwein getrunken.»

«Kann ich die Kontaktdaten Ihres Freundes haben?»

«Sie verdächtigen doch nicht etwa mich ... Herr im Himmel!»

Ich zwang Hakanen, mir die Daten ihres Freundes herauszugeben, die Polizei in Tampere würde ihn dann vernehmen können. Eine andere Frage war, ob die Wahrheit noch irgendetwas nützen würde. Hakanens Aussage bestätigte nur Ilonas Motiv. Es wäre Ironie des Schicksals, wenn sie aus Mangel an Beweisen ohne Strafe für den Mord davonkäme, so wie ihr Vergewaltiger.

«Oje!», seufzte ich Koivu gegenüber, als Hakanen gegangen war. «Zeig mir wenigstens einen, der sich nicht irgendwie hineingeritten hat.»

Koivu zeigte auf sich, und darüber musste ich lachen. Es stimmte, dass er eine glückliche Ehe führte, sein Sohn Juuso war gesund, und die Arbeit ging ihm gut von der Hand. Früher hatte ich mir jedoch so oft seine Beziehungsprobleme anhören müssen, dass ich die Beispielhaftigkeit, die er nun für sich in Anspruch nahm, nicht so ohne weiteres schlucken wollte.

Ich rief Katri Reponen an und erzählte ihr von der neuen Zeugin. Sie regte sich noch mehr auf als ich.

«Was für Feiglinge! Kann man denn gegen einen toten Mann Anklage erheben?»

«Ilona hat noch Zeit, in die Berufung zu gehen. Erzähl ihr von den neuen Zeugen.»

«Wie stark ist dein Verdacht, dass gerade sie Jokela umgebracht hat?»

«Ich habe keinen Beweis, aber diese neuen Zeugen bestätigen ihr Motiv. Verflixt!»

Dasselbe sagte Anu, als ich mit ihr sprach, bevor ich von der Arbeit nach Hause ging. Koivu hatte ihr bereits von den neuen Zeugen erzählt.

«Wir sind gescheitert», sagte sie und meinte mit «wir» Polizei und Justiz. «Der eine ist tot, die andere ist vielleicht die Mörderin oder zumindest arbeitsunfähig, und diese verdammten Zeugen muss man vor der Medienhölle schützen. Ich glaube, ich gründe ein vietnamesisches Restaurant. Machst du die Kellnerin?»

«In dem Job sind die Arbeitszeiten noch schlechter», grinste ich. Es war gut, das Gefühl der Machtlosigkeit mit den Kollegen teilen zu können.

Am Abend war ich gerade dabei, Taneli ins Bett zu bringen, als das Telefon klingelte. Antti sah mich missbilligend an, als ich abnahm, denn ich hatte Iida noch nicht das Abendmärchen vorgelesen.

«Hallo, hier Koskinen vom Polizeigefängnis. Vorhin wurde ein Typ in verwirrtem Zustand eingeliefert, der sich offenbar Heroin gespritzt hat. Er hat mit einem Messer in der Hand im Heikki-Markt randaliert. Keine Opfer.»

«So?», fragte ich ungeduldig, Störungen der öffentlichen Ordnung gehörten nicht in unser Ressort.

«Der faselt was von einem weißen Prinzen. Da fiel mir der Mord an dem Schriftsteller ein.»

«Ach so. Nimm zum Vergleich die Fingerabdrücke. Haltet den Mann wach, ich bin in einer Stunde da. Danke, Koskinen.»

«Immer zu Diensten.»

Ich beorderte Puupponen, mich zu begleiten. Der Mann hatte keine Familie und war leichter abkömmlich als Puustjärvi oder Koivu. Das Leben war nicht immer gerecht. Ich las Iida ihr Abendmärchen vor und stieg wieder in die Dienstkleidung. Antti würde für das Gutenachtlied sorgen müssen. Während ich durch die bereifte Landschaft fuhr, spürte ich, wie mir das Adrenalin ins Blut schoss. Ein Gefühl, das ich öfter hatte, wenn wir kurz vor der Aufklärung einer großen Sache standen.

«Timi Pelkonen, geboren 1985, Auszubildender, keine Vorstrafen. Wohnt bei seinen Eltern in der Ensogasse.»

«Also ganz in der Nähe des Tatorts. Verdammt. Findet die Kleider! Erledigst du das mit der Ordnungspolizei?»

«Jawohl. Die Proben für die Drogentests sind entnommen, das Ergebnis kommt noch vor Mitternacht», spulte Koskinen ab. Da wurde auch schon der Junge aus der Zelle in die Aula gebracht. Er trug weite Jeans und eine Kapuzenjacke, aus deren weiten Ärmeln die mageren Handgelenke hervorschauten. Ihm wuchs kaum der erste Bartflaum, sein Haar war fettig. Er sackte in den Stuhl, sein Körper bewegte sich unruhig.

«Hallo, Timi.» Ich hatte beschlossen, es auf die mütterliche Art zu versuchen. «Ich bin Kriminalkommissarin Maria Kallio, und dies hier ist Kommissar Pekka Koivu. Welche Laus ist dir denn heute über die Leber gelaufen, dass du mit dem Messer in der Hand randalieren musstest?»

Der Junge stierte mich mit leeren Augen an, die Finger bewegten sich auf der Tischplatte nervös hin und her.

«Was hast du eingenommen?»

Noch immer keine Antwort. Trotzdem fragte ich weiter und brachte den Burschen sogar dazu, ein paar Laute von sich zu geben. Nach einer halben Stunde bekam Koivu eine SMS, die er mir weiterleitete. Timis Fingerabdrücke stimmten mit denen an der mutmaßlichen Tatwaffe überein. Ein weiterer Adrenalinstoß überschwemmte meinen Körper. Jetzt galt es, behutsam vorzugehen, es durfte uns kein Fehler unterlaufen.

«Hast du immer ein Messer bei dir?»

«Nein. Das ist gesetzlich verboten.»

Fünf Worte waren schon viel.

«Am Freitag hattest du aber eins dabei.»

Timi konnte seinen Schrecken nicht verbergen. Er schwieg. Uns blieb nichts weiter übrig, als abzuwarten. Ein, zwei Nächte in der Zelle mit Entzugserscheinungen machten Ersttäter normalerweise gesprächig.

Am nächsten Morgen kam die erste SMS von Koivu. «Hast du schon die Zeitung gelesen? Jemand hat etwas über die neuen Zeugen durchsickern lassen.» Ich rief ihn an, er war schon am Schreibtisch mit Verwaltungsarbeiten beschäftigt und hatte die Zeitung mitgebracht. Die Schlagzeile war auffällig, der dazugehörige Text kurz gehalten. Da hieß es, die Polizei habe endlich Kontakt zu der Frau, die im Zimmer neben Jokela übernachtet hatte. Sie bestätigte Ilonas Aussage. Die Staatsanwältin prüfe, ob der Fall erneut verhandelt werden müsse.

Bei der Morgenrunde versuchte ich herauszubekommen, wer die Nachricht unerlaubt weitergegeben hatte, aber Koivu und Anu beteuerten ihre Unschuld. Den ganzen Vormittag musste ich die Anrufe der Journalisten beantworten und verfluchte insgeheim denjenigen, der die Existenz der neuen Zeugin bekannt gegeben hatte. Auch Susanna Hakanen rief halb hysterisch an, und ich musste ihr versichern, dass ihr Name und der ihres Freundes nicht an die Öffentlichkeit gelangen würden. Die Kollegen aus Tampere teilten mit, dass Hakanens Liebhaber leugnete, in der mutmaßlichen Vergewaltigungsnacht in Espoo gewesen zu sein. Hakanen dagegen war bereit, vor Gericht auszusagen.

«Ich habe alles meinem Mann erzählt, ich konnte nicht mehr mit der Lüge leben. Er hatte ohnehin schon einen Verdacht gehabt. Jarmo kann mir gestohlen bleiben, so ein Feigling! Er hätte seine Frau sowieso nie verlassen. Dem geschähe es ganz recht, wenn er die Schundblätter an den Hals bekäme. Und Ilona Lumijoki möchte ich schriftlich um Verzeihung bitten.»

«Wenn Sie das erleichtert. Die Adresse müssen Sie aber selbst herauskriegen.»

Am Nachmittag machten wir mit Timis Vernehmung weiter. Ich hatte ihn morgens absichtlich in Ruhe gelassen, aber als Koivu und ich nach dem Mittagessen zu ihm gingen, um ihn zu vernehmen, war er ein zitterndes, willenloses Häufchen Elend, das mich seltsamerweise an Ilona Lumijoki erinnerte. Als ich ihm ein Bild von Lasse Jokela zeigte und ihn fragte, ob er ihn kenne, nickte er.

«Das ist der Schriftsteller, der letzte Woche umgebracht wurde.»

«Weißt du, wer ihn umgebracht hat?» Meine Stimme war weich und freundlich, damit das Geständnis eine Erleichterung war.

«Ich. Oder nicht ich war das, sondern der weiße Prinz.»

«Der weiße Prinz?»

«Mir war nicht klar, dass das Zeug so verdammt stark war! Ich hab mir zwei Schüsse gesetzt und war total von der Rolle, ich hab versucht, nach Hause zu gehen, aber nicht hingefunden. Dann kam dieser … Ich weiß gar nicht mehr so richtig. Er hat mich gefragt, wo der Antreaweg ist. Ich hab gesagt, dass er mir bekannt vorkäme, ich hatte ihn wohl im Fernsehen gesehen. Er hat gesagt, dass er der weiße Prinz ist, und ich bin irgendwie nur durchgedreht. Ich hab gedacht, das ist der Teufel oder so was … Ach verdammt, warum hab ich mich nicht gleich mit umgebracht? Wann komm ich hier raus aus dem Knast?»

Im Stillen dachte ich, dass bis dahin mindestens noch fünf Jahre vergehen würden.

Zwei Tage vor Weihnachten war ich in der Innenstadt von Tapiola und tätigte die letzten Einkäufe. Inmitten der dunklen Kleider der Passanten fiel mir ein dunkelroter Wildledermantel auf. Der Gang der Frau kam mir bekannt vor. Ich setzte ihr nach.

«Ilona!»

Sie drehte sich um. Die Sonne schien, ihre dunklen Haare glänzten. Die Farbe war in ihr Gesicht zurückgekehrt.

«Fröhliche Weihnachten», sagte sie.

«Danke, wünsche ich dir auch. Schön, dass du schon wieder unter Leute gehen kannst.»

«So allmählich. Maria, ich muss dir eine eine Frage stellen. Hast du mir geglaubt?»

«Welchen Fall meinst du?»

«Beide. Hast du geglaubt, dass ich vergewaltigt worden war und dass ich unschuldig am Mord von Lasse Jokela war?»

«Meine Aufgabe ist es nicht, zu glauben, sondern zu ermitteln. Aber ja, ich habe geglaubt, dass du vergewaltigt worden warst.»

Ilona wischte sich eine Haarsträhne von den Augen. Sie hatte viel Make-up aufgelegt, eine Maske, hinter der sie sich verbarg.

«Ich habe immer wieder darüber nachgedacht, aber ich wollte nie, dass Lasse stirbt. Ich hätte mir nur gewünscht, dass er mich um Verzeihung bittet. An einem neuen Gerichtsverfahren liegt mir nichts, ich habe mit der Staatsanwältin gesprochen.»

«Hättest du Lasse verziehen?»

«Vielleicht. Der Hass frisst an dem Hassenden mehr als an dem Gehassten. Ich muss nur lernen, meinen Hass zu überwinden. Aber einem Menschen möchte ich danken: dem, der die Nachricht von der neuen Zeugin an die Presse gegeben hat. Hat er dafür viel Geld bekommen?»

«Ich glaube nicht, dass er auch nur einen Pfennig bekommen hat. Vielleicht hat er es aus reiner …»

«Nächstenliebe getan», ergänzte Ilona, und wir lächelten in vollem Einvernehmen.

Håkan Nesser

Shit happens

Es war Heiligabend. Wegen des wüsten Schneegestöbers ließ Burman seinen Wagen zu Hause stehen. Er brauchte fünfunddreißig Minuten, um sich zur Wache durchzukämpfen, und als er die Tür aufstieß, fiel ihm der Rat seines Vaters ein, er solle nie eine geistliche Laufbahn einschlagen. Nicht zum ersten Mal bereute er, diesem Rat nicht gefolgt zu sein.

Normale Menschen arbeiteten sechs Tage in der Woche und ruhten sich am siebten aus, hatte sein Vater gemeint. Bei Geistlichen sei es genau umgekehrt.

An diesem Tag hatte Lundmark Wachdienst. Er sah aus wie ein saurer Rülpser und schaute auf seine Armbanduhr.

«Du kommst zwanzig Minuten zu spät.»

«Verdammt, natürlich komm ich zu spät», erwiderte Burman. «Draußen tobt ein Schneesturm.»

«Kann schon sein», sagte Lundmark und faltete eine Zeitung mit einem halb gelösten Kreuzworträtsel zusammen. «Aber schon mal was vom Wetterbericht gehört?»

Burman trampelte sich den Schnee von den Stiefeln und beschloss, dass Thema zu wechseln. Lundmark galt als dermaßen übellaunig, dass sogar die Fische in seinem Aquarium unter Depressionen litten, und wenn man ihm am Heiligen Abend zehn Minuten seiner Zeit stahl, dann musste man die Konsequenzen tragen.

«Ist noch mehr gekommen?», fragte er, als er seinen Mantel ausgezogen hatte und Lundmark sich die Stiefel zuschnürte.

«Seit dem späten Abend nicht mehr», sagte Lundmark. «Er hat um Viertel vor zwölf einen großen Haufen geschissen, sonst nichts. Das kannst du in meinem Bericht nachlesen.»

Burman seufzte und warf einen Blick durch die Gittertür. Ein Riese von Mann schlief auf einer Pritsche. Auf dem Tisch neben ihm lag ein Stapel Bücher. Auf dem Boden stand ein Nachttopf, das war alles.

«Honkkanen hat gesagt, du würdest mich informieren.»

Lundmark hatte seine Stiefel zugeschnürt und richtete sich auf. Schaute wieder auf die Uhr. «Zu Hause tischen wir um diese Zeit die Schinkenbrühe und den ersten Schnaps auf», knurrte er und starrte seinen Kollegen wütend an.

«Herrgott», entgegnete Burman. «Ich muss den ganzen Heiligen Abend hier verbringen, also sei jetzt nicht so verdammt sauer.»

«Fünf Minuten», sagte Lundmark. «Und nicht eine Sekunde mehr.»

«Na, dann los. Warenhaus Doggman also?»

Es war fast unmöglich, länger als drei oder vier Minuten mit Lundmark zusammen zu sein. Es brachte nicht einmal etwas, es zu versuchen. Jetzt ließ er sich im Sessel zurücksinken, schob sich einen dicken Priem unter die Oberlippe und sah plötzlich sehr zufrieden aus. Als könne er kein Gespräch führen, ohne sich vorher als kompletter Arsch erwiesen zu haben.

«Es war um Viertel vor sechs», sagte er. «Kurz vor Ladenschluss. Gestern, meine ich. Jede Menge Menschen, der Tag vor Heiligabend. Letzte Möglichkeit, Weihnachtsgeschenke zu kaufen und so … na ja, du weißt schon.»

Burman nickte und nahm sich auch einen Priem.

«Juwelen und Schmuck im dritten Stock. Diamanten und Edelmetall ...»

«Das weiß ich», sagte Burman. «Das hat mir der Polizeichef schon gesagt. Und dann dieser Trottel ...»

«Ja, genau», sagte Lundmark und nickte zur Arrestzelle hinüber. «Dieser Idiot.»

«Kresky?»

«Eugen Kresky, ja. Ich glaube, ich erlebe jetzt zum zwölften Mal, wie er hochgenommen wird. Ich kapier nicht, warum sie ihn überhaupt wieder rauslassen. Der gehört lebenslänglich hinter Gitter, das steht mal fest.»

Burman machte sich nie die Mühe, irgendwelche Ansichten über Justiz und Gerichtswesen zu verbreiten. Ansonsten gab er Lundmark Recht. Eugen Kresky hatte in den vergangenen drei Jahrzehnten wohl keinem einzigen Menschen eine Freude gemacht. Höchstens einmal vor zwei Jahren, als er beschlossen hatte, nach Stockholm überzusiedeln. Aber schon nach wenigen Monaten war er wieder aufgetaucht. Hatte wohl festgestellt, dass er zwischen den großen Haien der Hauptstadtunterwelt fehl am Platze war – das konnte man jedenfalls annehmen.

«Was also hat er gemacht? Juwelen gefressen, hat Honkkanen gesagt?»

«Genau», sagte Lundmark. «Dieser Arsch hatte sich als Weihnachtsmann verkleidet, es waren schon zwei andere ack ... acker ...»

«Akkreditiert?», schlug Burman vor.

«Genau. Ackeritiert. Weihnachtsmänner, die sie angeheuert hatten, um sich um quengelnde Gören zu kümmern, Apfelsinen zu verteilen und was weiß ich nicht alles. Aber Eugen Kresky war ein falscher Weihnachtsmann. Und es ist verdammt nochmal unmöglich, einen echten Weihnachtsmann von einem falschen zu unterscheiden.»

«Sehr schwer», stimmte Burman zu.

«Na, er taucht also um Viertel vor sechs vor diesem Schmuckstand auf. Da stehen vier oder fünf Kunden, und alle wollen für ihre Weibsen irgendwelches Glitzerzeug kaufen, ist also alles ziemlich stressig. So stressig, dass die Angestellten nicht den richtigen Überblick haben wie sonst ... das behaupten sie jedenfalls. Kommst du noch mit?»

«Ja, sicher», bestätigte Burman.

«Und sie haben also die Schublade geöffnet.»

«Die Schublade?»

«Die Schublade mit den Kronjuwelen. Brillantringe, Diamantohrringe und solcher Jux.»

«Alles klar», sagte Burman.

«Die ist normalerweise geschlossen. Sie wird geöffnet, und dann nimmt man immer nur ein Teil heraus. Schließt sie jedes Mal wieder ab. Die kosten das Weiße im Auge, diese Dinger, kleine Scheißrubine und Brillanten ... fünfundzwanzigtausend, fünfzigtausend, in der Klasse.»

«Alles klar», wiederholte Burman.

Lundmark drehte seinen Priem um und nickte nachdenklich.

«Und dann kommt also dieser Scheißweihnachtsmann alias Eugen Kresky, drängt sich zwischen den Herren durch, die sich in letzter Sekunde noch Ohrringe für ihre Alte aussuchen, tritt vor den Tresen, greift mit seinen Pranken in die Schublade und stopft sich das Maul damit voll.»

«Das Maul?»

«Aber hallo. Ringe und das ganze Gedöns. In den Mund und dann runtergeschluckt, einfach so. Der trägt so eine moderne Weihnachtsmannmaske, die unter dem Bart den Mund freilässt. Das Personal greift natürlich ein, aber trotzdem kann er so allerlei in sich reindrücken. Ja, und dann rennt er aufs Klo. Das liegt gleich um die Ecke, und er hat ja Frau Elvefjäll an den Hacken …»

«Frau Elvefjäll?»

«Doris Elvefjäll, ja. Die Abteilungsleiterin. Patente Frau. Sie kommt nur einige Sekunden nach dem Weihnachtsmann zum Klo, behauptet sie. Und da steht er und grinst.»

«Grinst? Ist das durch den Bart denn wirklich zu sehen … wenn das so ein moderner ist?»

«Mein Fehler. Er hatte die Maske abgenommen, und deshalb konnte sie sehen, dass er grinste. Und dass es Eugen Kresky war. Das sahen übrigens auch die anderen … ja, ein Kaufhausdetektiv und Lindman von der Herrenkonfektion erreichten kurz nach Frau Elvefjäll die Toilette. Und dann kamen noch allerlei andere dazu. Aber das steht in meinem Bericht hier, ich begreife wirklich nicht, warum ich dir das am Heiligen Abend alles auch noch persönlich erklären muss.»

Er schaute auf die Uhr, erhob sich und nahm seine dunkelblaue Daunenjacke von einem Haken an der Wand.

«Wie viel hatte er denn runterschlucken können?»

Lundmark streifte die Jacke über.

«Acht Ringe und vierzehn Ohrgehänge. Insgesamt zu einem Wert von vierhundertneunzigtausend.»

«Vierhundertneunzigtausend?»

«Das hast du ja gerade gehört.»

«Ringe und Ohrgehänge?»

«Und auch eine kleine Scheißbrosche.»

«Und das war also … das war also auf irgendeine Weise geplant?»

«Offenbar.»

«Und er hat nur gegrinst, als ihr ihn festgenommen habt?»

«Genau. Nahm die Maske ab und grinste und fragte, was das denn sollte. ‹Du hast doch jede Menge Glitzerkram gefressen, du mieser Schurke›, sagte Lindman zu ihm. Und weißt du, was er darauf geantwortet hat?»

«Nein.»

«Ich weiß wirklich nicht, wovon du redest. Ich soll Glitzerkram gefressen haben?»

«Er hat es geleugnet?»

«Aber sicher. Wir haben ein Dutzend Zeugen dafür, dass er den Nippes geschluckt hat, und dann leugnet dieser Obertrottel. ‹Ich bin so unschuldig wie eine Braut›, sagt er da doch glatt. ‹Da erlaubt man sich einen harmlosen Scherz, und schon soll man verhaftet werden.›»

«War er nüchtern?»

«Ziemlich nüchtern offenbar.»

«Hm.» Burman setzte sich an den Tisch und schaute durch die Gittertür. «Dieser Blödmann hat also Schmuck für eine halbe Million im Gedärm.»

Lundmark nickte und setzte seine Mütze auf.

«Ist er geröntgt worden?»

Lundmark schüttelte den Kopf.

«Honkkanen fand das nicht nötig. Die haben im Krankenhaus anscheinend gerade irgendwelchen Ärger mit den Röntgengeräten, und man konnte ja wohl auch nicht verlangen, ihn aufzuschneiden und die Klunker rauszufischen. Nein, alles soll den normalen Gang gehen. Und deshalb sitzt du hier.»

Burman seufzte. «Ja, das hab ich schon begriffen. Am Heiligen Abend auf der Wache sitzen und darauf warten, dass Eugen Kreisky kackt.»

«So ist das Leben», sagte Lundmark und zuckte mit den Schultern. «Honkkanen wollte ihm ein Abführmittel geben, aber der Staatsanwalt war aus ethischen Gründen dagegen. Würde vom Gericht auch nicht anerkannt werden, wenn wir uns auf diese Weise Beweismaterial verschafften.»

«Alles klar», sagte Burman. «Und in der ersten Ladung war also nichts zu finden?»

«Nicht mal das kleinste Perlchen», sagte Lundmark. «Aber darüber möchte ich nicht reden. Kannst du nicht ein wenig Rücksicht zeigen und daran denken, dass ich zum Weihnachtsschmaus nach Hause will?»

«Entschuldigung», sagte Burman. «Mach, dass du fortkommst.»

«Fröhliche Weihnachten», sagte Lundmark. Zog die Kapuze hoch und verschwand im Schneegestöber.

Auf dem Tisch lagen Polizeichef Honkkanens Anweisungen. Sie waren so deutlich wie immer. Honkkanen war für seine Deutlichkeit bekannt. Seine Deutlichkeit und seine Derbheit.

Punkt 1: Der Verdächtige hat in der Zelle zu bleiben, bis er das Diebesgut von sich gegeben hat.

Punkt 2: Er muss sein kleines Bedürfnis im an der Wand angeschraubten Waschbecken verrichten.

Punkt 3: Er muss sein großes Bedürfnis in dem blauen Nachttopf verrichten.

Punkt 4: Nach Erledigung des großen Bedürfnisses muss der Diensthabende selbiges augenblicklich untersuchen und Unterzeichnendem telefonisch Meldung machen.

Unterzeichnet: Veikko Honkkanen, Polizeichef.

Unter dem Namenszug kam noch ein PS: Sorgt dafür, dass er ordentlich isst und viel Kaffee trinkt.

Es gab auch einen Dienstplan. Burman hatte von zwölf Uhr mittags am Heiligen Abend bis zwölf Uhr am ersten Weihnachtstag Dienst. Falls bis dahin nicht alles Diebesgut ausgeschieden wäre, müsste Dienstanwärter Bengtsson die Wache übernehmen.

Burman seufzte. Schaute auf die Uhr. Es war fünf Minuten nach halb eins. Vor ihm lagen noch dreiundzwanzig Stunden und fünfundzwanzig Minuten. Eugen Kresky in seiner Zelle schnarchte. Burman verstaute seine Butterbrote im Kühlschrank, zog seine Karten hervor und legte die Idiotenpatience.

Um Viertel nach eins wurde Eugen Kresky wach.

«Hohojaja, ja verdammte Axt», sagte er und setzte sich auf der Pritsche auf. «Hatten wir Wachablösung oder was?»

«Ganz genau», sagte Burman.

«Und du heißt Burman?»

«Noch ein Volltreffer», sagte Burman.

«Die Ironie solltest du dir aber abschminken», sagte Kresky. «Denk daran, heute ist Heiligabend, und wir sitzen im selben Boot.»

«Im selben Boot?», fragte Burman. «Zum Teufel, Mann. Du sitzt im Knast, und ich sitze hier und bewache dich.»

Kresky schaute sich um und breitete die Arme aus. «Ich seh da keinen größeren Unterschied. Unverschuldet sitzen wir beide hier und nicht zu Hause bei unseren Lieben.»

«Du Schafskopf», sagte Burman. «Du hast Juwelen für eine halbe Million gefressen. Wenn du nicht wärst, könnte ich zu Hause bei meiner Frau und den Kindern sein.»

«Das tut mir ja so Leid», sagte Kresky. «Aber ich bin unschuldig wie eine Braut. Es kann ja sein, dass man auf seiner mühseligen Wanderung durch das irdische Jammertal dieses oder jenes angestellt hat, aber diesmal hat die Obrigkeit sich einen Übergriff erlaubt.»

Er rülpste und steckte sich eine Zigarette an. «Eine Tasse

Kaffee könnte mir jetzt gut tun», fügte er mit schiefem Grinsen hinzu. «Dann kann man doch angeblich besser ... ja, aber wir sollten hier nicht über Scheiße reden.»

Burman schnaubte. Ging zur Kaffeemaschine, füllte eine Tasse und schob sie zwischen den Gittern der Tür hindurch. Kresky nahm sie und setzte sich wieder auf seine Pritsche.

«Wie kannst du überhaupt leugnen?», fragte Burman. «Du bist doch von zehn Zeugen gesehen worden.»

Kresky trank einen Schluck und zog an seiner Zigarette.

«Ich begreif ja nicht, wie so viele Leute sich so irren können», sagte er. «Da steigt man in sein Weihnachtsmannkostüm und geht los, um zu Weihnachten Menschenliebe und Freude zu verbreiten, und dann ...»

Er schüttelte den Kopf und verzog nachdenklich das Gesicht.

«Und dann?», fragte Burman.

«Dann geht man aufs Klo, um in Ruhe und Frieden sein Wasser abzuschlagen, und dann kommt ihr angestürmt und nehmt einen fest. Da kommt keine Freude auf, das kann ich dir sagen.»

«Jetzt übertreib mal nicht», sagte Burman. «Ich kenne dich, Kresky. Hattest du dich vorher schon lange in dem Warenhaus herumgetrieben?»

«Eine Stunde vielleicht, hab versucht, in aller Bescheidenheit ein wenig Stimmung und Freude zu schaffen. Aber was kriegt man schon dafür?»

Burman seufzte und widmete sich wieder seiner Patience. Nach fünfundzwanzig erfolglosen Versuchen mit dem Idioten war er zur Harfe übergewechselt. Das hier war sein vierter Versuch. Er ging nicht auf. Er fegte die Karten zusammen und warf abermals einen Blick in die Zelle. Kresky lag jetzt wieder auf dem Rücken.

«Hast du Hunger?», fragte Burman.

«Was steht denn auf der Speisekarte?»

Burman schaute auf eine weitere Liste. «Heringsauflauf und Frikadellen», teilte er mit und merkte, wie ihm ein wenig übel wurde. Na ja, dachte er, immerhin keine braunen Bohnen mit Speck.

«Ich glaube, wir warten noch eine Stunde», sagte Kresky. «Ja, und stell dir vor, auch in diesem Jahr ist wieder der Heilige Abend gekommen. Es wird einem doch ein wenig warm ums Herz, wenn man an das Jesuskind und die vielen Notleidenden auf der Welt denkt. Mir geht es wenigstens so. Ihr habt ja offenbar hier auf der Wache keine Krippe?»

Halt die Klappe, du Blödmann, dachte Burman, aber das dachte er wirklich nur.

Um zwei Uhr nahm Eugen Kresky Heringsauflauf und Frikadellen zu sich, nachdem Burman alles in der Mikrowelle warm gemacht hatte. Er verlangte außerdem ein Bier, wo doch Heiligabend war, aber ein Apfelsaft musste reichen.

Um halb drei rief Burman zu Hause an und wünschte in aller Förmlichkeit allen, Gattin und Kindern, Brüdern und Schwägerinnen, Eltern und Schwiegereltern, wunderschöne Weihnachten, und eine Minute vor drei schaltete er den Fernseher der Wache ein, um sich Donald Duck anzusehen. Als der Stier Ferdinand an die Reihe kam, bat Eugen Kresky darum, den Apparat so zu drehen, dass auch er etwas sehen könne. Burman tat ihm den Gefallen, und nach der Sendung erklärte Kresky, er müsse ein Geschäft verrichten.

«Das große oder das kleinere?», fragte Burman.

«Ich fürchte, es handelt sich um das große», erklärte Kresky.

Burman schaltete den Fernseher aus, um alle Störungen

zu vermeiden. Kresky ließ seine abgewetzte Cordhose sinken und machte es sich auf dem Topf gemütlich. Burman schloss die Augen und dachte an seine Zeit auf der Polizeischule vor fünfundzwanzig Jahren. Er konnte sich nicht daran erinnern, dass der Unterricht Situationen wie diese gestreift hatte.

Als Kresky fertig war, bedeckte er das Ergebnis mit einer vom Polizeichef zur Feier des Tages bereitgestellten dünnen grünen Decke und reichte den Topf durch die Essensluke.

«Bitte sehr», sagte er mit freundlichem Lächeln. «Ein schlichtes kleines Weihnachtsgeschenk. Na, ich glaube, ich hau mich noch ein Weilchen aufs Ohr. Aber du könntest mich vielleicht wecken, wenn Karl-Bertil Jonsson anfängt. Wenn ich kann, sehe ich mir den immer an … den Reichen nehmen und den Armen geben …»

Burman nahm den Topf entgegen und merkte, wie seine Kiefer knackten, so fest hatte er die Zähne zusammengebissen. Er zog die oberste Schreibtischschublade auf und nahm die vom Polizeichef zu diesem Zweck bereitgestellten dünnen blauen Gummihandschuhe heraus. Burman erkannte das Modell. Es war die gleiche Sorte, die seine Frau im Winter zum Spülen benutzte. Nicht im Sommer, nur im Winter, wenn sie diese Allergie hatte.

Eine Viertelstunde später rief er Honkkanen an.

«Na?», fragte Honkkanen.

«Ich möchte hiermit berichten, dass Eugen Kresky abermals geschissen hat», sagte Burman.

«Und?»

«Negativ.»

«Nicht ein einziges kleines Perlchen?»

«Nichts», sagte Burman.

Am anderen Ende war fünf Sekunden lang alles still. Honkkanen atmete schwer, es war zu hören, dass er beim Weihnachtsschmaus schon eifrig gebechert hatte.

«Hast du alles genau untersucht?», fragte er dann.

«Geradezu scheißgenau», sagte Burman.

«Hm», sagte Honkkanen und dachte abermals eine Weile nach. «Das hat nichts zu bedeuten», sagte er dann. «Doktor Mannström sagt, es könne drei, vier Tage dauern.»

«Und wie lange dürfen wir ihn festhalten?», fragte Burman.

«Achtundvierzig Stunden», sagte der Polizeichef. «Aber wenn bis morgen nichts gekommen ist, dann wird er geröntgt, der Apparat funktioniert jetzt wieder.»

Morgen Abend, dachte Burman und schaute aus dem Fenster. Der Schnee wirbelte draußen in der Dunkelheit noch immer wild umher. In seiner Zelle schnarchte Eugen Kresky jetzt wieder. Burman seufzte und ging sich die Hände waschen. Es war das vierte Mal. Danach griff er erneut zu den Karten.

Die Kerkerpatience, dachte er. Ich versuch's mit der Kerkerpatience.

Burmans Frau und seine jüngste Tochter brachten ihm gegen acht Uhr, wie verabredet, ein Weihnachtsgeschenk und ein paar Leckereien.

«Draußen schneit's wie verrückt», erzählte die Tochter. «Wir mussten das Schneemobil nehmen.»

«So ist es eben», sagte Burman.

«Fröhliche Weihnachten», rief Eugen Kresky. «Es ist eine Gnade für zwei einsame Seelen, gerade am Heiligen Abend Damenbesuch empfangen zu dürfen. Man ist zwar unschuldig wie eine Braut, doch man will sich nicht beklagen. Die Würfel des Schicksals fallen eben immer anders.»

«Wir haben auch für Kresky ein Stück Schinken mitgebracht», teilte Burmans Frau mit.

«Was zum Teufel ...», sagte Burman.

«Du darfst am Heiligen Abend nicht fluchen», sagte seine
Tochter.

«Man dankt demütigst», sagte Kresky.

«Es ist ja schließlich Weihnachten», sagte Burmans Frau.

«Jaja», sagte Burman.

«Hast du Donald Duck gesehen?», fragte die Tochter.

«Sicher», sagte Burman.

«Und Karl-Bertil?»

«Natürlich», sagte Kresky.

Die Tochter wandte sich um und wechselte einen Blick mit
ihrer Mutter.

«Wir müssen jetzt machen, dass wir nach Hause kommen»,
sagte sie. «Wir wollen Scrabble spielen und Nüsse knacken.»

«Sicher, sicher», sagte Burman. «Fahrt vorsichtig, wir sehen uns morgen.»

«Man dankt und verbeugt sich und wünscht fröhliche
Weihnachten», fügte Eugen Kresky in seiner Zelle hinzu.

«Ein Punsch und ein Pils könnten die Verdauung sicher
beschleunigen», merkte er an, als die Besucherinnen die Tür
hinter sich geschlossen hatten. Burman stellte sich taub,
legte die Karten weg und öffnete das Päckchen mit seinem
Weihnachtsbuch.

Ich geb ihm nichts mehr zu essen, dachte er. Soll Bengtsson morgen die nächste Ladung übernehmen, ich halt das
einfach nicht mehr aus.

Und ohne eigentlich darüber nachzudenken, was er tat,
faltete er die Hände und bat Gott, in Eugen Kreskys Gedärm
für eine ordentliche Verstopfung zu sorgen.

Danach schämte er sich und hoffte, dass es im Grunde

doch keinen Gott gab. Denn wenn es einen gab, dann verschaffte es sicher keine Pluspunkte, wenn man Ihn erst ein Leben lang ignorierte und Ihn dann um solchen Scheiß anflehte.

Er war noch immer nicht sonderlich müde, doch nachdem die Mitternachtsmette aus Rom übertragen worden war, schaltete Burman den Fernseher aus und löschte das Licht. Kresky dagegen ließ in der Zelle seine kleine Leselampe brennen und erklärte, er wolle vor dem Einschlafen noch ein paar Seiten erbauliche Literatur lesen.

Mach, was du willst, wenn du nur nicht musst, dachte Burman.

«Ich hab ein wenig Hunger», sagte Kresky. «Wie wäre es mit …»

«Du kriegst morgen früh was zu essen», erklärte Burman energisch. «Gute Nacht.»

«Hab ich schon mal erzählt, wie ich eine Million gewonnen habe», fragte Kresky, als die Uhr am ersten Weihnachtstag zehn zeigte und sie das Frühstück beendet hatten.

«Wenn du meinst, wie du eine gestohlen hast, dann habe ich davon gehört», sagte Burman.

«Gewonnen», sagte Kresky. «Ich habe gewonnen gesagt. Ich war auch damals rein wie Schnee, aber manchmal hat man die Umstände einfach gegen sich.»

«Heute geht's zum Röntgen», Burman wechselte das Thema und bereute es sofort. Denn diese Nachricht würde bei Kresky sicher den Betrieb in Gang bringen.

Aber dem schien das keine Sorge zu machen.

«Wirklich?», fragte er nur. «Ja, je eher ich reingewaschen werde, umso besser.»

«Bist du wirklich so blöd, dass du ernsthaft glaubst, das zu überstehen?» Diese Frage musste Burman einfach stellen.

Kresky zeigte eine Miene des äußersten Erstaunens.

«Überstehen? Natürlich werde ich das überstehen. Wenn man unschuldig ist, dann ist man eben unschuldig. Die Leute urteilen immer viel zu voreilig.»

«Du meinst also, dass zehn Menschen sich geirrt haben? Dass zehn Zeugen, die sich drei Meter vom Verbrechen entfernt aufgehalten haben, allesamt und unab... unab... wie sagt man da noch?»

«Unabhängig voneinander», sagte Kresky.

«Genau. Unabhängig voneinander dieselbe Geschichte erzählen? Und sich dabei irren? Findest du nicht auch, dass das ein kleines bisschen unwahrscheinlich klingt?»

«Die Wege des Herrn sind unergründlich», sagte Kresky und lächelte geheimnisvoll.

Burman gab auf und schüttelte den Kopf. Und wenn die Klunker rauskommen, was wird er dann sagen, überlegte er. Huch, wo in aller Welt kommen die denn her? Will er wirklich zu einer dermaßen bescheuerten Taktik greifen? Oder hatte er einfach ein Dach überm Kopf gebraucht?

Scheißegal, entschied Burman und schaute aus dem Fenster. Es schneite seit den frühen Morgenstunden nicht mehr, aber die Schneepflüge waren noch immer an der Arbeit. Und der Gottesdienst war zu Ende, er hörte überall die Glocken läuten.

Noch zwei Stunden, stellte er fest. Kneif bloß den Hintern zu, Alter.

Aber schon um elf rief Honkkanen an und erklärte, sie hätten die Strategie geändert und seien mit der Röntgenausrüstung unterwegs.

«Hierher?», fragte Burman. «Soll er hier geröntgt werden?»

«So haben wir entschieden», sagte Honkkanen. «Um ihn ins Krankenhaus zu bringen, wären größere Sicherheitsvorkehrungen vonnöten.»

Der spinnt doch, dachte Burman. Der also auch. Sicherheitsvorkehrungen?

Sie trafen zehn Minuten später ein.

«Ich übernehme das Kommando», sagte Honkkanen. «Du kannst nach Hause gehen, wenn du willst.»

Burman überlegte kurz. Aber verdammt, dachte er. Ich habe den ganzen Heiligen Abend und die ganze Weihnachtsnacht mit diesem Idioten verbracht, jetzt will ich auch die Auflösung miterleben.

«Ich bleibe», sagte er.

«Nein, da haben wir ja den Polizeichef!», rief Kresky. «Das ist ebenso überraschend wie angenehm, wie der Pastor sagte, als er in den Himmel kam. Fröhliche Weihnachten.»

Honkkanen gab keine Antwort.

«Und wer sind die anderen Herren?»

«Halt den Mund», sagte Honkkanen. «Und du kannst bis auf die Unterhose alles ausziehen.»

«Aber gern doch», sagte Kresky. «Man soll sich nicht dessen schämen, was man hat, wie die Mädchen sagen.»

Zwei rothaarige Röntgenassistenten bauten unter Honkkanens düsteren Blicken den Apparat auf. Tarierten aus, stöpselten Stecker ein. Burman trank eine Tasse Kaffee und hielt sich im Hintergrund. Das Ganze dauerte eine Weile, deshalb fragte er schließlich:

«Warum habt ihr die Strategie geändert?»

Honkkanen starrte ihn wütend an. Seine Augen waren ungewöhnlich schmal, und Burman ging auf, dass der andere verkatert war.

«Der Staatsanwalt», sagte er. «Diese Schwuchtel will ihn laufen lassen, wenn wir nicht zuerst röntgen.»

«Verstehe», sagte Burman.

«Jetzt sind wir so weit», sagte der eine rothaarige Röntgenassistent.

«Alles startklar», sagte der andere.

«Worauf warten wir dann noch, zum Teufel?», fragte Honkkanen und leerte ein Glas Wasser auf einen einzigen Zug.

Es ging schnell. Obwohl Eugen Kreskys Magen und Eugen Kreskys Gedärm nicht weniger als viermal durchleuchtet wurden, lag nach fünf Minuten das Ergebnis vor.

«Nichts», sagte der eine Assistent.

«Nicht die geringste Spur», sagte der andere.

«Verdammt», sagte Honkkanen. «Und dieser Scheißapparat ist angeblich zuverlässig?»

«Dafür können wir garantieren», sagte Nr. 1 und fing an, die Stöpsel herauszuziehen.

«In Magen oder Darm dieses Mannes befindet sich garantiert nichts aus Metall», sagte Nr. 2.

Eugen Kresky zog sich wieder an und nickte allen Anwesenden freundlich zu.

«Ein Triumph für die Wahrheit und die Wissenschaft», sagte er.

«Verdammt», sagte der Polizeichef. «Wie ist das denn bloß passiert?»

«Vielleicht könnte man jetzt seine Freiheit wiedererlangen?», regte Kresky an. «Jetzt, wo das Kartenhaus eingestürzt ist?»

«Immer mit der Ruhe», sagte Honkkanen. «Das müssen wir uns erst mal überlegen.»

«Na, von mir aus», sagte Kresky. «Ja, ich habe es zufällig

gerade nicht eilig, aber wenn man vielleicht noch eine Tasse Kaffee haben könnte …»

Honkkanen nickte Burman zu, und der ging zur Kaffeemaschine. Kresky bekam seine Tasse und wurde wieder eingeschlossen. Die Röntgenassistenten packten ihre Ausrüstung zusammen und verschwanden.

«Gehen wir zu mir», sagte Honkkanen. Burman nahm sich auch eine Tasse Kaffee – seine fünfte an diesem Tag – und folgte ihm.

«Das ist ein Rätsel», sagte Honkkanen und fischte ein Bier aus seinem privaten Kühlschrank mit fünfzig Liter Fassungsvermögen. «Ein Scheißteufelsrätsel.»

«Ich stimme zu, dass es ein wenig eigentümlich ist», sagte Burman.

«Ein wenig eigentümlich», schnaubte Honkkanen und ließ sich in seinen Schreibtischsessel sinken. «Sag mir, was zum Henker da passiert ist, und du kriegst einen Tag frei.»

Es gab noch ein Drittes, neben Deutlichkeit und Derbheit, wofür Honkkanen bekannt war, er war furchtbar geizig.

Burman setzte sich seinem Chef gegenüber und dachte nach.

«Es kann gar keinen Zweifel daran geben, dass wirklich er die Klunker geschluckt hat?», fragte er.

«No doubt», sagte Honkkanen. «Er hat sie sich nicht in den Bart oder in die Wangen oder sonst wohin gesteckt. Mindestens fünf Zeugen haben gesehen, dass er den Kram wirklich geschluckt hat. Zum Teufel.»

«Okay», sagte Burman. «Und dann läuft er also aufs Klo. Er kann den Kram nicht ausgespuckt und da irgendwo versteckt haben?»

«Nie im Leben», fiel Honkkanen ihm ins Wort. «Frau Elvefjäll sagt doch, sie habe die Tür, weniger als fünf Sekunden nachdem er dort verschwunden war, bereits wieder aufgerissen. Und wir haben jeden einzelnen verdammten Millimeter auf dieser Toilette untersucht. Auch in den Klos.»

Burman schaute zur Decke hoch und versuchte intensiv nachzudenken.

«Und er kann auch nicht mit Frau Elvefjäll gemeinsame Sache gemacht haben?»

Honkkanen starrte ihn an, als habe er soeben beschlossen, ihn zu feuern. «Solchen Schwachsinn hab ich ja seit zehn Jahren nicht mehr gehört. Wie sollte das denn wohl gehen? Ich habe ja gesagt, dass er den Kram verschluckt hat. Meinst du vielleicht, er hat ihn dann ausgespuckt und ihr in einer Tüte überreicht, oder was? Und hinter der Elvefjällschen kam doch noch eine ganze Menschenmenge. Reiß dich zusammen, Bulle.»

«Entschuldigung», sagte Burman. «Und was glaubt der Chef selber?»

Honkkanen schwieg und nagte ziemlich lange an seiner Unterlippe. Dann leerte er sein Bier.

«Verflucht», sagte er. «Du bist ja nicht gerade eine große Hilfe, Burman.»

Burman schaute auf die Uhr. Inzwischen war es schon zwölf.

«Jetzt müsste eigentlich der junge Bengtsson hier sein», sagte er. «Der Chef könnte vielleicht mit dessen jüngerem und wacherem Gehirn noch einen Versuch machen?»

Honkkanen rülpste in seine Armbeuge und ließ sich im ächzenden Schreibtischsessel zurücksinken.

«Na gut», sagte er. «Schick mir Bengtsson und mach, dass du fortkommst. Und nimm diesen verdammten Kresky mit, ich kann seinen Anblick nicht mehr ertragen.»

«Lassen wir den frei?», fragte Burman und erhob sich. «Echt?»

«Ja, Scheiße, klar lassen wir ihn frei», fauchte Honkkanen. «Die Beweislage hat sich verändert, und du glaubst ja wohl nicht, dass er sich aus der Stadt hier verpissen will?»

Burman nickte und überließ den Polizeichef seinen düsteren Überlegungen.

Bengtsson war wirklich schon eingetroffen. Er sah so jung und rosig aus wie immer. Burman erklärte kurz, was Sache war, der Dienstanwärter rückte seinen Schlipsknoten gerade und verschwand im Zimmer des Chefs. Burman schob sich einen Priem unter die Oberlippe und schloss die Zellentür auf.

«Du kannst jetzt rauskommen», sagte er.

«Ei der Daus», sagte Eugen Kresky. «Stimmt das auch wirklich? Ich muss bald aufs Klo, ihr wollt nicht zufällig das Ergeb…»

«Schnauze», sagte Burman. «Los jetzt, ich will auch weg hier.»

Eine Minute später standen sie draußen auf der Straße. Eine bleiche Sonne hing über dem flachen Dach des Warenhauses Doggman, es war windstill, und die Temperatur lag bei zehn Grad minus.

«Frische Luft tut gut», erklärte Eugen Kresky und zog sich die Wollmütze über die Ohren. «In welche Richtung musst du?»

Burman nickte zum Fluss hinunter.

«Dann können wir ein Stück zusammen gehen.»

Burman zögerte. Dann zuckte er mit den Schultern, und sie gingen durch die frisch vom Schnee befreite Storgata. Als sie bei der Missionskirche um die Ecke bogen, blieb Kresky plötzlich stehen und zeigte quer über die Straße.

«Na, Scheiße, so was, da sitzt ja mein Bruder!»

Burman schaute in die angewiesene Richtung. An einem Fenstertisch in der Konditorei Svea saß ein grobschlächtiger Mann mit einer Tasse Kaffee und einer Zeitung.

«Ich wusste nicht, dass du einen Bruder hast.»

«Sicher hab ich einen. Wir sind nur lange Zeit getrennte Wege gegangen. Aber auf unsere alten Tage haben wir nun wieder zusammengefunden.»

«Wohnt er hier in der Stadt?»

«Aber sicher. Er ist gerade zum ersten Advent bei mir eingezogen. Ein bisschen Gesellschaft tut immer gut, und Blut ist ja dicker als Wasser. Dass wir nun nicht zusammen Heiligabend feiern konnten, war natürlich eine kleine Enttäuschung. Du, hör mal, ich glaube, ich lasse dich hier stehen und gehe zu Boris hinein.»

«Boris? Er heißt also Boris?»

«Nach dem großen Bakunin, ja. Fröhliche Weihnachten, Sheriff, ist ja traurig, dass ihr diesmal eine Niete gezogen habt, aber so was kommt vor in der großen Lotterie des Lebens.»

Leck mich, dachte Burman, als er Eugen Kresky in der Konditorei verschwinden sah, und er war noch keine fünf Schritte weitergekommen, als er sah, wie die Brüder einander umarmten. Sie schlugen einander auf den Rücken und schienen sich aus irgendeinem Grund ausschütten zu wollen vor Lachen. Klopften sich auf die Schenkel und knallten die Fäuste auf den Tisch und plötzlich … noch ehe er weitere fünf Schritte hinter sich gebracht hatte, hatte Burman alles durchschaut.

So verdammt einfach, dachte er.

Aber dann ging er weiter.

So überaus ungeheuer simpel.

Aber er wurde nicht langsamer. Seine Beine schienen ganz von selbst zu gehen.

So war das also. Auf dem Klo hatte bereits ein Weihnachtsmann gestanden, als Eugen Kresky hereingekommen war ... nein, falsch, nicht Eugen Kresky war hereingekommen, sondern sein Bruder, Boris Kresky, der die ganzen Klunker verspeist hatte und der dann auf die Toilette gestürzt war und ... der dann in einer Zelle verschwunden war und die Tür hinter sich zugezogen hatte.

Und wer dort gestanden und Frau Elvefjäll und die anderen empfangen hatte – das war Eugen Kresky gewesen, während Boris Kresky in aller Ruhe in der Zelle sein Kostüm ablegte, es in eine Plastiktüte oder Tasche stopfte, die Tür öffnete und sich ins Gewühl mischte ...

Ja, verdammt, dachte Burman. So war das gewesen. Vierhundertneunzigtausend Reichstaler. Nicht schlecht. Und als Betriebskosten: zwei Weihnachtsmannkostüme.

Aber er ging immer weiter.

Ich kann Honkkanen von zu Hause aus anrufen und alles erzählen, dachte er. Aber ich kann auch ...

Auf der Brücke über den Fluss blieb er stehen und schaute über die weiße Landschaft. Sie war schön. Kalt und großartig und schön. Und während er dort stand, fasste er seinen Entschluss.

Das fiel ihm gar nicht so schwer. Er konnte sich ja vorstellen, welche Belohnung er von Honkkanen zu erwarten hatte. Genau.

Und hatte man erst eine ganze Weihnachtsnacht hindurch gewartet, dass Eugen Kresky endlich scheißen möge, dann brannte man nicht darauf, auf seinen Bruder noch einmal so lange zu warten. Das lag sozusagen in der Natur der Sache.

Blaue Gummihandschuhe, pfui Teufel, dachte Burman.

Nein, da kam es ihm doch sinnvoller vor, sich mal ein wenig mit den Brüdern zu unterhalten. Auch wenn die vielleicht nicht unbedingt durch drei teilen wollten: Ein Fünftel könnte er doch sicher verlangen. Hunderttausend auf die Hand.

Ganz schön viel Geld im Moment, dachte Burman. Und diese Doggmans, die haben doch genug. Mehr als genug.

Fredrik Skagen

Schwarze Magie

Es war ein Tag vor Heiligabend. Im Bett unter ihrer Decke gelang es Ulla, sich aus dem ganzen Elend fortzuträumen. Sie träumte sich weit, weit weg, an den Rand eines herzförmigen Swimmingpools, umgeben von behaglichen Liegestühlen und eifrigen Butlern. Adresse: Sunset Boulevard. In ihrem weißen Badeanzug sah sie unwiderstehlich aus.

Welche der Einladungen zum Lunch sie wohl annehmen sollte? Burt Lancaster und Montgomery Clift hatten schon am Vorabend angefragt, aber morgens hatte dann noch James Dean angerufen und um ein vormittägliches Stelldichein geradezu gebettelt. Das Problem war, dass ihr alle drei gefielen. Träge nahm sie die Sonnenbrille ab, nippte an ihrem Drink und starrte nachdenklich zum Sprungbrett hinüber. Enemene-mu …

Solange sie sich an dieser Phantasie festhielt, solange sie ihr schönes Spiegelbild im kristallklaren Wasser sah, so lange konnte sie den bedrohlichen Alltag verdrängen – den, der gleich hinter dem Fenster lauerte, hinter dem heruntergelassenen Rollo.

Eigentlich war das Wasser bleigrau.

An diesem dunklen Morgen glitt ein Fischkutter langsam durch die Wellen, einem Meer entgegen, das mit reicher Beute lockte. Niemand wusste das besser als der frisch gebackene und jungverheiratete Käptn. Er hieß Bjørn, «Bär», machte aber seinem Namen keine Ehre, denn er war ein schmächtiger Mittzwanziger mit schütterem Haar in einer undefinierbaren Farbe. Gegen seinen Willen stand er breitbeinig am Bug und spielte mit dem Kaffeebecher in der Hand den starken Seemann.

Er würde bald Vater werden und hätte deshalb mit sich und der Welt zufrieden sein müssen. Zu seiner eigenen und zur Verwunderung vieler anderer hatte nämlich er, der blässliche Grünschnabel, den Kampf um die Apothekerstochter – dem hübschesten, freundlichsten (und dümmsten) Mädchen der Küste – gewonnen. Sein Vater hatte ihn dafür sogar mit einem eigenen Boot belohnt.

Trotzdem machte Bjørn sich Sorgen. Er fürchtete sich vor dem scharfen Wind an der Fjordmündung, vor den hohen Wellen, die das Leben an Bord zur Hölle machen konnten. Aber noch größer war seine Angst, wenn er an seine drei Jahre jüngere Ehefrau dachte. Konnte er ihr vertrauen? Was, wenn Ulla wieder in ihr altes Verhalten zurückfiele, sobald das Kind auf der Welt wäre?

Als er sich umdrehte und Knut im Steuerhaus aufgesetzt munter zunickte, hoffte er, dass das vertraute Grinsen des gleichaltrigen Kollegen echten Neid zum Ausdruck bringen sollte. Im tiefsten Herzen jedoch ahnte er die Herablassung, die in Knuts Blick lag, vielleicht sogar Schadenfreude.

Ob sie jetzt wohl wach war?

Als der Wecker geklingelt hatte und er aufstehen musste, hatte sie etwas von «gute Fahrt» und «Scheißfische» gemurmelt, aber als er behutsam die Hand auf ihren Bauch gelegt hatte, hatte Ulla sie wütend weggestoßen. Dass sie überhaupt mit ihm verheiratet war, lag einzig und allein an dem Kind. Für Ulla war der blässliche Bjørn nicht das große Los gewesen, sondern schon eher der letzte Ausweg, die absolute Notlösung, als ihre «gesegneten Umstände» für jedermann sichtbar geworden waren. Bjørn liebte sie, stolz und triumphierend. Aber wie sollte er sie dazu bringen, seine Liebe zu erwidern?

Er trank einen Schluck Kaffee und versuchte sich damit zu trösten, dass sich schon alles finden würde. Wenn die Geburt erst einmal überstanden wäre und ein munter vor sich hin brabbelndes Baby auf der Wickelkommode läge, dann würden sicher ihre mütterlichen Gefühle auflodern. Sie würde liebevoll lächeln und vor Freude strahlen.

Aber nur vielleicht. Denn auch wenn Ulla im Grunde ein guter Mensch war, würde es ihr wohl kaum gelingen, ihre tiefsten Wünsche aufzugeben.

Am Osthimmel erglühte die aufgehende Sonne. Der restliche Himmel sah aus wie ein in Pech und Asche getauchtes Leichentuch. Eine Warnung, dass er sich an falsche Hoffnungen klammerte? Bjørn lief es eiskalt den Rücken hinunter.

Es war das Jahr, in dem sowjetische Panzer durch Budapest rollten und die Vision eines baldigen Abschieds vom Kommunismus zerschmetterten, das Jahr, in dem Marilyn Monroe im Rampenlicht stand und die Männerherzen verzauberte. Zur allgemeinen Überraschung heiratete sie in diesem Jahr den um einiges älteren Dramatiker Arthur Miller.

Wie viele andere fand auch Bjørn, dass die kurvenreiche blonde Ulla eine große Ähnlichkeit mit dem berühmten Filmstar aufwies. Sie hatte den gleichen Schlafzimmerblick, die gleichen halb offenen, verheißungsvollen Lippen, wenn sie es darauf anlegte – was häufig der Fall war –, und wie Marilyn bewegte sie sich auf eine Weise, die junge Männer dazu brachte, sich den Hals zu verrenken, wenn sie vorüberging. Und das schien Ulla offenbar nicht zu stören.

Aber anders als die Monroe lebte sie nicht in Kalifornien. Die lokalen Talentsucher der kleinen norwegischen Hafenstadt arbeiteten nicht für die *Twentieth Century-Fox* – ihnen ging es einzig und allein um eine schnelle Nummer. Der Letzte, der bis auf weiteres zum Ziel gelangt war, war Bjørn, der Sohn des steinreichen Fischereireeders der Gemeinde.

Er richtete sich wieder auf. Er hatte wirklich ins Schwarze getroffen, ihr einen «dicken Bauch gemacht», wie seine Kumpels das nannten. Allerdings wusste er nicht mehr so recht, wie es eigentlich dazu gekommen war, er hatte schon allerlei Schnaps intus gehabt, als sich die große Gelegenheit geboten hatte. Nur vage konnte er sich an Ullas sinnliches Stöhnen und die nackte weiße Haut erinnern, die er damals hatte küssen dürfen.

Bjørn wusste, was Knut dachte: dass sie sich ihm hingegeben hatte, weil zufällig kein anderer Mann in der Nähe gewesen war.

Offiziell wussten nur die engsten Familienmitglieder, dass das Kind für Mitte Januar erwartet wurde. Seine und Ullas Eltern hofften, dass die Leute bis dahin vergessen haben würden, dass die Hochzeit erst im Juni gewesen war. Denn wie alle braven Mitglieder der Gemeinde fanden sie es verwerflich und empörend, wenn Mädchen schwanger wurden, ehe sie den heiligen Bund der Ehe geschlossen hatten.

Bjørn versuchte, sich nichts aus dem Gerede der Leute zu machen. Denn obwohl Ulla viel im Haus blieb, war mancherorts registriert worden, dass ihr Bauch sich immer mehr rundete – viel zu früh. Die Gerüchte waren wie ein Lauffeuer von Haus zu Haus gewandert. Das aufgesetzte Taktgefühl der Leute war dabei Verachtung, ja, fast Triumph zum Verwechseln ähnlich.

«Haben wir das nicht gleich gesagt?»

Obwohl sich eigentlich alle einig waren, dass dieses mannstolle Mädel eine hervorragende Partie gemacht hatte, als sie mit dem Reederssohn vor den Traualtar getreten war.

Knut dagegen sah die Sache wohl eher so: Warum zum Teufel hatte sich dieser Trottel keinen Gummi übergestülpt, ehe er der Einladung der hinreißenden, läufigen Hündin gefolgt war? Jetzt war die Marilyn-Kopie für die geilen Knaben der Küste unerreichbar, und das vielleicht für immer. Sollte ihn doch der Teufel holen, diesen mageren Seidenprinzen, für den außer seiner dicken Brieftasche so gar nichts sprach!

Während Bjørn sich mit diesen Gedanken herumplagte und zugleich versuchte, seine Angst vor der unverschämten Unberechenbarkeit des Ozeans zu überwinden, erwachte Ulla zum zweiten Mal an diesem Morgen. Sie war ganz allein in der alten Villa, die ihre Eltern ihr als Mitgift spendiert hatten.

Der elegante Swimmingpool hatte sich als reiner Wunschtraum entpuppt. Ulla stieg aus dem Bett, watschelte ins Badezimmer und streifte das dicke, trutschige Nachthemd ab, das sie benutzte, um sich Bjørn vom Leibe zu halten. (Alles, was Marilyn nachts trug, war Chanel No 5.) Im Spiegel konnte sie ihren fast formvollendeten Körper betrachten, nach dem hunderte von Männern gelechzt hatten.

Wäre da nur nicht dieser schreckliche Bauch gewesen! In nicht allzu langer Zeit würde das darin eingesperrte Baby mit einem Schrei der Befreiung herausgleiten; für Ulla jedoch würde der Rest ihres Lebens zum Gefängnis werden.

Ihre Schwangerschaft hatte sie allein sich selbst zuzuschreiben. Für ein Mädchen ihrer Herkunft hätte es eigentlich ganz einfach sein müssen, sie zu verhindern. Ihr Vater, der strenge Apotheker, verkaufte alle modernen empfängnisverhütenden Mittel. Ulla hätte also einfach nur in die Schublade mit den Diaphragmen greifen müssen, aber sie wusste nicht so recht, wie diese kompliziert aussehenden Teile benutzt wurden. Ihre Mutter war die Hebamme des Ortes. Als Mitglied des Gemeinderates hasste sie Schwangerschaftsabbrüche, die sie lieber als «Kindsabtreibung» bezeichnete – das kam also auch nicht infrage.

Und wie hätte Ulla ihre Eltern nach Dingen fragen können, von denen sie doch gelernt hatte, dass darüber nicht laut gesprochen wurde?

Als der fromme Bezirksarzt festgestellt hatte, dass ihre lange ausgebliebene Menstruation einer Schwangerschaft zuzuschreiben war, hatte er ihr gratuliert und sich lächelnd nach dem Namen des Glücklichen erkundigt. Schockiert hatte Ulla blitzschnell rückwärts gerechnet und nach einer Lösung gesucht, die ihre Eltern zur Not akzeptieren würden. Voller Panik war sie bei der Nacht mit Bjørn angekommen. Ja, das könnte stimmen. Er musste es sein!

Weder der Apotheker noch die Hebamme hatten Einwände gehabt. Da das Unglück nun schon einmal geschehen war, erschien ihnen der Reederssohn als gute Wahl.

Ulla war nicht mehr dieser Ansicht. Ein Leben mit Bjørn bedeutete nichts anderes als ein Leben in unerträglicher Langeweile, ein stickiges Dasein, ein grauenhafter Abschied von allem, was Ähnlichkeit mit Freiheit und lustvollen Nächten hatte. Einen uncharmanteren und öderen Mann gab es wohl im ganzen Land nicht. Und dann war sie noch nicht mal sicher, dass er der Vater des Babys war.

Wenn Ulla genauer darüber nachdachte, könnte es genauso gut Knut sein, der rothaarige Kraftprotz, der ihr wohlige Schauer über den Rücken laufen ließ, wenn er sie nach hinten beugte und das tat, was ihr am allerbesten gefiel. Oder Jakob, der lokale Sportheld. Oder … Ein Gefühl der Scham durchschoss sie, und Ulla hielt entsetzt den Atem an. Ihre Eltern wären in Ohnmacht gefallen, wenn sie geahnt hätten, wie viele Männer sich schon mit ihr hatten amüsieren dürfen.

Aber jetzt war es zu spät für Reue.

In vielen anderen Ländern, überlegte sie, wäre das Problem leicht zu lösen. Da standen die Abtreibungsärzte Schlange, um Mädchen wie ihr aus der Patsche zu helfen. In den Luxusvillen von Beverly Hills brauchten die Stars nur zum Telefonhörer zu greifen, und schon nach kurzer Zeit tauchte ein diskreter Spezialist auf und ergriff die nötigen Maßnahmen.

Sie beobachtete sich, während sie mit geöffneten Lippen und weichen Handbewegungen ihre langen blonden Haare über die Ohren hob, und für einen Moment konnte sie ihren Bauch vergessen. Kein Wunder, dass die Jungs ihr hungrige Blicke zuwarfen, wenn sie sie auf diese Weise anlächelte – in dieser raffinierten Mischung aus unschuldigem Kind und reifer Frau.

Sie hatte Bjørn damals durchaus nicht verführen wollen. Als sie in der Osterzeit zum Reederhaus gegangen war, hatte sie nur ein paar Lose verkaufen wollen, durch die den Hungernden in Indien geholfen werden sollte. Sie setzte sich immer ein, wenn es um Not leidende Menschen ging.

Ihre Eltern waren im Skiurlaub gewesen. Anders als bei ihr zu Hause gab es bei Reeders einen gut gefüllten Barschrank, der sie an romantische Filmszenen im Kino erinnerte. Und schon bald hatte Bjørn ihr das eine oder andere Glas eingeschenkt – unbeholfen und unmännlich, natürlich –, aber sie hatte es ungeheuer spannend gefunden, ihn zu provozieren. Wie würde der Milchbubi wohl reagieren, wenn sie sich verführerisch über die Lippen lecken würde und ihm dabei die Hand auf den Oberschenkel legte?

Bald sollte sich herausstellen, dass dieser Tollpatsch auch nicht anders war als andere Männer, und im wunderschönen Himmelbett seiner Eltern hatten sie, benebelt von den Getränken, aneinander herumgefummelt. Sie wusste allerdings nicht mehr so recht, ob sie wirklich miteinander geschlafen hatten.

Auf einmal fiel Ulla ein, dass der nächste Tag Heiligabend sein würde. Bis jetzt hatte sie sich noch nicht dazu durchringen können, ein Geschenk für ihren Mann zu kaufen. Als sie die Hand nach ihrem rötesten Sans Égal ausstreckte, wurde sie plötzlich von einem stechenden Schmerz in ihrem Unterleib aus ihren Gedanken gerissen. Zwei Minuten später war der Schmerz wieder da, diesmal noch stärker. O Gott! Sie ahnte, dass nicht die Einkaufsstraßen der Stadt ihr nächstes Ziel sein würden, sondern das Krankenhaus.

Auf dem Weg dorthin ging Ulla auf, dass die Wehen – falls es welche waren – viel zu früh kamen, und in ihr flackerte eine verzweifelte Hoffnung auf. Insgeheim hatte sie sich die ganze Zeit einen solchen Ausgang gewünscht. Eine Totgeburt könnte sie von ihren Verpflichtungen einem Mann gegenüber befreien, den sie verabscheute – und der ihr zugleich ein wenig Leid tat.

Als der Fischkutter um die Landzunge bog, auf der der Leuchtturm stand, und der scharfe Wind den jungen Kapitän mitten im Gesicht traf, goss er seinen restlichen Kaffee ins Meer und suchte Zuflucht im Steuerhaus, wo Knuts kräftige Hände das Rad umklammerten.

Es brachte nichts, den harten Mann zu spielen. Sein Gehilfe hatte schon längst durchschaut, wie sehr Bjørn sich vor den Wellen fürchtete. Knut wusste, dass er sich nur überaus ungern der Idee seines Vaters gefügt hatte, zwei Jahre auf See zu verbringen, ehe er als Juniorchef in die Firma eintreten würde. Eigentlich war Bjørn eine Landratte, die den Kabeljau lieber verzehrte, statt ihn zu fangen, doch wenn er das Angebot abgelehnt hätte, auf seinem eigenen Boot Erfahrungen zu sammeln, dann hätte das seine Schwäche endgültig unter Beweis gestellt. Er versuchte, stattdessen an Ulla zu denken. Und wurde erfüllt von grenzenlosem Stolz, als er sich nun wieder bewusst machte, dass am Ende er der Sieger geblieben war. Bisher hatte er sich schweigend mit den spöttischen Andeutungen seiner Kumpels abgefunden, er solle sich doch erst mal bei Versandhäusern umtun, was man dort alles diskret bestellen könnte. Er hatte sich gesagt, diese Sticheleien entsprängen dem puren Neid.

Natürlich ahnte er, was sich in den Schlafzimmern abspielte, aber seine früheren Erfahrungen mit Frauen waren gleich null gewesen. Aus Gründen, die er eigentlich selbst nicht begriff, war die für ihn unerreichbare und hinreißende Ulla bei ihm aufgetaucht und hatte sich an ihn herangemacht. Erfüllt von trunkener Glückseligkeit, hatte er sich gierig an ihr und den Getränken seines Vaters gütlich getan. Da war das Wunder geschehen. Denn dass ein neues Leben entstand, das war doch wohl ein Wunder?

«Scheint heute frisch zu werden», sagte jetzt Knut, der Bursche mit den struppigen roten Haaren, der nie einen Hehl daraus machte, dass er mit Ulla mehr als einmal im Bett gewesen war, lange bevor Bjørn zum Zug gekommen war.

Bjørn nickte nur. Er wusste, dass er kotzen würde, wenn das Wetter sich nicht änderte. Der Anblick der beängstigenden, nach ihm schnappenden Schaumkronen ließ ihn auf ein neues Wunder hoffen, auf irgendein magisches Ereignis – dass zum Beispiel jemand von der Reederei sie an Land zurückrufen würde. Bisher war alles einigermaßen gut gegangen, aber jetzt drohten die Winterstürme. Widerwillig übernahm er das Steuer, während Knut unter Deck kletterte, um einen Happen zu essen.

Das Wunder geschah, noch ehe Bjørn «piep» sagen konnte. Das Knacken des Funkgerätes verriet, dass jemand Kontakt zu ihnen aufnehmen wollte, und Bjørn riss geradezu den Hörer an sich und drehte das Gerät lauter. Als der Vater ihm befahl, sofort kehrtzumachen, empfand Bjørn nur noch tiefe Erleichterung. Er drehte das Steuer, änderte den Kurs um hundertachtzig Grad und gab in Richtung Fjordmündung Vollgas.

In diesem Moment tauchte Knut in der Tür des Steuerhauses auf. «Was zum Teufel machst du denn da?», fragte er wütend.

«Das Kind kommt.»

«Himmel, jetzt schon?»

Bjørn nickte aufgeregt. Sein Herz hämmerte im Takt des Schiffsmotors, und er war noch blässer als sonst. Die Geburt wurde eigentlich erst in drei Wochen erwartet, und er hatte schlimme Geschichten über zu früh geborene Kinder gehört, winzige Geschöpfe, deren Leben oft am seidenen Faden hing.

Nach langem Schweigen warf Knut einen viel sagenden Seitenblick auf seinen Kapitän. «Vielleicht ist das Kind ja doch ganz normal», sagte er.

«Wie meinst du das?»

Der andere legte eine neue Pause ein, dann spuckte er aus und ließ die Katze aus dem Sack: «Einen Monat ehe du Ulla in den Schoß gefallen bist, hatten wir doch die ganzen Yankees zu Besuch.»

Die Yankees!

Die Worte Knuts und sein hämisches Grinsen trafen Bjørn wie eine eiskalte Dusche. Er hatte den Flottenbesuch im März total vergessen, die große NATO-Übung. Kurz geschorene Matrosen aus den USA, mit strahlend weißen Zähnen und unerschöpflichen Vorräten an Virginia-Zigaretten, hatten den Ort besetzt, hatten sich in den windigen Straßen herumgetrieben und die kleinen Lokale gefüllt. Drei Tage lang hatten sie die Gegend dominiert, hatten ein hinreißendes Ausländisch gesprochen und allen Petticoatträgerinnen weiche Knie bereitet. War es wirklich möglich, dass …

Er packte das Steuer fester, um zu verbergen, dass seine Hände zitterten. Verdammt, ja, das wäre möglich! Als Ulla dann aufgegangen war, dass sie ein Kind bekam, hatte sie sich an ihn gewandt, einfach um ihre Zukunft zu sichern.

Aber spielte das eigentlich eine Rolle – jetzt? Ein Baby war ein Baby, ein Wunder war ein Wunder. Selbst wenn das Kind vor allem Ulla ähnlich sähe, würde niemand behaupten können, er sei nicht der Vater.

Aber was, wenn Knut geblufft hatte, wenn er die Amerikaner nur erwähnt hatte, weil er befürchtete, selber der Vater zu sein? Knut würde sich niemals an Ulla binden wollen. Seiner Meinung nach konnte ihr reizendes Äußeres nicht verbergen, dass sie «strohdoof» war. Aber wenn das Kind jetzt mit roten Haaren auf die Welt käme!

Und was, wenn Ulla sich auch nach der Geburt von zudringlichen, leichtfingrigen Burschen betören lassen würde? Dann würde Bjørn sich noch mehr gedemütigt fühlen. Nicht ein einziges Mal seit der Hochzeit hatte sie gesagt: «Ich liebe dich», und wenn sie, was selten war, einmal lächelte, dann brachte das nur gequältes Mitleid zum Ausdruck …

Plötzlich kam ihm ein Gedanke, der ihm bisher fremd gewesen war: Ein Kind, von dem alle wussten, dass es nicht von ihm stammte, könnte ihm die Möglichkeit geben, sich seiner Ehe zu entziehen …

Mit Gewalt riss er sich zusammen, versuchte, sich von diesen niederträchtigen Überlegungen zu befreien. Wenn Ulla ihn erst zu lieben gelernt hätte, dann würde sie andere Dinge wichtig finden als lüsterne Männerblicke. Ganz sicher, denn im Grunde war sie doch kein schlechter Mensch. Wahrscheinlich war Knut einfach so neidisch, dass er alles tun würde, um Bjørns Glück zu zerstören. Der Typ sollte sich doch zum Teufel scheren!

Während der restlichen Fahrt beschäftigten Bjørn aber doch mehr die Soldaten aus den USA als die Angst um sein zu früh geborenes Kind.

An Land hatte die Entbindung schon längst begonnen. Als die Hebamme im Krankenhaus angekommen war, hatte sie zu ihrer Überraschung erfahren, dass im Kreißsaal ihre eigene Tochter in den Wehen lag.

«Das läuft doch alles wunderbar, Kind», sagte sie routiniert aufmunternd zu Ulla, als sie den Saal betrat.

Die junge Frau lächelte tapfer zurück und wusste, dass sie in den besten Händen war. Sie hatte keine Ahnung, welch schreckliche Sorgen sich die Mutter machte, weil die Niederkunft gar so früh kam, und dass sie sicherheitshalber schon dafür gesorgt hatte, dass der Brutkasten sterilisiert und vorbereitet wurde.

Die Mutter, die über Ullas zweifelhaften Ruf voll im Bilde war, hatte schon die ganze Zeit die Befürchtung, dass ihre

Tochter von einem hergelaufenen Adonis geschwängert werden könnte. Als erfahrene Geburtshelferin wusste sie besser als die meisten anderen, wie wenig dazugehört, ein Mädchen zu verführen. Sie und der Apotheker hatten beide bei der heutigen Jugend Beispiele von erschütternder Unwissenheit und Sorglosigkeit erlebt.

Sie waren zutiefst erschrocken gewesen, als die Tochter schon mit dreizehn Jahren, nachdem sie ihren ersten Marilyn-Film gesehen hatte, anfing, mit den Hüften zu wackeln, sobald ein männliches Wesen in ihre Nähe kam. Und ein Jahr später, als sie sie dabei erwischten, wie sie bei Tisch einen älteren Onkel aus Trondheim umschmeichelte, waren sie geradezu bestürzt gewesen.

«Wenn du dich weiterhin einfach jedem auf diese Weise an den Hals schmeißt, dann endet das mit Kindergeschrei und schmutzigen Windeln, ehe du piep sagen kannst!»

Ulla war in Tränen ausgebrochen und hatte Besserung versprochen. Sie wollte ihren strengen Eltern so gern gehorchen. Aber schon bald hatte die Natur den Wunsch nach Mäßigung überwunden. Was Ulla in der Schule nicht schaffte, holte sie in der Freizeit nach. (Was man nicht im Kopf hat, muss man zwischen den Beinen haben.) Sie beobachtete schrecklich gern, wie Männer, alte und junge, ihren kleinen Tricks erlagen, und sie genoss dieses grandiose Zittern im Unterleib, wenn fremde Hände sie berührten.

Es ließ sich nicht leugnen, dass das junge Paar nur ein einziges Mal zusammen gesehen worden war, ehe der Hochzeitsmarsch erklang. Aber Ullas Eltern hatten dem kein besonderes Gewicht beigemessen. Björn hatte zwar wenig Ähnlichkeit mit einem Märchenprinzen, aber es half, dass er aus einer wohlhabenden Familie stammte. Nun musste nur noch die Geburt einen normalen Verlauf nehmen.

«Pressen, Ulla», sagte die Mutter. Für sie war jede Entbindung ein Wunder, und jedes Mal war sie aufs Neue vom ersten Schrei des Neugeborenen begeistert. Jetzt würde sie bald Großmutter werden, und diese Erwartung ließ sie ein wenig mehr zittern als sonst, als der winzige Schädel zum Vorschein kam.

Aufgrund der genetischen Voraussetzungen tippte sie, dass das Kind blassblonde Haare haben müsste, doch auf den ersten Blick schien diese Annahme nicht zuzutreffen.

Himmel. Was, wenn der Geburtstermin doch stimmte, wenn Bjørn nicht der Vater war, wenn …

«Pressen!», rief sie, aber etwas von der Begeisterung in ihrer Stimme war verflogen.

Der Apotheker hatte im Wartezimmer bereits Stellung bezogen. Gleich darauf kamen Bjørns Eltern mit einem riesigen Blumenstrauß hereingestürzt, und die Kerzen in der Weihnachtstanne des Wartezimmers ließen ihre Augen erwartungsvoll aufleuchten. Das hier würde ein zusätzliches Weihnachtsgeschenk sein, am Abend vor dem Abend. Das wieder geborene Jesuskind.

Auch der Reeder und seine Frau hatten Ullas lockeren Lebenswandel bereits gekannt, als ihr Sohn sie mit nach Hause gebracht und dort als seine Auserwählte vorgestellt hatte, aber sie hatten das Mädchen sofort gemocht – lieb, schlicht und reizend, wie sie war. Für die Eltern war es das größte Wunder, dass ihr eigener Spross ein dermaßen bezauberndes Geschöpf hatte erobern können.

Während Ulla im Nebenzimmer aus Leibeskräften presste, kam das Köpfchen des Babys immer weiter zum Vorschein, ein perfekt entwickeltes Kranium mit reizenden Locken.

Als dann der restliche Körper folgte, begann die Hebamme zu zittern, denn sie schämte sich so unaussprechlich und über alle Maßen, dass sie sich tausend Meilen von ihrer eigenen Tochter fortwünschte.

Denn das, was vor ihren Augen geschah, würde in dem kleinen Ort ein Erdbeben auslösen. Sie sah es bereits vor sich, wie die Erschütterung den Pastor erfassen würde, den Bezirksarzt, ihre Schwester, ihre Tanten, ihre Onkel, ihre Nichten, den Kolonialwarenhändler, die Lehrer in der Schule, den Gemeinderat, den Gesangsverein, die Frauen des Sanitätsvereins und der Inneren Mission. Sie selbst war ja bereit, sehr weit zu gehen, um gewisse Dinge vor der Öffentlichkeit zu verbergen, aber als sie die Nabelschnur durchtrennt hatte und das Baby ein kräftiges Gebrüll ausstieß, sah sie ein, dass hier alle Ausflüchte vergeblich sein würden.

Das begriff auch Ulla, als sie den Kopf hob und das Neugeborene mit ungläubigen Augen betrachtete, erschöpft nach der an sich schnellen und problemlosen Geburt. Als sie nachdachte, erinnerte sie sich, dass unter den vielen faszinierenden und charmanten amerikanischen Matrosen auch einer gewesen war, der ungeheure Ähnlichkeit mit einem weltberühmten Musiker gehabt hatte, ein überaus attraktiver Mann aus New York, der sie sofort mit Marilyn angeredet hatte.

Als das Schreien des Neugeborenen ins Wartezimmer hinüberdrang, waren der Apotheker und das Reederspaar so gerührt, dass sie sofort verziehen, dass die Kinder vor der Heirat keine Verhütungsmittel benutzt hatten. In diesem Moment kam Bjørn hereingestürmt, dicht gefolgt von Knut. Beide hatten blasse und ängstliche Gesichter, wenn auch nicht aus demselben Grund.

Zehn Minuten später wurde die Tür zum Kreißsaal geöffnet, und alle stutzten ein wenig, weil Ullas Mutter einen so seltsamen Gesichtsausdruck hatte. Sah es nicht fast so aus, als wolle sie dem Vater des Kindes den Zutritt verwehren?

Eigentlich hatte sie vorgehabt, die bittere Pille ein wenig zu versüßen und als Erstes zu sagen, dass das gesunde und wohlgeformte Baby möglicherweise einen etwas dunkleren Teint habe als erwartet. Aber als sie die bleichen Küstenmenschen musterte und an den kleinen Louis Armstrong in Ullas Armen dachte, da wusste sie auch nicht mehr weiter.

Und nun drängten die Angehörigen, der Milchbubi an der Spitze, sich ungeduldig an ihr vorbei, um das Wunder anno 1956 zu beschauen, das sich als das allererste seiner Art in der ganzen Gegend erweisen sollte. Schwarze Magie, im wahrsten Sinne des Wortes.

Und an dieser Stelle ist es wohl besser, einen Schlusspunkt zu setzen.

Viktor Arnar Ingólfsson

Der Baumraub

Die grellen Blaulichtblitze von Streifen- und Krankenwagen wirkten in der weißen Einöde beinahe weihnachtlich.

Die Autos standen auf einer wenig befahrenen Straße in einem Außenbezirk, und im Westen sah man den Widerschein der Großstadt am Himmel. Es war windstill, wolkenlos und ziemlich starker Frost. Schnee, Mond und Nordlichter sorgten dafür, dass man am Unfallort einen ganz guten Überblick hatte.

Ein Polizist in dicker Winterjacke schritt den Straßenrand entlang und versuchte, den Unfall zu rekonstruieren. Ein großer Jeep hatte in einer scharfen Kurve einen Lieferwagen gerammt. Der Transporter war von der Straße abgekommen, hatte sich einmal überschlagen und war gegen einen großen Stein geprallt. Der Unfallhergang lag auf der Hand, aber es würde einige Zeit dauern, das Protokoll anzufertigen. Kein gefragter Job am Heiligabend kurz vor Dienstschluss.

Die Rettungssanitäter kümmerten sich um den Fahrer des Lieferwagens. Sie hatten ihn auf eine Trage gelegt und bereiteten den Abtransport vor. Der Fahrer würde Weihnachten im Krankenhaus verbringen, falls er den Unfall überlebte.

Der Polizist kletterte vorsichtig die steile und eisglatte Böschung hinunter. Er ging auf die sechzig zu und bewegte sich in dem unebenen Gelände unsicher und steifbeinig. Es war unangenehm kalt, in Halbschuhen durch den tiefen Schnee unterhalb der Böschung zu stapfen. Endlich erreichte er die Krankenbahre und konnte den Verletzten in Augenschein nehmen.

Es war ein junger Mann, groß und kräftig gebaut. Er trug schäbige Jeans, Lederstiefel und eine schwarze Lederjacke mit diversen Abzeichen. Ein rot und schwarz gefärbter Irokesenkamm zog sich über seinen Schädel, der an den Seiten kahl geschoren war. Über dem einen Ohr befand sich eine bunte Tätowierung, die andere Seite konnte man wegen des Blutes, das aus einer großen Wunde an der Stirn geflossen war, nicht sehen. Die Nase war blutig zerquetscht. Der Polizist hatte das Gefühl, den Mann schon einmal gesehen zu haben.

«Wie ist sein Zustand?», fragte er.

«Er ist bewusstlos, aber der Puls schlägt regelmäßig. Wahrscheinlich hat er sich Arm- und Schlüsselbeinbrüche zugezogen. Innere Blutungen liegen nicht vor, dafür hat er Kopfverletzungen. Wir müssen so schnell wie möglich mit ihm zur Ambulanz», sagte einer der Sanitäter.

Sie hoben die Krankenbahre an, mussten sich aber beim Transport von zwei Polizisten helfen lassen. Es war ein ganz schönes Stück bis zur nächsten Stelle, an der man einigermaßen gut die Böschung hochkam. Der Verletzte war schwer, man kam im Schnee nur schlecht vorwärts. Endlich waren sie auf der Straße, und die Bahre verschwand im Krankenwagen, der kurz darauf in Richtung Stadt losfuhr.

Der Polizist ging zurück und inspizierte den Jeep, der durch den Zusammenstoß vorne stark eingebeult war. Der Fahrer stand neben seinem Auto und klammerte sich an einen ziemlich ramponierten zwei Meter hohen Weihnachtsbaum. Nicht nur einzelne Zweige, sondern auch die Spitze war abgebrochen.

«Gestatten, Hermann», sagte der Polizist. «Es ist wohl meine Aufgabe, diesen Unfall zu protokollieren.»

«Ich heiße Ólafur», sagte der Fahrer, ein kleiner bebrillter Mann, der einen grauen Lammfellmantel und eine wärmende Pelzmütze trug.

Hermann musterte den kleinen Mann und fragte sich im Stillen, ob er in seiner Miene einen Anflug von Triumph wahrgenommen hatte.

«Wie hat sich das zugetragen?», fragte er. «Stand das andere Auto hier einfach auf der Straße, als du aufgefahren bist?»

«Nein, aber der Kerl fuhr nicht sehr schnell.»

«Konntest du nicht mehr bremsen, nachdem du ihn gesehen hast?»

«Doch, aber ich habe ihn vorsätzlich angefahren. Mir ging es darum, einen Diebstahl zu verhindern.»

«Einen Diebstahl?»

«Ja, er hat versucht, meinen Weihnachtsbaum zu klauen. Ich wollte ihn aber trotzdem nicht verletzen. Das war nicht beabsichtigt. Notwehr, würde ich sagen.»

Der Polizist schaute abwechselnd ungläubig auf die kleine Gestalt und den Weihnachtsbaum.

«Das will mir aber gar nicht gefallen. Hör zu, wir setzen uns hier ins Auto. Ich muss die ganze Geschichte hören.»

Sie setzten sich in den einen Streifenwagen. Der Motor lief, deswegen war es einigermaßen warm im Auto.

Hermann zückte Notizblock und Stift. «Also», sagte er, «es schaut nicht gut aus. Was ist denn eigentlich genau passiert?»

Ólafur nahm die Pelzmütze ab, und seine Glatze kam zum Vorschein.

«Ich bin heute Nachmittag losgefahren, um den Weihnachtsbaum für die Familie zu kaufen. Ich musste mehrere

Stellen abklappern, um einen anständigen Baum zu finden, und endlich bin ich in einer Gärtnerei etwas außerhalb der Stadt auf den hier gestoßen. Ich hatte schon bezahlt und schaute mir gerade noch die Weihnachtskugeln an, die heruntergesetzt waren, fünfzehn bis zwanzig Prozent, je nach Größe. Als ich wieder hochschaute, war der Baum verschwunden. Ich blickte mich um und sah, wie dieser Kerl mit dem Baum auf den Parkplatz hinauslief. Der Verkäufer war einen Augenblick weggegangen, ich konnte ihn also nicht um Hilfe bitten. Deswegen rannte ich hinter dem Mann her und rief ihm zu, er habe meinen Baum mitgenommen. Er schmiss aber einfach den Baum hinten auf seine Ladefläche und wurde ausfällig.»

«Wie das?», fragte der Polizist.

«Er zeigte mir den Mittelfinger», antwortete Ólafur und streckte den Mittelfinger der rechten Hand aus. «So.»

«Hat er nichts gesagt?»

«Doch, er hat auch was ähnlich Ordinäres geschrien, aber er war so heiser, dass ich ihn nicht verstanden habe.»

«Na schön, und was passierte dann?», fragte der Polizist.

«Also, er ist einfach losgefahren, und ich bin in meinem Auto hinterher. Ich konnte ihn auf gar keinen Fall mit meinem Baum abhauen lassen, nachdem ich endlich den richtigen gefunden hatte.»

«Warum hast du nicht die Polizei gerufen?»

«Mein Handy war ausgeschaltet, und ich konnte mich nicht an die PIN-Nummer erinnern. Das kommt manchmal vor, wenn ich mich aufrege.»

«Du kannst den Notruf erreichen, auch ohne die PIN-Nummer einzugeben.»

‹Das wusste ich nicht. Ich kenn mich mit diesen Dingern nicht so gut aus.»

«Na schön, erzähl weiter.»

«Der Mann hielt bei einer roten Ampel, ich sprang aus dem Auto und riss den Baum von der Ladefläche, bevor er weiterfuhr. Als ich den Weihnachtsbaum hinten bei mir einlud, sah ich, wie er gegen die Verkehrsordnung einfach umdrehte. Da hatte er nämlich gemerkt, dass der Baum weg war. Ich setzte mich schleunigst in den Jeep und fuhr los. Er verfolgte mich, und ich traute mich nicht, in die Stadt zu fahren, denn da wären zu viele Ampeln gekommen, bei denen ich hätte halten müssen. Stattdessen fuhr ich aus der Stadt hinaus und wollte ihn auf der Landstraße abhängen. Ich wusste, dass ich das schnellere Auto hatte.»

Ein Polizist aus dem anderen Auto klopfte an die Scheibe des Streifenwagens. Hermann ließ das Fenster herunter.

«Wir haben rausgekriegt, wer der andere ist», sagte der andere Polizist. «Er ist erst kürzlich aus dem Gefängnis entlassen worden und ist in einer Betreuungseinrichtung untergebracht. Sie haben ihn losgeschickt, mit Geld, um einen Weihnachtsbaum zu kaufen.»

«Er hat wahrscheinlich das Geld absahnen wollen, indem er sich gratis einen Weihnachtsbaum besorgte», sagte Hermann und ließ die Scheibe wieder hochgleiten. «Und was passierte dann?», fragte er Ólafur.

«Ich fuhr so schnell, wie ich mich angesichts der Straßenverhältnisse traute, aber er ließ nicht locker. Ich habe ihn noch lange im Rückspiegel gesehen, bis er endlich weg war. Dann hielt ich an und wartete eine Weile, bevor ich wendete und zurückfuhr. Ich war spät dran und hatte ein ziemliches Tempo drauf. Auf einmal fuhr dieser Transporter vor mir von einem Seitenweg auf die Straße, und ich musste wie verrückt bremsen, um nicht auf ihn draufzufahren. Dabei würgte ich den Motor ab und kriegte ihn nicht wieder an. Der Mann stieg aus und wollte meine Tür aufreißen, aber ich hatte die

Zentralverriegelung betätigt. Dann hat er gegen die Tür getreten, eine ganz schöne Beule, guck mal.» Ólafur deutete auf den Jeep.

Hermann blickte in die Richtung und sah eine Beule wie nach einem Fußtritt. «Der Mann hatte sich also immer noch nicht beruhigt.»

«Nein, und ich hatte eine Mordsangst, denn die Heckklappe an meinem Jeep war offen. Er schnappte sich aber nur den Weihnachtsbaum und brachte ihn zu seinem Auto. Nachdem er ihn auf die Ladefläche geworfen hatte, fuhr er einfach los.»

«Hast du nicht daran gedacht, ihn einfach wegfahren zu lassen und die Polizei zu verständigen?», fragte Hermann.

«Doch, das wollte ich eigentlich, aber dann konnte ich auf einmal den Jeep wieder starten, und er hatte noch keinen großen Vorsprung. Es war, als hätte er mich mit seinem Schneckentempo provozieren wollen. Als ich ihn eingeholt hatte, streckte er die Hand zum Fenster heraus und zeigte mir wieder den Stinkefinger. Da hatte ich aber wirklich die Schnauze voll. Ich hatte keine Lust, mich von so einem Gangster ausgerechnet zu Weihnachten berauben zu lassen. Als wir hier zu der scharfen Kurve kamen, gab ich Gas und steuerte genau auf das Auto zu. Er flog von der Straße und überschlug sich. Zuerst hat sich der Kerl im Auto überhaupt nicht gerührt, aber als ich mir den Baum holte, kroch er brüllend aus dem Wagen. Seine Stirn blutete, und er wollte auf mich losgehen. Da habe ich ihm mit dem Baum eins auf die Nase gegeben, und er ging zu Boden. Und dann kam bald ein Auto vorbei, und der Fahrer hat den Notdienst angerufen. Den Rest weißt du.»

Hermann hatte sich einige Punkte notiert und legte jetzt den Notizblock zur Seite. «Ich weiß nicht, was aus der Sache wird», erklärte er, «aber für dich wird das mit Sicherheit ein Nachspiel haben. Hoffen wir mal, dass der Mann nicht schwer verletzt ist.»

«Aber das ist doch ein Krimineller!»

«Ja, sicher, aber deine Vorgehensweise war meines Erachtens nicht weniger brutal.»

«Darf ich meine Frau anrufen?», fragte Ólafur. «Sie macht sich wahrscheinlich schon Gedanken.»

«Ja, bitte», sagte Hermann und deutete auf das Autotelefon.

Ólafur wählte die Nummer, und man hörte es klingeln, da das Telefon des Streifenwagens auf Lautsprecher geschaltet war.

«Hallo», eine schrille Frauenstimme meldete sich.

«Sigrídur, ich bin's, Ólafur.»

«Ólafur, mein Schatz, wo steckst du denn?»

«Ich wurde ein bisschen aufgehalten, aber jetzt komm ich bald mit dem Weihnachtsbaum.»

«Mit dem Weihnachtsbaum? Aber die vom Weihnachtsbaummarkt haben doch angerufen und gesagt, du hättest den Baum dort stehen lassen.»

«Nein, nein, Liebling. Ich habe den Baum hier.»

«Das kann nicht sein. Der Baum musste doch erst abgesägt werden, und als sie mit ihm zurückkamen, warst du weg. Es war eigentlich schon Feierabend, aber den Baum wollten sie vor Weihnachten noch zustellen. Sie haben deinen Namen auf dem Zettel von der EC-Karte gefunden und angerufen. Willy ist los und hat ihn geholt. Der Baum steht schon im Zimmer, und wir schmücken ihn gerade.»

Eine Weile herrschte Schweigen.

«… Hallo … hallo … Bist du noch dran?»

Jostein Gaarder

15. Dezember

... fürchte dich nicht, sagte er mit
seidenweicher Stimme ...

Als Joachim am 15. Dezember aufwachte, gab es vom magischen Weihnachtskalender nur noch zehn Türchen zu öffnen.
Die Zeit verging rasend schnell. Und Mama und Papa saßen
schon wieder bei ihm und warteten. Er konnte sich nicht mal
in Ruhe aufsetzen.

Joachim war jetzt aber nicht mehr sauer, dass sie seine
Geheimschatulle geöffnet hatten. Es wäre auch schrecklich
öde gewesen, in alle Ewigkeit sauer zu sein. Außerdem war es
viel schöner, über Elisabet und den Pilgerzug zu lesen, wenn
Mama und Papa dabei waren. Fast so schön, wie an jedem
Tag bis zum Heiligen Abend Geburtstag zu haben.

«Also los», sagte Papa.

Weder er noch Mama konnten verbergen, dass sie den magischen Adventskalender genauso spannend fanden wie Joachim selbst.

Joachim richtete sich im Bett auf und öffnete Klappe
Nr. 15. Er musste den Zettel vorsichtig herausfischen, damit
er nicht zerriss. Das Bild dahinter zeigte viele Inselchen mit
Häusern. Die kleinen Inseln lagen in strahlendem Sonnenschein.

Heute war Papa mit Lesen an der Reihe. Er schnappte sich das dünne Papier, räusperte sich zweimal und fing an.

7. Schaf

Sechs Schafe, zwei Schäfer, zwei Weise, zwei Engel, ein römischer Landpfleger und ein kleines Mädchen aus Norwegen erreichten jetzt die Lagune von Venedig.

Sie blieben auf einer kleinen Anhöhe mit Blick über die Lagune stehen, und Efiriel zeigte auf all die dicht an dicht liegenden großen und kleinen Inseln. Auf vielen davon hatten die Bewohner Venedigs Häuser gebaut, auf einigen standen auch Kirchen. Mehrere Inselchen lagen so dicht beieinander, dass sie mit Brücken verbunden waren. Überall wimmelte es von kleinen Fischerbooten.

«Die Uhr zeigt 797 Jahre nach Christus», verkündete Efiriel. «Wir sehen hier das junge Venedig, wie die 118 Inseln bald heißen werden. Die Venezianer haben sich an dieser Stelle angesiedelt, um sich vor Piraten und Barbaren zu schützen, die immer wieder die Gegend unsicher machen. Vor genau hundert Jahren haben sie sich zum ersten Mal unter einem Anführer versammelt, der dann den Namen Doge bekam.»

«Ich seh keine Gondeln», wandte Elisabet ein. «Und ich hatte auch gedacht, dass es hier viel mehr Brücken gibt.»

Efiriel lachte:

«Du siehst ja auch nicht das Venedig des 20. Jahrhunderts vor dir. Ich habe doch gesagt, dass die Uhr 797 zeigt. Die Menschen wohnen hier überhaupt erst seit zweihundert Jahren. Aber Venedig wird bald so dicht bevölkert sein, dass man die Inseln kaum noch auseinander halten kann.»

Während sie sich noch die vielen kleinen und großen Inseln ansahen, kam ein kleiner Nachen über das Wasser gefahren. Der Nachen war am einen Ende mit Salz beladen, am anderen Ende standen Schafe und blökten die Sonne an, die langsam durch den Morgennebel brach.

Der Mann im Nachen erschrak so sehr, als er den Pilgerzug sah, dass er den Arm vor die Augen schlug und zurückwich, dabei das Gleichgewicht verlor und rückwärts ins Wasser plumpste. Elisabet sah, wie er wenige Sekunden darauf aus dem Wasser auftauchte und dann wieder unterging.

«Er ertrinkt!», rief sie. «Wir müssen ihn retten!»

Aber der Engel Efiriel war schon unterwegs. Er schwebte graziös über das glitzernde Wasser, packte den Mann, als der wieder auftauchte, und hob ihn aufs Land. Der Mann war triefnass, er ließ es geradezu auf den Boden regnen. Efiriel zog nun auch noch den Nachen an Land.

Der Mann, der fast ertrunken wäre, weil er sich so sehr über den Anblick der beiden Engel erschrocken hatte, ließ sich auf den Boden fallen und hustete wie ein Unwetter. Er schnappte nach Luft und sagte:

«Gratie, gratie …»

Elisabet versuchte zu erklären, dass sie auf dem Weg nach Bethlehem waren, um das Jesuskind zu begrüßen, und dass er sich nicht fürchten sollte. Umuriel kreiste jetzt um ihn herum.

«Fürchte dich nicht», sagte er mit seidenweicher Stimme. «Und krieg nur ja keinen Schrecken. Aber du solltest auch nicht allein auf dem Meer herumgondeln, wenn du nicht schwimmen kannst. Du kannst doch nicht hoffen, dass immer gerade ein oder zwei Engel in der Nähe sind. Wir streifen nämlich nur ziemlich selten durch diese Gegend, verstehst du?»

Umuriels Ermahnungen schienen den Mann nicht zu trösten. Aber das Engelskind setzte sich neben ihn, streichelte ihm die Wange und sagte immer wieder «Fürchte dich nicht». Beim siebten oder achten Mal schien es zu wirken, denn jetzt stand der Mann auf und stapfte allein zurück zu seinem Nachen. Er hob ein kleines Lamm heraus, hob es empor und kam zu ihnen zurück:

«Agnus Dei», sagte er.

Das bedeutete: Lamm Gottes, und das Lamm schloss sich ohne Widerrede der übrigen Schafherde an.

Joshua stieß nach dem ganzen Zwischenfall jetzt umso energischer mit dem Hirtenstab auf den Boden und sagte wie jedes Mal:

«Nach Bethlehem, nach Bethlehem!»

Da rannten sie los. Ganz vorn das Engelskind Umuriel, hinter ihm die sieben Schafe, die drei Schäfer, die beiden Weisen, Cyrenius, Elisabet und der Engel Efiriel.

Tief im Golf von Venedig lag die alte römische Stadt Aquileia. Im Laufen zeigte Efiriel schnell auf ein Kloster:

«Es ist das Jahr 718 nach Christus. Aber hier gibt es schon seit ältester Zeit eine christliche Gemeinde.»

Der Pilgerzug wanderte nun durch die Stadt Triest. Und danach ging es weiter durch ganz Kroatien, über Stock und Stein.

Papa legte das dünne Papier zurück aufs Bett und holte einen der großen Atlanten, die er auf Joachims Schreibtisch abgelegt hatte:

«Hier liegt Venedig», sagte er. «Und hier Triest, an der jugoslawischen Grenze. Aquileia finde ich nicht.»

«Vielleicht existiert diese Stadt ja heute nicht mehr», sagte Mama. «Guck doch mal in den historischen Atlas.»

Papa holte den anderen großen Atlas. Der enthielt viele Karten von allen europäischen Ländern, aber die meisten Namen von Ländern und Städten darauf lauteten anders.

«Du musst eine Karte der Gegend finden, die sie im 8. Jahrhundert zeigt», sagte Mama.

Papa blätterte ewig lange im Atlas herum.

«Hier!», sagte er plötzlich. «Aquileia, ja. Die alte Stadt lag genau zwischen Venedig und Triest. Das ist ja phantastisch …»

«Was?», fragte Joachim.

«Johannes muss die gleichen alten Karten benutzt haben. Denn die Welt verändert sich ja im Lauf der Zeit. Die Geschichte ist wie ein hoher Stapel Pfannkuchen, und jeder Pfannkuchen ist eine neue Weltkarte.»

Joachim schaute Papa an:

«Pfannkuchen?»

Papa nickte.

«Es reicht nie, zu fragen, wo etwas passiert. Es reicht auch nicht, zu fragen, wann etwas passiert. Du musst immer fragen, wann und wo.»

Er legte seine Hände auf die von Joachim.

«Stell dir vor, du hast zwanzig Pfannkuchen, die aufeinander liegen. Wenn auf einem davon ein schwarzer Fleck ist – und du diesen Fleck finden sollst –, dann musst du feststellen, auf welchem der zwanzig Pfannkuchen er steckt. Vielleicht musst du den ganzen Pfannkuchenstapel durchsehen.»

Jetzt kapierte Joachim, was Papa meinte.

«Sie reisen durch zwanzig Jahrhunderte», sagte Papa schließlich. «In diesem Buch gibt es Karten, die genau zeigen, wie die Welt in jedem dieser Jahrhunderte ausgesehen hat. Ich glaube, Johannes hat auch so ein Pfannkuchenbuch durchgesehen.»

Erst jetzt nahm Papa seine Hände wieder weg, und als er «Pfannkuchenbuch» sagte, mussten er und Joachim lachen.

Mama machte die besten Pfannkuchen in der Familie. Aber jetzt starrte sie einfach nur vor sich hin, während Papa und Joachim sich unterhielten. Als Papa schließlich mit den Fingern schnipste, sagte sie:

«Die große Frage ist, ob im Jahr 797 in Venedig wirklich ein Mann von einem Engel gerettet worden ist. Meint ihr, das lässt sich feststellen?»

Wieder musste Papa lachen.

«Du kannst doch unmöglich diese ganze Geschichte für wahr halten!»

Mama ließ ihren Blick wandern:

«Nein, das geht wohl nicht.»

Sie schaute zu Joachim – dann wieder zu Papa.

«Aber wenn es wirklich passiert wäre, dann hätte der Mann doch sicher davon erzählt, zum Beispiel einem Priester. Und dann wäre es auch in Büchern erwähnt worden. Vielleicht sollten wir mal in der Bibliothek nachforschen.»

Papa wollte so ein Gerede nicht mehr hören. Stattdessen sagte er:

«Heute gehen wir erst in die Stadt Pizza essen, und dann gehen wir auf den Markt. Weißt du noch, wie dieser Johannes aussieht, Joachim?»

«Sicher», antwortete Joachim. «Ich würde ihn sofort wiedererkennen. Er hat ein wenig seltsam gesprochen, aber er ist ja auch kein echter Norweger.»

An diesem Tag holte Mama Joachim direkt von der Schule ab. Sie fuhren mit dem Bus in die Stadt und trafen sich dort mit Papa. Von der Pizzeria aus hatten sie einen guten Blick auf den Markt vor dem Dom.

Mehrmals fragte Papa, während sie aßen:

«Siehst du ihn, Joachim?», oder: «Du siehst ihn nicht zufällig, oder?»

Jedes Mal musste Joachim mit Nein antworten. Denn Johannes stand nicht mehr auf dem Markt und verkaufte Blumen.

Enttäuscht kauften sie einige dicke Kerzen und einige Weihnachtsgeschenke. Ehe sie nach Hause fuhren, schauten sie auch noch in dem Buchladen vorbei.

Der alte Mann erkannte Papa und Joachim sofort wieder.

«Hier sind wir schon wieder», sagte Papa. «Wir wüssten so gern, ob Sie etwas von diesem seltsamen Blumenverkäufer gehört haben.»

Der Buchhändler schüttelte den Kopf.

«Er war schon seit vielen Tagen nicht mehr hier. Es passiert ganz selten, dass er so lange nicht kommt, aber gerade um diese Jahreszeit zieht er sich manchmal ein bisschen zurück.»

«Der magische Adventskalender ist wirklich ein Mysterium, wissen Sie», erklärte Mama. «Wir möchten den Mann gern zu uns nach Hause einladen und uns richtig bei ihm für den Kalender bedanken.»

Sie beschlossen, dass der Buchhändler Johannes bitten sollte, sie anzurufen. Er hatte ja ihre Adresse und Telefonnummer.

Als sie gehen wollten, fragte Papa:

«Ach, noch was. Wissen Sie, woher er kommt?»

Der Buchhändler dachte kurz nach:

«Ich glaube, er hat mal gesagt, dass er in Damaskus geboren ist.»

Als sie mit dem Auto nach Hause fuhren, trommelte Papa mit den Fingern aufs Steuerrad. Schließlich sah er Mama an und sagte:

«Wenn wir doch diesen Mann bloß finden könnten ...»

«Immerhin wissen wir jetzt, woher er kommt», antwortete sie. «Damaskus, das ist doch die Hauptstadt von Syrien.»

Henning Mankell

Der Mann mit der Maske

Wallander sah auf die Uhr. Es war Viertel vor fünf. Er saß in seinem Dienstzimmer im Polizeipräsidium von Malmö. Es war Heiligabend 1975. Die beiden Kollegen, mit denen er das Büro teilte, Stefansson und Hörner, hatten frei. Er selbst wollte in einer knappen Stunde Feierabend machen. Er stand auf und stellte sich ans Fenster. Es regnete. Auch in diesem Jahr würde es keine weiße Weihnacht geben. Er blickte abwesend hinaus, bis die Scheibe anfing zu beschlagen. Dann gähnte er. Seine Kiefer knackten. Vorsichtig schloss er den Mund. Manchmal, wenn er richtig herzhaft gähnte, kam es vor, dass er einen Krampf in einem Muskel unter dem Kinn bekam.

Er ging zurück zum Schreibtisch und setzte sich. Es lagen ein paar Papiere darauf, um die er sich im Moment nicht zu kümmern brauchte. Er lehnte sich im Stuhl zurück und dachte mit Wohlbehagen an die dienstfreien Tage, die er vor sich hatte. Fast eine ganze Woche. Erst Silvester musste er wieder zum Dienst. Er legte die Füße auf den Tisch, nahm eine Zigarette und zündete sie an. Sofort musste er husten. Er hatte beschlossen aufzuhören. Es war kein Vorsatz zum neuen Jahr; er kannte sich selbst viel zu gut, um zu glauben, dass das gelingen könnte. Er brauchte eine lange Vorlaufzeit. Aber dann, eines Morgens, würde er erwachen und wissen, dass dies der letzte Tag war, an dem er eine Zigarette anzündete.

Er schaute wieder zur Uhr. Eigentlich konnte er jetzt schon gehen. Es war ein ungewöhnlich ruhiger Dezember gewesen. Die Kriminalpolizei in Malmö hatte zurzeit keine schweren Gewaltverbrechen aufzuklären. Für die Familienstreitigkeiten, die normalerweise während der Weihnachtstage auftraten, waren andere zuständig.

Wallander nahm die Füße vom Tisch und rief Mona zu Hause an. Sie nahm fast sofort ab.

«Hier ist Kurt.»

«Nun sag bloß nicht, dass du später kommst.»

Seine Verärgerung kam wie aus dem Nichts. Er konnte sie nicht verbergen.

«Ich rufe nur an, um zu sagen, dass ich jetzt schon nach Hause komme. Aber wahrscheinlich war das ein Fehler.»

«Warum bist du gleich sauer?»

«Ich sauer?»

«Du hörst doch, was ich sage.»

«Ich höre, was du sagst. Aber hörst du mich auch? Dass ich tatsächlich anrufe, um zu sagen, dass ich bald nach Hause komme?»

«Fahr bloß vorsichtig.»

Das Gespräch war zu Ende. Wallander blieb mit dem Telefonhörer in der Hand sitzen. Dann knallte er ihn hart auf die Gabel.

Wir können nicht einmal mehr am Telefon miteinander reden, dachte er aufgebracht. Mona fängt aus dem geringsten Anlass Streit an. Und sie würde vermutlich dasselbe über mich sagen.

Er blieb noch sitzen und sah dem Rauch nach, der zur Decke aufstieg. Er merkte, dass er versuchte, den Gedanken an Mona und sich selbst auszuweichen. Und an ihre Streitereien, die immer alltäglicher wurden. Aber es gelang ihm nicht. Immer häufiger dachte er, dass er am liebsten allem aus dem Weg gehen würde. Dass es ihre fünfjährige Tochter Linda war, die ihre Ehe zusammenhielt. Aber er wehrte sich dagegen. Der Gedanke an ein Leben ohne Mona und Linda war ihm unerträglich.

Er dachte auch, dass er noch nicht einmal dreißig Jahre alt war. Er wusste, dass er die Voraussetzungen hatte, ein guter Polizist zu werden. Wenn er wollte, könnte er bei der Polizei eine glänzende Karriere machen. Seit sechs Jahren arbeitete er in diesem Beruf, und seine rasche Beförderung zum Kriminalassistenten bestärkte ihn in dieser Vorstellung. Auch wenn er häufig das Gefühl hatte, nicht gut genug zu sein. Aber war es das eigentlich, was er wollte? Mona hatte oft versucht, ihn zu überreden, sich bei einer der Wachgesellschaften zu bewerben, die in Schweden immer üblicher wurden. Sie schnitt Annoncen aus und meinte, er würde bedeutend besser verdienen. Seine Arbeitszeiten würden regelmäßiger sein. Aber er wusste, dass sie im Innersten an ihn appellierte, den Beruf zu wechseln, weil sie Angst hatte. Angst, dass ihm wieder etwas zustoßen könnte.

Er trat erneut ans Fenster. Blickte durch die beschlagene Scheibe über Malmö.

Es war sein letztes Jahr hier. Zum Sommer würde er in Ystad anfangen. Sie waren schon dorthin gezogen. Seit September wohnten sie in einer Wohnung im Zentrum. In der Mariagata. Wallander fühlte, dass er eine Veränderung brauchte. Dass sein Vater seit einigen Jahren in Österlen wohnte, war ein Grund mehr für sie, nach Ystad zu ziehen. Wichtiger war aber, dass es Mona gelungen war, einen günstigen Damenfrisiersalon zu erstehen. Außerdem wollte sie, dass Linda in einer kleineren Stadt als Malmö aufwachsen sollte.

Sie hatten den Umzug in eine Kleinstadt eigentlich nie

infrage gestellt. Auch wenn es Wallanders Karriere vielleicht nicht dienlich sein würde, die Großstadt zu verlassen.

Er war bei verschiedenen Gelegenheiten ins Polizeipräsidium von Ystad gekommen und hatte sich mit seinen zukünftigen Kollegen bekannt gemacht. Vor allem hatte er einen Polizeibeamten in mittleren Jahren namens Rydberg schätzen gelernt.

Wallander hatte vorab hartnäckige Gerüchte gehört, dieser Rydberg sei ein barscher und abweisender Mensch. Sein Eindruck war vom ersten Moment an ein anderer gewesen. Rydberg war zweifellos ein Mann, der seine eigenen Wege ging. Aber Wallander war vor allem beeindruckt von seiner großen Fähigkeit, mit wenigen Worten ein Verbrechen exakt zu beschreiben und zu analysieren.

Er ging zum Schreibtisch zurück und drückte die Zigarette aus. Es war Viertel nach fünf. Jetzt konnte er fahren. Er nahm seine Jacke vom Haken an der Wand. Er würde langsam und vorsichtig nach Hause fahren.

Vielleicht hatte er am Telefon sauer und unfreundlich geklungen, ohne es zu merken? Er war müde. Er brauchte die freien Tage. Mona würde es verstehen, wenn er nur erst Zeit hatte, es zu erklären.

Er zog die Jacke an und fühlte nach, ob er die Schlüssel zu seinem Peugeot in der Tasche hatte.

An der Wand, gleich neben der Tür, hing ein kleiner Rasierspiegel. Wallander betrachtete sein Gesicht. Er war zufrieden mit dem, was er sah. Bald würde er dreißig werden. Aber im Spiegel sah er ein Gesicht, das wesentlich jünger wirkte.

Im gleichen Augenblick wurde die Tür geöffnet. Es war Hemberg, sein unmittelbarer Vorgesetzter, seit er zur Mordkommission gewechselt war. Wallander arbeitete meistens gut mit ihm zusammen. Wenn es zwischen ihnen einmal Probleme gab, lag das fast ausschließlich an Hembergs heftigem Temperament.

Wallander wusste, dass Hemberg sowohl Weihnachten als auch Neujahr Dienst tun würde. Weil er Junggeselle war, hatte er seine freien Tage mit einem Kollegen getauscht, der eine Familie mit vielen Kindern hatte.

«Ich habe mich gerade gefragt, ob du noch da bist», sagte Hemberg.

«Ich wollte eben gehen», erwiderte Wallander. «Ich hatte vor, eine halbe Stunde früher abzuhauen.»

«Von mir aus», sagte Hemberg.

Aber Wallander war sofort klar, dass Hemberg aus einem bestimmten Grund in sein Zimmer gekommen war.

«Was wolltest du denn?», fragte er.

Hemberg zuckte mit den Schultern. «Du wohnst doch jetzt in Ystad», begann er, «und deswegen dachte ich, du könntest vielleicht unterwegs mal kurz anhalten. Ich habe im Moment ein bisschen wenig Leute. Und an der Sache ist bestimmt sowieso nichts dran.»

Wallander wartete ungeduldig auf die Fortsetzung.

«Eine Frau hat heute Nachmittag ein paar Mal angerufen. Sie hat ein kleines Lebensmittelgeschäft bei dem Möbelhaus, unmittelbar in der Nähe des letzten Rondells bei Jägersro. Neben der OK-Tankstelle.»

Wallander wusste, wo es war.

Hemberg warf einen Blick auf den Zettel in seiner Hand.

«Sie heißt Elma Hagman und ist der Stimme nach schon ziemlich alt. Sie sagte, dass sich bereits den ganzen Nachmittag eine sonderbare Person vor ihrem Laden herumtreibe.»

Wallander wartete vergeblich auf eine Fortsetzung. «Ist das alles?»

Hemberg machte eine viel sagende Geste mit den Armen.

«Es sieht so aus. Sie hat gerade wieder angerufen. Und da bist du mir plötzlich eingefallen.»

«Ich soll also kurz anhalten und mit ihr reden?»

Hemberg warf einen Blick auf die Uhr. «Sie wollte um sechs Uhr zumachen. Du würdest gerade noch rechtzeitig kommen. Ich nehme an, sie hat sich nur etwas eingebildet. Aber du kannst sie ja zumindest beruhigen. Und ihr frohe Weihnachten wünschen.»

Wallander überlegte. Es würde ihn höchstens zehn Minuten kosten, bei dem Laden anzuhalten und festzustellen, ob alles in Ordnung war.

«Ich rede mit ihr», sagte er. «Immerhin bin ich ja noch im Dienst.»

Hemberg nickte. «Frohe Weihnachten», sagte er. «Wir sehen uns dann Silvester.»

«Hoffentlich wird es ein ruhiger Abend», sagte Wallander.

«Zur Nacht hin beginnen die Streitereien», erwiderte Hemberg düster. «Wir können nur hoffen, dass die Leute nicht allzu gewalttätig werden. Und dass nicht allzu vielen erwartungsfrohen Kindern die Freude genommen wird.»

Sie trennten sich im Korridor. Wallander eilte zu seinem Wagen, den er an diesem Tag vor dem Polizeipräsidium geparkt hatte. Es regnete jetzt stärker. Er legte eine Kassette ein und drehte die Lautstärke hoch. Die Stadt um ihn her glitzerte von erleuchteten Schaufenstern und Straßendekorationen. Jussi Björlings Stimme erfüllte seinen Wagen. Er freute sich wirklich auf die freien Tage, die vor ihm lagen.

Als er sich dem letzten Kreisverkehr vor der Abfahrt nach Ystad näherte, hätte er beinahe vergessen, worum Hemberg ihn gebeten hatte. Er musste heftig bremsen und die Fahrbahn wechseln. Dann bog er beim Möbelhaus, das schon geschlossen hatte, ab. Auch die Tankstelle war verlassen. Aber die Fenster des Lebensmittelgeschäfts direkt hinter der Werkstatthalle waren noch erleuchtet. Wallander hielt und stieg aus. Die Schlüssel ließ er stecken. Er warf die Tür so nachlässig zu, dass das Licht im Wagen nicht ausging. Er kehrte nicht um. Sein Besuch würde nur ein paar Minuten dauern.

Es regnete immer noch sehr stark. Er blickte sich langsam um. Es war niemand zu sehen. Das Brausen der Autos drang schwach herüber. Er fragte sich, wie ein Tante-Emma-Laden in einem Gewerbegebiet überleben konnte, das fast ausschließlich aus Kaufhäusern und Handwerksbetrieben bestand. Ohne eine Antwort gefunden zu haben, eilte er durch den Regen und öffnete die Tür.

Als er den Laden betrat, wusste er sofort, dass etwas nicht in Ordnung war.

Etwas stimmte nicht. Ganz und gar nicht.

Was ihn so unmittelbar reagieren ließ, wusste er selbst nicht. Er blieb an der Tür stehen. Der Laden war leer. Kein Mensch. Und es war still.

Zu still, dachte er nervös. Zu still und zu ruhig. Wo war Elma Hagman?

Vorsichtig trat er an die Theke. Beugte sich hinüber und schaute auf den Fußboden dahinter. Leer. Die Kasse war zu. Das Schweigen um ihn her war ohrenbetäubend. Er dachte, dass er jetzt eigentlich den Laden verlassen sollte. Und nach Verstärkung rufen. Sie müssten mindestens zu zweit sein. Ein Polizist allein durfte nicht eingreifen.

Aber er verwarf den Gedanken, dass etwas nicht stimmte. Er konnte sich nicht unentwegt von seinen Gefühlen leiten lassen.

«Ist hier jemand?», rief er. «Frau Hagman?»

Keine Antwort.

Er ging um die Theke herum. Die Tür dahinter war geschlossen. Er klopfte. Immer noch keine Antwort. Er drückte langsam die Klinke herunter. Die Tür war unverschlossen. Vorsichtig schob er sie auf. Im Zimmer vor ihm lag eine Frau ausgestreckt auf dem Bauch. Daneben ein umgestürzter Stuhl. Um das zur Seite gewandte Gesicht der Frau war Blut auf dem Fußboden. Wallander zuckte zusammen, obwohl er im Innersten erwartet hatte, dass etwas geschehen war. Das Schweigen war zu massiv. Er drehte sich um. Im selben Moment erkannte er, dass jemand hinter ihm stand. Er vollführte die Drehung und duckte sich. Vage nahm er einen Schatten wahr, der mit großer Wucht auf ihn zukam. Dann wurde es dunkel.

Als er die Augen wieder aufschlug, wusste er sofort, wo er sich befand. Er saß auf dem Fußboden hinter der Theke. Sein Kopf dröhnte, ihm war übel.

Etwas Dunkles war auf ihn zugekommen. Ein Schatten, der ihn hart am Kopf getroffen hatte. Das war seine letzte Erinnerung. Sie war sehr klar. Er versuchte aufzustehen, aber es gelang ihm nicht. Ein Tau war um seine Arme und Beine geschlungen und hielt ihn an etwas fest. An etwas hinter seinem Rücken, das er nicht sehen konnte.

Das Tau kam ihm bekannt vor. Dann wurde ihm klar, dass es sein eigenes Abschleppseil war, das immer im Kofferraum seines Wagens lag.

Plötzlich kamen die Erinnerungsbilder zurück. Er hatte eine tote Frau im Büro entdeckt. Höchstwahrscheinlich war es Elma Hagman. Dann hatte ihm jemand einen Schlag auf den Kopf versetzt und ihn anschließend mit seinem eigenen Abschleppseil gefesselt. Er blickte sich um und horchte. Jemand musste in der Nähe sein. Jemand, vor dem er allen Grund hatte, Angst zu haben. Die Übelkeit kam und ging in

Wellen. Er versuchte, das Abschleppseil zu dehnen. Konnte er sich losmachen? Er horchte weiter angespannt. Es war immer noch sehr still. Aber es war eine andere Stille. Nicht die, die ihm begegnet war, als er den Laden betrat. Er ruckte an seinen Fesseln. Sie saßen nicht besonders fest, aber seine Arme und Beine waren so verdreht, dass er seine Kraft kaum nutzen konnte.

Er hatte Angst. Was hatte Hemberg gesagt? Elma Hagman habe angerufen und von einer sonderbaren Person gesprochen, die sich in der Nähe ihres Ladens aufhielt. Sie hatte also Recht gehabt. Wallander zwang sich, ruhig zu denken. Mona wusste, dass er auf dem Weg nach Hause war. Wenn er nicht käme, würde sie sich Sorgen machen und in Malmö anrufen. Hemberg würde dann sofort daran denken, dass er Wallander zu Elma Hagmans Laden geschickt hatte. Dann würde es nicht mehr lange dauern, bis die Streifenwagen hier wären.

Wallander horchte. Alles war still. Er streckte sich und versuchte zu sehen, ob die Kasse aufgebrochen war. Um etwas anderes als einen Raubmord konnte es sich ja kaum handeln. War die Kasse offen, hatte der Räuber zudem mit großer Sicherheit das Weite gesucht. Wallander streckte sich, so weit er konnte, aber er vermochte nicht zu erkennen, ob die Kasse geöffnet oder geschlossen war. Dennoch war er überzeugt davon, dass er sich jetzt allein mit der toten Besitzerin in dem Laden befand.

Der Mann, der sie ermordet und ihn niedergeschlagen hatte, musste bereits verschwunden sein. Mit größter Wahrscheinlichkeit hatte er Wallanders Wagen genommen, denn er hatte den Schlüssel stecken lassen.

Wallander zerrte wieder an seinen Fesseln. Nachdem er die Arme und Beine so weit gestreckt hatte, wie es ihm möglich war, wurde ihm klar, dass er sich auf sein linkes Bein konzentrieren musste. Wenn er das Bein noch stärker hin und her bewegte, konnte er das Seil lockern und vielleicht loskommen. Das wiederum würde bedeuten, dass er sich umdrehen und nachschauen könnte, wie er an der Wand festgebunden war.

Er merkte, dass ihm der Schweiß ausbrach. Ob es die Anstrengung war oder die Angst, konnte er nicht sagen. Vor sechs Jahren war er niedergestochen worden. Damals war alles so schnell gegangen, dass er überhaupt nicht hatte reagieren und sich wehren können. Das Messer war unmittelbar neben dem Herzen in seine Brust gedrungen. Damals war die Angst erst hinterher gekommen. Diesmal war sie von Anfang an da. Er versuchte sich einzureden, dass nichts mehr passieren würde. Früher oder später würde er sich befreien, früher oder später würde man auch anfangen, nach ihm zu suchen.

Einen Augenblick ließ er von seinen Anstrengungen ab, das linke Bein zu befreien. Sofort schlug die Absurdität der Situation über ihm zusammen. Eine alte Frau wurde an Heiligabend kurz vor Ladenschluss in ihrem Geschäft ermordet. Die Brutalität war auf erschreckende Weise unwirklich. Solche Dinge passierten in Schweden ganz einfach nicht. Schon gar nicht an Heiligabend.

Wieder zerrte und ruckte er an seinen Fesseln. Es ging langsam, aber er hatte das Gefühl, dass das Seil nicht mehr ganz so fest saß. Es gelang ihm mit großer Mühe, den Arm so zu drehen, dass er auf die Uhr sehen konnte. Neun Minuten nach sechs. Es konnte nicht mehr lange dauern, bis Mona unruhig würde. Noch eine halbe Stunde, und sie würde sich Sorgen machen. Spätestens um halb acht würde sie in Malmö anrufen.

Wallander wurde in seinen Gedanken unterbrochen. Er hatte irgendwo in der Nähe ein Geräusch gehört. Er hielt den

Atem an und lauschte. Dann hörte er es wieder. Ein scharrendes Geräusch. Er hatte es schon vorher gehört. Es war die Ladentür. Er hatte das gleiche Geräusch verursacht, als er selbst den Laden betreten hatte. Jemand kam herein. Jemand, der sehr leise ging.

Dann entdeckte er den Mann.

Er stand neben der Theke und schaute auf ihn herunter.

Er hatte eine schwarze Maske über den Kopf gezogen und trug eine dicke Jacke und Handschuhe. Er war mittelgroß und wirkte mager. Er stand vollkommen reglos. Wallander versuchte seine Augen zu sehen. Aber das Licht von der Neonlampe an der Decke war ihm dabei keine Hilfe. Er konnte nichts erkennen. Nur zwei dunkle Löcher.

In der Hand hielt der Mann ein Eisenrohr.

Er stand unbeweglich da.

Wallander fühlte sich klein und hilflos. Er konnte höchstens rufen. Das war alles. Und es wäre sinnlos. Es war niemand in der Nähe. Niemand würde ihn hören.

Der vermummte Mann betrachtete ihn unverwandt.

Dann drehte er sich hastig um und verschwand. Wallander fühlte sein Herz in der Brust hämmern. Er versuchte Geräusche auszumachen. Die Tür? Aber er hörte nichts. Der Mann befand sich also noch im Laden.

Wallander dachte fieberhaft nach. Warum ging der Mann nicht? Warum blieb er? Worauf wartete er?

Er ist von draußen gekommen, dachte Wallander. Er ist in den Laden zurückgekommen. Er wollte kontrollieren, ob ich noch da bin, wo er mich niedergeschlagen und gefesselt hat.

Wallander versuchte den Gedanken zu Ende zu denken. Die ganze Zeit über lauschte er.

Ein maskierter Mann mit Handschuhen begeht einen Raubüberfall, ohne erkannt zu werden. Er hat sich Elma Hagmans einsamen Laden ausgesucht. Warum er sie erschlagen hat, bleibt unbegreiflich. Sie kann ihm keinen Widerstand geleistet haben. Er macht auch nicht den Eindruck, nervös zu sein oder unter Drogen zu stehen.

Der Überfall ist geschehen, und trotzdem bleibt er da. Er flieht nicht. Bleibt da. Wartet.

Wallander begriff, dass irgendetwas nicht stimmen konnte. Es war kein gewöhnlicher Raubüberfall, in den er geraten war. Warum floh der Mann nicht? Stand er unter Schock? Er hatte wahrscheinlich nicht damit gerechnet, einen Menschen zu töten. Oder dass jemand so kurz vor Ladenschluss an Heiligabend noch hereinkam.

Wallander wusste, dass es wichtig war, eine Antwort auf diese Fragen zu finden. Aber es passte alles nicht zusammen.

Wallander sagte sich, dass ein weiterer Umstand von Bedeutung war.

Der maskierte Mann wusste nicht, dass er Polizist war.

Er hatte keine Veranlassung gehabt, etwas anderes zu glauben, als dass ein später Kunde in den Laden gekommen war. Ob das nun von Vorteil oder Nachteil war, konnte Wallander nicht beurteilen.

Er versuchte das linke Bein zu strecken. Den Durchgang zur Theke behielt er, so gut es ging, im Auge. Der vermummte Mann war dort irgendwo im Hintergrund. Und er bewegte sich lautlos. Das Abschleppseil begann sich zu lockern. Wallanders Hemd war nass geschwitzt. Mit einer gewaltigen Anstrengung gelang es ihm, das Bein freizubekommen. Er blieb reglos sitzen. Dann wandte er sich vorsichtig um. Das Seil war um die Stütze eines Wandregals gezogen. Wallander wurde klar, dass er sich nicht befreien könnte, ohne gleichzeitig das Regal umzureißen. Dagegen konnte er jetzt das freie Bein benutzen, um das andere Bein Stück für Stück aus den

Fesseln zu befreien. Er warf einen Blick auf die Uhr. Es waren sieben Minuten vergangen, seit er zuletzt auf die Uhr geschaut hatte. Noch hatte Mona nicht in Malmö angerufen. Es war fraglich, ob sie überhaupt schon angefangen hatte, sich Sorgen zu machen. Wallander zerrte weiter. Jetzt gab es kein Zurück mehr. Wenn der Mann mit der Maske zu ihm hinsah, würde er sofort entdecken, dass Wallander im Begriff war, sich zu befreien, und Wallander hätte keine Möglichkeit, sich zu verteidigen.

Er arbeitete so schnell und lautlos, wie er konnte. Beide Beine waren jetzt frei. Kurz darauf auch der linke Arm. Jetzt blieb nur noch der rechte. Dann konnte er aufstehen. Was er dann tun würde, wusste er nicht. Eine Waffe hatte er nicht bei sich. Er müsste sich mit bloßen Händen verteidigen, falls er angegriffen wurde. Aber er hatte das Gefühl bekommen, dass der Mann mit der Maske nicht besonders groß oder kräftig war. Außerdem wäre er nicht vorbereitet. Der Überraschungseffekt war Wallanders Waffe. Sonst nichts. Und er würde den Laden so schnell wie möglich verlassen. Er würde den Kampf nicht unnötig in die Länge ziehen. Allein konnte er nichts machen. Er musste unbedingt Kontakt mit Hemberg im Polizeipräsidium aufnehmen.

Seine rechte Hand war jetzt frei. Das Abschleppseil lag neben ihm. Wallander merkte, dass seine Gelenke schon steif geworden waren. Er richtete sich vorsichtig auf die Knie auf und schaute um die Theke herum.

Der Mann mit der Maske kehrte ihm den Rücken zu.

Wallander konnte jetzt zum ersten Mal die ganze Gestalt des Mannes sehen. Sein Eindruck stimmte. Der Mann war wirklich sehr mager. Er trug dunkle Jeans und weiße Turnschuhe.

Er stand vollkommen unbeweglich da. Der Abstand betrug

höchstens drei Meter. Wallander könnte sich auf ihn werfen und ihm einen Schlag ins Genick versetzen. Das müsste reichen, um anschließend aus dem Laden herauszukommen.

Dennoch zögerte er.

Im gleichen Augenblick entdeckte er das Eisenrohr. Es lag auf einem Regal neben dem Mann.

Wallander zögerte nicht mehr. Ohne Waffe könnte der Mann mit der Maske sich nicht verteidigen. Langsam begann er sich aufzurichten. Der Mann reagierte nicht. Wallander stand jetzt aufrecht.

Genau in dem Moment fuhr der Mann herum. Wallander warf sich auf ihn. Der Mann trat einen Schritt zur Seite. Wallander stieß gegen ein Regal, das hauptsächlich mit Knäckebrot und Zwieback gefüllt war. Aber er stürzte nicht, es gelang ihm, sich auf den Beinen zu halten. Er drehte sich um und wollte den Mann packen. Aber mitten in der Bewegung erstarrte er.

Der maskierte Mann hatte eine Pistole in der Hand. Er hielt sie ruhig auf Wallanders Brust gerichtet.

Dann hob er langsam den Arm, bis die Waffe genau auf Wallanders Stirn zeigte.

Einen Schwindel erregenden Moment lang dachte Wallander, er würde sterben. Einmal hatte er einen Messerstich überlebt. Aber die Pistole, die jetzt auf seine Stirn gerichtet war, würde ihn nicht verfehlen. Er würde sterben. An Heiligabend. In einem Lebensmittelgeschäft am Rande von Malmö. Einen vollkommen sinnlosen Tod, mit dem Mona und Linda von nun an leben müssten.

Unwillkürlich schloss er die Augen. Vielleicht, um nicht hinsehen zu müssen. Oder um sich unsichtbar zu machen. Doch dann schlug er sie wieder auf. Die Pistole war immer noch auf seine Stirn gerichtet.

Wallander konnte seinen eigenen Atem hören. Jedes Ausatmen klang wie ein Stöhnen. Der Mann, der die Pistole auf ihn gerichtet hielt, atmete vollkommen lautlos. Er schien von der Situation völlig unberührt zu sein.

Wallander starrte abwechselnd auf die Pistole und die Maske mit den dunklen Löchern. «Nicht schießen», sagte er und hörte, dass seine Stimme brüchig und stammelnd klang.

Der Mann reagierte nicht.

Wallander streckte die Hände vor. Er hatte keine Waffe. Er hatte nicht die Absicht, Widerstand zu leisten.

«Ich wollte nur einkaufen», sagte Wallander. Dann zeigte er auf eines der Regale. Er achtete genau darauf, dass die Handbewegung nicht zu ruckhaft war.

«Ich war auf dem Heimweg», sagte er. «Sie warten zu Hause. Ich habe eine Tochter. Sie ist fünf Jahre alt.»

Der Mann antwortete nicht. Wallander konnte überhaupt keine Reaktion erkennen.

Er versuchte zu denken. Vielleicht war es doch falsch, sich als ein verspäteter Kunde auszugeben? Vielleicht sollte er lieber die Wahrheit sagen? Dass er Polizist war und herbeordert worden war, weil Elma Hagman angerufen und erzählt hatte, dass ein unbekannter Mann um ihren Laden strich?

Er wusste es nicht. Die Gedanken wirbelten durch seinen Kopf. Aber sie kehrten immer wieder zum selben Ausgangspunkt zurück.

Warum haut er nicht ab? Worauf wartet er?

Plötzlich machte der Mann einen Schritt zurück. Die Pistole wies weiterhin auf Wallanders Kopf. Mit dem Fuß zog er einen kleinen Hocker heran. Dann deutete er mit der Pistole darauf, die er anschließend sofort wieder auf Wallander richtete.

Wallander begriff, dass er sich setzen sollte. Wenn er mich nur nicht wieder fesselt, dachte er. Wenn es bei Hembergs

Auftauchen zu einem Schusswechsel kommt, will ich nicht gefesselt hier sitzen.

Er ging langsam vor und setzte sich auf den Hocker. Der Mann war ein paar Schritte zurückgetreten. Als Wallander sich gesetzt hatte, steckte er die Pistole in seinen Gürtel.

Er weiß, dass ich die tote Frau gesehen habe, dachte Wallander. Er war irgendwo hier im Laden, ohne dass ich ihn entdeckt habe. Deswegen hält er mich hier fest. Er wagt es nicht, mich gehen zu lassen. Deswegen hatte er mich gefesselt.

Wallander überlegte, ob er sich auf den Mann stürzen und dann aus dem Laden rennen sollte. Aber da war die Waffe. Und die Ladentür war wahrscheinlich inzwischen verschlossen. Wallander verwarf den Gedanken. Der Mann machte den Eindruck, als beherrsche er die Situation vollständig.

Bisher hat er noch nichts gesagt, dachte Wallander. Es ist immer leichter, sich auf einen Menschen einzustellen, wenn man seine Stimme gehört hat. Aber dieser Mann hier ist stumm.

Wallander machte eine langsame Kopfbewegung. Als sei sein Nacken steif geworden. In Wirklichkeit wollte er einen Blick auf seine Armbanduhr werfen.

Fünf nach halb sieben. Jetzt müsste Mona unruhig werden. Vielleicht war sie schon unruhig geworden. Aber ich kann nicht damit rechnen, dass sie schon angerufen hat. Es ist noch zu früh. Sie ist viel zu sehr daran gewöhnt, dass ich später komme.

«Ich weiß nicht, warum Sie mich hier festhalten wollen», sagte Wallander. «Ich weiß nicht, warum Sie mich nicht gehen lassen.»

Keine Antwort. Der Mann zuckte zusammen, sagte aber nichts.

Für ein paar Minuten war Wallanders Angst verflogen, aber jetzt kam sie mit voller Kraft zurück.

Irgendwie muss der Mann verrückt sein, dachte Wallander. Er beraubt am Heiligabend einen Laden, erschlägt eine wehrlose alte Frau, fesselt mich und bedroht mich mit einer Pistole.

Und er flieht nicht. Vor allem das. Er bleibt einfach da.

Das Telefon neben der Kasse begann zu klingeln. Wallander fuhr zusammen. Aber der Mann mit der Maske blieb ungerührt. Er schien nicht zu hören.

Es klingelte weiter.

Der Mann stand reglos.

Wallander versuchte sich vorzustellen, wer der Anrufer sein könnte. Jemand, der sich fragte, warum Elma Hagman nicht nach Hause kam? Das war am wahrscheinlichsten. Sie hätte jetzt längst ihren Laden geschlossen. Es war Weihnachten. Irgendwo saß ihre Familie und wartete.

Wallander fühlte, wie Empörung in ihm aufwallte. Sie war so stark, dass sie seine Angst verdrängte. Wie konnte man eine alte Frau so brutal töten? Was war hier in Schweden eigentlich los?

Sie sprachen oft darüber im Polizeipräsidium, beim Essen oder wenn sie Kaffee tranken. Oder wenn sie eine Ermittlung kommentierten, an der sie arbeiteten.

Was ging eigentlich um sie her vor? Ein unterirdischer Riss war plötzlich in der schwedischen Gesellschaft aufgebrochen. Empfindliche Seismographen registrierten ihn. Aber woher kam er? Dass die Kriminalität sich ständig veränderte, war an sich nichts Bemerkenswertes. Wie einer von Wallanders Kollegen es einmal ausgedrückt hatte: Früher hat man Trichtergrammophone gestohlen, aber keine Autoradios. Aus dem einfachen Grunde, weil es sie damals noch nicht gab.

Aber der Riss, der sich aufgetan hatte, war von anderer Art.

Er hatte mit der zunehmenden Gewalt zu tun. Einer Brutalität, die nicht danach fragte, ob sie notwendig war oder nicht.

Und jetzt befand sich Wallander selbst mitten in diesem Riss. Am Heiligabend. Vor ihm stand ein vermummter Mann mit einer Pistole im Gürtel. Und ein paar Meter hinter ihm lag eine tote Frau.

Es gab keinerlei Logik in dem Ganzen. Wenn man lange und hartnäckig genug suchte, fand sich meistens ein nachvollziehbares Moment. Aber hier nicht. Man erschlug nicht eine Frau mit einem Eisenrohr in einem abseits gelegenen Geschäft, außer es war absolut notwendig. Oder sie leistete heftigen Widerstand.

Doch vor allem blieb man nicht anschließend mit einer Maske über dem Kopf da und wartete. Worauf auch immer.

Das Telefon klingelte wieder. Wallander war jetzt davon überzeugt, dass jemand Elma Hagman vermisste. Jemand, der unruhig zu werden begann.

Er versuchte sich vorzustellen, was in dem Mann mit der Maske vorging.

Aber der Kerl bewegte sich nicht und schwieg weiter. Seine Arme hingen herunter.

Das Klingeln hörte auf. Eine der Neonröhren begann zu flackern.

Wallander merkte plötzlich, dass er dasaß und an Linda dachte. Er sah sich selbst in der Tür der Wohnung in der Mariagata stehen und sich darüber freuen, wie sie ihm entgegenlief.

Was für eine wahnsinnige Situation, dachte er. Wieso sitze ich hier auf einem Hocker mit einer dicken Beule im Nacken? Mir ist kotzübel, und ich habe Angst. Die einzigen Kopfbedeckungen, die man zu dieser Jahreszeit tragen sollte, sind Weihnachtsmannmützen. Sonst keine.

Er drehte wieder den Kopf. Es war inzwischen neunzehn Minuten vor sieben. Jetzt rief Mona bestimmt an und wollte wissen, wo er bliebe. Und sie würde nicht klein beigeben. Sie war hartnäckig. Schließlich würde das Gespräch bei Hemberg landen, der sofort Alarm schlagen würde. Mit größter Wahrscheinlichkeit würde er die Sache selbst in die Hand nehmen. Wenn man befürchtete, dass einem Polizisten etwas zugestoßen war, scheute man keine Mittel. Dann zögerten nicht einmal die höheren Vorgesetzten, sich unmittelbar ins Geschehen zu stürzen.

Wallander fühlte seine Übelkeit zurückkehren. Außerdem musste er bald aufs Klo.

Gleichzeitig war ihm bewusst, dass er nicht mehr lange untätig bleiben konnte. Es gab nur eine Möglichkeit. Das wusste er. Er musste mit dem Mann sprechen, der sein Gesicht hinter der schwarzen Maske verbarg.

«Ich bin in Zivil», begann er, «aber ich bin Polizist. Das Beste ist, Sie geben auf. Legen Sie die Waffe weg. In ein paar Minuten wird es hier draußen von Streifenwagen wimmeln. Sie sollten wirklich aufgeben und es nicht noch schlimmer machen, als es sowieso schon ist.»

Wallander hatte langsam und deutlich gesprochen. Er hatte sich dazu gezwungen, seine Stimme energisch klingen zu lassen.

Der Mann reagierte nicht.

«Legen Sie die Pistole weg», sagte Wallander. «Bleiben Sie oder hauen Sie ab. Aber lassen Sie die Pistole da.»

Immer noch keine Reaktion.

Wallander begann sich zu fragen, ob der Mann stumm war. Oder war er so benebelt, dass er nicht begriff, was Wallander sagte?

«In meiner Innentasche steckt mein Ausweis», fuhr Wallander fort. «Da können Sie sehen, dass ich Polizist bin. Ich bin unbewaffnet. Aber das habe ich ja schon gesagt.»

Da kam endlich eine Reaktion. Aus dem Nichts. Ein Geräusch, das wie ein Klicken klang. Wallander dachte, dass der Mann mit den Lippen geschnalzt hatte. Oder mit der Zunge gegen den Gaumen geklickt hatte.

Das war alles. Er stand immer noch reglos da.

Es verging vielleicht eine Minute.

Dann hob der Mann plötzlich die eine Hand. Griff von oben an seine Mütze und zog sie sich vom Kopf.

Wallander starrte das Gesicht des Mannes an. Er blickte direkt in ein paar dunkle und müde Augen.

Hinterher sollte Wallander viel darüber nachgrübeln, was er eigentlich erwartet hatte. Wie hatte er sich das Gesicht hinter der Maske vorgestellt? Absolut sicher war er sich nur, dass er sich nie das Gesicht vorgestellt hatte, das er schließlich zu sehen bekam.

Es war ein Schwarzer, der vor ihm stand. Er war nicht braun, nicht kupferfarben, kein Mestize. Sondern wirklich schwarz.

Und er war jung. Kaum älter als zwanzig Jahre.

Mehrere Gedanken schossen Wallander gleichzeitig durch den Kopf. Der Mann hatte vermutlich nicht verstanden, was er auf Schwedisch gesagt hatte. Wallander wiederholte, was er gerade gesagt hatte, in seinem dürftigen Englisch, und jetzt konnte er sehen, dass der Mann verstand. Wallander sprach sehr langsam. Und er sagte es, wie es war. Dass er Polizist war. Dass es bald um den Laden von Polizeiwagen wimmeln würde. Dass es das Beste wäre, wenn er aufgäbe.

Der Mann schüttelte fast unmerklich den Kopf. Wallander hatte den Eindruck, dass er unendlich müde war. Jetzt, wo er die Maske abgezogen hatte, konnte man es sehen.

Ich darf nicht vergessen, dass er brutal eine alte Frau getötet hat, sagte sich Wallander. Er hat mich niedergeschlagen und gefesselt. Er hat eine Pistole.

Was hatte er eigentlich darüber gelernt, wie man sich in einer Situation wie der gegenwärtigen verhalten musste? Ruhe bewahren, keine plötzlichen Bewegungen oder provozierenden Bemerkungen machen. Ruhig sprechen. Einen stetigen Strom von Worten. Geduldig und freundlich sein. Versuchen, ein Gespräch in Gang zu bringen. Nicht die Beherrschung verlieren. Vor allen Dingen das nicht. Die Beherrschung zu verlieren hieße, die Kontrolle zu verlieren.

Wallander dachte, dass es ein guter Anfang sein könnte, von sich selbst zu sprechen. Er erzählte also, wie er hieß. Dass er auf dem Weg nach Hause zu seiner Frau und seiner Tochter war, um Weihnachten zu feiern. Er merkte, dass der Mann jetzt zuhörte.

Wallander fragte ihn, ob er verstehe.

Der Mann nickte, aber er sagte immer noch nichts.

Wallander schaute auf die Uhr. Jetzt hatte Mona ganz sicher angerufen. Hemberg war vielleicht schon auf dem Weg.

Er entschloss sich, es genauso zu sagen. Der Mann hörte zu. Wallander hatte das Gefühl, dass er schon damit rechnete, die sich nähernden Sirenen zu hören.

Wallander verstummte. Er versuchte zu lächeln.

«Wie heißen Sie?», fragte er.

«Oliver.»

Die Stimme war unsicher. Ergeben, dachte Wallander. Er wartet nicht darauf, dass jemand kommt. Er wartet darauf, dass jemand ihm erklärt, was er getan hat.

«Wohnen Sie hier in Schweden?»

Oliver nickte.

«Sind Sie schwedischer Staatsangehöriger?»

«Nein.»

«Und woher kommen Sie?»

Er antwortete nicht. Wallander wartete. Er war sicher, dass die Antwort kommen würde. Er wollte möglichst viel erfahren, bevor Hemberg und die Streifenwagen eintrafen. Aber er durfte es nicht übereilen. Der Schritt dahin, dass dieser Schwarze die Pistole aus dem Gürtel zog und ihn erschoss, brauchte nicht besonders groß zu sein.

Wallander merkte, dass der Schmerz im Hinterkopf sich verstärkt hatte. Aber er versuchte ihn zu ignorieren.

«Alle kommen von irgendwoher», sagte er, «und Afrika ist groß. Ich habe etwas über Afrika gelesen, als ich in die Schule ging. Geographie war mein bestes Fach. Ich habe von den Wüsten und den Flüssen gelesen. Und den Trommeln. Wie sie in der Nacht dröhnen.»

Oliver hörte aufmerksam zu. Wallander bekam das Gefühl, dass er jetzt weniger auf der Hut war.

«Gambia», sagte Wallander. «Dahin fahren viele Schweden in Urlaub. Auch einige meiner Kollegen. Kommen Sie daher?»

«Ich komme aus Südafrika.»

Die Antwort kam schnell und bestimmt. Fast hart.

Wallander war schlecht informiert darüber, was eigentlich in Südafrika vor sich ging. Er wusste nicht viel mehr, als dass das Apartheidsystem und seine Rassengesetze härter denn je angewendet wurden. Aber auch, dass der Widerstand gewachsen war. Er hatte in den Zeitungen von Bombenexplosionen in Johannesburg und Kapstadt gelesen.

Er wusste, dass eine Reihe von Südafrikanern in Schweden eine Zuflucht gefunden hatten. Vor allem solche, die sich offen am schwarzen Widerstand beteiligt hatten und die zu Hause riskierten, zum Tode verurteilt und gehängt zu werden.

Im Kopf zog er ein schnelles Resümee. Ein junger Südafrikaner, der Oliver hieß, hatte Elma Hagman getötet. So viel wusste er. Nicht mehr und nicht weniger.

Niemand würde mir glauben, dachte Wallander. So etwas geschieht einfach nicht. Nicht in Schweden, und nicht am Heiligen Abend.

«Sie fing an zu rufen», sagte Oliver.

«Sie hat wohl Angst bekommen. Ein vermummter Mann, der in einen Laden kommt, ist erschreckend», sagte Wallander. «Besonders, wenn er eine Pistole oder ein Eisenrohr in der Hand hat.»

«Sie hätte nicht rufen sollen», sagte Oliver.

«Sie hätten sie nicht erschlagen sollen», erwiderte Wallander. «Sie hätte Ihnen das Geld auch so gegeben.»

Oliver zog die Pistole aus dem Gürtel. Es ging so schnell, dass Wallander überhaupt nicht reagieren konnte. Wieder sah er die Pistole auf sich gerichtet.

«Sie hätte nicht rufen sollen», wiederholte Oliver, und jetzt war seine Stimme vor Angst und Erregung unsicher. «Ich kann dich töten», fuhr er fort.

«Ja», sagte Wallander, «das kannst du. Aber warum solltest du?»

«Sie hätte nicht rufen sollen.»

Wallander erkannte, dass er sich gründlich geirrt hatte. Der Südafrikaner war alles andere als kontrolliert und ruhig. Er befand sich an der Grenze eines Zusammenbruchs. Was es war, was da zerbrach, wusste Wallander nicht. Aber jetzt begann er ernsthaft zu fürchten, was geschehen würde, wenn Hemberg käme. Es könnte das reine Massaker werden.

Ich muss ihn entwaffnen, dachte Wallander. Das ist das Wichtigste. Ich muss ihn vor allen Dingen dazu bringen, die Pistole wieder in den Gürtel zu stecken. Dieser Mann ist absolut fähig, wild um sich zu schießen. Hemberg ist sicher schon unterwegs, und er ahnt nichts. Selbst wenn er befürchtet, dass etwas passiert ist, erwartet er nicht das hier. Genauso wenig, wie ich es erwartet habe. Es kann die reine Katastrophe werden.

«Wie lange sind Sie schon hier?», fragte er.

«Drei Monate.»

«Länger nicht?»

«Ich komme aus Deutschland», sagte Oliver. «Aus Frankfurt. Da konnte ich nicht bleiben.»

«Warum nicht?»

Oliver antwortete nicht. Wallander ahnte, dass es vielleicht nicht das erste Mal war, dass Oliver sich eine Mütze über den Kopf gezogen und einen einsam gelegenen Laden überfallen hatte. Er konnte auf der Flucht vor der deutschen Polizei sein.

Und das wiederum bedeutete, dass er sich illegal in Schweden aufhielt.

«Was ist denn passiert?», fragte Wallander. «Nicht in Frankfurt, sondern in Südafrika. Warum mussten Sie fliehen?»

Oliver machte einen Schritt auf Wallander zu. «Was wissen Sie von Südafrika?»

«Nicht viel. Eigentlich nur, dass die Schwarzen sehr schlecht behandelt werden.» Wallander biss sich auf die Zunge. Durfte man «Schwarze» sagen? War das diskriminierend?

«Mein Vater ist von der Polizei getötet worden. Sie haben ihn mit einem Hammer erschlagen und ihm seine eine Hand abgeschlagen. Sie ist irgendwo in einem Glas mit Alkohol. Vielleicht in Xanderten. Vielleicht irgendwo sonst in den weißen Vorstädten von Johannesburg, als Souvenir. Und das Einzige, was er getan hat, war, dem ANC anzugehören. Das

Einzige, was er getan hat, war, mit seinen Arbeitskollegen zu reden. Über Widerstand und Freiheit.»

Wallander zweifelte nicht daran, dass Oliver die Wahrheit sagte. Seine Stimme war jetzt ruhig trotz der Dramatik der Situation. Es gab keinen Platz für Lügen.

«Die Polizei fing an, nach mir zu suchen», fuhr Oliver fort. «Ich habe mich versteckt. Jede Nacht habe ich in einem anderen Bett geschlafen. Schließlich kam ich nach Namibia und von da nach Europa, bis Frankfurt. Und dann hierhin. Aber ich bin immer noch auf der Flucht. Eigentlich gibt es mich gar nicht.»

Oliver verstummte.

Wallander horchte, ob er schon Autos näher kommen hörte. «Sie brauchten Geld», sagte er. «Sie haben diesen Laden hier gefunden. Die Frau hat um Hilfe gerufen, und Sie haben sie erschlagen.»

«Sie haben meinen Vater mit einem Hammer ermordet. Und seine eine Hand steckt in einem Glas mit Alkohol.»

Er ist verwirrt, dachte Wallander. Hilflos und außer sich. Er weiß nicht, was er tut.

«Ich bin Polizist», sagte Wallander, «aber ich habe nie jemandem mit einem Hammer auf den Kopf geschlagen, wie Sie mich geschlagen haben.»

«Ich wusste nicht, dass Sie Polizist sind.»

«Im Moment ist das Ihr Glück. Man hat angefangen, nach mir zu suchen. Meine Kollegen wissen, dass ich hier bin. Zusammen müssen wir jetzt die Situation klären.»

Oliver schüttelte die Pistole. «Wenn jemand versucht, mich festzunehmen, schieße ich.»

«Davon wird nichts besser.»

«Es kann auch nicht schlimmer werden.»

Plötzlich hatte Wallander eine Idee, wie er das verkrampfte

Gespräch fortführen konnte. «Was, glauben Sie, würde Ihr Vater zu dem sagen, was Sie getan haben?»

Es ging wie ein Zittern durch Olivers Körper. Wallander verstand, dass der junge Mann diesen Gedanken noch nicht gedacht hatte. Oder vielleicht hatte er ihn viel zu oft gedacht.

«Ich verspreche Ihnen, dass Sie nicht geschlagen werden», sagte Wallander. «Das garantiere ich Ihnen. Aber Sie haben das schwerste Verbrechen begangen, das es gibt. Sie haben einen Menschen getötet. Das Einzige, was Sie jetzt tun können, ist aufzugeben.»

Oliver kam nicht dazu, zu antworten. Das Geräusch sich nähernder Autos wurde jetzt ganz deutlich. Bremsen quietschten. Autotüren wurden geöffnet und wieder zugeschlagen. Verdammt, dachte Wallander. Ich hätte mehr Zeit gebraucht.

Er streckte langsam die Hand aus.

«Geben Sie mir die Pistole», sagte er. «Nichts wird passieren. Niemand wird Sie schlagen.»

Es klopfte an der Tür. Wallander hörte Hembergs Stimme. Oliver blickte verwirrt zwischen Wallander und der Tür hin und her.

«Die Pistole», sagte Wallander, «geben Sie sie mir.»

Hemberg rief und fragte, ob Wallander da sei.

«Warte», rief Wallander zurück. Dann wiederholte er es auf Englisch.

«Ist alles in Ordnung?» Hembergs Stimme klang besorgt.

Nichts ist in Ordnung, dachte Wallander. Das hier ist ein Albtraum.

«Ja», rief er. «Warte. Tu nichts.»

Auch diesmal wiederholte er seine Worte auf Englisch.

«Geben Sie mir die Pistole. Geben Sie mir jetzt die Pistole!»

Oliver richtete sie plötzlich an die Decke und schoss. Der Knall war ohrenbetäubend.

Dann richtete er die Waffe auf die Tür. Wallander schrie Hemberg eine Warnung zu. Er solle sich von der Tür entfernen. Und warf sich im gleichen Augenblick auf Oliver. Beide fielen hin, rollten über den Fußboden und rissen einen Zeitungsständer um. Wallanders Denken war einzig darauf gerichtet, die Waffe zu fassen zu bekommen. Oliver zerkratzte ihm das Gesicht und brüllte Worte in einer Sprache, die Wallander nicht verstand. Als Wallander fühlte, dass Oliver im Begriff war, ihm ein Ohr abzureißen, wurde er rasend. Er bekam eine Hand frei und versuchte, Oliver die geballte Faust ins Gesicht zu schlagen. Die Pistole war zur Seite geglitten und lag zwischen den herabgefallenen Zeitungen. Wallander wollte danach greifen, als Oliver ihn mit einem Tritt direkt in den Bauch traf. Wallander blieb die Luft weg. Gleichzeitig sah er, wie Oliver sich auf die Waffe warf. Er konnte nichts machen. Der Tritt hatte ihn gelähmt. Oliver saß auf dem Fußboden zwischen den Zeitungen und richtete die Waffe auf ihn.

Zum zweiten Mal an diesem Abend schloss Wallander vor dem Unausweichlichen die Augen. Jetzt war es zu Ende. Er konnte nichts mehr tun. Draußen waren weitere Sirenen zu hören, die sich näherten, und aufgeregte Stimmen, die schrien, was eigentlich los sei.

Nichts, außer dass ich sterbe, dachte Wallander. Sonst nichts.

Der Schuss war ohrenbetäubend. Wallander prallte zurück. Ihm blieb wieder die Luft weg. Er rang nach Atem.

Dann wurde ihm klar, dass er nicht getroffen worden war. Er machte die Augen auf.

Vor ihm, ausgestreckt auf dem Fußboden, lag Oliver.

Er hatte sich in den Kopf geschossen. Neben ihm lag die Waffe.

Verdammt, dachte Wallander. Warum hat er das getan?

Im selben Augenblick wurde die Tür eingetreten. Wallander erkannte Hemberg. Dann sah er auf seine Hände. Sie zitterten. Er zitterte am ganzen Körper.

Wallander hatte eine Tasse Kaffee bekommen und war verbunden worden. Er hatte Hemberg eine kurze Darstellung des Geschehens gegeben.

«Wenn ich das geahnt hätte», sagte Hemberg anschließend. «Und ich habe dich noch gebeten, auf dem Heimweg hier anzuhalten.»

«Wie hättest du es ahnen können? Wie hätte sich überhaupt jemand so etwas vorstellen können?»

Hemberg schien über Wallanders Worte nachzudenken.

«Eine neue Entwicklung», sagte er schließlich. «Die Unruhe dringt über unsere Grenzen herein.»

«Wir schaffen sie genauso sehr selbst», entgegnete Wallander. «Auch wenn gerade Oliver hier ein unglücklicher und friedloser junger Mann aus Südafrika war.»

Hemberg fuhr zusammen, als habe Wallander etwas Unpassendes gesagt. «Unglücklich und friedlos», wiederholte er dann. «Es gefällt mir nicht, dass ausländische Kriminelle unser Land überschwemmen.»

«Das stimmt ja so auch nicht», erwiderte Wallander. Dann wurde es still. Weder Hemberg noch Wallander waren in der Lage, das Gespräch fortzusetzen. Sie wussten beide, dass sie sich nicht einigen würden. Auch hier gibt es einen Riss, dachte Wallander. Eben saß ich noch in einem Riss eingeklemmt, und jetzt stecke ich mitten in einem anderen fest, der zwischen mir und Hemberg aufbricht.

«Warum ist er eigentlich hier im Laden geblieben?», fragte Hemberg.

«Wohin hätte er denn gehen sollen?»

Keiner von beiden hatte etwas hinzuzufügen.

«Deine Frau hat angerufen», sagte Hemberg nach einer Weile. «Sie wollte wissen, warum du nicht nach Hause kommst. Du hattest offenbar angerufen und ihr gesagt, du wärst unterwegs.»

Wallander dachte an das Telefongespräch zurück. Den kurzen Streit. Aber er fühlte nichts als Erschöpfung und Leere. Er vertrieb diese Gedanken.

«Du solltest besser zu Hause anrufen», sagte Hemberg vorsichtig.

Wallander sah ihn an. «Und was soll ich sagen?»

«Dass du aufgehalten wurdest. Aber wenn ich du wäre, würde ich nicht im Detail erzählen, was passiert ist. Damit würde ich warten, bis ich zu Hause bin.»

«Bist du nicht unverheiratet?»

Hemberg lächelte. «Ich kann mir doch trotzdem vorstellen, wie es ist, wenn man jemanden hat, der zu Hause auf einen wartet.»

Wallander nickte. Dann erhob er sich schwerfällig vom Stuhl. Sein ganzer Körper schmerzte. Die Übelkeit kam und ging in Wellen.

Er bahnte sich einen Weg zwischen Sjunnesson und den Kollegen von der Spurensicherung hindurch, die bereits bei der Arbeit waren.

Als er nach draußen kam, blieb er ganz still stehen und sog die kalte Luft tief in seine Lungen. Dann ging er weiter zu einem der Streifenwagen. Er setzte sich auf den Vordersitz, sah auf das Funkgerät und dann auf seine Armbanduhr. Zehn Minuten nach acht.

Heiligabend 1975.

Durch die nasse Frontscheibe entdeckte er eine Telefonzelle neben der Tankstelle. Er stieg aus und ging hinüber. Wahrscheinlich war sie kaputt, aber er wollte wenigstens einen Versuch machen.

Ein Mann mit einem Hund an der Leine stand im Regen und beobachtete die Streifenwagen und den erleuchteten Laden. «Was ist denn passiert?», fragte er. Stirnrunzelnd betrachtete er Wallanders zerkratztes Gesicht.

«Nichts», sagte Wallander. «Ein Unglück.»

Der Mann mit dem Hund begriff, dass Wallander weiter nichts sagen konnte, und stellte keine weiteren Fragen.

«Frohe Weihnachten», sagte er nur.

«Danke, gleichfalls», erwiderte Wallander.

Dann rief er Mona an.

Der Regen nahm wieder zu.

Gleichzeitig setzte der Wind ein.

Ein böiger Wind aus Norden.

Anne B. Ragde

Eine Pistole mehr oder weniger …

Irgendwann kommt immer der Punkt, wo man einfach keinen Nerv mehr hat. Ich will auch ein Leben haben, zum Henker! Warum können immer nur die anderen ans Mittelmeer fahren und sich jeden Abend in der Stadt voll laufen lassen? Man kann im Laden herumstehen und zusehen, wie Leute ganze Einkaufswagen voller Weihnachtsleckereien bezahlen, wie sie berstend volle Brieftaschen hervorziehen und einen Hunderter nach dem anderen herausfischen. Nicht nur die Mannsbilder, sondern auch die Frauen. Alle haben sie dicke Brieftaschen. Und sie können doch nicht allesamt Geschäftsführer sein, sondern müssen ziemlich normale Jobs haben und die gleichen Rechnungen kriegen wie ich. Vielleicht hätte ich mir ja doch ein paar Kinder zulegen und Kindergeld kassieren und jede Menge Steuern sparen sollen. Es könnte doch nett sein, ein Kind zu haben, und meine Mutter quengelt auch dauernd rum, ich solle mir einen Mann suchen und ihr Enkel verschaffen. Aber irgendwie komme ich nicht so richtig in die Gänge.

An Männern fehlt es ja eigentlich nicht. Es fehlt nur an den richtigen Männern. An denen, die ich mir so im Alltag hier im Haus vorstellen kann, mit denen zusammen ich die normalen Dinge machen will. An denen fehl's. Aber Salonlöwen gibt's genug. An Schwätzern über Whiskey und Soda herrscht kein Mangel. Von denen, die mir über die Hüften streichen, wenn wir die Tanzfläche verlassen, wimmelt es nur so. Aber einer, der mich mit Rosen und Champagner auf der Wochenstation besucht? Einer, mit dem ich romantische Weihnachtsferien im Hochgebirge verbringen kann und der mich so sehr liebt, dass ich keine Wimperntusche brauche, ehe ich ihm morgens unter die Augen trete? So einen finde ich nicht, obwohl ich immer wieder meine Kronen zusammenkratze und in die Stadt gehe und suche. Solche Männer sind einfach spurlos verschwunden. Vielleicht sind sie zu Hause und wechseln Windeln? Eine Frau aus der Wäscherei, wo ich arbeite, meinte, ich solle einen Kurs machen, mir dabei einen Mann suchen. Das hab ich dann auch getan. Nach langem und gründlichem Nachdenken ging mir auf, dass Porzellanmalerei und Blumenstecken keine gute Idee wären. Da wird's ja wahrscheinlich nicht gerade Männer in Hülle und Fülle geben. In einem meiner genialen Augenblicke sah ich deshalb ein, dass ich meinen Kurs in einer männlichen Umgebung absolvieren musste. Ich dachte schon an einen Autoreparaturkurs, aber das gab ich dann auf, wo ich doch gar kein Auto habe. Und Fliegenbinden will ich nicht, was soll ich mit einem Haufen Fliegen, wo ich Fische hasse und lieber ein vor Blut triefendes Steak zu mir nehme, das die Béarnaise rosa färbt?

Und dann hatte ich die Lösung: Waffen. Ich wollte schießen lernen. Und das tat ich dann auch. Wurde eine richtig gute Schützin. Lieh mir anfangs eine Waffe, eine französische Pistole, zweiundzwanzig Kaliber, und kaufte mir dann später selbst eine, vom selben Typ, das Gewicht gefiel mir, die Form. Aber zurück zu den Mannsbildern. Auch im Schießkurs konnte ich keinen passenden finden. Entweder waren es total stinklangweilige Heinis, die sich eben erst vom Sofa erhoben hatten, um vor den Fernsehnachrichten ein wenig Spannung in ihren Alltag zu bringen, oder es waren Machos. Und Machos kann ich nicht ausstehen, Männer mit Muskeln an Stellen, die nie für Muskeln vorgesehen waren. Aber ich lernte schießen. Bekam meinen Waffenschein, fand die knisternde Stille in der Schießkabine wunderbar, das Gefühl der Waffe in der Hand, die Spannung, wenn ich danach die Schießscheibe überprüfen sollte.

Es war allerdings ein teurer Spaß. Munition. Das Geld für die Pistole hatte ich mir bei der Bank geliehen. Ich war nämlich an einem Punkt angekommen, wo ich keinen Nerv mehr hatte, wollte nicht mehr sparen und knausern. Rund um die Uhr dachte ich an Geld, brauchte unglaublich viel Gehirnkapazität, um alles aufzuzählen, was ich mir nicht kaufen oder woran ich nicht teilnehmen konnte. Ich sah ein, dass ich mir einfach Geld verschaffen musste. In mir wuchs ein wahnsinniges Verlangen, ich konnte die Augen schließen und Bündel von Tausendern zwischen den Fingern fühlen, und bei dieser Vorstellung brach mir der Schweiß aus, ich sah ganze Hallen voller Geld vor mir, wo ich an den Regalen entlangging und mir die saubersten Scheine aussuchte …

Ich beschloss, Geld zu stehlen. Nicht ein bisschen Geld, sondern viel Geld, weil ich ja wusste, dass es ein einmaliges Unternehmen sein würde. Ich musste gleich beim ersten Versuch richtig zuschlagen. Und plötzlich hatte mein Leben einen Sinn.

Ich glaube, sie waren die glücklichste Zeit meines Lebens, diese Adventswochen, in denen ich meinen Coup vorbereitete. Mein Plan sah aus wie folgt: Ich wollte mich als Mann verkleiden und kein Wort sagen, ich wollte nur einen Zettel mit der Aufschrift «Her mit dem Geld, und zwar sofort!» vorzeigen. Ich wollte Tarnkleidung und eine Strumpfmaske tragen, und das alles schaffte ich mir an, indem ich meine Miete nicht bezahlte. Eine Waffe hatte ich, und normale Menschen wissen ja nicht, dass es sehr schwer ist, mit einer .22er-Pistole einen Menschen umzubringen. Wichtig war, dass meine echt war. Ich entschied mich für eine kleine Bankfiliale, am letzten Freitag im Advent, wenn sie bestimmt jede Menge Kohle gebunkert hatten, weil die Leute ihren Weihnachtsbraten kaufen wollten. Eine große Bank kann schnell unübersichtlich werden, mit Wachen in Zivil und Alarmsystemen und anderen Gemeinheiten. Und ich hielt eine Filiale mitten in der Innenstadt für sinnvoller, denn danach könnte ich mich unter die Leute auf der Straße mischen und brauchte mich nicht auf den Fluchtwagen zu verlassen, den ich gar nicht besaß. Sicher, ich weiß, dass sie Alarmknöpfe und so was haben, aber auch daran hatte ich gedacht: Ich wollte eine Geisel nehmen und drohen, sie zu erschießen. Und dann würden die Finger doch einen Bogen um diese blöden Knöpfe machen. Ihr begreift jetzt vielleicht, wie verzweifelt ich war, wo ich sogar eine Geisel nehmen wollte. Aber Geld kann wirklich zur Besessenheit werden, wenn man es nicht hat. Wenn man sieht, wie das Leben vorüberzieht und man selbst nicht mitmachen kann. Wenn die Mädels beim Job Stapel von verwackelten Urlaubsbildern vom Mittelmeer zeigen und auf dunkle Mannsbilder tippen und kichern und rot werden. Herrgott! Und die Klamotten! Ich freute mich darauf, mir Klamotten zu kaufen. Und einen Computer, damit wollte ich dann umgehen lernen und mir eine neue Stelle suchen. Denn ich wollte nicht plötzlich reich auftreten und mich dadurch entlarven. Nichts da. Langsam, aber sicher wollte ich mein Leben neu aufbauen. Mit Geld in der Schublade und dem Job in der Wäscherei. Ich bin ja schließlich auch nicht ganz blöd.

Und dann war der große Tag gekommen. Ich muss zugeben,

dass ich ziemlich fertig war. Beim Job hatte ich mich krankgemeldet. Ich ließ das Schminken ausfallen, machte mir einen Pferdeschwanz, färbte meine Augenbrauen, damit sie männlich aussahen, zog die Tarnkleidung an, steckte Zettel, Pistole und Strumpfmaske in die Tasche und ging. Es war erst zehn Uhr, ich konnte die Vorstellung von zu vielen Leuten in der Bank nicht ertragen. Es schneite. An der Eingangstür war mit Klebeband ein riesiger Weihnachtsmann befestigt. Ich blieb ein wenig vor der Tür stehen und lugte hinein, ich zerknüllte die Kappe in meiner linken Faust und versuchte zu atmen, ganz tief bis ins Zwerchfell, ohne beim Ausatmen zu zittern. Das hatte ich im Schützenverein gelernt. Atmen und Gleichgewicht finden, Blut ins Gehirn. Jetzt würde ich bald auf Film gebrannt werden, denn in solchen Lokalitäten wimmelt es ja nur so von Kameras. Ich packte meine Strumpfmaske und ärgerte mich sofort darüber, wie teuer sie gewesen war. Aber bei der Vorstellung, wie ich die Hunderter zwischen meinen Fingern rascheln hören würde, wurde ich dann wieder ruhig genug, um die Maske überzustreifen, mit der rechten Hand die Pistole zu packen (ungeladen, ich wollte doch niemanden verletzen) und in die Bank zu stürmen.

Ich konnte aber nicht richtig sehen. Der Stoff der Mütze verrutschte ein wenig, was ich sah, kam mir vor wie ein Film mit schwarzen Balken oben und unten. Und ich bekam keine Luft, denn ich hatte eine Kappe ohne Mundöffnung gekauft, aus Angst, man könnte sonst sehen, dass ich mich nicht jeden Tag rasieren musste. Der Wollstoff war schon feucht, noch ehe ich vor der Kasse stand, und zu allem Überfluss schmolzen und tropften nun auch noch die Schneeflocken, die auf meinen Kopf gefallen waren.

Zwei Frauenzimmer fuhren herum und heulten los. Herrgott, was machten die für ein Geschrei. Als wäre ich total lebensgefährlich. Auf der anderen Seite wusste ich so, dass meine Kiste klappte. Und ich wusste, dass jetzt alles schnell gehen müsste. Es gab Knöpfe, auf die gedrückt werden könnte, und deshalb winkte ich die Frauenzimmer beiseite, und sie warfen sich kreischend auf ein Sofa. Die dritte Person in der Schalterhalle war ein Mann. Ich registrierte eine grüne Hose und Militärstiefel und hatte plötzlich Angst, er könne beim Anblick meiner .22er einen Lachanfall bekommen, aber das passierte nicht. Seine Augen schienen ihm aus dem Kopf quellen zu wollen, nie im Leben hatte mir ein Mann dermaßen totale Aufmerksamkeit geschenkt.

Ich hätte gern losgebrüllt und alle durch die Gegend gescheucht, aber ich atmete meinen eigenen feuchten Atem ein und spürte, wie mir der Schweiß über den Rücken lief. Das hier war kein Spaß, es war sogar ziemlich widerlich. Ich packte den Mann am linken Arm und zielte auf ihn, ich zog ihn zum Schalter, und er kam willenlos mit, wie in Trance, und dann schob ich den Zettel über die Schalterplatte und bohrte dem Typen die Pistole in den Bauch. Und die Frauenzimmer hinter mir schrien und schluchzten hemmungslos.

Die Schalterfrau war auch nicht gerade in Spitzenform, sie sah überaus bleich aus. Sie fing an, Geld in meinen Sack zu stopfen. Mir ging das nicht schnell genug, ich schlug mit der flachen Hand auf die Schalterplatte, um sie zur Eile anzutreiben. Ich schaffte es, kein Wort zu sagen, obwohl mein ganzer Körper wehtat, so gern hätte ich die Klageweiber auf dem Sofa mit «Fresse halten» angeschrien. Aber es ging wirklich alles gut.

Der Typ weinte jetzt lautlos, er stand einfach kerzengerade da und ließ die Arme hängen. Bestimmt hatte er jede Menge Action-Filme gesehen und weinte jetzt, weil er sich nicht traute, etwas zu unternehmen, jetzt, wo endlich mal was passierte. Es ist nämlich unglaublich, wie unser Mut verfliegt, wenn uns eine echte Waffe in den Bauch gebohrt wird. Dann war der Sack voll. Wenn ich mehr Zeit gehabt hätte, hätte ich sie aufgefordert, den Tresor zu leeren; ich konnte hinter einer Trennwand den Eingang ahnen, das Tor zum Ziel meiner Träume. Aber zugleich hatte ich die fetten Geldbündel zwischen ihren Fingern gesehen und fühlte bei diesem Anblick das Blut in meinen Ohren pochen. Ich ging rückwärts, schwenkte die Pistole und tastete hinter meinem Rücken mit meiner linken Hand nach der Tür.

Doch dann hörte ich ein Geräusch. Eine kleine Kinderstimme, die sagte: «Mama, guck mal! Eine Pistooooole!»

Ich fuhr herum und starrte in ein strahlendes, von einer Fellkante umgebenes Kindergesicht. Die Augen leuchteten vor Glück, und eine teilweise von klebrigen Brötchenkrümeln bedeckte Hand streckte sich nach der Pistole aus. Ich richtete den Lauf auf die Decke und schaute mich verzweifelt um. Das Kind saß in einem Wagen. Der Wagen versperrte mir den Ausgang. Hinter dem Wagen stand eine Mutter. Die Mutter fing an zu schreien. Das Kind lächelte und zeigte auf die Pistole. Und an dieser Stelle ging die ganze Sache in die Hose. Denn ich bin doch kein Mann, verdammt nochmal, auch wenn ich meinen Körper in noch so maskuline Klamotten stecke. Ein Mann hätte nämlich den Wagen fortgeschleudert, mit Kind und Kegel sozusagen, das wäre ihm doch scheißegal gewesen. Aber was tat ich? Na, ich schob den Wagen vorsichtig zur Seite, quetschte mich daran vorbei und sagte: «Verzeihung, Verzeihung.» Das sagte ich. Und auch wenn ich keine Dozentin an der Polizeihochschule bin, so wusste ich doch, dass jeder halbwegs fähige Ermittler großes Gewicht auf diese mit Frauenstimme ausgesprochenen zwei Wörter legen würde. Das ging mir auf, sowie ich die Straße erreicht hatte. Es war ein grauenhafter Augenblick. Denn ich hatte ja keine Sekunde lang vorgehabt, aus dem Land zu fliehen oder mich nach Südamerika abzusetzen. So viel Geld hatte ich nun auch wieder nicht erbeutet.

Ich riss mir die Strumpfmaske vom Kopf und rannte los. Dachte an Spuren. Sprintete in eine Seitenstraße, hinter einige Abfallcontainer und fing an nachzudenken. Was mir aber nicht so ganz gelang. Was ich am Leib trug, musste weg, das war klar. Und die Waffe? Die musste weggeworfen werden, niemand durfte sie finden, sonst könnte sie zu mir zurückverfolgt werden. Ich streifte die Jacke ab, wickelte meine feine kleine Pistole hinein, kletterte in den Container, stopfte alles in den erstbesten Müllsack und klappte den Containerdeckel wieder zu. Ich leerte eine Plastiktüte, die Abfall enthalten hatte, steckte das Geld hinein und ging zurück auf die Straße, ging langsam und gelassen nach Hause und tröstete mich damit, dass ich mir eine neue Pistole kaufen könnte, das Geld hatte ich jetzt ja.

Erst als ich in meiner Wohnung stand, brach ich zusammen. Ich fing wirklich an zu heulen, allerlei Spannungen in meinem Körper brauchten Auslauf. Ich hatte Angst. Hatte eine Sterbensangst. Aber nach und nach beruhigte ich mich ein wenig, duschte, holte mir eine Flasche Bier und kam endlich zu mir. Es würde schon gut gehen. Das Geld verstaute ich im Schlafzimmerschrank. Am nächsten Tag machte ich mit der Hose und den Stiefeln, die ich getragen hatte, einen Spaziergang zum Fluss, und ich nahm auch die berühmte Strumpfmaske mit. Ich fand es ziemlich theatralisch, den ganzen Kram beschwert mit Steinen in den Fluss zu feuern, und deshalb stopfte ich die Sachen in einen weiteren Container. Der Einzige, der mich eines Blickes würdigte, war ein zufällig vorüber kommender Labrador.

Aber es dauerte nicht einmal bis Heiligabend, bis sie kamen, das Leben ist schon seltsam. Die Polizei hatte sich natürlich eine Liste der Waffenbesitzerinnen in unserer Stadt besorgt. Und folgendes Gespräch fand statt, gegen acht Uhr, am dritten Abend, am letzten Montag im Advent:

«Guten Abend, wir kommen von der Polizei!» (Er wedelte mit dem Dienstausweis.)

«Ja, worum geht es?»

«Das ist nur eine Routineuntersuchung, aber wir möchten Sie bitten, uns Ihre Waffe zu zeigen, wir wissen, dass Sie als Besitzerin einer .22er Unique-Pistole registriert sind.»

Das war's also. Ich hätte die Pistole nicht wegwerfen dürfen. Ich hätte sie im Haus haben, sie mit stolzer Besitzerinnenmiene vorführen müssen. Nie im Leben hätten sie dann auch nur das Geringste beweisen können. Sie hätten doch nicht einmal genug für eine Hausdurchsuchung gehabt. Und der Mann, der das Wort führte, wirkte müde und genervt, er wäre sicher zum Christbaumschmücken nach Hause gegangen, wenn ich die Pistole geholt hätte. Hätte genickt und sich verzogen.

«Nein, leider», sagte ich. «Die habe ich nicht mehr.»

Sie erwachten.

«Sie wissen doch, dass es verboten ist, Waffen zu verleihen? Oder zu verkaufen?»

«Sicher, das hab ich auch nicht getan. Ich habe ... ich habe ... sie verloren.»

«VERLOREN?»

Jetzt waren sie hellwach. Und ließen nicht mehr locker. Sie wollten wissen, wo und wann und wie, und ich meine, wenn ich eine solche Situation in den Griff bekommen könnte, dann würde ich ja wohl nicht in einer Wäscherei malochen? Ich wusste alles über Atmung und Gleichgewicht, aber das hier nicht. Den Zettel hatten sie auch, mit Fingerabdrücken. Ich hatte ihn ohne Handschuhe geschrieben, aber ich will hier nicht zu tief in die peinlichen Details gehen. Ich möchte nur klarstellen, dass es nicht so einfach war, mir knisternde Geldscheine zu krallen, wie ich geglaubt hatte.

Aber ich will mich nicht beklagen. Eigentlich geht es mir hier ja gut. Brauch nicht zum Scheißjob, brauch nicht sauer zu sein, weil ich nie auf die Piste komme. Die anderen hier tun das ja auch nicht. Wir sitzen allesamt im selben Boot, und das beruhigt mich ein wenig. Aber niemals werde ich das Gesicht dieses Kindes vergessen. Ich sollte mir vielleicht doch bald eins anschaffen. Kindergeld und weniger Steuern. Mutterschaftsurlaub bei vollem Gehalt. Und ich könnte lernen, mit einer Wasserpistole zu schießen. Das Einzige, was mir jetzt noch fehlt, ist also ein Mann. Und ich merke schon, dass ich so nach und nach weniger anspruchsvoll werde.

Ingvar Ambjørnsen

Teufels Geburtstag

I

Mit Vater war etwas passiert. Ich war sechs Jahre alt, und mir wurde die Sache so erklärt: Eine dünne Saite sei gerissen. Eine Art Angelschnur, stellte ich mir vor. Damit kannte ich mich aus. Verfaulte Angelschnüre, die rissen, wenn etwas Großes anbiss; wenn der Fisch es sich plötzlich in den Kopf setzte, nicht zum Sterben an die Oberfläche zu kommen, sondern weiter unten in der Tiefe zu bleiben. Dann kam es manchmal vor, dass die Schnur riss. Deshalb stellte ich mir in Vaters Kopf einen großen Fisch vor, einen Kabeljau mit einem Haken und einem Schnurende im Maul.

Vater kam mir so enttäuscht vor. Die Schnur war irgendwann im Spätsommer gerissen, und den ganzen Herbst und bis in den Winter hinein saß er da und sagte nichts. Kein einziges Wort, obwohl sein Mund offen stand. Ab und zu lief ein Speichelfaden aus dem rechten Mundwinkel in seinen Hemdkragen, aber Vater sagte nichts. Saß nur still da, mit schräg gelegtem Kopf, als ob er lauschte. Auf etwas wartete. Ich wartete auch. Nicht darauf, dass Vater etwas sagte, ich war froh, dass er damit aufgehört hatte. Ich wartete darauf, dass eines Tages der Kabeljau den Kopf aus seinem Mund stecken würde. Oder sonst etwas Phantastisches passierte.

Und ich lauschte. Ich hörte die Geräusche der Autos, die unten auf der Straße vorüberfuhren. Mutters Schritte auf dem Küchenboden. Das Ticken der großen Wanduhr im Wohnzimmer.

Und dann kam Weihnachten.

Ich war alt genug, um zu wissen, dass man daran nicht viel ändern konnte. Der Winter wurde zum Frühling und der Frühling zum Sommer. Und einmal im Jahr kam der Heilige Abend, des Teufels Geburtstag. Aber ich dachte, dass Weihnachten in diesem Jahr doch bestimmt irgendwie anders werden müsste, und bei diesem Gedanken war ich außer mir vor Angst.

Ich fing an, nachts ins Bett zu pinkeln.

Es regnete. Jeden Tag stand ich am Wohnzimmerfenster und schaute hinaus auf die Straße. Die Welt draußen war ganz verschwommen, denn der Wind vom Fjord riss die Regenschauer in Fetzen und Stücke und peitschte das Wasser gegen die Fensterscheibe. Richtig deutlich war nur mein eigenes Spiegelbild. Hinter diesem Spiegelbild befand sich die Welt in Auflösung.

Als wir eines Tages beim Essen saßen, hörten wir aus dem Wohnzimmer ein Kratzen. Ich sah, wie der Blick meines Vaters zur Seite glitt, fort von dem meiner Mutter. Mutter legte den Löffel mit zerquetschten Kartoffeln und Soße beiseite und verließ die Küche. Ich betrachtete Vater, der mit Soße um den Mund und dem blau karierten Geschirrtuch um den Hals dasaß.

Ich schob meinen Stuhl vom Tisch zurück und lief hinter Mutter her.

Sie stand am Fenster.

Auf der anderen Seite der Glasscheibe war ein Mann in einem grauen Overall damit beschäftigt, an einem Haken in der Mauer einen Stahldraht zu befestigen. Der Mann stand auf einer Leiter.

Den Haken kannte ich gut. Es war mein Haken. Er gehörte mir. Jeden Tag stand ich an diesem Fenster und schaute hinaus, und jeden Tag betrachtete ich den in der Mauer angebrachten Haken. Der bei jedem Wetter dort war, sommers wie winters, Jahr um Jahr. Er war da und war nutzlos, bis dann Weihnachten näher rückte und die mit Tannenzweigen umwundenen Drähte quer über die Straße gespannt wurden, bis hinauf zum Marktplatz. Mit leuchtenden Glühbirnen und großen weißen Glocken aus Styropor. Verdammte Glocken, Scheißbirnen!

Jetzt sagte Vater nichts, und Mutter lachte.

In dieser Nacht konnte ich nicht schlafen. Ich wollte nicht schlafen. Ich horchte in mich hinein. Ob ich vielleicht aufs Klo musste. Wenn ich mich im Bett umdrehte, knisterte die Plastikmatte, die Mutter unter das Laken gelegt hatte.

Ich musste. Und musste nicht.

Und die ganze Zeit hörte ich eine fast vergessene Melodie. Den Wind, der auf der Stahlsaite spielte, die auf unserer Straßenseite an unserem Haus befestigt war und auf der anderen an der Mauer der Trikotagenfabrik. Es war ein leises Summen, ein wenig wie das Geräusch, das man unter den Hochspannungsmasten auf den Wiesen am Fluss hören konnte. Die Dunkelheit im Zimmer schien zu vibrieren.

Ich stand auf. Das Linoleum war eiskalt unter meinen nackten Füßen. Ich blieb ganz lange ganz still stehen und spürte, wie kalt es war. Es war eine schöne Kälte, sie brannte unter meinen Fußsohlen fast wie Hitze.

Nebenan im Wohnzimmer brannte Licht. Im Wohnzimmer brannte immer Licht. Auch wenn alle Lampen ausgeknipst worden waren, war im Wohnzimmer noch Licht. Ein blaues Licht, das die Laternen draußen durch die Fensterscheiben fallen ließen.

Vater lag auf dem Sofa hinten beim Bücherregal. Die weiße Decke erinnerte mich an eine Wolke, die auf unerklärliche Weise ins Zimmer gekommen war. Unter dieser Wolke ruhte jetzt mein Vater, ich konnte am Wolkenrand seine schwarzen Haare sehen.

Ich ging aufs Klo.

Es kam aber nichts.

Ich tat, was Mutter mir geraten hatte, ich setzte mich. Jetzt konnte ich zwei Tropfen aus mir herauspressen.

Danach ging ich wieder ins Wohnzimmer und setzte mich in den Schaukelstuhl. Horchte auf den Wind, der draußen auf der Straße den Stahldraht summen ließ. Der die Vibrationen durch die dicke Mauer und weiter ins Zimmer schickte. Ab und zu knackte der Koksofen in der Ecke. Ansonsten war alles still.

Ich dachte: Jetzt gehört das alles mir. Das Zimmer und das blaue Licht.

Draußen schneite es. Große weiße Flocken, die der Wind vor der Fensterscheibe tanzen ließ. Begleitet von diesem tiefen Summen, Tanz und Musik.

Die Straße war menschenleer. Aber einmal, vor nicht allzu langer Zeit, vielleicht, während ich auf dem Klo gesessen hatte, war jemand an der Mauer der Trikotagenfabrik entlanggegangen. Tiefe Fußspuren im Schnee.

Mitten auf der Fensterscheibe war ein Fleck. Er hatte Ähnlichkeit mit einem Mund. Ich ließ den Zeigefinger über diesen Mund gleiten, er fühlte sich fettig an. Der Wind ließ die großen Styroporglocken hoch oben über der Straße hin und her pendeln.

Und die ganze Zeit wusste ich, dass er nicht schlief. Dass Vater jetzt ganz still dalag und mich ansah. Ich konnte seinen Blick tief unten im Rückgrat spüren. Als leises Prickeln. Wenn ich gewollt hätte, hätte ich etwas zu ihm sagen können, obwohl es doch mitten in der Nacht war. Aber ich wollte nichts zu ihm sagen. Ich darf nie wieder mit Vater sprechen, dachte ich. Denn dann steht er auf und wird wieder so, wie er war.

Meine Mutter lag mit dem Gesicht im Kissen auf ihrer Seite des großen Doppelbettes. Auf der Seite meines Vaters war die Matratze leer. In diesem Zimmer, im Schlafzimmer meiner Eltern, das auf den Hinterhof schaute, war die Melodie des Windes nicht zu hören.

Amundsen war stark. Er trug Vater jeden Morgen und jeden Abend zum Klo. Amundsen wohnte auf der anderen Seite des Hofes in einem möblierten Zimmer. Schräg über diesen Hof zog sich jetzt ein festgetrampelter Pfad durch den Schnee.

Er nannte Vater einen Drecksack. Einen Sack voller Dreck. Amundsen trug Vater aufs Klo, und später saß er dann in der Küche und trank Kaffee aus der Untertasse, während er sich mit Mutter unterhielt. Jeden Morgen trug Mutter Vaters Decke ins Schlafzimmer, und das braune Sofa sah wieder so aus, wie es immer ausgesehen hatte.

Beide trugen sie.

Amundsen saß in der Küche und unterhielt sich mit Mutter, während Vater im Wohnzimmer im Rollstuhl saß und der Speichel aus seinem Mundwinkel lief.

«Natürlich braucht ihr einen Weihnachtsbaum», sagte Amundsen.

Mutter schüttelte den Kopf. «Das würde ihm gar nicht gefallen.»

«Würde dir das gar nicht gefallen, Brüderchen?»

So nannte er mich, dieser Amundsen. Brüderchen.

Ich schüttelte den Kopf.

«Ich meine den, der da hinten sitzt», sagte meine Mutter leise und nickte zum Wohnzimmer hinüber. «Frank.»

Amundsen stellte die Untertasse mit dem Kaffee auf den Tisch und drehte sich mit dem Tabak aus der gelben Packung, die immer in seiner rechten Hemdtasche steckte, eine Zigarette.

«Was für ein Quatsch!», sagte er und zündete sich die Zigarette an. Er zog so fest daran, dass ich die Glut im Tabak zischen hören konnte. Dann quoll eine blauweiße Rauchwolke aus seinen Nasenlöchern. Ich sah in dieser Wolke Fabeltiere und grausame Hexen.

«Du hast doch wohl nichts gegen ein nettes Tännchen in der Stube?», brüllte Amundsen in Richtung Wohnzimmer. Legte den Kopf schräg. «Nein. Hat er nicht.»

Und zu mir: «Rein in die Stiefel, Knabe!»

Wir gingen an den Schneehaufen am Straßenrand vorbei. In der Nacht hatte es heftig geschneit, und die Bürgersteige waren noch nicht geräumt worden. Wir gingen über die Straße. Amundsen vorweg und ich hinterher. Ich versuchte, meine Füße in seine Spuren zu setzen, geriet aber immer wieder aus dem Takt.

Dabei war es wichtig, nicht aus dem Takt zu geraten. Wer aus dem Takt gerät, muss sterben, dachte ich.

Hinter dem Zeitungskiosk war ein Wald gewachsen, seit ich zuletzt hier gewesen war. Ich war auf der Welt nicht mehr vorhanden, und mitten in der Stadt standen in dem pappigen Schnee die Tannen dicht an dicht. Es war schön. Amundsen grüßte nach rechts und links und führte mich dabei leise fluchend immer tiefer in den duftenden Wald. Die Leute wichen aus.

Als der Wald hinter uns lag, ging er in die Hocke und legte mir die Hand unters Kinn.

«Wir gehen jetzt wieder nach Hause, Brüderchen», sagte Amundsen.

Ich fing an zu weinen.

«Das hier ist nichts für uns», sagte er und richtete sich auf. «Das sind Bäume für Waschlappen und Motten.»

Ich weinte, bis Amundsen mich auf den Vordersitz seines alten Lastwagens hob. Ich hatte keine Ahnung von Waschlappen und Motten, und außerdem war ich doch tot. Weil ich es die ganze Zeit nicht geschafft hatte, in seinen Fußspuren zu bleiben. Nicht auf dem Weg zum Markt, und auch nicht auf dem Heimweg. Ohne Weihnachtsbaum.

Wir fuhren durch das Tal. Amundsen die ganze Zeit mit der rechten Hand auf der Gangschaltung. Einer großen roten Hand, die über der schwarzen Kugel lag. Die Hand, mit der er Vater den Hintern abwischt, dachte ich. Denn Vaters Hände hingen schlaff nach unten und taugten nicht mal mehr für eine Ohrfeige.

Auf der rechten Seite lag der Fluss, der jetzt kein Fluss mehr war, sondern eine breite weiße Fläche zwischen zwei Reihen kahler Laubbäume. Hier und dort hatte der Wind den Schnee beiseite gefegt, und das blanke Eis funkelte im Sonnenschein.

Und dann musste ich wieder weinen.

Amundsen sagte nichts.

Er war anders als die anderen, die ich kannte.

Ganz hinten im Tal bog Amundsen in einen Waldweg ein. Nach einer Weile erreichten wir einen Wendeplatz, an dessen

Rand zwei Baracken standen. An der Wand der einen lehnte eine halb mit Schnee bedeckte alte, rostige Kreissäge. Aus einem Schornstein kam Rauch. Eine graue Rauchsäule kräuselte sich träge in den blauen Himmel, dann löste sie sich auf.

Amundsen ließ sich in den Sitz zurücksinken und schloss die Augen. Ich wusste, dass er darauf wartete, dass ich mit dem Weinen aufhörte.

Später stiegen wir aus dem Auto.

Ich blieb ganz still stehen, während Amundsen hinten auf der Ladefläche unter einer Plane herumsuchte.

«Nimm die hier», sagte er.

Es war eine Axt. Eine Sportaxt, aber das wusste ich damals noch nicht. Ich wusste nur, dass es eine Axt war und dass sie meinen Arm zu Boden zog.

Wir stiegen einen steilen Hang hoch. Das Gehen fiel hier nicht schwer, denn die großen Forstmaschinen hatten den Schnee fest und glatt gepresst. An einigen Stellen war der bloße Boden zu sehen. Gefrorene Erde und Steine. Lange Riemen aus Birkenrinde, die überall verstreut lagen, verströmten einen würzigen Geruch. Der Tabakrauch, der die ganze Zeit über Amundsens Schultern strömte, roch süßlich. Amundsen ging vorweg. Ich lief hinterher.

Ich versuchte nicht mehr, meine Füße in seine Fußspuren zu setzen.

Vater saß im Rollstuhl und starrte den Baum an. Ich zerschnitt die Zeitung in lange Papierstreifen und versuchte, seine Gedanken zu erraten. Ich nahm an, dass er an den Teufel
dachte. Daran, dass der Teufel heute Geburtstag hatte.

Amundsen hatte im Wald den größten Baum ausgesucht.
Der Baum war so hoch, dass Amundsen mit seinem Fahrten-
messer ein kleines Loch in die Decke bohren musste, damit
der Baum ins Zimmer passte. Man konnte sich leicht vorstellen, dass der Weihnachtsbaum durch den Boden der alten
Frau Erlandsen im vierten Stock wuchs. Aus der Küche konnte ich Mutter hören, die ein Lied summte, dessen Namen ich
nicht kannte. Es duftete nach Schweinerippe und Kümmelkohl, aber trotzdem war es ein anderes Weihnachten, denn
zusätzlich zum Geruch des Teufels gab es im Wohnzimmer
jetzt noch einen anderen Geruch. Den würzigen Duft einer
Tanne. Der Tannennadeln und des Waldes. Als Amundsen
dem Baum den ersten Axthieb versetzt hatte, hatte ein großer
Vogel seine Flügel ausgebreitet und war schreiend davonge-
flogen. Ein Auerhahn. Der größte Vogel, den ich je gesehen
hatte.

Ich zerschnitt die Zeitung in lange Streifen. Fing ganz am
Rand jeder Seite an und arbeitete mich dann zur Mitte vor.
Manchmal hatte ich Glück und die ganze Seite wurde zu ei-
nem einzigen langen Streifen.

Ich konnte nicht lesen.

Die langen Papierstreifen waren einfach schwarz-weiß,
weiß-schwarz. Wie die Spuren, die ich in der Nacht zuvor auf
dem Bürgersteig gesehen hatte.

An diesem Abend ließ ich Würstchen Würstchen sein und aß stattdessen Schweinerippe. Und Kümmelkohl, der mir auch nicht schmeckte. Ich konnte noch nicht mit dem Messer umgehen, aber Mutter ließ mich gewähren. Sie sagte nichts. Zuerst schnitt ich die knusprige Schwarte ab und schob sie in den Mund. Dann starrte ich den grauweißen Fettrand an, der darunter zum Vorschein gekommen war. Ich aß das fette Schweinefleisch und zerquetschte Kartoffeln in der Soße. Auf der anderen Seite des Tisches saß Mutter und schnitt das Fleisch ebenfalls in winzige Stücke. Dann wollte sie Vater mit dem Löffel füttern, aber er spuckte das Essen über die weiße Tischdecke.

«Ich glaube, er will lieber Würstchen», sagte ich. Denn ich dachte: Heute Abend wird alles auf den Kopf gestellt, heute Abend muss alles ganz anders sein als letztes Jahr zu Weihnachten. Sonst wird alles ganz schrecklich schief gehen.

Vater starrte mich an. Seine Arme hingen an den Seiten des Rollstuhls schlaff nach unten.

«Du bist jetzt fast schon ein großer Junge», sagte Mutter, aber sie sah weder mich noch Vater an. Das verwirrte mich ein wenig. Ich hatte das Gefühl, dass sie keinen von uns gemeint hatte.

Vater und ich hatten jeder eine Flasche Orangenlimonade bekommen.

Mutter selbst trank Bier.

Alles war so anders. Es war halb dunkel im Wohnzimmer. Es gab nur die brennenden Kerzen auf dem Tisch und das blaue Licht von der Straße.

Und nur eine einzige Flasche Bier.

Vater wollte auch keine Würstchen. Und keine Limonade. Er spuckte alles aus, und sein Blick wanderte hin und her.

Dann saß er einfach nur da und sah den Weihnachtsbaum an,

den Mutter und ich mit den langen Papierstreifen geschmückt hatten, die ich aus der Zeitung ausgeschnitten hatte.

Es war ein schöner Weihnachtsbaum. Der einzige, den wir je gehabt hatten.

Er wimmelte von grauenhaften Insekten und Ungeziefer, die sich durch den Teppich und die Tapete fraßen.

Vaters Gesicht lief rot an. Fast blau in diesem seltsamen Licht.

«Jetzt musst du Amundsen holen», sagte Mutter.

Amundsen öffnete sofort. Ich dachte, dass er mich sicher vom Fenster aus gesehen hatte. Dass er gesehen hatte, wie ich über den Hof gegangen war. Hinter seinen breiten Schultern sah ich den Fernseher, der in der Dunkelheit flackerte.

«Schon unterwegs», sagte er und verschwand wieder in seinem Zimmer. Ich stand in der Türöffnung und bemerkte den Geruch von Zigaretten und Schnaps, der mir aus der Wohnung entgegenschlug. Alles war wie immer, und doch war irgendetwas anders als sonst: Ich hatte keine Angst.

Nein. Ich hatte keine Angst.

Als er zurückkam, hatte Amundsen ein schwarzes Sakko mit etwas zu kurzen Ärmeln angezogen. Während er die Tür hinter sich schloss, dachte ich, dass auch ich mir später einmal ein Sakko mit etwas zu kurzen Ärmeln kaufen wollte. Damit meine blauen und grünen Tätowierungen zu sehen wären, sogar in einem dunklen Treppenhaus.

Wir gingen zurück über den Hof.

Und diesmal ging ich vorweg.

Als Amundsen Vater aufs Klo getragen hatte, lief er rauchend im Wohnzimmer hin und her.

«Da hast du gute Arbeit geleistet, Brüderchen», sagte er und nickte zum Weihnachtsbaum hinüber.

Ich nickte. Ich wusste, dass ich gute Arbeit geleistet hatte.

Ich war ganz sicher, dass ich gute Arbeit geleistet hatte.

«Jetzt setz dich endlich, Amundsen», sagte Mutter. «Dann gibt's etwas zu essen.»

Essen wollte er nicht, aber er setzte sich trotzdem, und als Mutter ihm einen Teller brachte, aß er dann doch. Rasch. Gierig. Ich hatte Hunde auf diese Weise fressen sehen. Als der Teller halb leer war, fing Vater auf dem Klo an zu brüllen, aber Amundsen achtete nicht weiter darauf. Er schmatzte und leckte Fett vom Knochen.

Mutter brachte den Nachtisch. Den Obstsalat, den sie und ich am Vormittag vorbereitet hatten. Mit roten Beeren.

«So muss es im Himmel sein», sagte Amundsen, hielt sich die Hand vor den Mund und rülpste. «Mit Frau und Kind und einer Kuh im Stall.»

Mutter machte einen Gesichtsausdruck wie damals, wenn Vater sie geschlagen hatte.

Ich stieß mein Glas um.

Amundsen schob seinen Teller beiseite und ging zum Klo.

Die gelbe Limonade versickerte in der Tischdecke.

«Das macht nichts», sagte Mutter.

Dann blieben wir ganz still sitzen, während Vater brüllte und Amundsen etwas murmelte, das wir nicht verstehen konnten. Bald darauf brachte er Vater und setzte ihn vorsichtig wieder in den Rollstuhl. Erst jetzt fiel es mir auf. Dass der Rollstuhl viel niedriger war als die anderen Stühle am Tisch. Dass Mutter und ich höher saßen als Vater.

Amundsen spuckte auf seinen Kamm und zog Vater einen Mittelscheitel.

Ich hatte Vater noch nie mit Mittelscheitel gesehen.

Neu. Alles war neu.

«Und jetzt wollen wir ein Schnäpschen!», sagte Amundsen. «Nicht wahr, Frank?»

Vater, Frank, schaute den Weihnachtsbaum an, und Amundsen zog den Flachmann hervor, den ich die ganze Zeit schon in seiner Jackentasche gesehen hatte.

Mutter ging in die Küche und holte drei Eierbecher. Amundsen schenkte ein. Bis an den Rand. Der durchsichtige Schnaps bildete über dem Rand der Eierbecher einen leichten Hügel. Es war mir ein Rätsel, wie Amundsen das hinbekommen hatte.

Und ohne Prost zu sagen, leerte er den Becher mit einer einzigen raschen Bewegung, und kein einziger Tropfen fiel dabei herunter.

Mutter kleckerte auf die Tischdecke.

«Lecker?»

«Lecker!», sagte Mutter.

«Und du, Frank?»

Aus Vaters Mundwinkel floss der Speichel. Sein weißes Hemd hatte schon feuchte Flecken.

«Du sagst doch nicht nein zu einem Schnäpschen am Heiligen Abend?»

Vater sagte nicht nein zu einem Schnäpschen am Heiligen Abend.

Er sagte auch nicht ja.

«Bist du ganz sicher, dass du kein Schnäpschen willst?», fragte Amundsen. «Denn dann …»

Er leerte auch den zweiten Eierbecher.

Auch diesmal verschüttete er keinen einzigen Tropfen.

Mutter und Amundsen tanzten. Ich hatte Mutter noch nie tanzen sehen, aber jetzt tanzte sie mit Amundsen. Es sah schön aus. Ich dachte: Das hat Mutter die ganze Zeit gekonnt.

Ich dachte, dass sie ein Geheimnis gehabt hatte, von dem sie weder Vater noch mir erzählt hatte. Die schwarze Platte drehte und drehte sich auf dem Plattenspieler, und Mutter und Amundsen drehten und drehten sich im Wohnzimmer. Ab und zu stießen sie an die Möbel, und dann fielen Gläser und Kerzenhalter um, aber das machte nichts, denn Mutter legte nur den Kopf in den Nacken und lachte. Ihre Haare, die sie sonst immer hochsteckte, fielen offen auf ihre Schultern herunter. Wenn die Platte zu Ende war, lief Amundsen hinüber und drehte sie um. Wieder und wieder. Er drehte die Platte und schwenkte Mutter herum, alles drehte und drehte sich, und ich saß die ganze Zeit neben Vater und fuhr mit dem Finger über die scharfe Klinge meines Fahrtenmessers; es war das Messer, mit dem Amundsen das Loch in die Decke gebohrt hatte. Jetzt gehörte das Messer mir. Es war das schönste Weihnachtsgeschenk, das ich je bekommen hatte, und immer, wenn ich Vater vorsichtig damit in den Oberschenkel stach, jagten seine Augenbrauen nach oben. Als sei ihm plötzlich etwas eingefallen, das er schon vor langer Zeit vergessen hatte.

Ich machte nicht ins Bett. Ich lag ganz still da und lauschte auf den Wind, der draußen auf der Straße auf den Drähten Harfe spielte. Es war jetzt ein stärkerer Wind, die Töne wurden tiefer. Es regnete wieder, und der Regen ließ den Schnee schmelzen. Jedes Mal, wenn ein Auto vorüberfuhr, hörte ich ein gurgelndes Geräusch.

Dieses Geräusch steigerte den Druck auf meine Blase.

Wie in der Nacht zuvor stand ich auf und blieb auf dem kalten Linoleum stehen.

Schloss die Augen. Die Kälte brannte unter meinen Füßen. Ich zählte bis hundert, dann konnte ich es nicht mehr ertragen.

Vater hatte das Gesicht zur Wand gedreht.

Auf dem Tisch lag eine umgekippte Lampe; sie brannte noch, und der Rand des Schirms zeichnete sich an der Tapete als großer dunkler Bogen ab.

Ich ging zum Fenster. Der Wind hatte die Tannenzweige vom Stahldraht gerissen; sie lagen mit den Resten der Styroporglocken und den zerbrochenen Glühbirnen unten im Schneematsch.

Die Tür zum Schlafzimmer meiner Eltern war angelehnt.

Amundsen war eingeschlafen, seine Hose hing in einer Wulst um seine Füße, und seine Hand lag zwischen Mutters weißen Oberschenkeln.

Als ich wieder ins Wohnzimmer kam, legte ich mich ganz dicht an Vaters Rücken.

Ich musste so schrecklich dringend aufs Klo.

Ich war so müde.

Ævar Örn Josepsson

Sorge dich nicht, sterbe

«Jonni! Jonni! Jonni! Jonni! Jonni! …»

Die Stimmen trafen ihn, taktfest, pausenlos und immer lauter, wie Böen eines anschwellenden Sturms. Er saß in einem tiefen Ledersessel, einen Bierkrug in der einen, eine dicke Zigarre in der anderen Hand und schüttelte den Kopf mit aller Kraft. Nicht weil er der einstimmigen und lautstarken Forderung dieser vierzehn Menschen, die in einem unregelmäßigen Halbkreis vor ihm standen und stampften, klatschten und seinen Namen riefen, nicht nachkommen wollte; er hatte einfach zu viel getrunken und versuchte nun verzweifelt, sich selbst und sein Umfeld so weit unter Kontrolle zu bringen, dass er ohne sich zu blamieren aufstehen konnte. Er stellte den Bierkrug auf den zierlichen Beistelltisch, legte die Zigarre in den schweren Kristallaschenbecher daneben und grinste schief. Was für eine Scheißparty, dachte er, als er es endlich schaffte, auf die Beine zu kommen. Gut, dass man nicht nüchtern ist, fügte er noch im Kopf dazu, als der Chor in ein wildes Pfeifkonzert überging. Er hob beide Hände und verneigte sich nur so tief, wie er es wagte. Sie klatschten und wieherten wie die Irren.

«Aber meine Herrschaften», sagte er, als er über den Parkettboden schwankte, der frisch gebohnert im Schein eines überdimensionalen Kristallleuchters glänzte. «Meine

Herrschaft'n, jetzt werd' ich singen.» Ein allgemeines Hurra folgte dieser Ankündigung, und der Chor begann von neuem:

«Jonni! Jonni! Jonni! Jonni! …»

Scheiße. Jetzt gab es kein Zurück.

Niemals, hatte er gedacht, als er vor fünf Stunden durch die Tür kam, *niemals* werde ich Karaoke singen, um keinen Preis der Welt. Er hatte doch gar nicht herkommen wollen. Karaoke und Squaredance mit dieser Herbalife-Meute, die noch dazu dem ganzen Dale-Carnegie-Motivationsschnickschnack huldigte. *A party from hell*, war sein erster Gedanke, als Dísa ihn daran erinnerte, was bevorstand. Sorge dich nicht, lebe, *my ass*, war der nächste. Leben, ja bitte, aber so nicht, nein danke … Er hatte versucht, sich herauszureden, doch Dísa hatte keinen Millimeter nachgegeben. «Du weißt genau, wie das ist», sagte sie, «die andern werden alle dort sein. Was glaubst du, wie das aussieht, wenn wir diesmal nicht hingehen? Wir sitzen ja immer noch auf der ganzen letzten Sendung, und von der vorletzten ist auch noch eine Menge übrig. Wir können es uns einfach nicht leisten, Karl jetzt zu beleidigen.» Jonni gab nicht gleich auf. Es könnte schwierig werden, am zweiten Weihnachtstag einen Babysitter zu bekommen, sagte er, auch weil er diesmal auf einen Samstag fiel und alle anderen auch am Feiern waren. Aber nein, konterte sie, ihre Eltern freuten sich schon auf die Enkelkinder. Ob es denn nicht genug sei, dass sie dieses Mal hinginge, versuchte er weiter, sich herauszureden, sie könne doch einfach sagen, dass er krank sei, oder die Kinder. Es nutzte nichts. «Ich werde aber kein albernes Partyhütchen aufsetzen», warnte er sie, «und singen werde ich auch nicht. Klar?» Dagegen hatte sie nichts gesagt. Und jetzt war er hier, schwankte in Richtung Mikrophon, rot-grün kariertes Hütchen auf dem Kopf, und wollte singen. Die andern hatten alle schon gesungen, manche zweimal und Karl sogar dreimal, wie gewöhnlich, obwohl er bei weitem der schlechteste Sänger unter diesen vierzehn falsch singenden Idioten war. Oder eben dreizehn, Dísa war selbstverständlich keine Idiotin, aber sie war halt manchmal ganz gemein – und singen konnte sie schon gar nicht.

Jonni wusste, dass er selbst auch nicht singen konnte. Er hatte noch nie singen können, und das würde heute Abend auch nicht anders sein. Das war eine Sache, die weder das Mirakelpulver von Herbalife noch Dale Carnegies Selbsthilfebücher ändern konnten, wie man Karl nur allzu deutlich anhören konnte.

«Hast du schon einen Song gewählt?», fragte jemand mit heiserer Stimme. War wohl Helga, die Gastgeberin. Wenn man so etwas Gastgeberin nennen konnte, dachte Jonni und kicherte unwillkürlich. Mindestens fünfundvierzig, mit aller Mühe auf Twen getrimmt, gebleichte Haare, Wonderbra, großer Ausschnitt und figurformende Strumpfhose unter dem engen Minirock. Und lange feuerrote Nägel an den Pfoten, die überall herumgrapschten. Ekelhaft. Jonni fand sich selbst durchaus liberal, modern denkend und vorurteilslos, doch das war zu viel. Er war sicher, dass Dísa dieses Grapschen auch bemerkt hatte. Als er aber versuchte, ihr ein Zeichen zu geben, damit sie zu seiner Rettung kam, schaute sie einfach weg. Doch jetzt, wo alle zusahen, ließ Helga ihn in Ruhe, und Jonni nickte. «Stones», sagte er, «Nummer elf.» Er wusste nicht, ob es ein Fluch oder ein Segen war, aber die Auswahl der Songs bei diesem Set war immer ungewöhnlich gut. Es gab viele Songs, die ihm gefielen. Das war ein Segen. Doch der Fluch bestand darin, dass die Songs ausnahmslos so schrecklich misshandelt wurden, dass er es fast besser fand, wenn die Leute etwas sangen, was er sowieso nicht ertragen konnte.

Er hatte sich kurzfristig entschlossen, als Dísa ihn drängte zu singen. Bisher hatte er sich bei diesen Zusammenkünften immer daran vorbeigeschummelt, und wahrscheinlich hätte es dieses Mal auch keiner bemerkt, wenn sie nicht alle Aufmerksamkeit auf ihn gelenkt und die anderen dazu gebracht hätte, ihn hochzuklatschen. Hat sie wohl absichtlich getan, dachte er, als Strafe für seine Sturheit. Er lächelte schief. Er würde ihr das heimzahlen, und zwar sofort. Wyman, Taylor und Richards zupften die Saiten, Jonni warf sich in Rockpositur. «I'm feeling so tired», sang er und sah dabei Dísa mit einem bösen Lächeln an, «can't understand it ...»

Auch wenn die Auswahl für das Karaokezeug gut gewesen war: Die Musik zum Squaredance war schlecht. Wirklich scheiße.Wie könnte es auch anders sein, überlegte Jonas, während die vierzehn tanzenden Idioten immer wieder kurz in seinem Gesichtsfeld auftauchten, bevor sie wieder im alkoholischen Nebel verschwammen. Dísa sandte ihm einen mörderischen Blick, während sie ihren Tanzpartnern auf beiden Seiten zulächelte. Seite, zusammen, Seite, dachte Jonni. Na, dann aber Prosit. Jeweils sieben tanzten in einer Reihe, abwechselnd Männer und Frauen. Die Frauen waren in der vordersten Reihe außen, die Männer in der hinteren. Er verstand nicht, warum Dísa so schlecht gelaunt war. Sie musste doch einsehen, dass es besser war, wenn er auf seinem Hintern sitzen blieb, als wenn er mit seinen Füßen auf den Schuhen der andern herumtrampelte. Dísa tanzte in der vorderen Reihe, zwischen Karl und Mikki. Jonni verzog das Gesicht. Mikki, der Oberguru. Der Einzige, der keine Frau mitgebracht hatte. Sieben Paare und Mikki solo. Groß, schlank, silberhaarig, chic und selbstsicher. Selbst das alberne, amerikanisierte Nikolauskostüm, das er immer noch über seinem

Anzug trug, stand ihm gut. Fuhr einen Lexus der größeren Klasse. Machte einen auf harter Typ, ein Angeber eben, war aber ein genauso langweiliger Idiot wie all die andern. Fast noch schlimmer, er deutete fortwährend auf Jonni und grinste wie ein schleimiger Affe. Jonni trank einen Schluck Bier und rauchte, während er sich das, was er von Mikki wusste, vorhielt. Mikki. Mikael. Wie der Heilige eben, der Erzengel. Jetzt wie ein anderer Heiliger verkleidet, der Nikulás, den sie im Ausland als den Weihnachtsmann betrachteten. Das ist aber alles nur Schein, dachte Jonni, ein Scheinheiliger, das war der Mikael. Der Typ, der *über* Karl und Helga in der Herbalife-Pyramide stand. Alle andern standen darunter, auch sie, er und Dísa. Karls Kinder, wie Karl sie manchmal nannte. Dann muss dieser Typ mein Opa sein, dachte Jonni, ich bin der Enkel vom heiligen Nikulás. Morgen fahre ich Schlitten mit ihm und seinen Rentieren. Er kicherte in sein Glas. Dísa sandte ihm noch einen giftigen Blick. Er tat, als sähe er nichts, und fuhr fort, die Gruppe zu studieren. Auf Karls anderer Seite war die Frau von Ragnar und Ragnar selbst daneben. Er war es, der sie ursprünglich in diese Herbalife-Gruppe reingezogen hatte. Ein Kerl um die fünfzig mit Bierbauch, Halbglatze und roter Nase. Würde vielleicht einen noch besseren Coca-Cola-Santa-Claus abgeben als der Mikki, war aber nicht gerade die beste Reklame für das, was er zu verhökern suchte. Ganz im Gegensatz dazu seine Frau, sie war fünfmal attraktiver als Helga, auch wenn sie bestimmt fünf Jahre älter war. Aber das hieß ja nicht so viel, wenn es um Helga ging, dachte Jonni. Sie war auf der anderen Seite von Ragnar, ganz rechts. Die passen ja gut zusammen, grinste Jonni und sah auf die andere Seite, die linke Seite der vorderen Reihe. Es war keineswegs unangenehm, die Frau dort zu betrachten, die neben dem Heiligen tanzte. Dem Weihnachtsmann. Sie war etwa so alt wie Jonni, vielleicht ein oder zwei Jahre älter, aber sicher noch keine dreißig.

Sportlicher Typ, dachte Jonni, aber trotzdem verdammt zugkräftig beim Weißwein, alle Achtung. Sie hieß Guðrún, wenn er sich richtig erinnernte. Oder Kristín, so etwas in der Art. Jedenfalls etwas Übliches und Göttliches. War sicher eins fünfundsiebzig, und alles da, wo es sein sollte … Täuschte er sich oder versuchte sie, ihm zuzublinkern? Gleich hinter ihr war ihr Mann, ebenfalls ein sportlicher Typ, Spieler in der Handballnationalmannschaft oder sonst was ähnlich Großartiges, auch da war er links außen, wenn er sich richtig erinnerte. Oder rechts außen? Links, rechts, ist doch egal, dachte er. Seite, zusammen, Seite. Sie blinzelte ihm zu, verdammt nochmal, war das nicht ein Blinkern? Und das – seine Augen schwammen unbewusst nach unten und nach rechts –, war diese Hand nicht woanders, als sie sein sollte? Und auch diese? Aber Nikolaus, dachte er und versuchte ohne Erfolg, aus dem Sessel hochzukommen. Der Weihnachtsmann grapschte auf den Hintern von Frauen anderer Männer herum … Das war lustig, oder? Oder?

«Dísa», murmelte er, bevor er endgültig den Fokus verlor und die ganze Szenerie in ein bewegtes, rauschendes Durcheinander vor seinen Augen zerrann und er im Sessel zusammensank. Das Bier rann zwischen seine Beine und hinunter auf den Lederbezug, ohne dass er es verhindern konnte. «Dísa, was isch los?»

Im Zimmer war es fast dunkel, als er wieder die Augen öffnete. Vertraute Geräusche waren vom Sofa an der Westwand zu hören und hämmerten wie Herzschläge durch sein vernebeltes Gehirn. Er versuchte, auf die Beine zu kommen, doch nach dem vierten Versuch gab er auf. Starrte ins Dunkel hinein. Die Frau war dunkelhaarig, schien ihm, und hatte einen verdammt schönen Körper, war es das Sportmädchen? Der Mann war im trüben Schein des Straßenlichts, der durch die halb geöffneten Gardinen drang, sowohl an seiner Silbermähne als auch am roten Kostüm leicht zu erkennen.

«Aber Nikolaus, schäm dich», lallte Jonni in seine feuchte Hemdenbrust. Sie erstarrten mitten im Schwung und schauten kurz zu ihm hin. Einen Augenblick – oder zwei – wurden die Gesichter deutlich im Licht von draußen. Dann fuhren sie einfach fort, als sei nichts geschehen.

«Hey», rief er, «hey, was ist denn los?» Er bekam keine Antwort, es war, als wenn sie ihn überhaupt nicht hörten. Er rief noch einmal, lauter, doch sie taten immer noch, als sei nichts gewesen, machten nur weiter, weiter und immer weiter …

Stefán hob die Baseballmütze an, als er in die Seitenstraße einbog. Die schäbige, immer gleich giftgrüne Mütze hätte alle anderen lächerlich aussehen lassen, doch auf Stefáns Kopf thronte sie wie der Punkt auf einem riesigen I und machte allen klar, dass man es hier mit einer Übermacht zu tun hatte. Diejenigen, die auf diese Mütze hinuntergesehen hatten, konnte man an den Fingern einer Hand aufzählen, da sie normalerweise in fast zwei Metern Höhe thronte.

Der wolkenschwere Himmel war pechschwarz, aber die Häuser und die dünne, glitzernde Schneedecke über dem Asphalt waren im Schein Abertausender bunter Lichterketten hell beleuchtet. Die Radspuren zweier Autos waren im Schnee erkennbar. Das Polizeiauto und der Krankenwagen, dachte Stefán, sonst war hier niemand vorbeigekommen, seit es um drei Uhr geschneit hatte. Er nahm sein Handy und rief den Leiter der technischen Abteilung an, einen launischen Dauerhippie, dem man den Spitznamen «der Hund» gegeben hatte. Stefán wusste aus alter, bitterer Erfahrung, dass die einzige Möglichkeit, vor ihm an den Tatort zu kommen, darin bestand, ihn nicht anzurufen, bevor man selbst an Ort und Stelle war. Und manchmal wollte er sich halt den Tatort selbst einmal in Ruhe ansehen, bevor der Hund und seine ganze Meute alles mit Geräten, Werkzeugen und sich selbst überfüllten. Autolichter erschienen im Rückspiegel, als er hinter dem Krankenwagen anhielt. Katrín war angekommen und parkte ihr Auto hinter seinem. Alles schien ruhig, warmes Licht leuchtete aus dem Küchenfenster, Schnee und Eiszapfen markierten den Dachrand, und keine Katze war unterwegs. Stefán stieg aus dem Auto und sah sich um. Nur das Knirschen des Schnees unter seinen Füßen unterbrach das Schweigen. In den nächsten Häusern schliefen alle, die Fenster waren entweder völlig dunkel oder mit festlich-freundlichen Lichterketten verziert.

«Stille Nacht», murmelte er vor sich hin. Außer dem Polizeiauto und dem Krankenwagen, die beide ohne Licht und unauffällig vor ihm am Gehsteig standen, unterschied diese Straße nichts von all den anderen Vorortstraßen vor dem Morgengrauen zur Weihnachtszeit. Trotz seiner dreißigjährigen Dienstzeit bei der Polizei kam so etwas für Stefán immer unerwartet. Er fand, bei solchen Häusern sollten Chaos, Lärm und Aufruhr herrschen, blinkende Lichter, herumirrende Menschen und ein schreckliches Durcheinander, eingetretene Türen und zertrümmerte Fensterscheiben. Nicht diese völlige Ruhe, Küchengardinen mit Blumenmuster und ein freundliches Licht über der Eingangstür. Doch dies war eher die Regel als die Ausnahme. Das Vorspiel konnte ziemlich laut und schrecklich sein, doch es war, als ob der Tod alles und alle auslöschte, sobald er jemanden zu sich riss. Wie wenn Mutter plötzlich mitten in die Party platzt und die Anlage ausmacht, dachte Stefán, als Katrín, seine Assistentin und größte Hilfe der letzten fünf Jahre, ihre Autotür zuschlug und sich an seine Seite stellte.

«Frohe Weihnachten», sagte sie, «sollen wir hineingehen?» Eifrig und hellwach. Er nickte und gähnte.

Leises Murmeln war zu hören, als sie sich der Küche näherten, es verstummte aber gleich, als sie im Türrahmen erschienen. Die beiden Uniformen und einer der Sanitäter lehnten an den Küchenschränken, zwischen ihnen ein stählerner Herd. Drei Männer und drei Frauen saßen um den großen Küchentisch, eine vierte Frau, groß, vollbusig und mit groben Gesichtszügen, stand am anderen Ende. Sie hatte eine halb volle Kaffeekanne in der Hand und starrte sie fragend an, mit geröteten Augen. Wahrscheinlich die Gastgeberin, dachte Stefán und lächelte ihr aufmunternd zu.

«Helga», sagte sie leise, ohne sein Lächeln zu erwidern. Ihr Gesicht kam ihm halbwegs bekannt vor, woher, wusste er nicht.

«Kennen wir uns? …», fragte er zögernd.

«Nicht dass ich wüsste», antwortete sie. Sie hörte sich ein wenig nervös an, aber das war wohl unter diesen Umständen nicht anders zu erwarten, dachte Stefán.

«Du hebst mir vielleicht ein Tröpfchen auf», sagte er ruhig, bevor er sich an seine uniformierten Kollegen wandte. Einer richtete sich auf und stellte seine Kaffeetasse auf den Tisch.

«Kommt nach hinten», flüsterte er und ging vor ihm her, durch einen langen marmorbelegten Gang.

«Habt ihr schon –», fing Stefán an zu flüstern, begann dann aber gleich noch einmal in normaler Lautstärke. «Habt ihr Geir schon angerufen?» Die Uniform nickte. «Er ist schon unterwegs», antwortete der Kollege, immer noch leise, aber doch etwas lauter als vorher. «Gut», sagte Stefán, erstaunt und zufrieden zugleich. Geir war der Gerichtsmediziner, der unter diesen Umständen immer gerufen wurde, doch Stefán war angenehm überrascht, dass er bereit war, am Sonntag um fünf Uhr morgens zu kommen. Meist lag er zu dieser Zeit im Vollrausch zu Hause oder bei der einen oder anderen ebenso einsamen Frau. Besonders an den Wochenenden und an Weihnachten würde er die Einsamkeit wohl noch unerträglicher finden, dachte Stefán. Doch wenn Geir kommen wollte, bedeutete es, dass er nüchtern war.

Der andere Sanitäter wartete am Ende des Ganges auf sie. Er lehnte an einem verzierten Türbogen und schüttelte den Kopf, als sie erschienen.

«So was hab ich noch nie gesehen», murmelte er, während er durch die offene Tür nach innen deutete. «Hab natürlich gleich gesehen, dass er tot ist, habe das aber an der Halsschlagader – auf der andern Seite – überprüft, um sicherzugehen, bevor ich euch anrief. Sonst hab ich nichts angerührt.»

Stefán und Katrín schauten hinein. So was hatten auch sie noch nie gesehen. Ein halb nackter Nikolaus saß in gebeugter Haltung auf einer rosa Toilette. Die rote Jacke war offen, die ebenso rote Hose am Boden um seine Unterschenkel gewickelt. Sein rechter Arm hing schlaff herab, der linke Arm hingegen lag mit dem Ellbogen auf seinem nackten Schenkel und stützte den Kopf mit der geballten Faust. Der schwarze Schaft eines großen Messers stand rechts aus dem Hals heraus, zwischen dem Ohr und dem falschen weißen Bart, der locker um seinen Hals hing. Die Messerspitze ragte links neben dem großen Kehlkopf hervor. Tiefrote, glänzende Blutrinnsale ergossen sich über Achseln, Brust und Schenkel und mündeten in zwei großen Pfützen auf dem gefliesten Boden. Blutspritzer waren bis zur Mitte der Wände und auch auf dem rosafarbenen Handtuch am Waschtisch zu finden.

«Wer ist das?», flüsterte Stefán. Dann räusperte er sich. «Wer ist der Mann?», wiederholte er laut und deutlich. Zu laut, zu deutlich, dachte er, während die Worte im leblosen Gang nachhallten. «Wissen wir das schon?» Dieses Mal klang es einigermaßen normal, glaubte er. Die Uniform nickte.

«Mikael Kristinsson», zitierte er aus einem kleinen Heft, das er aus der Brusttasche zog, «Direktor.»

«Direktor bei?», fragte Katrín, weder zu leise noch zu laut. Die Uniform antwortete mit einem Achselzucken.

«Keine Ahnung.»

«Hast du die Jungs erreicht?», fragte Stefán, als sie wieder nach vorne gingen. «Árni wird gleich hier sein», antwortete Katrín. «Guðni war – nicht zu erreichen.» Stefán brummte. Er wunderte sich mehr darüber, dass Árni und Geir zu dieser Zeit einsatzbereit waren, als dass Guðni es nicht war. «Gut, dann nichts wie los. Fangen wir beim Gastgeber an, der hat ja die Leiche entdeckt, oder?» Katrín nickte.

«Ja. Er wollte auf die Toilette.» Sie schüttelte den Kopf. «Ein Glück, dass es im Haus zwei Toiletten gibt», fügte sie hinzu und begann, im Kopf eine Frageliste zusammenzustellen. Die erste Frage stellte sich fast von selbst, und die Antwort war wenigstens teilweise auch schon vorhanden. Da sie aber wusste, dass die Statistik keine genaue Wissenschaft war, fügte sie noch etliche Fragen hinzu.

Der Fotograf hatte seine Arbeit getan, und der Hund war fast fertig, als Árni den Gang entlangkam. Er schaffte es gerade noch, die Leiche auf ihrem Podest zu sehen, bevor Geir sie mit Hilfe des Sanitäters von ihrem rosafarbenen Sitz herunterwälzte und ihr den scharfen Wärmemesser tief in den Bauch stieß.

Rodins Denker hatte Árni zwar immer an einen Mann

beim Geschäftemachen auf dem Klo erinnert, doch dies war eindeutig zu viel, jetzt musste er sich einfach von der Statue trennen, die sein Bruder ihm geschenkt hatte, als er das – vorzeitig abgebrochene – Philosophiestudium aufnahm. Er wartete geduldig, während Geir seine Arbeit beendete. Hörte nur zu deutlich, wie er dem Kerl den Wärmemesser mit einem leisen Zischen wieder aus dem Bauch zog und mit ein paar Blättern Klopapier abtrocknete, bevor er ihn wieder in seine Tasche steckte.

«Und?», fragte er, als Geir nach vorn kam.

«Wenn sich die Raumtemperatur unverändert gehalten hat, dann reden wir von einer Stunde, vielleicht eineinhalb», sagte Geir leise und hob seine hängenden Schultern.

«Warum ist er denn nicht auf den Boden gefallen?»

Geir stöhnte. «Willst du, dass ich das im Detail erkläre?»

Árni schüttelte den Kopf. «Nein, es genügt, wenn du mir erklärst, ob es möglich ist oder nicht, dass er hier so ohne weitere Manipulation oder Stütze von anderen sitzen konnte.»

Geir hob die Achseln.

«Das ist gut möglich. Sehr wahrscheinlich sogar. Er hat nichts Böses erwartet, so viel scheint sicher. Hat sich gar nicht gewehrt, nicht mal aufgesehen.»

«Doch man könnte ihn so aufgestellt haben?»

«Ist schon auch möglich. Aber unwahrscheinlich.»

«Warum?»

«Weil Rigor noch nicht richtig eingesetzt hat. Die Todesstarre. Um ihn im Nachhinein in diese Stellung zu bringen und sie anhalten zu lassen, müsste ihn jemand möglichst so lange halten, bis sie einträte.»

«Wir brauchen die Namen und Adressen aller, die heute Nacht hier waren», sagte Stefán, während er Karl anwies, mit ihnen am Wohnzimmertisch Platz zu nehmen, wo Katrín schon ihren Kuli bereithielt. Wieder hatte er das Gefühl, dass er diesen Menschen, der vor ihm stand, kennen sollte, aber wieder wusste er nicht, woher, und der Mann konnte – oder wollte – ihm nicht weiterhelfen. «Aber wir fangen bei denen an, die noch hier sind», fuhr er fort, als er sich hinsetzte. «Wer ist das?», fragte er und deutete mit dem giftgrün gekrönten Kopf auf den schlafenden Mann in einem der Sessel am anderen Ende des Wohnzimmers.

«Jonni», sagte Karl, «Jónas, eigentlich, aber wir nennen ihn immer Jonni.» Er versuchte vergeblich, das Zucken in seinem Gesicht zu verbergen. «Jonni war bis vor kurzem einer unserer besten Verkäufer.» Stefán hob die Augenbrauen.

«Aber jetzt nicht mehr, oder wie?» Karl schüttelte den Kopf.

«Nein, ich weiß auch nicht, warum, aber Jonni und Dísa haben in letzter Zeit fast nichts mehr verkauft. Keine neuen Kunden geworben, und viele der alten haben aufgehört», sagte er achselzuckend. «Ist das wichtig?» Er war grau im Gesicht und sah überhaupt ziemlich schlecht aus, offensichtlich immer noch halb unter Schock.

«Wahrscheinlich nicht», sagte Stefán nüchtern. «Dísa ist seine Frau?»

«Ja», sagte Karl, «Ásdís. Sie ist in der Küche bei den anderen. Hat im Gästezimmer hier im Erdgeschoss geschlafen.»

«Und die anderen?» Karl strich über sein schlecht rasiertes Kinn. Sein linkes Auge und die Mundwinkel machten ihm zeitweise noch Schwierigkeiten, doch nicht mehr so stark wie vorher.

«Mikki – der Mikael also –», seine Augen deuteten in die Richtung der Sofas in der Ecke, wo Jonni noch in seinem Sessel an der anderen Wand schlief. Ein Schlafsack, eine rotweiße Mütze und ein Haufen Kleider lagen auf dem Sofa, das gleich neben ein anderes geschoben worden war. «Mikael hat sich in letzter Minute entschlossen, auch hier zu übernachten», sagte er halbwegs zu Tränen gerührt. «Ich konnte ihm nichts anderes als das Sofa anbieten. Wenn ich das früher gewusst hätte, hätte ich natürlich …» Er schüttelte den Kopf. «Doch er war damit zufrieden. Sagte, das wäre ganz in Ordnung. Ragnar und Rakel waren in einem der Kinderzimmer oben», erklärte er wie betäubt. «Und Guðrún und Marinó in dem anderen. Sie waren schon schlafen gegangen, als Mikael sich entschloss, hier zu übernachten.» Er blickte Stefán und Katrín entschuldigend an. Stefán brummte.

«Okay. Und das war, was sagtest du, eine klassische Weihnachts-Pepp-Party?», fragte er. Karl nickte eifrig. «Was bedeutet das?» Karl rieb sich die Hände und wurde ganz lebendig.

«Ihr kennt doch den Ausdruck Gruppendynamik, nicht wahr?», fragte er. «Team spirit?» Stefán stöhnte unhörbar, und Katrín lächelte ein unsichtbares Lächeln. «Seht mal», sagte Karl eifrig, «wir, Helga und ich, machen das immer zu Weihnachten, am Wochenende zwischen den Feiertagen, wenn es geht, wir finden, dass diese Jahreszeit irgendwie immer das Beste aus jedem herauslockt, dass es deshalb eine gute Zeit ist zum –» Stefán bremste ihn ab mit seiner riesigen Faust.

«Ich kenn das schon, ist gut. Ist das so üblich? Dass die Leute bei euch übernachten in Fortsetzung von dieser –» Stefán kratzte sich hinterm Ohr mit seinem Kuli, fand dort aber nichts und schnitt eine Grimasse. «Nach diesen weihnachtlichen Pepp-Partys?»

«Nein», sagte Karl, «und das war ja dieses Mal auch nicht vorgesehen. Doch weil der Jonni so betrunken war, dass wir ihn nicht wecken konnten, boten wir Dísa das Gästezimmer an. Und weil die Kinder sowieso nicht zu Hause waren, dachten wir, die andern, die am weitesten weg wohnen, könnten einfach auch hier bleiben. Wir schließen diese Treffen meistens mit einem Brunch am Sonntag ab, verstehst du? Ist am bequemsten für sie, hier zu übernachten. Und billiger auch natürlich. Ist ja sauteuer, mit dem Taxi.» Stefán nickte zustimmend.

«Aber es waren also noch mehr Leute hier, gestern Abend?»

«Ja, ja, wir waren vierzehn, wie gewöhnlich. Und dann – und wie gesagt, der Mikael.»

«Sind es immer dieselben Leute bei diesen –», wieder kratzte Stefán sich hinterm Ohr mit seinem Stift, und wieder musste er aufgeben. Ein besseres Wort wollte halt nicht kommen. «Diesen *Pepp-Partys*?» Der Gastgeber nickte. «Also haben sich alle gekannt?»

«Außer vielleicht Mikael, ja.»

«Gut gekannt?», fragte Katrín. Karl antwortete mit Achselzucken.

«Soso. Wir haben diese Partys die letzten vier Jahre veranstaltet, dies war das fünfte in Folge. Zweimal haben wir sie auch zum Grillen eingeladen, im Sommer. Ich glaube nicht, dass sie sonst viel miteinander zu tun haben.» Katrín schrieb das alles gewissenhaft auf.

«Aber dieser Mikael», fragte sie dann. «Wieso ist er diesmal gekommen? Er war wohl kein regelmäßiger Gast bei diesen – Zusammenkünften, keiner deiner Untertanen, oder?»

Karl sah sie an, gekränkt, aber auch verzeihend.

«Wir reden nicht von Unter- oder Übergeordneten in unserer Branche», erklärte er geduldig. «Wir sind alle gleich, wenn man das so sieht. Nur nicht alle gleich weit vorangekommen. Und Mikael ist – war gestern Abend der Ehrengast. Meine Frau und ich haben ihm alles zu verdanken.» Karls Stimme klang gerührt, sie schien kurz vor dem Versagen, doch er konnte sich gerade noch retten, indem er schniefte und sich heftig räusperte. «Und all die anderen auch. *Alles* zu verdanken», wiederholte er. «Wir, Helga und ich, dachten, es wäre einfach schön, wenn sie ihn besser kennen lernen würden. Er ist – er war so lebendig, halt, so, so spontan und, und einfallsreich. Das Kostüm, zum Beispiel, das war seine Idee. Er hat sogar Geschenke mitgebracht, wie ein richtiger Weihnachtsmann. Und ich verstehe es einfach nicht, kann es überhaupt nicht fassen, wer so etwas – und warum …» Wieder versagte seine Stimme, und diesmal konnte kein Räuspern mehr helfen. Er bedeckte sein Gesicht mit seinen Händen. «Entschuldigung», sagte er nach einer Weile, halb atemlos. «Entschuldigt, aber das ist alles so – so …»

Stefán seufzte wieder, dieses Mal deutlich hörbar, doch Karl schien es nicht zu bemerken. So unglaublich, fuhr Stefán in seinen Gedanken fort, so unwirklich, so verdammt unwahrscheinlich und absurd. Und dennoch ist es passiert. Er sah zu Katrín hinüber, die keine Miene verzog.

«Du hast das Messer gesehen, nicht wahr?», fragte er vorsichtig. Karl murmelte etwas, das er als Bestätigung nahm. «Und? Kennst du das Ding?»

«Es ist eines unserer Küchenmesser», murmelte Karl. «Das größte aus dem Sortiment, das auf dem Küchentisch steht.»

Árni erschien in der Wohnzimmertür und blickte sich erstaunt um. Stefán deutete ihm, sich zu setzen.

«Das ist Árni», erklärte er dem nervösen und übernächtigten Gastgeber, «er ist auch bei der Kriminalpolizei, und er überlegt gerade, warum der Weihnachtsbaum und dieser Tisch so nah an der Wand stehen, die Sofas und Sessel alle drüben in einer Ecke und warum dazwischen alles leer ist. Hat mich auch gewundert, muss ich zugeben. Sag einmal,

Karl, wie sind denn solche Pepp-Partys? Oder richtiger ausgedrückt, wie ist *diese* Party abgelaufen? War irgendetwas anders als gewöhnlich? Gab es Streitigkeiten zwischen Mikael
und jemand anderem?» Karl zögerte, bevor er den Kopf schüttelte, nicht lange, doch alle drei bemerkten es. «Oder vielleicht genau das Gegenteil», fuhr Stefán fort, «zu viele Flirts
und Liebeleien, was vielleicht erklären könnte, warum er halb
nackt auf der Toilette war?» Und warum er tot war, dachte er
weiter, dort auf der rosa Toilette. Mit diesem Riesendolch im
Hals. Nun war es ganz deutlich, dass Karl innerlich kämpfte,
obwohl es auch diesmal nicht lange währte.

«Ich —», begann er und verstummte gleich wieder. Stefán
nickte ihm aufmunternd zu, sagte aber nichts. «Mikael ist
– war ein wunderbarer Mensch», sagte Karl schließlich. «Ein
richtiger Gentleman. Doch er war zuletzt, um ehrlich zu sein,
ein wenig betrunken. Wie wir alle», beeilte er sich hinzuzufügen, als wollte er die Anschuldigung, die man aus seinen Worten lesen könnte, mildern. «So wie wir alle», wiederholte er.
Er schnäuzte sich und nahm sich reichlich Zeit, seine Nase
zu reinigen, bevor er weitermachte. «Und wie so viele andere
konnte er sich in einem solchen Zustand manchmal ein wenig
zu grob äußern und vielleicht auch ein bisschen zu frech he-
rumgrapschen ab und zu. Aber das ist wohl heutzutage keine
Todsünde mehr, oder?»

«Nein», gab Stefán zu, «das ist keine Todsünde. Wenigstens sollte es keine sein. Aber du könntest uns das vielleicht
trotzdem ein bisschen näher erklären? Fang einfach gleich
von Anfang an und erzähle, was geschah – so genau, wie du
nur kannst, bitte schön.»

Karaoke und Squaredance, dachte Árni, Herbalife und Gruppendynamik.

«Was ist?», fragte Stefán. Árni begriff, dass seine Miene nur allzu deutlich gezeigt hatte, was er dachte.

«Ich hab nur gedacht, dass ich selbst auch nach so einer Party jemanden umbringen könnte», sagte er, «nur hätte ich denjenigen getötet, der für diesen ganzen Schwachsinn verantwortlich ist.» Stefán und Katrín lächelten. Sie hatten schon mit allen im Haus gesprochen, bis auf den Volltrunkenen im Sessel. Der war, trotz wiederholter Versuche, nicht zu wecken. Die andern waren immer noch ziemlich verwirrt und mehr oder weniger zu betrunken dazu, trotz des Kaffees, den sie literweise in der Küche tranken, unter den musternden Blicken der beiden Uniformen, und alle schienen sehr betroffen, wenn sie die Fragen der Dreiergruppe der Kriminalpolizei beantworteten. Keiner erschien nervöser oder weniger nervös als ein anderer, und keiner tat ihnen den Gefallen, in blutigen Kleidern zu erscheinen oder zusammenzubrechen und ein Geständnis abzulegen. Und sie stimmten darin überein, dass diese Party fast genau wie alle andern Partys gewesen sei. Beim Essen hätten sie über ihre geschäftliche Lage gesprochen, hätten Informationen über die neuesten Produkte und Erfahrungen ausgetauscht, sich gegenseitig ermuntert, Geschenke ausgepackt und gemeinsam das Wohnzimmer vorbereitet und die Karaokegeräte aufgestellt, damit sie mit dem Singen anfangen konnten. Danach kam der Squaredance und dann ein wenig Unterhaltung vor dem Zubettgehen, nachdem die andern sich verabschiedet hatten. Bis auf vier Kleinigkeiten war alles wie gewohnt: Der Mikael war da, Jonni hatte gesungen, Jonni hatte sich bis zur Bewusstlosigkeit besoffen, und sie blieben über Nacht. Das war noch nie vorher geschehen.

«Jonni hat gesungen», echote Stefan seine eigenen Gedanken. «Jonni hat gesungen. Die Stones. *Bitch.* Scheint wenigstens Geschmack zu haben.» Árni nickte seine Zustimmung und blätterte in seinem Notizbuch, bis er fand, was er suchte. Karl hatte getan, worum er gebeten worden war, und die Party bis in alle Einzelheiten beschrieben.

«Hier steht es. Zwei Abba-Songs, zwei von U2 und je eins mit diesem und jenem, hauptsächlich Weihnachtslieder, aber viermal Stones.» Er sah Stefán an. «Und Mikael hat eines davon gesungen. *Sympathy for the devil.*» Stefán zog mit Daumen und Mittelfinger an seiner Unterlippe.

«Lass mich das eben mal sehen», sagte er und reckte sich nach dem Notizbuch.

«Die stammen ja alle von *Beggars Banquet*», sagte er und sah Árni an. «Nur die *Bitch* nicht.»

«Genau, Mikael ist als Erster dran mit *Sympathy*, dann kommt – wie heißt er nochmal? Der Handballer?»

«Marinó», sagte Stefán, «richtig, mit *Street fighting man*, dann Karl mit *No expectations* und zuletzt Jonni mit *Bitch*.» Ihre Blicke trafen sich, und sie nickten nachdenklich. Katrín sah sie an, und es war deutlich, dass sie nichts verstand.

«Und was heißt das?»

«Du bist wohl kein Stones-Fan, oder?», fragte Stefán ernst.

«Nein», gab Katrín zu. «Das bin ich nicht.» Stefán schüttelte den Kopf.

«Dein einziger Fehler», sagte er, «oder jedenfalls der einzige, der wirklich zählt.» In seinen braunen Augen erschien ein kleines Lächeln. «*Der Meister und Margarita*, hast du das gelesen?» Sie nickte schweigend mit dem Kopf. Sie wusste nicht, was er mit diesem Gespräch bezweckte oder weshalb sie über Musik und Bücher redeten, wenn es doch geboten war, den Mörder sofort zum Verhör auf die Wache zu bringen, bevor der erste Schock über die vollbrachte Tat überwunden war und die Schuld nicht mehr eingestanden, sondern geleugnet wurde. Sie war sicher, dass sie jetzt schon genügend Beweismaterial zur Verfügung hatten, sie brauchten nicht einmal darauf zu vertrauen, dass der Hund und seine Meute deutliche Fingerabdrücke vom Messer abnehmen konnten – und das war auch gut so, denn den neuesten Informationen zufolge gab es nur wenige davon auf dem schwarzen Schaft, und die waren auch ziemlich verschmiert. Deshalb war es umso wichtiger, so schnell wie möglich ein Geständnis zu sichern, und wenn es nach ihr ginge, würde das ganz bestimmt geschehen, bevor es Tag wurde, wann immer es so weit sein mochte, an diesem trüben, wolkenverhangenen Morgen.

«Bulgakow», sagte Stefán, «Michael Bulgakow.»

«Ich weiß, wer das Buch geschrieben hat», warf sie ungeduldig ein, doch Stefán ließ sich von ihr nicht stören.

«Ich glaube kaum, dass es Zufall war, dass er diesen Song gewählt hat. Der Mikael. *Sympathy for the devil* ist nichts anderes als eine Variation zu *Meister und Margarita*, verstehst du. Also haben wir da einen dreifachen Michael, den Bulgakow, den Jagger und den Direktor.»

«Vierfach», warf Árni dazwischen. «Mick Taylor war ja noch da, als sie *Sticky Fingers* machten.»

«Ganz richtig», sagte Stefán zufrieden, «das hatte ich vergessen. Der ist aber nicht dabei auf *Beggars Banquet*, wo *Sympathy* drauf ist. Auf alle Fälle –» Katrín rollte ihre grünen Augen und hätte ihn am liebsten laut angeschrien, er solle aufhören, so einen Blödsinn zu reden, und etwas Vernünftiges tun, doch er war nun einmal ihr Chef, und sie zwang sich, geduldig zu sein. Stefán ignorierte ihre schlecht verborgene Rastlosigkeit und machte munter weiter. «Auf alle Fälle, der Erzähler im Song, in *Sympathy* also, ist der Teufel, der die

Welt besiegt hat, der alle umgebracht hat, die umgebracht werden müssen – mit der eifrigen Hilfe der Allgemeinheit, nota bene –, derjenige, der Pontius Pilatus dazu bringt, sich vom Mord an Christus reinzuwaschen. Der Songtext beginnt fast mit denselben Worten wie Bulgakows Roman: *Darf ich mich vorstellen, ich bin ein reicher Mann mit gutem Geschmack* – doch dann stellt er sich eben nicht richtig vor, sondern bittet die Leute, seinen Namen zu erraten. Und er weiß genau, dass diejenigen, die er anspricht, fieberhaft herumrätseln, was zum Teufel er eigentlich von ihnen will. Der Teufel also», erklärte er. Sicherheitshalber.

«Das hab ich alles mitbekommen», sagte Katrín, kurz angebunden, «aber ich versteh trotzdem nicht, was das alles –» Stefán hob seine rechte Hand.

«Warte, warte doch. Nach all dem, was wir von diesem Mikael gehört haben, bin ich mir sicher, dass solche Gedanken bei seiner Wahl mit im Spiel waren. Er war die Hauptperson, der Ehrengast, er war der Reichste, derjenige, dem sie alles zu verdanken hatten, wie Karl gesagt hat, und das wusste er nur allzu gut. Und hat ihnen das mit diesem Song unter die Nase gerieben.» Árni nickte zustimmend.

«Genau», sagte er, «und mindestens zwei haben das begriffen und darauf geantwortet.» Katrín sah ihn fragend an.

«Karl und Marinó», erklärte Stefan geduldig. «Marinó mit *Street fighting man* und Karl mit *No expectations*. Obwohl er das natürlich nicht besonders betont hat.»

«Eine andere Jahreszeit, eine andere Stadt», fuhr Árni fort, «doch das ist Nebensache. Der Straßenschläger stellt sich mit seinem Namen vor, im Gegensatz zum Erzähler bei *Sympathy. Hey! Said my name is called disturbance …*», summte er, und Stefán fiel in der nächsten Zeile mit ein: «*I'll shout and scream, I'll kill the king …*» Katrín legte einen Finger auf ihre Lippen, und sie verstummten, ein wenig verlegen. Stefán räusperte sich. «Ja, und dann kam Karl als Nächster an die Reihe. Mit dem Song eines Mannes, der einmal reich gewesen und jetzt arm geworden ist.»

«Und der eine Frau liebt, die ihn mit einem Schwein betrogen hat. Wegen eines Mannes, den er für ein Schwein hält, also, und der auf alle Fälle unter ihrer Würde ist.»

«Das ist ja alles sehr aufschlussreich», sagte Katrín in einem Tonfall, der ihre Worte Lügen strafte. «Und der da?» Sie deutete mit dem Kopf auf Jonni, der immer noch zusammengesunken im Sessel schnarchte. «Worüber hat er sich geäußert?»

«Das Lied heißt *Bitch*», sagte Árni zögernd. Etwas in Katríns Stimme warnte ihn und mahnte zur Vorsicht. «Es handelt eigentlich davon, wie heiß er die Frau liebt, von der er singt, auch wenn der Titel etwas anderes andeutet. Es ist halt die Liebe selbst, die eine Hure ist …» Unter dem strengen Blick von Katrín war er knallrot geworden, auch Stefán schien etwas verlegen, folgte aber stur der Stones-Spur bis zur letzten Haltestelle.

«Ich glaube, dass in seinem Fall der Titel die Hauptsache war», sagte er. «Es scheint, als habe er es immer vermeiden können, bei diesen Zusammenkünften zu singen, bis gestern Abend eben, und da war es seine Frau, die dafür sorgte, dass er sich diesmal nicht vor dem Singen drücken konnte. Außerdem —» Er räusperte sich. «Außerdem hatte Mikael sich an sie herangemacht. An seine Frau, meine ich.» Katrín nickte.

«Ich habe gehört, was Karl darüber gesagt hat», sagte sie trocken, «genau wie ihr beiden. Und auch, was sie selbst gesagt hat. Sie wollte ja nichts mit ihm zu tun haben, hab ich gehört. Ihr nicht?»

«Doch», gab Stefán zu. «Und Kristín hat genau dasselbe gesagt wie Sie. Marinós Frau, also, von der Karl sagte, dass sie wohl auch ihren Teil an Mikaels Aufmerksamkeit erhalten habe. Doch das heißt nicht unbedingt –»

«– dass er die beiden nicht angemacht hat», schloss Katrín. «Nein.»

«Und wir wissen ja, dass er bei *einer* geschlafen hat», fügte Árni noch hinzu. Katrín und Stefán nickten zustimmend. Obwohl Geir ohne weitere Untersuchungen nichts behaupten wollte, sagte er, er sei ziemlich sicher, dass der Mann einen Samenerguss kurz vor seinem Tod gehabt hätte. Und der Hund hatte vorher schon klargestellt, welcher Art der größte Fleck im Schlafsack war.

«Es ist natürlich möglich, dass er, dass er halt selbst –» Árni gab auf. Er konnte vor Katrín so etwas einfach nicht aussprechen. Komisch, dachte er. Idiotisch, korrigierte er. Kindisch sogar. Er schüttelte den Kopf. Doch das machte nichts, die beiden verstanden schon, was er sagen wollte.

«Schon möglich», sagte Katrin, «aber unwahrscheinlich. Es sind vier Frauen im Haus. Ich gehe davon aus, dass er eine Zeit lang eine von ihnen bei sich auf dem Sofa gehabt hat. Der da könnte uns vielleicht sagen, wer das war, sollte er irgendwann mal aufwachen.» Alle blickten auf Jonni, doch ihm war nicht anzusehen, dass er bald den Lazarus für sie spielen würde. «Egal. Wir werden es sicher so oder so herausfinden, früher oder später. Obwohl», fügte sie hinzu, «es vielleicht nicht allzu wichtig ist. Wir wissen ja schon, wer ihn umgebracht hat, und das ist ja das Wichtigste, nicht wahr?» Sie starrte ungläubig ihre beiden Kollegen an, die sie unsicher und fast ausweichend anschauten. «Na hört mal», sagte sie entrüstet. «Was ist denn los? Das ist doch verdammt offensichtlich, zum Teufel, Stefán?»

«Äh, ja», brummte der grünköpfige Riese verwirrt, «ja natürlich, man kann natürlich sagen, dass, dass es sich eigentlich um den Marinó handeln muss, nicht wahr?» Árni nickte zustimmend.

«Ja doch», sagte er, «Karl hat uns doch gesagt, dass Mikael sich an diesem Abend danebenbenommen hatte, und der Marinó hat das ja auch selbst bestätigt. Für ihn und diesen Halbtoten dort im Sessel. Mikael hat sie immer wieder beleidigt und sich gleichzeitig mit ihren Frauen amüsiert. Man braucht schon Kraft, um so ein Messer so tief hineinzuhauen. Ist dieser Marinó nicht irgendein Handballheld? Und stark wie ein Stier?» Stefán wurde ganz lebhaft.

«Ja doch», sagte er eifrig und sah Katrín anerkennend an. «Und zwar nicht nur irgendein Handballheld», erklärte er dem Antisportler Árni. «Er hat auch ein heißes Temperament, der Junge.» Er sah wieder zu Katrín hinüber und lächelte. «Und seht nicht auf die Stones hinunter, der Marinó ist launisch, er *ist* eben ein Aufrührer und eine Art *Street fighting man*, jawohl, der auch gern mal Unruhe stiftet und das sogar genießt. Und dann ist er auch noch Rechtsaußen.» Katrin nickte bedächtig.

«Das bedeutet?», fragte Árni.

«Das bedeutet, dass er Linkshänder ist», sagte Stefán. «Das ist natürlich nicht immer der Fall, doch Marinó ist es.» Jetzt schien Árni ein Licht aufzugehen.

«Und wer es auch getan hat, er muss seine Linke benutzt haben, denn er kommt nicht hinter den Kerl, der auf der Toilette sitzt. Bingo!»

Sie lächelten Katrín an und warteten auf ihr wohlverdientes Schulterklopfen, doch das ließ auf sich warten. Sie sah die beiden nur an und schüttelte den Kopf.

«Marinó ist ein temperamentvolles Kraftpaket und ein Linkshänder», sagte sie, «das stimmt. Und deswegen auch ein idealer Sündenbock für jemanden, der ihn einigerma-

ßen kennt. Doch er hat heute Abend hier niemanden umgebracht.»

«Wie kannst du das so einfach behaupten?», fragte Árni
zweifelnd.

«Weil er dazu nicht fähig war», sagte Katrín. «Geir ist ganz
sicher, es war ein einziger, kräftiger Stich. Kein Zögern, kein
Bohren – nur ein ganz kräftiger Stich.»

«Ja und?»

Katrín hob die Hände.

«Allmächtiger, Jungs, was ist denn hier los? Stones und
Bulgakow und der Kuckuck weiß, was noch, man sollte glau-
ben, dass ihr in letzter Zeit nur Agatha Christie gelesen habt.
Jedenfalls habt ihr in letzter Zeit nicht die Sportseiten gelesen.
Marinó ist beim letzten Spiel gestürzt. Er hat sich das Schlüs-
selbein gebrochen», erklärte sie, «auf der linken Seite.»

«Aber», sagte Árni, und sein Gesicht war ein Fragezeichen,
«er trägt keinen Gips?» Stefán brummte.

«Einen Gips kann man bei einem Bruch des Schlüssel-
beins gar nicht anbringen», knurrte er Árni an, wütend auf
sich selbst. «Ich hab das schon neulich gelesen», murmelte
er, «habe ich aber gleich wieder vergessen.» Katrín nickte.

«Jawohl. Und da ist noch etwas, was du vergessen hast. Man
könnte fast meinen, du hättest schon Alzheimer, du Armer!»
Stefan wollte protestieren, hielt sich aber zurück. Er hatte
seine Dienstleute immer aufgefordert, ihn wie einen Gleich-
gestellten zu behandeln, und konnte Katrín schlecht dafür rü-
gen, wenn sie dieser Aufforderung endlich einmal nachkam.

«Okay, okay», sagte er und hob die Hände, «streu jetzt Salz
in die Wunden des Alten. Was habe ich denn jetzt wieder vergessen?» Katrín schloss einen Augenblick die Augen und holte tief Atem.

«Zuerst einmal all das, was du mir bisher in diesen fünf bis sechs Jahren beigebracht hast, während ich mit dir gearbeitet habe», sagte sie dann, leise und gefasst. «Und damit meine ich hauptsächlich das, was du uns seit jeher über die Wichtigkeit des Offensichtlichen eingeimpft hast. Details und Spekulationen, vor allem die wilden Spekulationen, sind für später, erinnerst du dich noch? Immer damit anfangen, was gleich deutlich ist. Diese Stones-Geschichte ist ja sehr lehrreich und lustig, und vielleicht haben die Kerle sich auch mit diesen Liedern irgendwelche Botschaften übermittelt, ich weiß es nicht. Ich hab auch keine Ahnung, wie es in dem Ehebett dieser Leute zuging in letzter Zeit, und ebenso wenig, was Mikael verbrochen hat, um solch einen Tod zu verdienen. Das wird sich sicherlich noch herausstellen. Vielleicht hat die Frau sogar mit ihm geschlafen, vielleicht auch nicht. Doch ich weiß, wer sie ist, und ich weiß auch, wer ihr Mann ist, und dass sie vor einigen Jahren sehr gutes Geld verdient haben. Das war zwar vor ziemlich vielen Jahren, noch bevor sie heirateten, aber du solltest dich trotzdem noch daran erinnern», sagte sie und sah Stefán anklagend an. «Marinó ist ja nicht der einzige Handballheld hier im Haus.» Stefán sah sie einen endlosen Augenblick entsetzt an, bevor er sein Gesicht verdeckte.

«Natürlich», murmelte er, «selbstverständlich, ich wusste doch, dass ich die beiden kannte, wie konnte mir das entgehen?» Katrín stand auf und zog ihren Mantel an. Árni sah die beiden fassungslos an.

«Und was jetzt?», fragte er verwirrt, «kann mir vielleicht jemand sagen, von wem ihr da redet? Und was so klar und deutlich ist und wir übersehen haben?» Katrín sah ihn mitleidig an.

«Wir reden von einem ehemaligen Berufshandballer, den sogar du kennen solltest. Und dann rede ich davon, dass ein Gast alkoholtot hier im Wohnzimmer liegt mit Bier und Erbrochenem auf und um sich herum, aber sonst *nichts*, und wir haben mit den anderen gesprochen, und kein Einziger hatte Blutspuren an den Kleidern», sagte sie eifrig, «und ich rede davon, dass das Badezimmer voll Blut war und alle Wände mit Blut bespritzt waren. Ich würde sagen, das sollte reichen.» Sie verstummte und sah Stefán an, der schwerfällig aufstand, seine Mütze abnahm und sich tief verneigte.

«Schon gut», sagte er, «schöne Arbeit. Jetzt kannst du gehen und den Mörder mitnehmen. Wir Idioten bleiben und machen hier alles fertig.» Er setzte die Mütze wieder an ihren Platz und lächelte milde. «Du musst aber zugeben, dass diese Stones-Theorie verdammt gut war. Nutzlos», beeilte er sich hinzuzufügen, als er ihre Miene sah, «aber doch gar nicht schlecht, will ich meinen.» Katrín gab auf.

«Wenn du das sagst», murmelte sie, machte kehrt und ging aus dem Zimmer. Stefán sah Árni an, der immer noch die Hände im Schoß hielt und überhaupt nichts verstand.

«Überleg mal», sagte er dann, ungewöhnlich verständnisvoll, während er sich wieder in den Stuhl fallen ließ mit allem dazugehörigen Krachen und Stöhnen. «Vergiss den Handball einen Augenblick, ich weiß, dass das nicht dein Spezialgebiet ist, aber denk mal, was sie sonst noch gesagt hat.» Árni überlegte. Sah den halb nackten Weihnachtsdenker auf der rosa Toilette vor sich und überlegte, was geschehen sein könnte. Der hatte wohl nichts Schlimmes erwartet, hatte Geir gesagt. Und überall war Blut. Doch nicht auf der Kleidung derer, die sie vernommen hatten. Zum Kuckuck, dachte er. Natürlich.

«Es gibt nur zwei Personen im Haus, die ihre Kleider wechseln können», sagte er. «Nur zwei Personen. Die anderen kannten Mikael kaum und hatten ja außerdem gar nicht geplant, hier zu übernachten.» Stefán nickte.

«Wie sie gesagt hat. Klarer Fall.» Er schüttelte den Kopf. «Ich hätte das schon früher sehen sollen, noch bevor ich zur Tür hereinkam, und auch alles andere. Der Herr des Hauses, der Gastgeber, ist Karl Bergsveinsson, besser als Kalli Begg bekannt. Wurde manchmal Kalli der Zweihänder genannt. Er war ja gleich stark mit beiden Armen. Er war Schütze, spielte viele Jahre in Deutschland. War immer kurz davor, in die Nationalmannschaft aufgenommen zu werden, hat es aber nie so richtig geschafft. Kein Wunder, dass er mir so bekannt vorkam.» Stefán schlug seine Baseballmütze tiefer und schüttelte den Kopf, staunend und ärgerlich auf sich selbst.

«Dir ist hoffentlich klar, dass sie dein nächster Vorgesetzter wird?», fragte er. «Die Katrín?»

«Wie meinst du das, willst du denn bald aufhören?» Árni war fast erschrocken. Stefán schüttelte den Kopf.

«Nein.» Er stand auf und rückte seine Mütze zurecht. «Nein, ich höre noch nicht auf. Leider. Sage dem Hund, er soll nach blutiger Kleidung suchen. Wenn er dir an den Kragen will, sagst du, dass diese unnötige Botschaft von mir stammt. Ich will mich hinlegen, ich glaube, ich habe Fieber. Oder ich habe in den letzten Tagen vielleicht zu viel gefressen. Oder sonst was. Du fährst hinunter auf die Wache und hilfst Katrín, diese verdammte Sache zu Ende zu bringen. Wenn sie Hilfe braucht, meine ich. Oder will.» Árni nickte.

«Kalli Begg», murmelte er, «Karl Bergsveinsson.» Er schüttelte den Kopf und sah Stefán nochmal fragend an. «Kenne ich doch gar nicht. Warum hat Katrín denn gesagt, dass sogar ich mich an ihn erinnern sollte?»

«Davon hat sie doch nichts gesagt», sagte Stefán und grinste müde.

«Doch, bestimmt hat sie das gesagt», insistierte Árni, «sie hat das gesagt, gerade bevor sie —»

«Kalli Begg ist ein netter Typ», brummte Stefán. «Ein wirklich netter Kerl halt. Und genau das ist wahrscheinlich der Hauptgrund, warum er nie in die Nationalmannschaft gerückt ist. Er war nie aggressiv und bissig genug, um es ganz nach oben zu schaffen. Und heute ist seine Linke unbrauchbar. Und die Rechte kaum besser, auch wenn sie nicht so schlecht ist wie die Linke. Welche Handballspieler kennst du denn, Árni? Zähle mal auf.» Árni zog die Stirn in Falten und suchte die Namen, denen in den letzten paar Jahren nicht zu entkommen gewesen war, auch als uninteressierter Antisportler nicht. Zählte sie auf, gewissenhaft, alle drei. Stefán nickte.

«Und dann ist da noch einer», sagte er, «du weißt noch einen Namen. Es liegt noch weiter zurück, aber vergiss die Sportseiten.» Árni schloss die Augen. Massierte seine Schläfen. Kratzte sich am Kopf, bis er plötzlich hochfuhr, Augen und Mund weit offen.

«Aber, aber das kann doch nicht wahr sein», stammelte er, «da stimmt doch was nicht? Was ist denn mit den Kindern, ihr habt doch vorher von Kindern gesprochen, oder?» Stefán nickte noch einmal, er sah noch müder aus als vorher.

«Das ist ja die zweite Ehe der beiden, erinnerst du dich?»

«Helgi Hersteinsson», sagte Árni. «Der verflixte Helgi Hersteinsson.» Stefán versuchte noch einmal zu lächeln.

«Rechtsaußen», sagte er, «also Linkshänder, wie Marinó. Bis er sich vor neun Jahren operieren ließ und zu Helga wurde.» Er gab den Versuch zu lächeln wieder auf. «Und seinen früheren Mannschaftskapitän zwei Jahre später heiratete. Gottes Wege und die der Liebe ...» Er schüttelte den Kopf. «Also. Ich erwarte von euch einen Bericht auf meinem Schreibtisch, wenn ich am Nachmittag komme. Frohe Weihnachten noch.»

«Hast du das gewusst?», fragte Árni, als Stefán gegangen war. Doch Jonni antwortete nicht.

«Jonni! Jonni! Jonni!»

«Ja, ja, ja, was ist denn los, ich werde schon singen», murmelte Jonni, «ich werd verdammt nochmal singen ...»

«Jonni, wach doch endlich auf, Mensch, du machst mich wahnsinnig!» Vorsichtig, ganz vorsichtig öffnete Jonni die Augen. Dísa beugte sich über ihn, und er konnte keinen Ärger in ihrem Gesicht erkennen. Nur Sorge, fast sogar Furcht. Jónas lächelte schwach. *Love is a bitch*, dachte er.

«Hallo, Dísa, schön, dich zu sehen», sagte er dann.

«Jonni, steh auf, bitte bitte, wir müssen nach Hause. Jetzt sofort.» Er sah sich betäubt um. Das große Wohnzimmer war öd und leer, der Weihnachtsbaum und der prunkvolle Kristallleuchter strahlten nicht mehr, und vor den Fenstern herrschte noch Dunkelheit.

«Gibt's denn keinen Brunch?», fragte er verwirrt.

«Keinen Brunch», sagte Dísa ungeduldig und zog ihn am Arm. «Dieses Mal nicht. Komm, Jonni, steh auf, bitte, wir müssen jetzt nach Hause gehen.»

«Okay», sagte er und gähnte herzhaft. Dann schaute er kurz zur Seite. Ein verlassener Schlafsack und ein Kleiderhaufen mit roter Mütze oben darauf lockten ein Lächeln auf seinem verquollenen Trinkergesicht hervor.

«Weißt du, was ich heute Nacht gesehen habe?», fragte er konspirativ.

«Komm endlich», sagte Dísa ungeduldig und zog ihn noch einmal, bis er endlich mit Mühe auf die Beine kam. Sie half ihm, nach vorn durch den Gang zu kommen.

«Der Großmogul», flüsterte er, «der Silberfuchs, der Erzengel. Der Mikael. Er war auf dem Sofa. Gleich neben mir.

Hat bestimmt geglaubt, ich sei tot. Und er war nicht alleine, unser Nikolaus, und es war kein Rentier, das er geritten hat. Mensch, Dísa, stell dir vor, ich hab den Nikolaus beim Bumsen erwischt! Ich schwöre es dir, das war unglaublich. Und weißt du, mit wem? Eh? Ich sag es dir, es war die —»

«Schh», zischte Dísa.

«Verdammt, mir ist scheißkalt», sagte Jonni, als sie aus der Einfahrt des Hauses schwankten. «Nanu, was ist denn hier los? Warum ist denn die Polizei hier? Hab ich was verpasst?»

Quellenverzeichnis

Arne Dahl: Das dritte Auge
Aus dem Schwedischen von Gabriele Haefs. Copyright © Arne Dahl. Copyright © der deutschen Übersetzung: Rowohlt Verlag GmbH, Reinbek bei Hamburg 2004.

Anna Jansson: Single zu Weihnachten
Aus dem Schwedischen von Gabriele Haefs. Copyright © Anna Jansson. Copyright © der deutschen Übersetzung: Rowohlt Verlag GmbH, Reinbek bei Hamburg 2004.

Åke Edwardson: Eiszeit
Aus dem Schwedischen von Susanne Dahmann. Copyright © Åke Edwardson. Copyright © der deutschen Übersetzung: Ullstein Buchverlage GmbH, Berlin 2004.

Jørn Riel: Die Weihnachtsgans
Aus dem Dänischen von Gabriele Haefs. Copyright © Lindhardt & Ringhof, Kopenhagen. Copyright © der deutschen Übersetzung: Rowohlt Verlag GmbH, Reinbek bei Hamburg 2004.

Leif Davidsen: Eine Weihnachtskarte aus der Vergangenheit
Aus dem Dänischen von Gabriele Haefs. Copyright © Leif Davidsen. Copyright © der deutschen Übersetzung: Rowohlt Verlag GmbH, Reinbek bei Hamburg 2004.

Leena Lehtolainen: Der weiße Prinz
Aus dem Finnischen von Angela Plöger. Copyright © Leena Lehtolainen. Copyright © der deutschen Übersetzung: Rowohlt Verlag GmbH, Reinbek bei Hamburg 2004.